DE VUURDOOP

# Alexander Söderberg

# De vuurdoop

Vertaald door Edith Sybesma en Neeltje Wiersma

2012
DE BEZIGE BIJ
AMSTERDAM

Cargo is een imprint van uitgeverij De Bezige Bij, Amsterdam

Copyright © 2012 Alexander Söderberg
Published by agreement with Salomonsson Agency
Copyright Nederlandse vertaling © 2012 Edith Sybesma en Neeltje Wiersma
Oorspronkelijke titel *Den andalusiske vännen*
Oorspronkelijke uitgever Norstedts, Stockholm
Omslagontwerp Wil Immink Design
Omslagillustratie Tomas Monka / Skarp
Foto auteur Malin Lauterbach
Vormgeving binnenwerk Peter Verwey, Heemstede
Druk Koninklijke Wöhrmann, Zutphen
ISBN 978 90 234 7333 6
NUR 305

www.uitgeverijcargo.nl

# Proloog

Haar blik ging van de binnenspiegel naar de rijbaan en weer terug. Ze zag de motor niet, op dat moment niet. Een seconde geleden was hij er nog, hij was komen opdoemen en weer verdwenen. Ze reed op de rechterrijbaan, zocht de bescherming van achteropkomende auto's op.

Hij keek voortdurend achterom, probeerde haar rijden vanaf de passagiersplaats te sturen. Ze hoorde niet wat hij zei, alleen de paniek in zijn stem.

De contouren van de motor doken op in de trillende binnenspiegel, verdwenen, kwamen weer tevoorschijn – dat ging zo een poosje door terwijl hij tussen de auto's achter hen door slalomde. Ze schoot naar de linkerbaan en gaf plankgas. De auto vibreerde door het hoge toerental, ze schakelde door naar de vijfde en laatste versnelling, ze was misselijk.

Ze voelde tocht bij haar voeten, daar moesten de kogels ergens ingeslagen zijn. Er kwam een fluitend geluid door de gaten, dat samenvloeide met het loeien van de automotor, een vreselijk geluid dat haar door merg en been ging. Ze wist niet hoe lang ze al had gereden toen de schoten vielen – plotseling en onwerkelijk. Ze had gezien dat de motorrijder een blauwe helm droeg met een donker vizier en dat de schutter op de buddyseat een zwarte helm zonder vizier op had. Ze had hem heel even in de ogen gekeken en de leegte erin gezien.

Ze waren vanaf de linkerkant beschoten, de geluiden waren uit het niets gekomen, een snel opeenvolgend ratata. Er rammelde iets in de auto, alsof iemand met een ketting tegen het plaatwerk sloeg. Op hetzelfde moment hoorde ze een schreeuw. Ze kon niet vaststellen of die van haarzelf afkomstig was of van de man naast haar. Ze keek hem even aan. Hij was veranderd, nu kwamen de zenuwachtigheid en de angst bij hem boven en manifesteerden zich als boosheid. Die stond op zijn gezicht te lezen, een frons op zijn voorhoofd, een starre blik, af en toe een spiertrekking bij zijn ene oog. Hij belde een voorgeprogrammeerd nummer op zijn mobiel, voor de tweede keer sinds de schoten waren gevallen, hij wachtte met het telefoontje aan zijn oor en keek gespannen voor zich uit. Hij kreeg geen gehoor en hing op.

De motor kwam weer op hoge snelheid dichterbij, hij schreeuwde tegen haar dat ze harder moest rijden. Ze besefte dat snelheid hen niet zou redden, en zijn geschreeuw ook niet. Ze proefde de metalen smaak van de angst in haar mond, en een witte ruis zoemde koortsachtig door haar hoofd. Ze was de paniek voorbij en trilde niet meer; ze had alleen het gevoel dat ze lood in haar armen had, alsof het besturen van de auto zwaar werk was. En als een onoverwinnelijke vijand reed de motorfiets opeens naast hen. Ze keek snel naar links en zag het wapen met de korte loop in de hand van de schutter, zag dat het op haar gericht werd, en dook instinctief in elkaar. Het wapen spuugde zijn kogels uit, die met harde, galmende knallen insloegen in de carrosserie. De zijruit versplinterde met een krakend geluid en stortte een regen van glas over haar uit. Ze hing met haar hoofd opzij en hield het gaspedaal helemaal ingetrapt. De auto bestuurde zichzelf, ze had geen idee wat er voor hen gebeurde. Ze zag het dashboardkastje bij zijn knieën openstaan; er lagen een paar patroonhouders in. Ze zag het pistool in zijn hand en hoorde meteen daarna een harde knal van staal op ijzer. Een gierend geschraap aan de rechterkant toen de auto tegen de vangrail reed. Het knarste en kraakte, de auto hing scheef en het rook naar brand.

Ze kwam met haar hoofd omhoog, stuurde weg van de vangrail, zette de auto recht en reed de rijbaan weer op. Een korte blik over haar schouder, de motor reed schuin achter haar. De man vloekte luid, leunde over haar heen en schoot met het pistool uit haar raam, drie schoten achter elkaar. De explosies van het wapen dreunden onwerkelijk na in de auto; de motor remde af en verdween.

'Hoe ver moeten we nog?' vroeg ze.

Hij keek haar aan alsof hij de vraag niet had verstaan, daarna hoorde hij er kennelijk een echo van in zijn hoofd.

'Ik weet het niet...'

Ze hield het pedaal tot de bodem toe ingedrukt, de snelheidsmeter trilde en de auto slingerde bij de hoge snelheid. Een snelle blik in de binnenspiegel.

'Daar is hij weer,' zei ze.

Hij probeerde zijn raam open te doen, maar door de botsing met de vangrail was de deur gedeukt en de ruit zat vast. Hij leunde tegen haar aan, trok zijn rechterbeen in, zette kracht en schopte de ruit kapot. Het grootste deel van het glas viel eruit. Hij tikte de overgebleven scherven er met de kolf van zijn pistool uit, leunde naar buiten en schoot op de motorrijder, die de afstand weer liet groeien. Ze zag het hopeloze van hun situatie in. De motor maakte de dienst uit.

Het werd stil, alsof iemand het geluid had uitgezet. Ze vlogen over de snelweg, met de blik op oneindig, en probeerden zich te verzoenen met de naderende dood. Met bleke gezichten, niet in staat te bevatten wat er exact op dat moment in hun leven gebeurde. Hij zag er vermoeid uit, zijn hoofd was gebogen en zijn ogen stonden bedroefd.

'Zeg iets!' spoorde ze hem met luide stem aan. Ze hield twee handen aan het stuur, keek naar de weg en bleef op snelheid.

Hij reageerde niet meteen, alsof hij ergens over nadacht, en draaide zich toen naar haar om.

'Sorry, Sophie.'

# DEEL I

## Stockholm zes weken eerder, mei

# 1

Haar stijl en haar uiterlijk brachten sommige mensen ertoe op te merken dat je niet zou zeggen dat ze verpleegkundige was. Ze wist nooit of ze dat als een compliment of een belediging moest opvatten. Ze had lang donker haar en groene ogen die soms de indruk wekten dat ze elk moment in lachen uit kon barsten. Dat was niet zo, zo zag ze er gewoon uit, alsof ze met die glimlach in haar ogen was geboren.

De trap kraakte onder haar voeten. Het huis – een bescheiden houten villa uit 1911, voorzien van ramen met roeden, glimmende oude parketvloeren en een tuin die best wat groter had mogen zijn – was haar uitverkoren plekje, dat wist ze al toen ze het voor het eerst zag.

Het keukenraam stond open, het was een windstille lenteavond. De geur die naar binnen kwam, was eerder zomers dan lenteachtig. De zomer begon eigenlijk pas over een paar weken, maar de warmte was vroeg gekomen en niet meer verdwenen, en hing nu zwaar en stil in de lucht. Ze was er blij mee, ze had de warmte nodig, ze genoot ervan dat ze ramen en deuren kon openzetten en vrij in en uit kon lopen.

Ze hoorde het geluid van een brommer in de verte, van de merel die zong in een boom en van andere vogels waarvan ze de naam niet kende.

Sophie haalde het serviesgoed tevoorschijn en dekte de tafel voor twee met de mooiste borden, het chicste bestek en de fraaiste glazen; ze vermeed het alledaagse zo veel mogelijk. Ze wist dat ze alleen zou eten, want Albert at wanneer hij trek had en dat viel zelden samen met haar etenstijden. Ze hoorde zijn voetstappen op de trap, snelle sportschoenen op oud eikenhout, iets te zwaar, iets te hard – Albert maakte zich niet druk om het kabaal dat hij maakte. Ze glimlachte naar hem toen hij de keuken in kwam, hij glimlachte jongensachtig terug, rukte de deur van de koelkast open en bleef veel te lang naar de inhoud staan kijken.

'Doe de koelkast dicht, Albert.'

Hij bleef staan. Sophie nam een paar happen, bladerde verstrooid in een tijdschrift. Ze keek op, zei het nog eens, nu met ergernis in haar stem.

'Ik kan me niet meer bewegen...' fluisterde hij theatraal.

Ze moest lachen om zijn komische gedrag. Het maakte haar vrolijk... misschien wel trots.

'Wat heb je vandaag gedaan?' vroeg ze.

Ze zag dat hij bijna in de lach schoot. Dat herkende ze, hij vond zijn eigen grapjes altijd leuk. Albert pakte een fles mineraalwater uit de koelkast, gooide de deur met een klap dicht en wipte op het aanrecht. Het koolzuur siste toen hij de dop van de fles draaide.

'Stelletje mafketels,' zei hij en hij nam een slok. Albert begon te vertellen over zijn dag, bij stukjes en beetjes, al naar gelang hem iets te binnen schoot. Ze luisterde geamuseerd terwijl hij de spot dreef met leraren en anderen. Ze zag dat hij ervan genoot om grappig te zijn en opeens was hij uitgepraat. Sophie voelde het nooit aankomen, hij stopte dan gewoon, alsof hij genoeg had van zichzelf en zijn humor. Ze wilde haar handen naar hem uitsteken, hem vragen of hij wilde blijven, of hij nog wat langer grappig, menselijk, vriendelijk en gemeen tegelijk wilde zijn. Maar zo werkte dat niet. Ze had het eerder geprobeerd en het pakte altijd verkeerd uit, dus ze liet hem gaan.

Hij verdween de hal in. Het was even stil, misschien was hij bezig andere schoenen aan te trekken.

'Ik krijg nog duizend kronen van je.'

'Waarvoor?'

'De poetsvrouw is vandaag geweest.'

'Poetsvrouw, dat zeg je toch niet?'

Ze hoorde de rits van zijn jack.

'Wat moet ik dan zeggen?' vroeg hij.

Gewoon 'Dorota', wilde ze zeggen, maar hij was de deur al bijna uit.

'Doei, mam.' Zijn toon was opeens vriendelijk.

De deur ging dicht, ze hoorde zijn voetstappen op het grindpad voor het open raam.

'Bel als het laat wordt!' riep ze.

Sophie ging door met de dingen die ze altijd deed. Ze ruimde de tafel af, maakte het gezellig, keek tv, belde een vriendin voor zomaar een praatje over niets – en zo kwam ze de avond door. Ze ging naar bed, probeerde een stukje te lezen in het boek op haar nachtkastje over een vrouw die een nieuw doel in haar leven had gevonden door straatkinderen in Boekarest te helpen. Het was een saai boek over een pretentieuze vrouw, met wie Sophie niets gemeen had. Ze klapte het dicht en viel in slaap, alleen in bed, zoals gewoonlijk.

Acht uur later was het kwart over zes 's ochtends. Sophie stond op, werkte haar ochtendritueel af, veegde de spiegel in de badkamer af, die woorden onthulde als hij besloeg: ALBERT, AIK en een heleboel onleesbare dingen die hij met zijn wijsvinger schreef, terwijl hij zijn tanden poetste. Ze had tegen hem gezegd dat hij daarmee op moest houden. Daar leek hij zich niets van aan te trekken en ergens vond ze dat prima.

Terwijl ze staande een licht ontbijt nam, las ze de voorpagina van de krant. Het was bijna tijd om naar haar werk te gaan. Ze riep drie keer naar Albert dat hij moest opstaan en een kwartier later zat ze op haar fiets en liet zich wekken door de zoele ochtendbries.

*

Ze noemden hem Jeans. Ze dachten echt dat hij zo heette. Ze hadden gelachen en naar zijn broek gewezen. *Jeans!*

Maar hij heette Jens en zat samen met drie Russen aan een tafel in een schuurtje in de jungle van Paraguay. De baas heette Dimitri, een slungelige dertiger met het gezicht van een kind. Een kind wiens ouders neef en nicht van elkaar waren. Zijn kameraden Gosja en Vitali waren van dezelfde leeftijd en hun ouders waren misschien zelfs wel broer en zus. Ze lachten constant zonder echte vrolijkheid. Hun ogen stonden ver uit elkaar en hun mond hing half open ten teken dat ze niet bijster slim waren.

Dimitri mixte dry martini in een plastic jerrycan. Hij stopte er olijven in en schudde, schonk de cocktail in omgespoelde koffiekopjes, morste en bracht een toost uit in het Russisch. Zijn vrienden joelden en iedereen dronk van het brouwsel, waar een bijsmaak van diesel aan zat.

Jens vond hen onsympathiek, het hele stel. Ze waren afstotelijk, oneerlijk, onbeleefd, nerveus... Hij probeerde zijn afkeer niet te tonen, maar dat ging hem slecht af; hij was nooit goed geweest in het verbergen van zijn gevoelens.

'Zullen we de spullen eens bekijken?' vroeg hij.

De Russen raakten zo opgewonden als kinderen die een cadeautje krijgen. Hij liep de schuur uit naar de jeep, die op een stoffig, zwak verlicht erf geparkeerd stond.

Waarom de Russen helemaal naar Paraguay waren gekomen om de spullen te bekijken, wist hij niet. Doorgaans werd er iets bij hem besteld, hij leverde en kreeg betaald, zonder de klant ooit te ontmoeten. Maar zij waren een categorie apart, alsof wapens kopen voor hen iets bijzonders was, iets leuks, een avontuur op zich. Wat ze deden wist hij niet en hij wilde het niet weten ook. Het maakte niet uit, ze waren daar om zijn koopwaar te bekijken, proef te schieten, cocaïne te snuiven, hoeren te neuken en hem de tweede van drie termijnen te betalen.

Hij had een MP7 bij zich en een Steyr AUG. De andere wapens lagen ingepakt in een loods bij de haven van Ciudad del Este, klaar om verscheept te worden.

De Russen pakten de wapens en deden net of ze op elkaar schoten. *Hands up... hands up!* Ze gierden van de lach, bewogen schokkerig. Dimitri had een witte cokevlek in zijn baardstoppels zitten.

Gosja en Vitali begonnen ruzie te maken over de MP7, rukten en trokken aan het wapen en sloegen elkaar hard met de vuisten op het hoofd. Dimitri trok hen uit elkaar en haalde de jerrycan met dry martini tevoorschijn.

Jens observeerde hen van een afstand; het ploegje zou de beest uithangen, de Paraguayanen zouden terugkomen met hoeren om hun goodwill te tonen. De Russen zouden nog higher en zatter worden en met scherp gaan schieten. Hij wist wat er zou gebeuren en hij kon er niets aan doen, het zou een puinhoop worden. Hij wilde weggaan, maar moest tot zonsopgang wachten; hij moest wakker en nuchter blijven, zijn geld in ontvangst nemen wanneer Dimitri vond dat het moment daarvoor gekomen was.

'Jeans! Where the fuck is the ammo?'

Hij wees naar de jeep. De Russen rukten de portieren open en begonnen te zoeken. Jens stopte zijn hand in zijn zak, hij had nog één nicotinekauwgumpje over. Sinds twee maanden gebruikte hij geen snustabak meer en met roken was hij drie jaar geleden al gestopt. Nu zat hij in het oerwoud, veertig kilometer van Ciudad del Este. De nicotinesynapsen in zijn hersenen schreeuwden om aandacht. Hij nam het laatste kauwgumpje, kauwde er driftig op, keek met nauw verholen walging naar de Russen en wist dat hij binnenkort weer zou gaan roken.

*

Als ze eenmaal in het ziekenhuis was, werkte ze. Het was zo druk dat er zelden tijd was voor iets anders en bovendien vond ze er niets aan om koffie te drinken met haar collega's, daar voelde ze zich ongemakkelijk bij. Ze was niet verlegen, misschien was het een gebrek en kon ze gewoon niet gezellig een kopje koffie drinken met andere mensen. Ze werkte er vooral voor de patiënten, niet vanuit een bijzondere vroomheid of een uitgesproken wens om anderen te verplegen. Ze werkte in het ziekenhuis om met hen te kunnen praten, met hen om te gaan. Ze waren daar omdat ze ziek waren en daardoor waren ze in hoofdzaak zichzelf. Open, menselijk en eerlijk. Bij hen voelde ze zich veilig en had ze het idee dat ze goed functioneerde. Dat wilde ze, dat trok haar erin aan. Patiënten kletsten zelden zomaar wat, alleen wanneer ze aan de beterende hand waren en dan verliet ze hen en verlieten zij haar. Misschien had Sophie het beroep oorspronkelijk wel daarom gekozen.

Profiteerde ze van het ongeluk van andere mensen? Misschien wel, maar ze voelde zich geen profiteur. Ze voelde zich meer een verslaafde. Ze was verslaafd aan de eerlijkheid van anderen, aan hun openheid, ze had het nodig af en toe een glimp op te vangen van de ware aard van mensen. En wanneer dat gebeurde, werden die mensen haar favoriete patiënten. De favoriet had bijna altijd een fier karakter. 'Fier' was het woord dat ze gebruikte. Wanneer ze op het toneel verschenen, liet ze het even op zich inwerken, misschien verwonderd en vervuld van een ondefinieerbare hoop. Mensen met een rechte rug, die vanuit hun innerlijke fierheid durfden te glimlachen om het leven, ze had er altijd oog voor gehad, wist ze er altijd meteen uit te pikken, zonder dat ze kon verklaren hoe of waarom. Alsof deze enkelingen hun ziel tot volle bloei lieten komen, alsof ze de voorkeur gaven aan het beste boven wat goed was, alsof ze al hun karaktertrekken onder ogen durfden te zien, ook hun duistere en verborgen kanten.

Ze liep met een dienblad door de gang, op weg naar Hector Guzman in kamer 11. Hij was drie dagen geleden opgenomen, nadat hij op een zebrapad in de binnenstad was aangereden. Zijn rechterbeen was onder de knie gebroken. De artsen meenden ook een miltbeschadiging te hebben ontdekt en nu lag hij hier nog ter observatie. Hector was midden veertig, mooi maar niet knap, fors maar niet dik. Hij kwam uit Spanje, maar ze vond dat hij Scandinavische trekken had. In zijn donkere haar zaten lichtere plekken. Zijn neus, zijn jukbeenderen en zijn kin waren scherp en zijn huid neigde naar zandbruin. Hij sprak vloeiend Zweeds en hij was een van die fiere mensen – misschien vanwege zijn oplettende ogen, misschien vanwege het gemak waarmee hij zich ondanks zijn forse postuur bewoog. Of misschien vanwege de gespeeld onverschillige glimlach die hij haar toewierp wanneer ze zijn kamer binnenkwam, alsof hij wel doorhad dat ze hem doorhad. Dat was ook zo en daarom glimlachte ze ook naar hem.

Hij zat met een leesbril op zijn neus achterovergeleund in bed en deed net alsof hij verdiept was in een boek. Dat soort spelletjes speelde hij altijd wanneer ze zijn kamer in kwam, dan deed hij net alsof hij haar niet zag, alsof hij druk bezig was.

Ze ging in de weer met de pillen, deed ze in kleine plastic bekertjes en gaf hem er een van. Hij nam het aan zonder op te kijken van zijn boek, liet de pillen in zijn mond vallen, nam een glas water aan en slikte ze door, nog steeds geconcentreerd op zijn boek. Ze gaf hem de tweede serie en daar deed hij hetzelfde mee.

'Altijd weer even lekker,' zei hij zacht en hij keek op. 'Je hebt andere oorhangers in vandaag, Sophie.'

Ze wilde bijna een hand naar haar oor brengen.

'Misschien wel,' zei ze.

'Nee, niet misschien. Dat is zo. Ze staan je goed.'

Ze liep naar de deur en trok die open.

'Mag ik een beetje sinaasappelsap? Als dat kan?'

'Dat kan wel,' zei Sophie.

In de deuropening kwam ze de man tegen die zich eerder had voorgesteld als Hectors neef. Hij leek niet op Hector, hij was tenger en gespierd, had zwart haar, was langer dan gemiddeld en had alerte, ijsblauwe ogen die alles wat er om hem heen gebeurde leken te registreren. De neef knikte kort naar haar. Hij zei iets in het Spaans tegen Hector, die iets terugzei, waarna ze allebei begonnen te lachen. Sophie kreeg het gevoel dat zij het voorwerp was van de grap en vergat het sinaasappelsap.


Gunilla Strandberg zat met een bos bloemen in haar hand op de gang en zag de verpleegkundige de kamer van Hector Guzman uit komen. Gunilla nam haar onderzoekend op toen ze dichterbij kwam. Was het blijheid die ze zag? Het soort blijheid waarvan iemand zich niet bewust is dat hij die uitstraalt? De vrouw passeerde haar. Op haar linkerborstzakje zat het speldje waaraan je kon zien dat ze een Sophiazuster was. Naast het speldje zat haar naamplaatje, waar Gunilla 'Sophie' op kon lezen.

Ze volgde Sophie met haar blik. Het gezicht van de vrouw was mooi. Mooi op de manier van de bevoorrechten, smal, discreet... en gezond. De verpleegkundige had een soepele gang, het leek wel of haar voet de vloer maar heel even aantikte voordat de volgende stap begon. Ze had een elegant bewegingspatroon. Ze bleef Sophie nakijken totdat ze in een andere patiëntenkamer verdween.

Gunilla raakte in gedachten verzonken, gedachten die op gevoelsmatige vergelijkingen gebaseerd waren. Ze keek opnieuw in de richting waarin Sophie zojuist was verdwenen, en toen naar kamer 11, waar Hector Guzman lag. Daartussenin was iets. Een energie... een intensivering van iets wat met het blote oog niet waarneembaar was. Iets wat de vrouw, Sophie, uit die kamer had meegenomen.

Gunilla stond op, liep de gang door en keek om de hoek van de personeelskamer. Die was leeg. Het dienstrooster van die week hing aan de muur. Ze keek om zich heen in de gang voordat ze naar binnen stapte, naar het rooster liep en met haar wijsvinger langs de namen ging.

Helena...

Roger...

Anne...

Carro...

Nicke...

Sophie... *Sophie Brinkmann*, las ze.

Ze zette de bos bloemen in een lege vaas op een roltafel die voor de personeelskamer stond en verliet de afdeling. In de lift pakte ze haar mobieltje, belde het bureau en vroeg het adres op van een zekere Sophie Brinkmann.

Ze reed niet terug naar bureau Brahegatan in de binnenstad van Stockholm, maar stak vanaf het Danderydsziekenhuis de snelweg over en reed de wijk Stocksund met zijn vrijstaande huizen in. Ze verdwaalde in de wirwar van straatjes die haar maar niet naar haar doel leken te willen leiden, ze reed rondjes en had het gevoel dat ze beurtelings omhoog en omlaag ging. Uiteindelijk reed ze de straat in die ze moest hebben, zocht het huisnummer op en bleef voor een klein, geel, houten huis met witte kozijnen staan.

Ze bleef achter het stuur zitten. Het was een rustige buurt, schaduwrijk, met berken die aan het uitbotten waren. Gunilla stapte uit en de geur van vogelkers kwam haar tegemoet. Ze draaide om haar eigen as en keek naar de huizen van de buren. Keek daarna naar het huis van Sophie. Het was mooi, kleiner dan de omringende huizen, ze kreeg het gevoel dat het rommeliger was dan bij de buren. Ze draaide zich nog eens om, vergeleek. Nee, het was niet rommelig bij Sophie

Brinkmann, het was normaal. Bij de buren klopte er iets niet. Een soort perfectionisme, trieste en zielloze ordelijkheid. Terug naar het huis van Sophie: daar zat meer leven in, de gevel was niet pas geverfd, het gras niet pas gemaaid, er lag geen vers grind op het grindpad, de ramen waren niet pas gezeemd...

Gunilla waagde zich het hekje door en liep voorzichtig het grindpad over. Ze keek door het keukenraam aan de straatkant naar binnen. Wat ze van de keuken kon zien, zag er smaakvol uit. Een charmante mix van oud en nieuw, een mooie messing keukenkraan, een AGA-fornuis, een oud eiken aanrechtblad. Een hanglamp die zo mooi, zo apart en zo goed gekozen was, dat Gunilla een steek van jaloezie voelde. Ze keek verder, haar blik bleef hangen bij de snijbloemen in een grote vaas achter het raam van de hal. Gunilla deed een stap naar achteren en keek langs de gevel omhoog. Achter een raam op de bovenverdieping zag ze nog een fraai boeket.

In de auto op weg terug naar de stad begonnen haar hersenen op volle toeren te draaien.

# 2

Leszek Smialy voelde zich net een hond, een hond zonder baas. Hij was onrustig als hij niet in de buurt van zijn baas was. Maar Adalberto Guzman had Leszek met een opdracht op pad gestuurd. Leszek had het vliegtuig gepakt en was een paar uur geleden in München geland.

De afgelopen tien jaar was hij steeds maar een week per kwartaal van Guzmans zijde geweken. Zijn leven verliep volgens dat stramien: drie maanden op, een week af. Die week logeerde hij altijd in een hotel, hij bleef op zijn kamer en dronk zich continu laveloos. Als hij niet te dronken was of sliep, keek hij tv. Hij had geen flauw idee wat hij anders moest doen. Hij wachtte gewoon tot de week voorbij was en hij weer aan de slag kon gaan. Leszek begreep echt niet waarom Guzman hem hardnekkig deze vrije week bleef opdringen.

Hij had net weer zo'n week achter de rug. De eerste dagen na de vakantie was hij ongeconcentreerd geweest en nog wat trillerig van de kater, hij bestreed die verschijnselen door te trainen en goed te eten en hij had het gevoel dat hij weer op de goede weg was.

Leszek zat achter het stuur van een gestolen Ford Focus in de villawijk Grünwald even buiten München. Grote villa's met grote omheinde tuinen, weinig leven te bekennen.

Guzman had Leszek foto's gegeven van Christian Hanke, een keurige jongeman van vijfentwintig met kort, donker haar. Op de uitvergrote zwart-witfoto's stond ook zijn vader Ralph Hanke. Leszek bekeek de foto's nauwkeurig: de glimlach van iemand die het gemaakt had, in maatpak en met zorgvuldig gekamde haren.

Hij had de jongeman door zijn kijker geobserveerd en geen duidelijk beeld van hem gekregen, had alleen gezien dat hij rond acht uur was thuisgekomen en zijn BMW voor het huis op straat geparkeerd had. Dat hij vrouwelijk gezelschap had gehad, een hulp in de huishouding, en dat het licht in zijn slaapkamer tot twee uur 's nachts had gebrand. Dat hij de volgende morgen om halfacht van de voordeur naar het ijzeren hek in de muur was gelopen en de straat was overgestoken naar zijn auto om vervolgens München in te rijden. Dat was de informatie die Leszek had, dat had hij tijdens zijn vierentwintig uur durende observatie gezien.

Uit de autoradio klonk Zuid-Duitse schlagermuziek. Een man die zo te horen met een brede glimlach zong, elektronische strijkinstrumenten op de achtergrond, een voorspelbare melodie. Leszek ving woorden op als bergtop, familieband en edelweiss. Dit land had iets zieks waar hij de vinger maar niet op kon leggen.

Hij zat met zijn handen op zijn knieën en haalde rustig adem. Het was een prachtige, wat heiige ochtend. De zonnestralen schenen door het gebladerte en zetten de omgeving in een gouden gloed. Hij vond het mooi, pijnlijk mooi.

Leszek keek naar zijn handen, ze waren smerig. Het installeren van de bom was nogal een gekliederd geweest. Hij had het eerder gedaan, lang geleden tijdens zijn jaren bij de inlichtingendienst. Toen was het eenvoudiger geweest, minder tijdrovend, en kon je er gemakkelijker bij dan met de moderne ingekapselde motorblokken van tegenwoordig. Hij rekte zich uit en deed zijn ogen even dicht.

Toen hij ze weer opende, zag hij nog net dat er iemand achter een paar bomen langs van Christians villa naar de straat liep. Leszek probeerde te zien wie het was. Hij pakte zijn Swarovskikijker van de passagiersstoel en zette hem voor zijn ogen. De persoon achter de bomen was een vrouw, een jonge vrouw. Leszek keek op zijn horloge, kwart voor acht. De vrouw opende het ijzeren hek in de muur en stapte de straat op. Leszek vond de focusknop met zijn wijsvinger. Ze was blond, tussen de twintig en vijfentwintig jaar oud, had lang haar, droeg een grote zwarte zonnebril en kapotte designerjeans, en liep doelbewust op hooggehakte laarzen naar de auto. Een handtas over haar schouder. Ze zag er duur uit. Leszek richtte zijn kijker snel weer op het huis. Waar was Christian verdomme? Hij ging met een zwaai terug naar de vrouw die de straat overstak naar de bmw. In plaats van om de auto heen te lopen en plaats te nemen op de passagiersstoel opende ze het portier aan de bestuurderszijde, gleed achter het stuur en legde haar handtas op de stoel naast haar. Leszek bewoog de kijker snel weer terug naar de villa, geen Christian Hanke te bekennen.

De volgende seconden tikten langzaam weg. Leszek kreeg een impuls om te gaan toeteren, het portier te openen en naar haar te zwaaien, haar aandacht te trekken door iets drastisch en opvallends te doen. Maar hij bleef gewoon zitten, overtuigd van de zinloosheid van elke poging om iets te veranderen aan een situatie waarvan de afloop al vaststond. Met het gezichtsveld tien keer vergroot door de lens van de kijker en met de stem van de zoetgevooisde Duitse smartlappenzanger op de achtergrond zag hij hoe de blonde vrouw de kleine beweging maakte die je uitvoert als je een auto start: met een hand op het stuur licht vooroverbuigen en met de rechterhand de sleutel omdraaien.

In de milliseconde waarin de elektriciteit van de accu naar de startmotor ging, tapte een kabel die onderweg af naar een ontsteker die op zijn beurt een kneedbom liet ontploffen die onder de auto bevestigd was.

Door de kracht van de explosie vloog de vrouw tegen het dak van de auto en brak haar nek, terwijl de auto op datzelfde moment een halve meter van de grond werd getild. Tegelijkertijd vatte de bus napalm die hij in de auto had aangebracht vlam en veranderde het verwrongen plaatijzeren wrak in een brandend inferno.

Leszek zag door zijn kijker hoe de vrouw in brand vloog. Hoe ze daarbinnen roerloos verbrandde. Hoe haar mooie blonde haar verdween, hoe haar mooie lelieblanke huid verdween... Hoe alles wat zij was geweest langzaam verdween.

Leszek vertrok uit Grünwald en vond een afgelegen plek in het bos waar hij de gestolen auto in brand stak. Vervolgens ging hij München in, belde Guzman, liet een kort bericht achter dat het niet volgens plan was verlopen, dat Guzman zijn ogen open moest houden en zich met vrienden moest omringen. Hij liet de telefoon in een rioolputje vallen en liep kriskras door de stad om er zeker van te zijn dat hij niet gevolgd werd.

Toen hij zich veilig voelde, wenkte hij een taxi die hem naar het vliegveld bracht. Een paar uur later was hij weer op weg naar huis, naar zijn baas.

*

Al op de eerste dag van zijn opname had Hector Sophie vragen gesteld, over haar leven, haar kindertijd, haar jeugd. Over haar familie, waar ze van hield, waar ze niet van hield. Ze betrapte zichzelf erop dat ze op al zijn vragen eerlijk antwoord gaf. Ze besefte dat ze het prettig vond om in het middelpunt van zijn belangstelling te staan en ondanks de stroom vragen had ze nooit het gevoel dat hij opdringerig was. Wanneer hij te dicht bij iets kwam waar ze niet over wilde praten hield hij op, alsof hij zelf begreep waar haar grens lag. Maar hoe beter ze elkaar leerden kennen, des te preutser werd hij tegenover haar. Met alle intieme zaken moest een van haar collega's hem helpen. Sophie had daarom niet zo veel te doen op zijn kamer. Ze moest ongemerkt zijn kamer binnengaan en doen alsof ze werkte.

Hij vroeg of ze moe was.

'Hoezo?'

'Je ziet er moe uit.'

Sophie vouwde een handdoek op.

'Jij weet hoe je een vrouw moet vleien.'

Hij glimlachte.

'Ik denk dat je hier niet meer zo lang hoeft te liggen,' ging ze verder.

Hij trok een wenkbrauw op.

'Maar dat soort dingen mag ik niet zeggen, alleen de dokter... Maar nu heb ik het toch gedaan.'

Sophie opende een raam om wat frisse lucht binnen te laten, liep naar hem toe, gebaarde dat hij rechtop moest gaan zitten, haalde het kussen achter zijn hoofd weg en gaf hem een nieuw. Geroutineerd voerde ze haar taken uit. Vanuit haar ooghoek zag ze dat hij haar opnam. Ze liep naar zijn nachtkastje, wilde net de lege waterkaraf pakken toen hij haar hand vastpakte. Haar reactie had moeten zijn dat ze hem terugtrok en wegliep. Maar in plaats daarvan liet ze hem daar liggen. Haar hart ging tekeer. Ze hielden elkaar vast alsof ze twee verlegen jonge mensen waren die elkaar voor de eerste keer aanraakten, ze keken elkaar niet aan. Toen maakte ze zich los en liep naar de deur.

'Wil je nog iets hebben?' vroeg ze. Met dikke stem, alsof ze net wakker was. Hector keek haar onderzoekend aan en schudde zijn hoofd. Sophie verliet de kamer en liep de gang op.

Hij was haar type niet, wilde ze tegen zichzelf zeggen. Maar wie was dat wel? Ze had door de jaren heen verschillende types leuk gevonden en ze waren allemaal anders geweest. Ze maakte zichzelf wijs dat ze zich niet fysiek tot hem aangetrokken voelde, maar dat ze gewoon graag bij hem was. Ze zag hem niet als minnaar, niet als echtgenoot, niet als vriend, niet als vaderfiguur, maar toch wel als een combinatie van dat alles.

De rest van de dag werkte ze op de afdeling spoedeisende hulp. Toen ze 's middags terugkwam op de afdeling waren Hector en zijn spullen uit kamer 11 verdwenen.

*

Alles was helemaal fout gegaan. De avond was uit de hand gelopen, precies zoals hij voorspeld had. De Russen waren in een paar minuten klaar geweest met de arme Paraguayaanse hoeren en waren vervolgens gaan schieten. Ze waren high en schoten ongecontroleerd met de automatische wapens. De kogels vlogen alle kanten op. Jens had Vitali een oplawaai moeten verkopen. Met een bloedneus had Vitali zich verontschuldigd. Dimitri en de anderen hadden dubbel gelegen van het lachen.

De volgende morgen zagen ze elkaar weer in het schuurtje en namen de voorbereidingen nog eens door. Leverdatum, logistiek en betaling. Het leek de Russen niet te interesseren. Dimitri bood een lijntje coke aan en vroeg Jens of hij met hen meeging naar een hanengevecht. Jens bedankte en nam afscheid van de Russen.

Hij kreeg een lift van een Paraguayaan terug naar Ciudad del Este. De rit duurde twee uur. Al hotsend en botsend reden ze over slechte wegen. De stoelen hadden geen kussens. De chauffeur was zwijgzaam en zoals altijd in dit land: de steevast aanwezige radio. Altijd met een slechte ontvangst, het volume te hard en op de zenuwen werkende snerpende hoge tonen die in dit geval jankend vanuit twee luidsprekers in de dunne portieren kwamen. Het was prima, Jens was eraan gewend geraakt. Hij had tijd om de planning door te nemen. Die leek hem goed; niet perfect, maar goed – zo was het meestal. Hij kon zich niet herinneren dat hij ooit het gevoel had gehad dat het helemaal perfect was.

Hij liep tegen de veertig. Hij was bijna één meter negentig lang, blond en fors met een verweerd gezicht en een zware, donkere stem die het resultaat was van een te vroege puberteit en heel veel roken. Hij liep vaker op een drafje dan met een gestrekte gang en hij zei zelden ergens nee tegen, wat je ook aan zijn blik kon zien: achter de eerste ouderdomslijntjes brandde de levenslust.

De machinepistolen die de Russen van hem gekocht hadden, zouden van Ciudad del Este per vrachtwagen oostwaarts vervoerd worden naar de Braziliaanse havenstad Paranaguá om vervolgens per schip de Atlantische Oceaan over te steken en in Rotterdam gelost te worden. Van daar zouden de wapens per auto verder worden vervoerd naar Warschau en dan zat Jens' werk erop.

De wapendeal was twee maanden geleden in gang gezet. Risto had vanuit Moskou gebeld dat hij een aanvraag had voor MP7's en iets krachtigers.

'Hoeveel?'

*'Tien van elk.'*

'Dat is niet veel.'

*'Nee, maar dit is een groep met ambitie. In de toekomst zullen ze meer bij jou willen bestellen. Zo moet je het maar bekijken.'*

Het was geen grote klus, gemakkelijk te doen.

'Oké... ik zal eens wat rondbellen, ik kom erop terug.'

Hij nam contact op met de Makelaar. De Makelaar was tweehonderd procent anoniem, hij had alleen een website over modelvliegtuigen waarop je contact kon maken door middel van een password dat je op het forum van de site vermeldde. Hij was geen goedkope, maar wel een betrouwbare bron, die tot nu toe nog nooit nee had gezegd en steeds aan Jens' wensen tegemoet had kunnen komen. De Makelaar regelde de koop met een voor Jens onbekende verkoper. Op die manier hielden ze de boel dicht en kon niemand iemand verklikken. Jens vroeg om MP7's en Steyr AUG's – een niet te ouderwets, Oostenrijks pistool. De Makelaar was teruggekomen, had ja gezegd tegen de Steyrs en nee tegen de MP7's, zei dat de verkoper in plaats daarvan MP5's kon aanbieden. Risto's klanten waren duidelijk geweest, ze wilden MP7's hebben. En zoals gewoonlijk was de zaak opgelost, bijna. De volle tien Oostenrijkse wapens plus acht MP7's en twee MP5's. Goed genoeg, vond Jens.

Risto had hem gezegd dat hij naar Praag moest gaan om zijn klanten daar te ontmoeten. Jens had verbaasd gereageerd.

'Waarom?'

*'Geen idee. Dat willen ze gewoon,'* antwoordde Risto.

De ontmoeting in Praag was redelijk zinloos gebleken en diende alleen om hem te testen. Dimitri, Gosja en Vitali gedroegen zich alsof ze nog steeds in een kwaadaardige puberteit zaten.

Ze dronken wodka op Jens' hotelkamer in de Mala Strana. Vitali haalde de badkamerspiegel van de muur en legde hem op de salontafel. Hij maakte een heleboel dikke lijnen met een zwaar beschadigde Dinerscard waarvan het plastic hier en daar gebarsten was. Vervolgens kwamen de hoeren, een paar jonge en highe meisjes uit een van de voormalige Sovjetrepublieken. Dimitri wilde iedereen op een dinertje trakteren. Ze gingen naar een moderne en sfeerloze eetgelegenheid aan het Vaclavplein. Met een interieur van chroom, leer en hard plastic. De hoeren waren allemaal verslaafd aan heroïne. De een pulkte wat aan een achterste kies, de ander prikte met haar wijsvinger in haar wang, de derde krabde voortdurend aan haar onderarm. Dimitri trakteerde op champagne en raakte verwikkeld in een kreeftenoorlog met Gosja. Jens begreep dat hij niets gemeen had met Dimitri. Hij ging ervandoor, naar Roxy, een nachtclub op de Dlouhá. Daar zat hij al drinkend te kijken naar dansende mensen tot de zon opkwam.

De volgende dag kwam Dimitri weer naar het hotel met zijn hologige kameraden en stelde voor om wat lsd te nemen en naar een voetbalwedstrijd van Sparta Prag tegen Zenit St. Petersburg te gaan.

Jens zei dat hij die helaas zou moeten missen, dat hij dan al weg was. Ze lachten hun vreugdeloze lach, namen hun trip op zijn hotelkamer, werden high, gedroegen zich een poosje als een stelletje idioten en vertrokken toen schreeuwend met een brandblusapparaat dat ze in de gang van de muur hadden getrokken.

Jens nam een eerdere vlucht naar Stockholm.

Toen hij net thuis was, kreeg hij het bericht, *Buenos Aires over twee dagen.* Hij pakte zijn reistas weer in, sliep slecht, vertrok de volgende morgen weer naar Arlanda en vloog via Parijs naar Buenos Aires. Hij landde op Ezeiza, rustte een paar uur in zijn hotelkamer, lunchte met een zelfingenomen idioot van een koerier. Jens betaalde de koerier, die hem een stel autosleutels overhandigde en vertelde dat de bestelauto in de garage van het hotel stond. Hij controleerde de lading in de laadruimte, de wapens waren er, alles was zoals het moest zijn.

Hij was moe en had besloten om nog een dag te blijven voordat hij met de lading naar Paraguay zou rijden. Hij ging naar een bokswedstrijd, maar de match liep uit de hand en leek meer op een afranseling dan op een eerlijk gevecht. Jens ging weg voordat de scheidsrechter de wedstrijd afblies. In plaats daarvan bracht hij de middag door met het bekijken van toeristische attracties. Hij wilde zich normaal voelen en realiseerde zich vrijwel onmiddellijk hoe saai dat was.

Hij vond een restaurant, at lekker en las de USA *Today* die hij uit het hotel had meegenomen.

Eerst reageerde hij niet op zijn naam, maar toen hij opkeek, herkende hij de vrouw die naast zijn tafeltje stond meteen. Het was Jane, de jongere zus van Sophie Lantz. Ze was niets veranderd sinds hij haar voor het laatst had gezien, al was ze toen nog een kind geweest.

'Jens?... Jens Vall! Wat doe jij hier?'

Janes glimlach werd een lach. Hij ging staan en ze omhelsden elkaar; haar vrolijkheid werkte aanstekelijk.

'Dag Jane.'

De zwijgzame man die achter haar stond heette Jesus. Hij stelde zich niet voor, dat deed Jane. Ze gingen bij hem aan het tafeltje zitten en voordat Jane goed en wel zat, begon ze te praten. Jens luisterde en lachte beurtelings en begreep al snel waarom ze zo'n stille man als

Jesus had uitgezocht. Ze vertelde dat zij en Jesus in Buenos Aires op familiebezoek waren, dat ze geen kinderen hadden en dat ze in een driekamerappartement aan het Järntorget in Gamla Stan woonden.

Hij vroeg naar Sophie en kreeg oppervlakkigheden over haar leven te horen, dat ze tegenwoordig Sophie Brinkmann heette, dat ze weduwe was, een zoon had en werkte als verpleegkundige. Jane vond dat ze nu wel genoeg had gepraat en begon hem vragen te stellen. Jens loog op een geloofwaardige manier, zei dat hij verkoper van kunstmest was, dat hij veel moest reizen voor zijn werk, geen gezin of kinderen had, maar dat dat misschien in de toekomst anders zou worden.

Ze brachten de avond etend en drinkend door. Jesus en Jane namen hem mee naar plekken die hij zelf nooit zou hebben gevonden. Hij kreeg het ware gezicht van de stad te zien, waardoor hij er nog meer van ging houden.

Jesus zei de hele avond geen woord.

'Kan hij niet praten?' was Jens' logische vraag.

'Af en toe zegt hij wel iets,' zei ze.

In de taxi terug naar het hotel voelde hij zich plotseling weemoedig. Weemoedig door de confrontatie met zijn verleden. Hij sliep slecht die nacht.

De auto naderde hobbelend Ciudad del Este. Hij zag de stad in de verte, hij zou blij zijn als hij van de Russen af was. Hij zou de nodige voorbereidingen treffen voor het vertrek en vervolgens zouden de wapens overgeladen worden in de vrachtwagen.

*

Er lag een boodschap voor haar in de koffiekamer. Een kleine, witte envelop met haar voornaam op de voorkant geschreven met zwarte inkt. Ze maakte de envelop open terwijl ze stond te wachten tot de koffie was doorgelopen, las snel en stopte de envelop in haar zak.

Ze ging verder met haar werkzaamheden van die ochtend en hoopte dat ze zou vergeten wat ze net had gelezen. Dat gebeurde niet. Om kwart voor twaalf liep ze de kleedkamer in, trok haar verpleegstersuniform uit, pakte haar handtas en haar zomerjas en liep naar de centrale hal bij de hoofdingang van het ziekenhuis.

De neef wachtte haar op en maakte haar met een hoofdgebaar duidelijk dat ze hem moest volgen. Dat deed ze, maar ergens voelde ze zich wat onzeker, alsof een inwendige stem haar zei dat dit een verkeerde beslissing was. Maar daarnaast was ze ook vrolijk bij het idee dat ze iets spontaans en onbezonnens deed. Dat was lang geleden.

De auto was nieuw – zo'n Japanse, milieuvriendelijke auto. Niets bijzonders, gewoon nieuw. Hij rook nieuw en zat comfortabel.

'We gaan naar Vasastan,' zei hij.

'Ze ontmoette zijn ogen in de binnenspiegel. Blauwe, heldere, intense ogen.

'Hoe zijn jullie neven? Van welke kant?'

'Van alle denkbare kanten.'

Ze schoot in de lach.

'O ja? Hoe dan?'

'Op alle denkbare manieren.'

Hij klonk alsof hij vond dat hij daar nu genoeg over had gezegd.

'Ik heet Aron...'

'Dag Aron,' zei ze.

De rest van de rit was het stil in de auto.


Tafels, stoelen en een klapdeur naar een keuken. Te felle verlichting, landschapjes aan de muur en geruite papieren kleedjes op tafel. Een lunchrestaurant, meer was het niet.

Ze lachte toen Hector naar haar zwaaide vanaf een tafeltje verderop in de zaal, maar probeerde weer neutraal te kijken toen ze tussen de tafeltjes door naar hem toe liep.

Hij stond op en trok een stoel voor haar uit.

'Ik zou je zelf hebben opgehaald als ik niet met dat been zat.'

Sophie ging zitten.

'Het ging prima, Aron was prettig gezelschap, afgezien van zijn zwijgzaamheid...'

Hector lachte.

'Je bent gekomen,' zei hij.

Hij schoof een geplastificeerde menukaart naar haar toe.

'We hadden nog geen afscheid genomen,' ging Hector verder.

'Nee, dat klopt.'

Hij veranderde van toon.

'Ik kom hier voor de schaaldieren. De beste in de stad, maar dat weten niet veel mensen.'

'Dan neem ik die.'

Ze raakte de menukaart niet aan en hield haar handen in haar schoot. Hij knikte nauwelijks merkbaar naar iemand achter de bar.

Hector buiten het ziekenhuis ontmoeten was anders. Het gaf haar een duizeling vekkend gevoel dat ze ging lunchen met een haar volkomen onbekende persoon. Maar hij merkte haar onzekerheid op en begon te praten, vertelde korte anekdoten over hoe het was om in het gips te liggen in Stockholm, dat ze zijn lievelingsbroek kapot hadden geknipt en dat hij het ziekenhuiseten en de aardappelpuree uit een pakje zo miste. Hij kon gezellig praten en van een gespannen situatie iets lichts en ongedwongens maken.

Ze luisterde met een half oor naar zijn gepraat. Ze vond dat hij er goed uitzag en haar blik bleef telkens hangen bij zijn wakkere ogen die elk een andere kleur hadden. Zijn rechteroog was donkerblauw en zijn linker donkerbruin. Bij een bepaalde lichtval kregen zijn ogen een andere tint, alsof hij heel even iemand anders werd.

'Is het leeg zonder mij in het ziekenhuis?'

Ze schoot in de lach en schudde haar hoofd.

'Nee, het is er net als altijd.'

Een serveerster kwam twee glazen wijn brengen.

'Spaanse witte wijn. Niet dat we daar nou zo goed in zijn, maar deze is heel drinkbaar.'

Hector hief het glas voor een nonchalante toost. Ze liet de wijn staan en pakte het glas water. Ze nam een slok, hield het glas schuin en zocht weer oogcontact, zoals ze altijd deed als ze met iemand toostte. In Spanje was dat kennelijk niet de gewoonte, want Hector had zijn hoofd alweer afgewend. Ze voelde zich dom.

Hector leunde achterover, nam haar kalm en zelfverzekerd op en opende zijn mond om iets te zeggen. Een vluchtige gedachte leek hem ervan te weerhouden. Hector zocht plotseling naar de juiste woorden.

'Wat?' vroeg ze met een kort lachje.

Hij ging verzitten.

'Ik weet niet... Ik ken je niet terug... Je bent anders.'

'Hoe dan?'

Hij keek haar aan.

'Ik weet het niet, gewoon anders. Misschien omdat je je verpleegstersuniform niet aanhebt?'

'Had je dat liever gehad?'

Haar woorden leken hem in verlegenheid te brengen en dat vond ze wel vermakelijk.

'Maar je herkent me? Je weet wie ik ben?'

'Maar ik vraag me ook iets af,' zei hij.

'Wat vraag je je af?'

'Wie je bent...'

'Dat weet je.'

Hij schudde zijn hoofd.

'Nee, ik weet wel iets... maar niet alles.'

'Waarom zou je alles willen weten?'

Hij viel stil.

'Sorry, het was niet mijn bedoeling om opdringerig te zijn.'

'Je bent niet opdringerig.'

'Dat ben ik wel...'

'Hoe dan?'

Hector haalde zijn schouders op.

'Soms heb ik haast om datgene te krijgen wat ik hebben wil... Dan kan ik wel eens opdringerig zijn. Maar daar gaan we het niet over hebben. Laten we liever verdergaan waar we gebleven waren.'

Ze kon hem niet volgen.

'Waar waren we gebleven?'

Hun eten kwam eraan. De borden werden voor hen neergezet. Hector pakte de schaaldieren met zijn handen vast en begon ze geroutineerd van hun schalen te ontdoen.

'Je vader was overleden, een paar jaar was je eenzaam en verdrietig... Toen leerde je moeder Tom kennen en jullie trokken bij hem in.

Zo was het toch?'

Eerst begreep ze het niet, maar toen besefte ze dat de vragen die hij haar tijdens zijn opname in het ziekenhuis had gesteld betrekking hadden gehad op haar leven vanaf haar kindertijd tot nu toe. Ze had alles chronologisch verteld, of liever gezegd, hij had zijn vragen chronologisch gesteld. Dat ze dat niet eerder had ontdekt.

Hij keek haar recht aan als om te zeggen *ga door*. Sophie dacht na, zocht in haar geheugen en ging verder vanaf het punt waar ze met haar verhaal was gebleven. Dat haar zus en zij steeds opgewekter waren geworden, naarmate er meer tijd sinds de dood van hun vader was verstreken. Dat ze samen met hun moeder verhuisden naar Toms villa, die op een paar minuten loopafstand van hun ouderlijk huis stond. Dat ze op haar zestiende Marlboro Light begon te roken, dat het leven lichter werd.

Ze aten oesters, zee- en rivierkreeft. Sophie praatte maar door. Ze vertelde over haar uitwisselingsjaar in de vs, over haar eerste baan, over haar reis naar Azië, over hoe moeilijk het was om de liefde te begrijpen als je jong was en over de angsten van het volwassen zijn, angsten die ze lang na haar dertigste nog steeds had. Ze nam van het eten, in de ban van haar eigen verhaal. De tijd verstreek en ze besefte dat ze aan één stuk door had gepraat zonder dat hij er een speld tussen had kunnen krijgen. Ze vroeg of ze te veel praatte, hem verveelde. Hij schudde zijn hoofd.

'Ga door.'

'Toen leerde ik David kennen. We trouwden, kregen Albert en plotseling vlogen de jaren voorbij. Ik herinner het me niet meer zo goed.'

Toen wilde ze niet meer, het stond haar tegen om verder te vertellen.

'Wat herinner je je niet meer?'

Sophie at een paar muizenhapjes.

'Bepaalde periodes in je leven lijken samen te smelten, in elkaar over te lopen.'

'Wat bedoel je?'

'Ik weet het niet.'

'Dat weet je wel.'

Ze prikte met haar vork in het eten.

'Passiviteit,' zei ze stilletjes.

Dat woord leek hem nog nieuwsgieriger te maken.

'Hoezo?'

Ze keek op.

'Wat?'

'Hoezo passief?'

Ze nam een slok, dacht na over zijn vraag en haalde haar schouders op.

'Net als bij de meeste moeders denk ik. Kinderen en eenzaamheid. David werkte, was veel op reis. Ik zat thuis... Het was saai.'

Ze was zich bewust van haar eigen gezichtsuitdrukking, ze voelde de frons op haar voorhoofd, ontspande haar gezicht weer en probeerde te lachen. Voordat hij verder kon vragen, vervolgde ze: 'De jaren verstreken en David werd ziek, de rest weet je.'

'Vertel.'

'Hij is overleden,' zei ze.

'Dat weet ik. Maar wat gebeurde er?'

Deze keer leek hij niet het gevoel te hebben dat hij een grens overschreed.

'Er valt niet zoveel meer te zeggen, hij kreeg te horen dat hij kanker had. Twee jaar na de diagnose stierf hij.'

De toon van haar laatste zin weerhield hem ervan door te vragen. Ze zaten een poosje zwijgend te eten en daarna ging het weer op dezelfde manier verder. Hij stelde vragen en zij gaf antwoord, maar niet meer dan dat. Toen de gelegenheid zich voordeed, wierp ze een blik op haar horloge. Hij begreep de hint. Om de eer aan zichzelf te houden keek Hector op zijn horloge.

'De tijd vliegt,' zei hij neutraal.

Misschien besefte hij toen dat hij te nieuwsgierig was geweest en te veel had doorgevraagd. Hij leek ineens haast te hebben, vouwde zijn servet op en werd afstandelijk.

'Moet Aron je thuisbrengen?'

'Nee, dank je.'

Hector stond als eerste op.

In de metro leunde ze met haar hoofd tegen het raam en staarde naar de onduidelijke contouren die in het donker voorbijraasden.

Hij was niet opdringerig. Hij probeerde alleen te begrijpen wie ze was in relatie tot hemzelf, leek het. En ze herkende dat, zo was ze zelf ook, ze spiegelde zich aan anderen, wilde weten, wilde begrijpen. Maar de overeenkomsten beangstigden haar ook. Ze was waarschijnlijk steeds bang geweest in zijn nabijheid. Niet voor hem, maar misschien wel voor wat er van hem uitging, voor wat hij met haar deed.

Eenzaamheid was eenvoudig en eenduidig. Ze kende die maar al te goed, had zich er nu al een eeuwigheid in verstopt. En telkens wanneer iemand dichter bij haar kwam en het erop leek dat haar zelfverkozen isolement niet solide of absoluut was, deed ze een stapje naar achteren, trok ze zich terug... Maar deze keer was het anders. Hectors verschijning bracht iets bij haar teweeg...

Opeens werd het verblindend licht. De metro raasde over de brug tussen Bergshamra en het Danderydsziekenhuis, de wagon werd gebombardeerd door de stralen van de zon. Ze werd uit haar gedachten opgeschrikt, stond op, ging bij de deur staan en slaagde erin haar evenwicht te bewaren toen de metro piepend tot stilstand kwam bij het perron.

Sophie liep naar het ziekenhuis, kleedde zich om en werkte om haar zinnen te verzetten. Ze had nu geen lievelingspatiënt op de gang, ze hoopte dat er snel weer iemand zou komen.

# 3

Lars Vinge belde Gunilla Strandberg. Zoals gewoonlijk nam ze niet op en hij hing op. Veertig seconden later ging zijn mobieltje.

'Hallo?'

'*Ja?*' vroeg Gunilla.

'Ik heb je net gebeld,' zei hij.

Stilte.

'*Ja...*'

Lars schraapte zijn keel.

'De handlanger heeft de verpleegkundige opgehaald.'

'*Ga door.*'

'Hij heeft haar naar een restaurant gebracht, waar Guzman haar een lunch heeft aangeboden.'

'*Stop maar, kom maar naar het bureau,*' zei ze en ze hing op.

Lars Vinge had Hector Guzman en Aron Geisler af en toe geschaduwd sinds Hector uit het ziekenhuis was ontslagen. Het was een langdurige en tijdrovende klus geweest, niets te rapporteren. Hij vond dat iemand anders dit moest doen. Hij beschouwde zichzelf als overgekwalificeerd. Hij was een analytisch ingesteld persoon en daarom was hij ook aangenomen. Dat had Gunilla Strandberg in elk geval tegen hem gezegd toen ze hem twee maanden geleden de baan aanbood. Nu zat hij dagen achtereen in de auto terwijl de rest van het team zich bezighield met achtergrondanalyses, mogelijke scenario's en handelwijzen.

Lars was al twaalf jaar politieman toen Gunilla contact met hem had opgenomen. Hij had bij de uniformdienst gewerkt in Västerort, waar hij een manier probeerde te vinden om de etnische tegenstellingen te verzachten. Hij voelde zich eenzaam in zijn werk. Zijn collega's toonden niet dezelfde maatschappelijke betrokkenheid als hij. Lars had op eigen initiatief een rapport geschreven over de problematiek in de wijk. Het rapport had geen directe gevolgen gehad en hem geen erkenning opgeleverd, en als hij eerlijk moest zijn had hij het in de eerste plaats geschreven om gezien te worden tussen al die opgepompte collega's van hem. Want zo keek hij tegen de meesten van zijn mannelijke collega's aan: te grote biceps, te dik in het gezicht, behoorlijk lomp en dom, te dom naar zijn smaak. Zij op hun beurt mochten hem ook niet, hij hoorde er niet echt bij, dat wist hij wel. Als ze dienst hadden, was Lars Vinge niet de man die ze als partner wilden hebben. Hij was voorzichtig als ze 's nachts op straat waren en als het gewelddadig werd trok hij zich terug en liet hij de grote gorilla's naar binnen gaan en het overnemen. Hij kreeg er voortdurend hatelijke opmerkingen over in de kleedkamer.

Toen hij zichzelf op een ochtend in de spiegel bekeek, zag hij ineens hoe kinderlijk hij eruitzag. Lars deed daar wat aan met een nieuw kapsel, nat gekamd haar met een scheiding opzij. Hij dacht dat hij daardoor wat steviger in zijn schoenen zou staan. Zijn collega's begonnen hem Sturmbahnführer Lars te noemen. Dat was beter dan Kutje of Gleuf, zoals ze hem voor die tijd genoemd hadden. Hij deed zoals gewoonlijk alsof hij het niet hoorde.

Lars Vinge deed zijn werk zo goed als hij kon, ging geweld en nachtdiensten uit de weg, deed zijn best om in de gunst te komen bij de leiding en probeerde contact te maken met collega's. Niemand zocht zijn gezelschap op, iedereen meed hem. Hij kreeg eczeem bij zijn neus en slaapproblemen.

Twee jaar nadat het rapport over de etnische tegenstellingen klaar was en waarschijnlijk ergens vergeten in een archief lag, belde er een vrouw van de rijksrecherche, die zich voorstelde als Gunilla Strandberg.

Ze had niet geklonken als iemand van de politie, vond hij, en zo had ze er ook niet uitgezien toen ze elkaar ontmoetten voor een lunchafspraak in Kungsträdgården. Ze was tussen de vijftig en de zestig jaar, had kort zwart haar met hier en daar een paar grijze haren, mooie bruine ogen en een gladde, jonge huid. Dat was het eerste wat hem opviel, haar huid... Ze zag er jong uit voor haar leeftijd, gezond. Gunilla Strandberg maakte een rustige, beheerste indruk, maar kon af en toe verrassen met een glimlachje. De rust die ze uitstraalde leek gebaseerd te zijn op bedachtzaamheid in combinatie met een beschouwende houding ten opzichte van alles wat er gebeurde. Die leek ze te hebben verkozen boven impulsiviteit en spontaniteit. Ze toonde rijpheid en gedroeg zich als iemand die had geleerd dat dingen soms gewoon verkeerd uitpakten. Ook daarin straalde ze intelligentie uit, ze was slim en bekwaam en bediende zich zelden van overdrijvingen of understatements. Ze bezag de wereld op een heldere en ongecompliceerde manier. Hij voelde zich de mindere in haar nabijheid, dat hinderde niet, zo hoorde het ook – hij vond het logisch.

Ze had hem verteld over het team dat ze moest samenstellen, een soort pilotproject in de strijd tegen de georganiseerde misdaad, in eerste instantie de internationale, en dat ze prioriteit hadden bij de officier van justitie om snel tot een akkoord te komen. Ze zei dat ze Lars' rapport had gelezen en het interessant had gevonden. Lars had geprobeerd de trots te verbergen die in hem opwelde. Hij had de baan al aangenomen voordat ze hem had kunnen uitleggen wat die precies inhield.

Twee weken later verhuisde hij van het spierballenteam van Västerort naar het meer analytische team van Östermalm. Op zijn zesendertigste trok hij zijn uniform uit en hij werd een stille; hij ging meer verdienen en het drong tot hem door dat hij het verloop van zijn carrière bij de politie zo voor zich had gezien – dat het iemand zou opvallen dat hij veel meer in zijn mars had dan de andere agenten van het korps.

Nadat hij Aron en Hector een tijdje zonder resultaat had geschaduwd, was de ommekeer gekomen. Gunilla had het voorspeld, ze had gezegd dat de verpleegkundige zou opduiken en belangrijk zou worden voor het onderzoek. Hij was die voorspelling vergeten, maar toen hij die ochtend Aron Geisler voor het ziekenhuis het portier zag openhouden voor de verpleegkundige, werd hij zich weer bewust van Gunilla's grootsheid.

Lars parkeerde voor het wijkbureau in de Brahegatan. Hij stapte het bureau binnen, knikte naar collega's van wie hij de naam niet kende en liep door naar de hoogbouw achter het bureau.

Drie kamers op een rij, een bureau zoals alle andere, overheidsmeubilair, ordners in lichtgrenen boekenkasten, treurige kunst aan de wanden en lange gestreepte gordijnen voor de ramen die iemand daar halverwege de jaren negentig had opgehangen.

Eva Castroneves lachte naar hem toen ze langsliep. Met haar ene hand toetste ze iets in op haar mobieltje, in de andere hield ze een broodje, ze was voortdurend bezig, altijd in de startblokken, ze bewoog zich sneller dan gemiddeld. Lars lachte terug, ze zag het niet. Hij liep naar binnen, Gunilla en Erik bevonden zich in de kamer, Gunilla met de hoorn van de telefoon tegen haar oor achter haar bureau. Erik, haar broer, zoals gewoonlijk met een rood gezicht vanwege zijn hoge bloeddruk, was bezig zijn eigen messing snusblikje met vikingdeksel te vullen met de losse snustabak uit het gekochte plastic doosje. Erik Strandberg leefde op nicotine, cafeïne en junkfood. Hij maakte een onverzorgde indruk met zijn niet-getrimde baard en futloze grijze haar. Hij had een grote mond en wist altijd alles beter. Volgens Lars kwam dat waarschijnlijk voort uit overmatig zelfvertrouwen in zijn jeugd dat niemand destijds had afgeremd. Maar hij had ook een kant die Lars waardeerde: Erik had Lars op een normale, spontane manier welkom geheten toen hij bij hen kwam werken. Hij leek geen oordeel te hebben over Lars, hij nam hem zoals hij was. Dat overkwam hem niet vaak.

Erik veegde de snustabak van zijn handen, ving Lars' blik op, gaf hem een knipoog en pakte een koffiebroodje van een bord dat op het bureau stond.

'Hé jongen,' rochelde hij.

'Hoi,' fluisterde Lars.

'Ongelooflijk,' zei Erik.

'Ja, dat kun je wel stellen...' antwoordde Lars en hij ging op de stoel naast hem zitten.

'Ze was maar wat blij met je telefoontje.'

Erik nam een hap van het koffiebroodje, sloeg een syllabus open die op zijn schoot lag en begon erin te lezen.

'Sorry, ik moet dit nog even doorlezen.'

'Is goed,' zei Lars en hij stond te snel op.

Erik was druk aan het kauwen achter zijn baard.

'Blijf in godsnaam zitten.'

'Nee, nee,' zei Lars en hij liep een beetje geforceerd vastberaden weg.

Lars baalde van zijn onzekerheid, altijd al. Zijn besluiteloosheid stuurde zijn handelen in alle situaties. Het was een deel van zijn wezen geworden en je zag aan zijn hele manier van doen hoe onzeker hij was. Hij zou hij het gevoel moeten hebben dat hij er goed uitzag met zijn blonde haar, zijn ijsblauwe ogen en zijn vrij scherpe trekken. Maar zijn onzekerheid overschaduwde alles. Op een goed genomen foto vond hij zichzelf misschien mooi, in werkelijkheid was hij alleen maar labiel.

Lars liep naar het eerste verrijdbare informatiebord waarvan er in totaal drie in het vertrek stonden. Soms deed hij dat zodra hij het kantoor binnenkwam, vooral om niet sullig in een hoekje te hoeven staan. Hier kreeg hij de tijd wel om.

Op het Guzmanbord waren een hele hoop foto's en onderzoeksresultaten in een geordende chaos bevestigd. Hij staarde naar kopieën van paspoorten, geboorteaktes en officiële Spaanse documenten. Keek vervolgens naar de foto's van Aron Geisler en Hector Guzman op de rechterkant van het bord. Onder de foto van Hector hingen foto's van zijn broer en zus, Eduardo en Inez, plus een oude foto uit eind jaren zeventig van hun moeder Pia, die oorspronkelijk uit Flemingsberg kwam. Ze was knap en blond en leek zo uit zo'n Timotejreclame te zijn gestapt die Lars als kind in de bioscoop had gezien.

Vanaf de foto van Hector liep een rode streep naar twee andere zwart-witfoto's op de linkerkant van het bord. Twee mannen die Lars niet herkende. De ene was een oudere, zongebruinde meneer met achterovergekamd dun wit haar – Adalberto Guzman, Hectors vader. De tweede foto was een vergrote pasfoto van een man met kort haar en een lege blik in zijn ogen – Leszek Smialy, Adalberto Guzmans lijfwacht.

Lars las brokstukken uit de tekst onder de foto. Leszek Smialy had bij de geheime politie in Polen gezeten tijdens het communistische regime. Sinds de val van de Sovjet-Unie had hij al verschillende opdrachten als lijfwacht gehad. Waarschijnlijk was hij in de zomer van 2001 voor Adalberto Guzman gaan werken.

Lars liet zijn blik naar Aron Geisler gaan. Hij las de informatie snel door. In de jaren zeventig zat hij op de Östra Realschool in Stockholm, in 1979 was hij lid van de schaakclub Östermalms Schacksällskap. In de jaren tachtig had hij zijn driejarige militaire dienstplicht vervuld in Israël... Tijdens de eerste Irakoorlog had hij als vreemdelingenlegionair deel uitgemaakt van de eerste troepen die in Koeweit landden. Zijn ouders hadden tot 1989 in Stockholm gewoond en verhuisden toen naar Haifa. Aron Geisler had in de jaren negentig gedurende een aantal periodes in Frans Guyana gezeten. Er zaten grote hiaten in het verslag.

Hij deed een paar stappen naar achteren om het geheel te bekijken en begreep er niets van. Hij liep de pantry in en voorzag zichzelf van een kop koffie, drukte op de knoppen voor suiker en melk. Een lichtbruine smurrie stroomde in het kopje. Toen hij terugkwam in de kamer legde Gunilla de hoorn neer. Ze verhief haar stem.

'Vandaag om 12.08 uur pikte Aron Geisler de verpleegkundige op en reed met haar naar lunchrestaurant Trasten in Vasastan, waar ze een uur en twintig minuten lang lunchte met Hector Guzman.'

Gunilla zette haar leesbril op.

'Haar naam is Sophie Brinkmann, verpleegkundige, weduwe, heeft een zoon – Albert van vijftien jaar. Ze gaat naar haar werk en van haar werk weer naar huis... Dan maakt ze het eten klaar. Dat is zo ongeveer alles wat we op dit moment weten.'

Gunilla zette haar bril af en keek op.

'Eva, jij neemt haar privéleven voor je rekening. Kijk wat je kunt vinden over vrienden, vijanden, minnaars... alles.'

Ze richtte zich tot Lars.

'Laat Hector maar, Lars. Concentreer je op de verpleegkundige.'

Lars knikte en nam een slok koffie. Gunilla lachte en keek naar haar team.

'Zo nu en dan stuurt God een engeltje naar de aarde.'

En daarmee was het overleg kennelijk afgelopen. Gunilla zette haar bril weer op en keerde terug naar haar werk, Eva begon driftig te tikken op haar toetsenbord en Erik las weer verder in de map en schudde ondertussen geroutineerd een bloeddrukverlagende pil uit zijn medicijnpotje.

Lars volgde het niet helemaal, hij had duizend en één vragen. Hoe moest hij te werk gaan? Hoeveel informatie wilde Gunilla hebben? Hoeveel zou hij moeten werken, avonden en nachten? En wat deden ze met overwerk? Wat wilde ze precies van hem? Hij vond het niet prettig als hij die beslissingen zelf moest nemen. Hij had duidelijke richtlijnen nodig die hij kon volgen. Maar zo'n chef was Gunilla niet en hij wilde niet met zijn onzekerheid te koop lopen. Hij liep naar de deur.

'Lars. Ik wil graag dat je een paar dingen meeneemt.'

Ze wees naar een verhuisdoos die tegen de muur stond. Hij liep ernaartoe en maakte hem open. Er zaten een oude typemachine van het merk Facit in, een modern faxapparaat, een digitale spiegelreflexcamera van het merk Nikon met bijbehorende lenzen in verschillende sterkten en een klein houten doosje. Lars haalde het deksel van het doosje en zag acht dasspeldmicrofoons die goed verpakt zaten in uitgesneden schuimrubber.

'We gaan toch niet afluisteren?' vroeg hij en hij had meteen al spijt van die vraag.

'Nee, maar je moet die spullen alvast tot je beschikking hebben. De camera moet je wel meteen al gaan gebruiken, je moet haar fotograferen en observeren. We moeten zo snel mogelijk zo veel mogelijk materiaal verzamelen. De rapporten schrijf je op de typemachine en fax je naar mij. De fax is gecodeerd, je plugt hem thuis in je telefoonaansluiting zoals gewoonlijk.'

Lars keek naar de uitrusting, Gunilla zag de vraag op zijn gezicht.

'We schrijven onze rapporten en evaluaties hier allemaal op de typemachine. We laten nergens digitale voetafdrukken achter, we nemen geen enkel risico, denk daar goed aan.'

Hij keek haar aan, pakte de doos en verliet het kantoor.

Leszek kwam over het strand naar hem toe lopen, het kostte hem moeite om Guzman recht aan te kijken.

Adalberto Guzman, of Guzman el Bueno zoals hij ook wel genoemd werd, was net de zee uit gekomen. Een glas versgeperst sinaasappelsap stond op een tafeltje in het zand. Een handdoek lag opgevouwen op een stoel, een badjas hing over de rugleuning ervan. Hij droogde zich af, trok zijn badjas aan en dronk het sap op terwijl hij uitkeek over zee.

Als kind had hij naast zijn moeder gezwommen wanneer ze hetzelfde stukje zwom dat hij zojuist had afgelegd. Elke morgen hadden ze daar naast elkaar in het water gelegen. Het eindje zwemmen was nog steeds hetzelfde, maar het uitzicht op de terugweg was in de loop der jaren veranderd. In het begin van de jaren zestig, in de tijd dat hij zijn grote liefde – de Zweedse reisleidster Pia – had ontmoet, had hij alle beschikbare grond rondom de villa gekocht, de andere huizen met de grond gelijkgemaakt en cipressen en olijfbomen geplant waar eerder de openbare weg had gelopen. Hij was tegenwoordig eigenaar van het water waarin hij zwom en van de stranden waarop hij liep.

Guzman was drieënzeventig jaar oud, weduwnaar en vader van twee zonen en een dochter. Gedurende drie decennia had hij zonder enig winstoogmerk enorme geldbedragen aan liefdadigheidsinstellingen geschonken. Hij had een bedrijf opgebouwd dat van hem een vermogend man had gemaakt. Hij stond bekend om zijn vrijgevigheid, om zijn betrokkenheid bij de minder bedeelden, hij droeg de Kerk een warm hart toe en was een graag geziene gast in het lokale kookprogramma op de tv. Hij was Guzman el Bueno – Guzman de Goede.

Guzman klopte Leszek even vriendschappelijk op de arm toen ze elkaar tegenkwamen. Leszek wachtte even en volgde hem toen op gepaste afstand naar de villa.

'Er gaat wel eens iets mis, beste Leszek.'

Leszek zei niets.

'Ze hebben de boodschap toch gekregen?' ging hij verder.

Guzman liep de stenen trap naar de villa op.

'Niet zoals we dat graag gewild hadden,' mompelde de Pool.

'Maar ze hebben de hint vast wel begrepen en jij bent heelhuids terug, dat is het belangrijkst.'

Daar zei Leszek niets op.

De grote glazen terrasdeuren stonden open en de witte linnen gordijnen bewogen zachtjes in de zeebries. Ze liepen het huis in, Guzman trok zijn badjas uit en op hetzelfde moment kwam een bediende binnen met zijn kleding voor die dag. Zonder blikken of blozen kleedde hij zich in het bijzijn van Leszek aan.

'Ik maak me zorgen over de kinderen,' zei Guzman, terwijl hij de beige broek aantrok. 'Hector heeft Aron bij zich, dus dat zit wel goed, maar je moet bewaking regelen voor Eduardo en Inez. Als ze moeilijk doen... Nou ja, ze mogen niet tegenstribbelen.'

Eduardo en Inez leidden ieder hun eigen leven, ver uit de buurt van Adalberto Guzman. Het contact dat hij met hen had, was verwaarloosbaar, hij stuurde altijd te grote en te dure cadeaus op de verjaardagen van zijn kleinkinderen. Inez had hem gevraagd daarmee op te houden. Het was tegen dovemansoren gezegd.

Maar Hector, zijn eerstgeborene, had hij altijd aan zijn zijde gehad. Op vijftienjarige leeftijd was Hector in de zaak van zijn vader komen werken. Op zijn achttiende runde hij alles samen met Adalberto. Het eerste wat Hector deed was het afbouwen van de heroïnehandel tussen Noord-Afrika en Spanje omdat de inspanningen van de politie om de drugshandel aan banden te leggen geïntensiveerd waren. In plaats daarvan begon hij veel energie te stoppen in het opzetten van een witwasorganisatie. Drugsgeld, wapengeld, overvalgeld en alles wat opgefrist moest worden wasten ze wit. Het bleek bijna net zo lucratief te zijn als de heroïnesmokkel naar Zuid-Europa. De Guzmans stonden erom bekend dat ze voor bijna alles openstonden. Maar in de jaren negentig, toen Amerika serieus startte met zijn oorlog tegen drugs en de prijs van cocaïne tot ongekende hoogte steeg, konden ze niet aan de zijlijn blijven toekijken.

Ze brachten een bezoek aan Don Ignacio in Valle del Cauca in Colombia om de mogelijkheid van een eigen aanvoerlijn naar Europa te onderzoeken. Adalberto en Hector vonden een aantal goede smokkelroutes, maar het was een moeilijke en kostbare klus die niet helemaal zonder risico was. Ze wijzigden meerdere malen de routes en raakten een aantal ladingen kwijt aan piraten en aan de douane. Ten slotte gaven ze het op en zetten het idee in de ijskast. In de eerste jaren van de eenentwintigste eeuw ging het slecht met de legale zaken van Adalberto en Hector en het herstel verliep langzaam. Het leek hun nog steeds een geweldig idee om een goed functionerende cocaïneaanvoerlijn op te zetten. Ze testten een lijn tussen Paraguay en Rotterdam, een tamelijk veilige, zo bleek achteraf, en hun beste tot nu toe. Ze leunden achterover, verdienden grof geld en het werd weer leuk.

Maar plotseling waren de Duitsers daar en snaaiden alles voor hun neus weg. Adalberto moest met tegenzin erkennen dat hij overrompeld was. Het was niet zijn eerste kennismaking met Ralph Hanke. Een paar jaar daarvoor hadden ze zijdelings met elkaar te maken gehad bij een aanbesteding voor de bouw van een viaduct in Brussel. Hanke probeerde alle betrokkenen om te kopen. Hij moest en zou het contract binnenhalen. Maar het ging naar Guzman en Hanke viste achter het net. Er was op zich niets bijzonders aan het contract, dus toen Hanke hun cocaïne jatte wist Adalberto met wie hij te maken had, met een idioot die niet tegen zijn verlies kon.

Het opzetten en onderhouden van een lijn tussen Paraguay en Rotterdam was een lastige klus geweest. Steekpenningen, steekpenningen en nog eens steekpenningen, zo zette je een aanvoerlijn op en onderhield je hem. Geld was het probleem niet, het vinden van de juiste mensen die bereid waren om het in ontvangst te nemen was lastiger. Na verloop van tijd hadden ze de juiste mensen aan zich weten te binden die deden waar ze voor betaald werden. Douaniers, bevrachters, een Vietnamese kapitein die geregistreerd stond als eigenaar van een schip – een oude schuit met een bemanning waarvoor hij zijn hand in het vuur durfde te steken. Alles liep gesmeerd en misschien was dat ook wel de reden dat Ralph Hanke op een dag op het toneel verscheen en de hele handel overnam. Hanke bood iedereen die door Guzman was omgekocht een hogere vergoeding, bedreigde de koerier die de boot opwachtte in Rotterdam, confisqueerde vervolgens de waar en maakte gebruik van zijn eigen kanalen om de cocaïne verder over Europa te verspreiden.

Adalberto Guzman had per koerier een handgeschreven brief ontvangen. De brief was goed geformuleerd, beleefd en formeel, op duur, dik, ivoorwit papier. Hij las tussen de regels door dat elke poging van zijn kant om het op een confrontatie te laten aankomen met geweld zou worden beantwoord. Adalberto Guzman stuurde een brief terug, handgeschreven, wat minder formeel en op ietsje goedkoper papier, waarin hij te verstaan gaf dat hij de gederfde inkomsten met rente terug wilde hebben. Als antwoord had Hanke hoogstwaarschijnlijk iemand naar Stockholm gestuurd om Hector op een zebrapad aan te rijden. De automobilist was na de aanrijding doorgereden en de auto was volgens de Zweedse politie niet teruggevonden.

Adalberto volgde zijn eerste ingeving en stuurde Leszek naar München om Hankes zoon te vermoorden. Maar dat was niet geheel volgens plan verlopen. Misschien maar goed ook achteraf gezien, de stand was nu onbeslist. En dat mocht best nog wel even zo blijven.

Het geluid van pootjes op de vloer. Het was de hond Piño, blij en enthousiast als altijd met half dichtgeknepen ogen en een bal in zijn bek. Piño was een straathond die vijf jaar geleden voor zijn deur had gestaan en naar binnen had gewild. Adalberto had de hond binnengelaten en sindsdien waren ze de beste maatjes.

Guzman el Bueno pakte de bal en gooide hem weg. De hond vloog erachteraan, ving hem op en bracht hem terug naar zijn baasje. Het bleef leuk.

Als de rust voortduurde, had hij mooi de gelegenheid om te bedenken hoe hij zijn route terug zou pakken. Want dat zou hij, en hoe.

*

De avond was nog steeds zoel, de cicaden zongen en ergens in de buurt was een Paraguayaanse tv-show te horen.

In een oud magazijn stond Jens dozen in te pakken. Hij had de machinepistolen uit elkaar gehaald en de lopen in een kist met stalen buizen van verschillende afmetingen en vormen gelegd. De kolven van de machinepistolen stopte hij in een kist met vacuümverpakte watermeloenen.

De afgelopen jaren waren zwaar geweest. Hij had Bagdad, Sierra Leone, Beiroet en Afghanistan bezocht. Gevaarlijke oorden. Hij was beschoten, had teruggeschoten, had mensen ontmoet die hij nooit meer hoopte tegen te komen.

Jens had besloten dat hij het na deze klus voor gezien zou houden, naar huis zou gaan, het rustig aan zou doen. Normaal gesproken begeleidde hij zijn handelswaar nooit, dat was veel te riskant. Maar deze keer wilde hij meereizen. Vanaf de havenstad in Brazilië had hij een plaats geboekt voor de goederen op een in Panama geregistreerd vrachtschip dat naar Rotterdam zou varen. De Vietnamese kapitein wist wat hij deed, vertelde dat een andere klant er al voor had gezorgd dat het lossen in Rotterdam geen problemen zou opleveren, maar dat daar wel een prijskaartje aan hing. De overtocht naar Europa zou twee weken duren en hij voelde dat hij tot bedaren moest komen, goed moest uitrusten – maar ook dat hij zijn geduld op de proef moest stellen, moest zien hoe slecht het met zijn rusteloosheid gesteld was. Het schip zou hem geen enkele mogelijkheid geven om te vluchten. Iets wat hij normaal gesproken altijd deed als hij hetzelfde uitzicht twee keer had gezien.

Jens spijkerde de kisten dicht, vulde de valse douaneformulieren in en laadde de goederen op een oude vrachtauto, die hem en zijn wapens de volgende morgen naar Paranaguá zou brengen.

Toen alles klaar was, ging Jens stappen in Ciudad del Este. Daar was het één grote chaos. Smerig, lawaaierig, stampvol – en daarboven hing een zware lucht waarin alle geuren van de wereld zich verzameld hadden. Het was zo erg dat je af en toe het gevoel had dat de hele stad binnenkort zonder zuurstof zou komen te zitten. Arme mensen renden op blote voeten rond, rijken op schoenen, iedereen wilde iets verkopen, een enkeling wilde kopen – Jens vond het er geweldig.

In een plaatselijke pub hield hij zich wakker met drank en een paar meisjes, toeristen uit Nieuw-Zeeland, maar hij was het gezelschap al snel zat en vertrok ongemerkt naar een andere bar. Daar vond hij een donker hoekje, waar hij zich in zijn eentje ging zitten bezatten.

De reis naar Paranaguá de dag daarop was een elf uur durende nachtmerrie. De kater hield hem wakker, de chauffeur schreeuwde en reed al toeterend naar Brazilië.

Het schip was een roestige oude schuit uit de jaren vijftig, blauw op de plaatsen waar de kleur nog te zien was. Zestig, zeventig meter lang en misschien twaalf meter breed met een stampende dieselmotor onder het dek. Het geluid was te horen tot op de kade waar hij het schip stond te bekijken. Het werd bestuurd vanaf de brug die op de achterste helft van het schip was geplaatst. Het halve dek was open. Daar stonden containers vastgesjord. Vervolgens kisten, dozen en andere halfslachtig verpakte goederen. Het was een oud vrachtschip dat zijn beste tijd had gehad – niets meer en niets minder.

Jens klom aan boord via een wankele loopplank, keek om zich heen toen hij op het dek stond. Het schip oogde groter nu hij aan boord was.

Na even over het schip te hebben rondgedoold vond hij zijn hut. Die deed meer denken aan een cel. Precies breed genoeg om naar binnen te kunnen zonder zich om te hoeven draaien. Een smal bed dat aan de muur was verankerd en een kastje, dat was het. Maar hij was tevreden. Deels omdat de hut een raam had dat boven de waterlijn was geplaatst, maar vooral omdat hij hem met niemand hoefde te delen.

Hij leunde tegen de reling toen het schip uitvoer. De zon hing boven de horizon en Jens zag de containerhaven van Paranaguá langzaam in de verte verdwijnen.

*

Het waren lange en saaie werkdagen voor Lars Vinge. Hij had Sophie gefotografeerd toen ze vanuit haar werk naar huis fietste. Had wat in de buurt rondgekeken om de tijd te doden, een wandeling gemaakt onder dekking van de duisternis en zo en nu dan wat onscherpe foto's van haar gemaakt wanneer ze langs een raam in haar huis liep. Hij was Sophie en haar zoon Albert gevolgd toen ze naar de stad reden, toen ze een eetcafé binnengingen en daarna naar de bioscoop. Daarna twee dagen waarop ze in haar eentje at. Hij had geen flauw idee waarom hij zich hiermee bezig moest houden, het leek allemaal zo zinloos.

Lars was het zat en werd boos en omdat hij niemand had om zijn boosheid mee te delen, kropte hij die zoals gewoonlijk op.

De avond daarvoor had hij voor Gunilla een rapport geschreven over Sophies activiteiten, en in zijn slotzin had hij voorgesteld de observatie te beëindigen.

In de woonkamer in Lars' appartement zat zijn vriendin Sara naar een tv-programma over milieuverontreiniging te kijken. Ze was geschokt, een professor in Engeland had gezegd dat alles naar de bliksem ging. Lars stond tegen de deurpost geleund het programma te volgen. Statistisch onderbouwde en overtuigende redeneringen van hoogopgeleide mensen beangstigden hem.

Hij kreeg een sms'je en las het. Gunilla schreef dat hij belangrijk en waardevol was voor het onderzoek, dat hij nu niet kon stoppen met de observatie. Ze beëindigde haar bericht met 'grtz'.

Ook al begreep Lars dat haar vleiende woorden een strategie waren om hem weer te motiveren, toch knapte hij ervan op. Hij besloot dat hij zijn taak zou blijven uitvoeren.

Na verloop van tijd zou hij iets anders te doen krijgen, na verloop van tijd zou Gunilla hem op betere opdrachten zetten, dat had ze hem beloofd – opdrachten die beter beantwoordden aan zijn intellect, in elk geval meer dan dag en nacht in een auto zitten kijken naar een verpleegkundige die een buitengewoon geregeld leven leek te leiden. Dan zou hij begrijpen waar hij mee bezig was, dan zouden de andere teamleden begrijpen dat hij niet te overtreffen was in zijn werk.

Hij ging naast Sara op de bank zitten en keek naar het laatste stukje van het programma waarin verteld werd dat het mede aan hem te wijten was dat de aarde binnen afzienbare tijd ten onder zou gaan. Hij voelde zich schuldig en was net zo geschokt als Sara over de informatie die de verslaggever gaf. Sara zei dat ze erover dacht om niet meer te gaan vliegen, dat ze in plaats daarvan de trein zou nemen... als ze ooit een buitenlandse reis zouden maken. Lars knikte, dat zou hij ook doen.

'Ik moet vanavond nog werken... Zullen we even gaan liggen?'

Ze schudde haar hoofd met de blik op de tv.

Om halfacht parkeerde hij de Volvo een eindje van Sophies huis en wandelde door de straten rond haar huis, probeerde een plek te vinden waar hij dichterbij kon komen. Hij zag zoals gewoonlijk niets ongewoons en stapte weer in zijn auto. Nadat hij een poosje voor zich uit had zitten staren, reed hij een blokje om en nam de omgeving wel voor de tiende keer in zich op. Hij zette de auto op een andere plaats neer, nam een paar onscherpe foto's van haar huis en noteerde iets wat niet genoteerd hoefde te worden. Om negen uur begon Lars weer hardop te zuchten, hij startte de auto, besloot nog een laatste keer langs het huis te rijden voordat hij naar huis ging.

Hij passeerde het huis net op het moment dat Sophie de deur uit liep naar een taxi die voor haar hek stond te wachten. Ze was gekleed in een dunne mantel die ze niet had dichtgeknoopt en hield een brede enveloptas in haar hand. Ze ging achter in de taxi zitten, die daarna wegreed.

Hij had haar gezien in dat korte moment dat hij haar voorbijreed. Hij had het gevoel gehad dat de tijd langer duurde, vertraagde – alsof alles eventjes stilstond. In dat korte ogenblik had hij haar ervaren als iets perfects, iets volmaakts. Lars had sterk het gevoel dat hij haar kende en dat zij hem kende. Hij schudde dit merkwaardige gevoel van zich af, keerde de auto een eindje verderop op de weg en volgde de taxi.

Lars hield afstand, zijn hart bonsde van de zenuwen en hij moest heel nodig plassen; alsof die twee dingen op een vreemde, onlogische manier bij elkaar hoorden. Hij verloor de taxi geen moment uit het oog toen die bij Roslagstull de Birger Jarlsgatan in reed, vervolgens links afsloeg de Karlavägen op, langs Humlan reed en ten slotte stopte in de Sibyllegatan. Hij reed langzaam voorbij toen ze uit de taxi stapte, volgde haar in de binnenspiegel en zag hoe ze door een deur verdween.

Lars parkeerde de auto wat verderop in de straat op de busbaan en wachtte een minuut voordat hij uitstapte.

Hij scheen met zijn zaklantaarn in het trappenhuis en noteerde alle namen op het bord dat in de hal hing.

Om elf uur kwam ze met een vriendin naar buiten. Ze liepen gearmd richting Östermalmstorg. Ze lachten, Sophie was druk aan het gebaren toen ze iets grappigs vertelde, haar vriendin bleef staan en boog zich in een soort lachstuip voorover. Lars liet de auto staan en volgde hen te voet.

Sophie en haar vriendin bezochten die avond drie verschillende uitgaansgelegenheden. Bij twee ervan werd Lars de toegang geweigerd en moest hij zijn politielegitimatie laten zien.

Sophie en haar vriendin zaten aan de bar. Een paar keer zochten mannen van verschillende leeftijden contact, maar de vrouwen toonden geen interesse. Lars sloeg dit alles gade vanaf zijn plaats een eindje verderop aan de bar, hij dronk een Virgin Mary en voelde zich totaal niet op zijn plaats. Hij ging zelden uit en die keren dat hij dat wel deed bezocht hij restaurants, nooit clubs en zeker niet in dit deel van de stad. Hij keek naar haar, merkte dat hij zat te staren, keek weg en dronk zijn glas leeg. Het tomatensap had een echte bittere tomatensmaak. Haar nabijheid bracht hem van zijn stuk, hij loerde weer naar haar, het viel hem op hoe aantrekkelijk ze was, hoe mooi. Hij zag details die hem eerder niet waren opgevallen: kleine, bijna onzichtbare kraaienpootjes bij haar ogen, haar blote hals, haar haren die hun eigen leven leidden... De nek waarvan hij af en toe een glimp opving, een perfecte nek die haar hele lichaam leek te dragen... Haar voorhoofd waarvan de vorm haar dat smaakvolle, dat elegante gaf samen met de intelligentie die van haar afstraalde. Hij was nu dichtbij, bijna te dichtbij. Maar hij keek toch, keek naar haar als een tiener die voor het eerst iemand naakt zag.

Sophie en haar vriendin lachten. Lars werd aangestoken door haar lach en plotseling keek ze hem aan, misschien voelde ze de intensiteit van zijn starende blikken. Hun ogen ontmoetten elkaar heel vluchtig, ze keek lachend zijn kant op, hij lachte terug, maar ze keek langs hem heen.

Hij voelde de glimlach op zijn eigen gezicht, liet hem verdwijnen, draaide zich om en verliet snel de club.

Thuis schreef hij bij het licht van een spaarlamp zijn rapport over de gebeurtenissen van die avond, over Sophies vriendin, hij noemde de achternamen die hij in het trappenhuis had gelezen en faxte vervolgens het rapport naar Gunilla.

Sara sliep. Hij kroop naast haar, ze bewoog in haar slaap en werd wakker.

'Hoe laat is het?' fluisterde ze verward.

'Het is laat... of vroeg,' zei hij.

Ze trok de deken over zich heen en draaide zich om. Hij drukte zich tegen haar aan op zoek naar intimiteit en deed een onbeholpen poging tot voorspel. Hij was daar niet goed in, alle gevoel en subtiliteit ontbraken.

'Hou op, Lars,' zuchtte ze geërgerd en ze schoof een eindje op. Hij rolde op zijn rug, staarde naar het plafond en luisterde naar het vage geluid van het verkeer op straat. Toen hij besefte dat hij toch niet zou kunnen slapen, stond hij weer op en ging tv-kijken. In alle mooie vrouwen die voorbij flikkerden zag hij Sophie Brinkmann.

\*

De warenhuismuzak was mooi en rustgevend. Ze neusde wat rond op de lingerieafdeling, bekeek en bevoelde de kwaliteit en het materiaal. Ze liep verder naar de make-upafdeling en kocht een dure crème die wonderen beloofde.

'Sophie.'

Ze draaide zich om en zag Hector met een stok en een been in het gips, achter hem stond Aron met twee papieren tassen van een herenmodezaak in zijn handen.

'Hector.'

De stilte duurde net iets te lang.

'Heb je iets van je gading gevonden?' vroeg hij.

'Alleen een crème tot nu toe.'

Ze tilde haar papieren tasje op.

'En jij dan?' vroeg ze.

Hector keek naar de tassen in Arons handen en knikte.

'Ik weet het niet,' zei hij zacht.

Hij keek haar indringend aan.

'We waren nog niet aan de koffie toegekomen,' zei hij.

'Sorry?'

'We hebben laatst na de lunch geen koffie gedronken. Hier verderop zit een leuke gelegenheid, naast het eetcafé.'

Sophie dronk koffie verkeerd, Hector ook. Het meisje met het geruite schort dat achter de toonbank stond had hun alle soorten aangeboden, maar ze hadden al haar voorstellen weggewuifd, wilden het gewone, vertrouwde recept. Aron zat wat verderop geduldig te wachten en liet zijn blik door de ruimte gaan.

'Drinkt hij geen koffie?'

Hector schudde zijn hoofd.

'Hij houdt zelfs niet van koffie. Aron is anders dan anderen.'

Ze lieten even een stilte vallen, die Sophie verbrak.

'Hoe gaat het in de boekenbranche?'

Hector glimlachte om haar zinloze vraag, nam niet de moeite om te antwoorden.

'Hoe is het in de ziekenhuisbranche?' vroeg hij op zijn beurt.

'Hetzelfde als altijd. Mensen worden ziek, sommige patiënten worden weer beter, iedereen is dapper.'

Hector begreep dat ze serieus antwoord gaf.

'Zo is het,' zei hij, hij nam een slok koffie en zette het kopje neer. 'Ik ben binnenkort jarig.'

Ze trok een blij gezicht.

'Ik zou je graag willen uitnodigen op mijn feestje.'

'Misschien,' zei ze.

Hector observeerde haar even. Ze nam een verandering bij hem waar. Alsof de humor en de vreugde weg waren en het tegenovergestelde ervoor in de plaats kwam – iets onpersoonlijks wat ze niet herkende.

'Het is een uitnodiging. Het is onbeleefd om op een uitnodiging "misschien" te zeggen. Je kunt ja of nee zeggen zoals iedereen.'

Sophie voelde zich dom. Alsof ze een spelletje had gespeeld, alsof ze ervan uitging dat hij met haar flirtte en dat ze moest doen alsof ze moeilijk te veroveren was. Hij flirtte misschien helemaal niet met haar. Hoe meer ze naar hem keek, des te beter begreep ze dat hij haar niet probeerde te versieren. Hij deed iets anders, misschien was hij alleen maar een vriend die haar graag mocht. Dat zei hij in elk geval, hij had nooit iets anders gesuggereerd.

'Sorry,' zei ze.

'Het is je vergeven,' antwoordde hij meteen.

'Ik kom heel graag op jouw verjaardag, Hector.'

Hector lachte weer.

# 4

Er werd druk geflitst. Ralph Hanke lachte naar de camera's terwijl hij de hand schudde van een kleine man met dun haar en een snor.

Een journalist vroeg de lokale politicus of deze het verstandig achtte dat er een winkelcentrum gebouwd werd op een plek waar vrijwel zeker blindgangers uit de Tweede Wereldoorlog lagen. De politicus begon onzin uit te kramen, had zich al na enkele minuten in een onmogelijke situatie gemanoeuvreerd en stond naar woorden te zoeken. Ralph Hanke schoot hem te hulp.

'Dat is een absurde gedachte. We hebben veel tijd en geld in onderzoek gestoken om er zeker van te zijn dat er geen explosieven in de grond zitten.'

De journalisten begonnen nu Ralph met vragen te bestoken. Geen enkele vraag betrof de geplande bouw of de blindgangers. Nu ging het over van alles en nog wat, van zijn miljoenen tot aan zijn veronderstelde romance met een Oekraïens model.

Ralph Hanke gaf nooit interviews, sporadisch verscheen hij in de openbaarheid en dan alleen op kleinere en onverwachte plaatsen waar zelden iets op het spel stond, zoals hier bij de bouw van een overdekt winkelcentrum in een voorstad van München.

Zijn rechterhand, Roland Gentz, ging voor hem staan, bedankte de journalisten voor de getoonde belangstelling en leidde Ralph vervolgens het podium af.

De auto waarin ze zaten werd bestuurd door Michail Sergejevitsj Asmarov, een grote Rus met een nek die bijna net zo breed was als de stoel waarop hij zat.

'Hij weet niet wanneer hij zijn mond moet houden. Het probleem met die kleine imbeciel is dat hij denkt dat hij voor het volk werkt,' zei Roland, die voor in de auto zat.

Ralph keek naar buiten. Gebouwen, flats, winkels, woningen en mensen gleden voorbij – allemaal onbekend voor hem en dat zou ook niet veranderen. De laatste tijd had hij veel op het spel gezet, en daar genoot hij van. Zijn bouwbedrijf haalde alle contracten binnen die hij wilde hebben. Het bouwen van overdekte winkelcentra, scheepswerven, parkeergarages en kantoorcomplexen deed het goed naar de buitenwereld toe, het maakte hem legitiem. Hij genereerde werkgelegenheid en verdiende veel geld, wit geld.

Ralph Hanke was een selfmade man, dat kon niemand ontkennen. Hij groeide op in voormalig Oost-Duitsland als enig kind in een arm gezin. In 1978 kreeg hij een zoon, Christian; twee jaar later scheidde hij van zijn toenmalige vrouw, die een ongezonde voorliefde voor heroïne had ontwikkeld.

In de jaren voordat de muur viel werkte hij bij de posterijen, waar hij collega's aangaf bij de Stasi. Zijn verklikkerij leverde hem voordelen op die hem later erg goed van pas zouden komen en bij de geheime politie leerde hij een heleboel mensen kennen die slim genoeg waren om te voorspellen dat Oost-Duitsland ineen zou storten. Hij zegde zijn baan bij de posterijen op en bereidde samen met zijn Stasi-vrienden een coup voor, waarbij ze dossiers zouden stelen van verklikkers om hen daar later na de val van de muur mee te kunnen chanteren.

Het laatste jaar was hij volledig in dienst van de Stasi en zat hij bij de Kommerzielle Koordinierung, Koko. Het doel van die afdeling was om met behulp van de inlichtingendienst de hand te leggen op westerse valuta om op die manier het bankroete land nog een tijdje draaiende te houden.

Ralph Hanke en zijn vrienden verkochten handvuurwapens van het Oost-Duitse leger aan alle geïnteresseerde kopers die ze maar konden vinden. Zijn eerste buitenlandse reis ging naar het Panama van generaal Noriega. Deze kocht wapens en betaalde contant met dollars en Ralph had voor het eerst het gevoel dat hij zijn levensdoel had gevonden. Op 9 november 1989 liep hij zo vrij als een vogel samen met zijn zoon Christian West-Berlijn in. Met de zon in de rug die de weg voor hen verlichtte liepen ze onder de Brandenburger Tor door.

Hij logeerde een tijdje bij een oude vriend in West-Berlijn, wachtte een paar maanden en begon toen de documenten van de ex-verklik-kers te verkopen. Hoe meer tijd er verstreek, des te meer kreeg hij betaald. Zijn nieuwe bescheiden vermogen gebruikte hij voor het op-kopen van gestolen voorraden van het gedesintegreerde leger. Voer-tuigen, wapens en andere uitrusting die voor een habbekrats van de hand werden gedaan, verkocht hij vervolgens door voor het tienvou-dige. Ralph hield zelf kopieën van de Stasi-rapporten die hij aan de verklikkers had verkocht, van wie velen in het nieuwe Duitsland hoge posities zouden gaan bekleden.

Eind jaren negentig, toen de meesten van deze mannen en vrou-wen hun geheim veilig waanden, kregen ze opnieuw bezoek van Ralph Hanke, nu met de jonge Christian aan zijn zijde. Deze keer vroeg Ralph geen geld, deze keer vroeg hij om andere diensten, die hem zou-den kunnen helpen om rijkdom en macht te vergaren.

Ralph en Christian reisden de wereld rond en legden contacten met regeringen en grote ondernemingen, betaalden steekpenningen en verkochten vliegtuigen, voertuigen en radaruitrustingen aan oorlog-voerende landen via stromannen en fictieve ondernemingen. In de loop van een aantal jaren hadden ze Hanke GmbH opgebouwd en verdienden ze grof geld.

Zijn uitzicht vanuit het autoraam was veranderd. Ze bevonden zich in het centrum van München. Hij vond het een schitterende stad. Schitterend vanwege de combinatie van succes en intellect.

De leren zitting kraakte toen hij ging verzitten.

'Heb je Christian te pakken kunnen krijgen?'

'Ja...' antwoordde Roland.

Ralph wachtte.

'En?'

'Hij zit thuis zijn verdriet te verdrinken. Ze betekende kennelijk veel voor hem.'

'Ja, dat zal wel.'

Ralph keek weer naar buiten. Zijn reactie toen de auto van Christian de lucht in was gevlogen was er een van opluchting geweest – opluch-ting omdat Christian er niet in had gezeten. Hij had zitten piekeren of het inderdaad Guzmans antwoord was. Was Christians vriendin het doelwit geweest, of Christian? Of was het een boodschap van iemand anders, maar van wie dan? Nee, het was Guzman, maar de werkwijze verbaasde hem. Stelden ze de dood van Christians vriendin gelijk aan het letsel dat Hector had opgelopen op het zebrapad? Of was het een ongeluk? Hadden ze het op Christian gemunt om te laten zien dat het hun menens was?

Ralph kreeg de Frauenkirche in het oog. Hij tuurde naar de koepels en verzonk weer in gedachten. Hij was benieuwd hoe de Guzmanaffaire zich zou ontwikkelen, benieuwd hoe Adalberto Guzman zou reageren wanneer hij hem op de knieën had gekregen. Want dat zou hij, voornamelijk omdat hij wilde weten wie die Guzman nu eigenlijk was. Alleen dan kon hij zien wat iemand waard was, alleen wanneer iemand op de grond lag kon je hem beoordelen. Sommigen bleven zielig liggen en smeekten om vergeving. Anderen stonden telkens weer op om zich nog een keer te laten neerslaan. Weer anderen stonden op, gaven iemand anders de schuld en verkochten zichzelf aan de duivel. Overlevingsinstinct zouden sommigen het misschien noemen, maar Ralph noemde het levensangst. En dan was er nog een klein clubje mensen dat zonder angst meedogenloos terugsloeg. Voor die mensen moest je respect hebben, misschien behoorde Guzman tot dat clubje.

Roland verbrak de stilte en begon het verdere programma voor die dag door te nemen. Hij werkte nu al acht jaar voor Ralph. In die jaren had Roland Gentz de meeste nadelen in voordelen weten om te zetten. Hij was econoom, jurist, politicoloog en kende geen grenzen. Dat waardeerde Ralph in hem. Roland was de rechterhand die Ralph absoluut niet kon missen, hij deed de dingen die Ralph niet zelf kon doen. Contact opnemen met mensen, onderhandelingen voeren en ervoor zorgen dat alles vlot verliep. Hij had een haast minutieus overzicht over alles wat er gebeurde. Als iemand tegenstribbelde, deed Roland een stap terug en dan nam Michail het over. Ralph had een kleine, maar uiterst goed functionerende organisatie om zich heen.

'Michail, jij gaat toch naar Rotterdam?' vroeg Roland.

'Waarom moet jij naar Rotterdam?' onderbrak Ralph hem.

Roland draaide zich half om.

'Ik heb besloten dat er altijd iemand van ons aanwezig moet zijn om de goederen in ontvangst te nemen, in elk geval het eerste halfjaar. Het is gewoon routine, een voorzorgsmaatregel. Guzman zou iets kunnen ondernemen.'

'Waarom Michail, hebben we niemand anders die dat kan doen?'

'Die zijn met andere dingen bezig. Het moet wel zo.'

In zijn gebroken Duits zei Michail dat hij alles had voorbereid, dat hij en nog twee anderen zouden gaan, dat het allemaal goed zou gaan.

'Welke anderen?'

'We hebben samen in Tsjetsjenië gezeten.'

'Zijn ze oké?'

Michail grinnikte hoofdschuddend.

'Nee, absoluut niet.'

Ralph mocht Michails houding wel, hij was altijd gesteld geweest op de Rus. Hij had iets vanzelfsprekends over zich, stelde zelden vragen, deed wat hem opgedragen werd en als het niet ging zoals gepland nam hij zelf het initiatief en loste het probleem op.

'Oké,' zei Ralph en hij ging ontspannen op de achterbank zitten. Hij sloot zijn ogen, een middagdutje zou hem goed doen.

*

Sophie probeerde verschillende stijlen uit voor de spiegel. Ze vond dat ze er te chic uitzag en trok uiteindelijk een spijkerbroek aan.

'Waar ga je naartoe?'

Albert zat op de bank in de woonkamer. Ze zag hem toen ze de trap afkwam.

'Naar een feest.'

'Wat voor feest?'

'Een verjaardagsfeest.'

'Van wie?'

Ze bleef beneden in de hal staan, bekeek zichzelf in de spiegel die boven het kastje hing.

'Van een vriend.'

'Een vriend?'

'Hector heet hij.'

Ze stiftte haar lippen, boog zich voorover naar de spiegel.

'Hector? Wat een kutnaam, wie heet er nou zo?'

Sophie wreef haar lippen over elkaar.

'Wat een taal.'

'Wie is dat dan?'

Ze werkte de lippenstift nog wat bij.

'Een ex-patiënt.'

'Ben je wanhopig, mam?'

Ze hoorde de humoristische ondertoon in zijn vraag en moest haar best doen om niet te lachen. Hij stond op van de bank en liep langs haar heen naar de keuken.

'Je ziet er prachtig uit, mam,' mompelde hij.

Ze had gemerkt dat hij haar aanmoedigde die enkele keer dat ze uitging.

'Dankjewel lieverd,' zei ze.

De taxi zette haar af bij lunchrestaurant Trasten. Toen ze de deur opende om naar binnen te gaan, werd ze opgewacht door een man in een wit overhemd en een zwarte broek, die de deur voor haar open-hield. Hij nam haar dunne jas aan en heette haar in gebroken En-gels welkom. Sophie werd plotseling nerveus, ze vroeg zich af of ze er goed aan had gedaan om hiernaartoe te komen. Vanuit het restaurant klonken stemmen en gelach.

De zaal werd verlicht door brandende kaarsen in plaats van lam-pen. Mensen zaten rond tafeltjes druk te praten, te lachen en te drin-ken. Achter haar stroomden nog meer mensen binnen. Sophie loerde naar de kleding van de andere gasten. Ze wist niet zeker of ze nu niet te eenvoudig gekleed was, maar ze bedacht dat het precies goed was. Een vrouw met een dienblad vol met tot aan de rand toe gevulde glazen champagne passeerde haar. Sophie pakte een glas en zocht Hector in de menigte, ontdekte hem een eindje verderop in de zaal met een jongetje op schoot. Het jongetje stikte bijna van het lachen toen Hector zijn gezonde been bewoog zodat de dreumes op en neer hotste. Op het moment dat ze zijn kant op liep, tikte iemand tegen een glas. Ze bleef staan, ging tegen een muur staan en zag een forse, kalende man van rond de vijftig in een wit, half losgeknoopt overhemd, die stond te wachten totdat het geroezemoes in de ruimte was verstomd. Hij tikte nogmaals tegen het glas, iemand aan een van de tafeltjes zei iets in het Spaans en verschillende mensen schoten in de lach. De man die om stilte had verzocht liet het gelach wegsterven en begon in het Spaans te praten. Hij richtte zich af en toe tot Hector, begon na een tijdje zachter te praten en werd sentimenteel. Zijn stem brak zo nu en dan. Hector luisterde kalm, iets wat het jongetje op zijn schoot misschien onbewust voelde, want hij zat stil, achterovergeleund op Hectors schoot. De man beëindigde zijn speech, hief zijn glas champagne en bracht een toost uit op Hector. De andere gasten vielen hem bij. Toen ze een slok nam, ontdekte Hector haar en wenkte. Het jongetje glipte van zijn schoot. Het geroezemoes van het feest begon weer en Sophie liep naar Hector toe terwijl hij een meisje dat naast hem zat iets in het oor fluisterde. Het meisje ging staan en stond haar plaats af aan Sophie, die haar met een glimlach bedankte. Hector was ook opgestaan en hield zijn blik strak op haar gericht. Sophie lachte hem toe. Hij richtte zijn aandacht op haar en kuste haar op beide wangen.

'Welkom, Sophie.'

'Gefeliciteerd met je verjaardag, Hector.'

Sophie overhandigde hem een pakje; hij nam het aan, maar pakte het niet uit. Hij liet zijn ogen even op haar rusten.

'Ik ben blij dat je er bent.'

Ze antwoordde met een glimlach.

'Kom, dan stel ik je voor aan mijn zus.'

Ze liepen naar een tafeltje, Sophie zag Aron zitten aan een bar achter in het restaurant, hij knikte vriendelijk naar haar.

Een vrouw stond op van een tafel. Ze had kort, donker haar, donkere sproeten op een olijfkleurige huid, een alerte blik die nieuwsgierig en tegelijkertijd vrolijk was – een gezond uiterlijk.*

'Sophie, dit is mijn zus Inez.'

Sophie stak haar hand uit. Inez trok zich niets aan van de hand, maar omhelsde Sophie en kuste haar in de lucht toen hun wangen elkaar aanraakten. Hector sprak in snel Spaans tegen Inez en Inez zei iets terwijl ze Sophie aankeek.

'Ze zegt dat ze je wil bedanken omdat je voor haar hopeloze broer hebt gezorgd.'

Sophie kwam te weten dat Inez twee kinderen had, die thuis bij haar man in Madrid waren. Inez zei dat ze blij was dat ze kennis had gemaakt met Sophie, gaf een klopje op haar arm en liep toen weg.

'Mijn broer kon niet komen, hij woont in Frankrijk, is marinebioloog en voelt zich het prettigst onder water. Dat neem ik hem niet kwalijk,' zei Hector.

De man die de speech had gehouden omhelsde Hector en wendde zich toen tot Sophie. Zijn grote, zware lichaam en zijn grote neus leken nog groter nu hij zo dichtbij stond. Hij was behangen met goud, droeg om zijn pols een dikke schakelarmband, om zijn hals een ketting en aan beide ringvingers een grote zegelring.

'Sophie, dit is Carlos Fuentes, dit is zijn restaurant.'

'Het is me een waar genoegen om kennis met je te maken, Sophie. Ik heb je al een keer gezien, maar alleen vluchtig toen je hier met Hector lunchte.'

Carlos sprak met een accent.

'Ik heb begrepen dat je verpleegkundige bent. Misschien kun je mijn gebroken hart nog eens genezen?'

Carlos legde zijn hand op zijn borst, lachte naar haar en liet hen alleen.

'Waarom heeft hij een gebroken hart?'

Hector haalde zijn schouders op.

'Hij wil gewoon een hopeloze romanticus zijn in de ogen van vrouwen. Hij heeft helemaal geen gebroken hart, alleen twee gebroken huwelijken – door hemzelf kapotgemaakt.'

Hector keek Carlos na. Sophie zag heel even iets donkers in zijn ogen flikkeren.

Een stel, misschien uit West-Indië. Hij rijzig, slank en sterk tegelijkertijd. Zij knap, een grote knot boven op haar hoofd, liep met een holle rug en een trotse houding. Gearmd kwamen ze op Hector af lopen. Het was alsof ze de hele wereld bezaten, maar die dolgraag met iedereen wilden delen. De rijzige man klopte Hector liefdevol op zijn schouder en gaf hem een ingepakt cadeau. Hector werd meteen warm en blij en de man pakte Sophies hand.

'Ik ben Thierry, dit is mijn vrouw Daphne.'

Sophie stelde zich voor, Daphne lachte Sophie toe. Ze spraken even met Hector, daarna liepen Thierry en zijn vrouw innig gearmd weer verder en groetten de mensen die ze kenden.

Iemand klapte in zijn handen en riep dat alle aanwezigen aan tafel moesten gaan.

Hector vroeg Sophie of ze aan zijn tafeltje wilde plaatsnemen. Er was geen tafelschikking, maar de gasten leken te weten waar ze moesten zitten. Ze vond een lege stoel en nam plaats.

Naast Sophie zat een man die er ongelooflijk saai uitzag, hij was een van de weinigen die een pak en een stropdas droegen. Hij had kort haar, was vrij spichtig, droeg een bril met een dun montuur en maakte een gespannen indruk, alsof hij daar eigenlijk liever niet wilde zijn. Nadat hij zich had voorgesteld als Ernst Lundwall, had hij geen woord meer gezegd. Zijn zwijgen begon pijnlijk te worden en misschien voelde hij dat zelf ook.

'Hoe kent u Hector?' vroeg hij.

Ze vertelde over Hectors ongeluk, waarvan Ernst op de hoogte was, hoe ze elkaar in het ziekenhuis hadden leren kennen en dat ze nu hier was. Ze stelde hem dezelfde vraag.

'Ik help Hectors uitgeverij met de juridische zaken. Ik ben ook jurist, werk in de eerste plaats als advocaat en adviseur en ben gespecialiseerd in auteursrechtelijke kwesties.' Hij had een nasale en eentonige stem.

Het diner werd een kwelling voor haar. Ernst Lundwall beantwoordde al haar vragen met eenlettergrepige woorden zonder een wedervraag te stellen, zonder ergens op voort te borduren of normaal sociaal gedrag te vertonen. Aan de man aan de andere kant van haar had ze ook niets, hij sprak geen Engels en geen Zweeds. Ten slotte gaf ze het op en verkoos te zwijgen.

Sophie at, keek af en toe naar Hector, die druk in gesprek was met zijn zus die naast hem zat. Aan de andere kant van hem zat een mooie vrouw van een jaar of dertig, Sophie wist niet wie dat was. De vrouw keek op, ontmoette Sophies blik en keek weg. Sophie besefte dat ze zat te staren.

Zo nu en dan stonden er mensen op om buiten even een sigaretje te roken. Ze nam de gelegenheid te baat om zich bij Ernst te verontschuldigen, stond op van haar stoel en liep naar buiten.

Ze stond alleen voor de ingang van het restaurant te roken. Voelde zich een beetje aangeschoten na een paar glazen champagne, de sigaret smaakte heerlijk. Achter haar ging de deur open en Aron kwam naar buiten, gevolgd door twee mannen.

'Dag, Sophie.'

'Dag, Aron.'

Hij keek om zich heen. De ene man liep linksaf de straat op, de andere rechtsaf. Aron draaide zich naar haar om.

'Zou ik je mogen verzoeken om naar binnen te gaan?'

Sophie was verbaasd, maar uit zijn houding begreep ze dat het een doodgewone vraag was.

'Ja hoor.'

Een auto kwam de straat inrijden. De man die naar rechts was gegaan wenkte Aron, die vervolgens een eindje de straat in liep. De auto naderde. Sophie ging naar binnen.

Tijdens haar rookpauze was er een soort chaos uitgebroken op het feest. Iedereen was van plaats verwisseld en zat met elkaar te praten bij een kop koffie met een glaasje likeur of een cognacje. Op haar stoel aan Hectors tafel zat nu iemand anders. Ze vond een lege plaats aan een ander tafeltje en het duurde niet lang of Ernst Lundwall kwam naast haar zitten.

'Ze hebben onze plaatsen ingepikt!'

Hij leek geschokt. Toen de buitendeur weer openging, kwam er een atletisch gebouwde man met kort haar binnen. Hij liet zijn blik snel door de zaal gaan. Achter hem volgde een oudere, goedgeklede heer met wit haar en een gebruinde huid en als laatste stapte Aron naar binnen, die de deur vervolgens achter zich dichtdeed. Hector stond op, hij keek verbaasd, bijna ontroerd. De oudere man liep naar hem toe en ze omhelsden elkaar.

'Guzman el Bueno!' riep iemand en de aanwezigen begonnen te klappen.

Sophie zag dat Hector en zijn vader een paar woorden met elkaar wisselden en elkaar liefkozend op de wang klopten. Een serveerster hielp Adalberto Guzman uit zijn jas, stoelen werden verzet, mensen wisselden van plaats en Adalberto ging naast zijn zoon zitten. Ze raakten onmiddellijk met elkaar in gesprek. Adalberto hield de hele tijd Hectors hand vast.

Ernst Lundwall was plotseling dronken geworden en werd wat spraakzamer. Hij vertelde Sophie naar welke muziek hij in zijn jeugd had geluisterd en naar welke muziek hij nu luisterde. Sophie probeerde een geïnteresseerd gezicht te trekken, maar haar blik dwaalde voortdurend af naar Hector en zijn vader. Er hing iets blijs en intens om hen heen.

'Excuseer me,' zei ze en ze stond op.

Hij hoorde het niet en bleef maar dooremmeren over zijn volslagen oninteressante jeugd, terwijl zij naar Hector en zijn vader toeliep.

'Dit is mijn vader, Adalberto Guzman.'

Sophie gaf de man een hand, terwijl Hector zijn vader in het Spaans vertelde wie Sophie was. Adalberto bleef haar hand vasthouden, keek haar recht in de ogen en knikte terwijl Hector vertelde.

Hector stond op en bood Sophie zijn arm aan. Ze maakten een rondje door de zaal, Hector stelde haar voor aan een bont gezelschap en ze kreeg het gevoel dat haar rondgang door het restaurant aan Hectors arm de indruk wekte dat ze een stel waren, alsof Hector haar aan zijn vrienden wilde showen. Ze trok haar arm uit de zijne en liep naar haar plaats, waar ze tot haar opluchting Ernst niet zag. Uit de luidsprekers kwam nu muziek, mensen gingen staan en begonnen te dansen. Even later kwam Hector naast haar zitten.

'Ben je bang voor me?'

Ze schudde haar hoofd. Hij keek naar de dansvloer.

'Ik bedoel er niets mee als ik je aan mijn vrienden voorstel.'

'Het geeft niet,' zei ze.

Hij nam haar hand in de zijne.

'Alles goed?'

Ze knikte.

Ze bleven zo een tijdje zitten terwijl ze elkaars hand vasthielden en naar de dansende mensen keken. Zijn hand was groot en warm. Het was heerlijk om die vast te houden.

Tegen tweeën gingen de eerste gasten naar huis en een halfuur later stond de muziek zachter en waren er nog een stuk of tien gasten in de zaal, van wie de meesten bij elkaar rond een tafel zaten. Hector, Adalberto, Inez, Aron en Leszek, de man met het korte haar die samen met Adalberto was gekomen, en Thierry en Daphne. Naast Hector de mooie vrouw. En Sophie zat naast Aron, met wie ze het even over alledaagse dingen had gehad. Daarna was hij met Leszek, de Pool met het korte haar, gaan praten. Ze bekeek de personen rond de tafel. Sophie keek naar Inez, die in gesprek was met Adalberto – Inez zag eruit als een kind dat besloten had boos te zijn op haar vader, Adalberto op zijn beurt had iets gekwelds over zich, als een vader die zijn dochter alleen maar gelukkig wilde zien. Thierry en Daphne zaten heel dicht naast elkaar. Ze keek naar Hector. Hij sprak niet met de vrouw naast zich, had de hele avond slechts een paar woorden tegen haar gezegd. Sophie betrapte zich erop dat ze weer naar haar zat te staren. De vrouw had iets koels over zich, iets koels en moois, bijna ingetogen en kwetsbaar. Ze leek verdrietig, naar binnen gekeerd zonder verlegen te zijn. Maar bovenal leek ze iets bijzonders te hebben, het woord 'mooi' was niet toereikend. Sophie voelde een steek van afgunst.

Ze kwam de vrouw tegen in het damestoilet, misschien was ze haar gevolgd. Ze stonden naast elkaar in de spiegels te kijken die boven de beide wastafels hingen. De vrouw werkte haar make-up bij.

'Ik heet Sonya,' zei ze zachtjes.

'Sophie.'

Sonya verliet het toilet.

Toen Sophie het toilet uitliep, kwam de muziek haar tegemoet en was het dansen in volle gang. Iedereen die rond de tafel had gezeten bevond zich nu energiek dansend op de dansvloer. Een jonge serveerster kwam met een dienblad op haar aflopen. Ze zag een heleboel witte pilletjes.

'Alsjeblieft,' zei Hector achter haar.

'Wat is dat?'

'Ecstasy. Vanaf mijn dertigste heb ik op al mijn verjaardagen zo'n pilletje genomen. Je gaat er niet aan dood.'

Ze aarzelde, keek naar de vrolijke gasten en naar Hector.

'Heb jij er nu een genomen?'

Hij knikte.'

'Net.'

'Voel je iets?'

Hij keek voor zich uit in het niets, ging zijn gevoelens na om te kijken of er iets was veranderd.

'Het werkt nog niet... denk ik. Maar ik weet het niet,' zei hij met een brede glimlach.

Sophie pakte een pilletje en slikte het door.

Ze ontdekte dat dansen het leukste was wat ze zich kon voorstellen, dat het eerder zo onooglijke restaurant een van de mooiste plaatsen was waar ze ooit geweest was, zo mooi en perfect vormgegeven. De tijd speelde een vreemd spelletje met haar. Opeens zaten ze allemaal weer om de tafel, de muziek stond nu heel zachtjes, als een volmaakte achtergrond.

Sophie zat wat voor zich uit te kijken. Haar tafelgenoten waren druk aan het praten, moesten constant lachen, rookten en dronken. Het was alsof elk gespreksonderwerp uitgroeide tot iets groters. Inez boog zich naar haar toe en begon een gesprek met haar. Hector tolkte naar beste kunnen, maar Inez en hij schoten samen te vaak in de lach als ze Spaans spraken. Sonya lachte niet, ze glimlachte alleen maar, een vluchtige glimlach die haar mooie gezicht glans gaf, alsof ze het allemaal wel best vond even, alsof ze wilde genieten in plaats van giechelen. Hector gedroeg zich jongensachtig opgewonden, hij had het erg naar zijn zin, dat zag ze, en dat gold voor hen allemaal. Adalberto was weer kind geworden, dreunde allerlei zaken in het Spaans op die niemand leek te begrijpen, maar waar iedereen om moest lachen. Daphne en Thierry werden nog verliefder op elkaar, zaten innig ineengestrengeld en hielden elkaar stevig vast. Sophie had het gevoel dat alles helemaal compleet en volstrekt logisch was.

Tegen halfvier in de ochtend verliet ze het restaurant, ze wilde niet naar huis, maar begreep dat het feest nog tot ver in de nieuwe dag zou duren.

Hector bracht haar naar de taxi en opende het portier voor haar.

'Bedankt,' zei ze.

'Jij bedankt,' zei hij.

Ze boog naar voren en liet zich door hem zoenen. Zijn lippen waren zachter dan ze zich had voorgesteld. Hij had iets voorzichtigs. Hij gleed weg uit de kus.

Ze kon niet slapen toen ze thuiskwam, ging op de veranda zitten, luisterde naar de vogels die voor haar zongen, rook de betoverende geuren van de vroege ochtend en nam al het moois met grote teugen in zich op. De donkergroene frisse kleur van het gazon, het dichte gebladerte van de boomtoppen, de hele constellatie. Ze wist dat ze high was, maar ze had absoluut geen last van gewetenswroeging.

Ze vroeg zich af waarom ze zo opeens de controle had laten varen en waarom ze de laatste tijd met zo'n enorme innerlijke glimlach zoveel grenzen in haar leven had overschreden.

*

Lars stond tegen de muur geleund. Hij keek naar Erik, die zijn voeten op een uitgetrokken bureaula had gelegd en met een pen in zijn oor zat te peuteren. Eva Castroneves maakte kleine draaibewegingen op haar bureaustoel en Gunilla las snel een blaadje door met haar leesbril op haar neus. Ze legde het blaadje neer en zette haar leesbril af, die ze aan het touwtje om haar nek liet hangen.

'Begin jij maar, Lars.'

Lars maakte een schrikbeweging alsof hij op zoek was naar een gat in de grond waardoor hij kon verdwijnen; altijd vertoonde hij deze reactie als iemand hem vroeg iets te zeggen waar anderen bij waren. Hij zocht in zichzelf naar dat deel van zijn persoonlijkheid dat hem hieruit zou redden. Misschien het wat bozige deel, misschien het wat lege, of misschien een combinatie van die twee. Hij vond iets, maakte contact en begon met een min of meer heldere stem het gezelschap te vertellen dat Sophie Brinkmann Hector in het warenhuis NK was tegengekomen en dat ze gisteravond naar een feest in lunchrestaurant Trasten in Vasastan was geweest.

'Maar dit heb ik allemaal in mijn rapporten geschreven.'

Gunilla nam het woord.

'Sophie en Hector hebben een relatie, dat weten we nu. De toekomst zal uitwijzen wat voor soort relatie. Het feest Lars, vertel.'

Hij schraapte zijn keel, sloeg zijn handen ineen en liet ze weer los, zijn armen hingen op een merkwaardige manier langs zijn lichaam, zijn benen vonden geen ontspannen houding.

'Ik heb verder niets gezien of waargenomen behalve dat twee mannen het restaurant bewaakten nadat er later op de avond een oudere man was gearriveerd, waarschijnlijk de vader van Hector. Sophie nam om 03.28 uur een taxi, die haar hoogstwaarschijnlijk naar huis heeft gebracht.'

'Dank je,' zei Gunilla en ze knikte vervolgens naar Eva.

'Ik heb de andere gasten bij het verlaten van het restaurant gefotografeerd,' voegde Lars er nog aan toe. 'Een beetje onscherpe foto's, misschien wil jij daar nog naar kijken, Eva?'

Lars' stem klonk nu dunner, wat hij niet leuk vond.

'Goed... Geef Eva de foto's maar,' zei Gunilla.

Hij krabde in zijn nek.

Eva richtte haar aandacht weer op haar papieren, keek haar materiaal nog eens door en bladerde wat.

'Sophie Brinkmann, geboren Lantz, lijkt iemand te zijn die er goed van leeft, waarschijnlijk van de erfenis van haar man, ze spreekt af en toe iets af met vriendinnen en soms met haar moeder. Ze heeft een verleden dat niet direct vragen oproept. Normale schooltijd, cijfers net boven het gemiddelde, heeft een jaar in de Verenigde Staten gezeten als uitwisselingsstudent en is na haar eindexamen samen met een vriend een paar maanden door Azië getrokken. Ze had wisselende baantjes voordat ze aan haar opleiding tot verpleegkundige begon in het Sophiahem. Ze leerde David Brinkmann kennen en twee jaar later werd Albert geboren, ze trouwden, verhuisden van een appartement in de binnenstad naar een vrijstaand huis in Stocksund. Toen David in 2003 overleed, verkocht ze die woning en kocht vervolgens een kleiner huis voor zichzelf en haar zoon in dezelfde buurt...'

Eva stopte even, bladerde wat in haar papieren en ging toen verder met haar verslag.

'Met haar zoon Albert heeft ze een sterke band, ze lijkt geen hobby of bijzondere vrijetijdsbesteding te hebben. Van haar sociale leven krijgen we niet goed hoogte, we kennen haar vriendenkring niet, alleen haar beste vriendin, Clara. Dat was de vrouw met wie ze uitging die keer dat jij haar volgde, Lars. Dat is het voorlopig.'

Gunilla ging verder.

'Was ze zo voordat we haar leerden kennen? Een vrouw die met mannen uitgaat? Of was ze een treurende weduwe die thuiszat en is Hector de eerste man die haar uit haar schulp trekt?'

'Daar lijkt het wel op,' zei Eva.

'Waarop?'

'Dat Hector de eerste is.'

'Waarom denk je dat?' vroeg Gunilla.

'Niets wijst erop dat ze na de dood van haar man nog met een man is uit geweest, maar ik zal het verder onderzoeken.'

'Erik?' vroeg Gunilla.

Erik was zijn nagels aan het schoonmaken met een tandenstoker.

'Op zich niet zo interessant, de vraag is of de Spanjaard voor haar is gevallen, want in dat geval vervult ze een functie, anders is de vraag irrelevant.'

Daarna bleef het weer stil, alsof iedereen behalve Lars in gedachten verzonken was. Lars keek naar hen, kreeg plotseling het gevoel dat hij alleen in de kamer was. Gunilla was de eerste die weer wakker werd.

'Lars, kun je mij brengen met de auto?'

Ze reden door het drukke lunchverkeer. Gunilla zat voorin en stiftte haar lippen, ze maakte gebruik van het spiegeltje dat in de achterkant van de zonneklep zat.

'Wat vind jij ervan?' vroeg ze en ze wreef haar lippen over elkaar.

'Ik weet het niet.'

Ze deed de dop weer op de lippenstift en stopte hem in haar tas.

'Ik zou je mening graag willen horen, Lars. Geen redenatie of argumentatie, gewoon je mening.'

Toen ze in de Sturegatan vast kwamen te zitten achter een bus, maakte hij van de gelegenheid gebruik om te tanken.

'Ik vind het wat mager,' zei hij.

'Het is ook mager. Dat is het altijd, meestal hebben we niets. Dus ik vind bij deze zaak het tegenovergestelde, ik vind dat we veel hebben.'

Lars knikte.

'Je zult wel gelijk hebben.'

Hij keek voor zich, het was druk.

'Je hoeft het niet met me eens te zijn,' zei ze zacht.

Lars hoestte wat, hij wilde zo graag dat ze op hem vertrouwde.

'Ik denk dat ik meer kan, Gunilla.'

'Wat bedoel je?'

'Dat ik meer kan dan alleen observeren. Ik ben analytisch, ik kan veel meer aan, volgens mij. We hebben het erover gehad toen je me aannam...'

Gunilla gaf aan dat hij verderop kon stoppen.

'Je bent belangrijk voor de groep Lars, je bent waardevol. Ik wil je steeds meer bij het werk betrekken, maar voor het zover is, moeten we iets hebben waar we mee aan de slag kunnen, en jij bent degene die daarvoor kan zorgen. Ik neem alle verantwoordelijkheid op me als er iets mis mocht gaan, maar we moeten het schaduwen intensiveren... Begrijp je wat ik bedoel?'

'Ik geloof het wel.'

Lars vond een plekje waar hij even kon staan en reed naar de kant van de weg.

'We zitten op het juiste spoor,' vervolgde ze. 'Twijfel daar niet aan, doe alles wat in je vermogen ligt om het onderzoek nog verder vooruit te helpen.'

Ze deed haar handtas dicht.

'Ik stuur je het nummer van Anders. Hij zal je helpen. Anders is goed.'

Gunilla gaf een klopje op zijn arm, opende het portier en stapte uit.

Lars bleef achter, zijn hoofd tolde – hij had een licht euforisch gevoel over wat Gunilla net tegen hem had gezegd, over zijn waarde voor het team. Maar hij had ook weer hetzelfde gevoel van onbehagen dat hij altijd had. Gunilla zou zich niet vergissen in haar analyse van hem. Hij zou haar niet teleurstellen.

Lars stuurde de auto weer het drukke verkeer in. Zijn telefoon ging en op het schermpje stond de vraag of hij het contact *Anders* wilde bewaren.

*

De zee was hoog en af en toe kreeg hij een plens water over zich heen. Hij stond op de voorplecht, zag het platte vasteland in de verte. Nederland.

De motoren van het schip vielen plotseling stil, een brommend en bonkend geluid ging door het schip heen toen de stuurman het vaartuig in zijn achteruit zette. Je voelde het bijna niet, het grote schip voer nog steeds in hetzelfde tempo vooruit. Het kostte tijd om een schip van dit formaat tot stilstand te brengen. Jens keek speurend om zich heen, zocht een antwoord op de vraag waarom de kapitein zo ver uit de kust stopte.

Aan de horizon zag hij een grote open motorboot met middenconsole over de golven stuiteren en recht op het schip afkomen. Hij kneep zijn ogen tot spleetjes, probeerde een merkteken te onderscheiden dat zou verklaren wat voor boot het was, of wie hem bestuurde. Hij zag niets bijzonders, verliet zijn plaats op de voorplecht en liep over het dek naar achteren, naar de ijzeren trap die naar de brug voerde.

Jens trok de deur open. De stuurman en de kapitein dronken thee en rookten stinkende sigaretten, terwijl ze een bordspel aan het spelen waren.

'Er komt een boot deze kant op.'

De kapitein knikte.

'Douane? Politie?'

De kapitein schudde zijn hoofd.

'Passagiers,' zei hij en hij nam een slok thee.

Jens was nerveus geworden – en kennelijk was hem dat aan te zien, want de kapitein keek de stuurman aan, zei kort iets in het Vietnamees en beiden begonnen te lachen.

Er ontstonden rumoer en beweging toen de motorboot langszij kwam. Een touwladder werd neergelaten en er klommen twee mannen naar boven, de een had kort haar en was goedgetraind, de andere had donker haar en droeg een donker jack dat tot de taille reikte. De kortharige man had een stoffen sporttas bij zich. Op hetzelfde moment dat de motorboot weer loskwam van het schip en richting land voer, liep een van de mannen naar de brug. De andere, die met het korte haar, bleef beneden wachten.

Jens observeerde hen vanaf zijn plaats op het dek, zag hoe de ene man met de kapitein sprak, die druk gesticuleerde op een onderdanige manier, alsof hij spijt had van iets wat hij gedaan had, alsof hij het probeerde uit te leggen. Het was een kort gesprek, de man liep weg, de ijzeren trap af.

'Leszek!' riep hij naar de kortharige man, terwijl hij gebaarde dat hij naar het voorste deel van het schip moest gaan. Leszek verdween.

De dieselmotoren sloegen weer aan en het schip zette langzaam weer koers naar Rotterdam. Jens begaf zich onderdeks.

De kapitein had hem verboden om tijdens de overtocht in het laadruim te komen, maar Jens peinsde er niet over om hem toestemming te vragen.

Hij brak twee kisten open, zette de wapens in elkaar en pakte ze over in twee kleinere kisten die gemakkelijker over te laden waren in de bestelauto die op de kade voor hem klaar zou staan. Bij de prijs die Jens voor het transport over de Atlantische Oceaan had betaald zat de belofte inbegrepen dat de douane het eerste uur dat ze in de haven lagen geen steekproef zou nemen. Jens wilde dat het allemaal soepel zou verlopen, dat hij snel van boord kon en de haven uit kon rijden.

Een paar uur later werd de boot de haven binnengeloodst. Jens zat boven op de brug een kop slechte koffie te drinken en een sigaret te roken. De zee was spiegelglad, de zon scheen door de nevel heen. Ergens in de verte hoorde hij mistsignalen. Kort daarna kwam de Rotterdamse haven in zicht. Die was gigantisch, alles was gigantisch. Kranen, containers, onvoorstelbaar grote schepen aan enorme havenplateaus. Jens voelde zich erg nietig toen ze tussen al dat kolossale door voeren.

Een uur later legde het schip in een afgelegen gedeelte van de haven aan met de lange kant tegen een stenen kade. Vanaf zijn plek op de brug opende de kapitein het ruim. Kranen bogen zich over de boot heen en de bemanning begon riemen en kabels te bevestigen rond de containers, die vervolgens langzaam aan land werden gehesen.

Net toen Jens zich afvroeg wanneer zijn huurauto zou opduiken, kwam er een auto over de kade aanrijden die voor het schip parkeerde. Dat kon de auto niet zijn die hij had besteld, daar was hij te klein voor. Er stapten drie mannen uit. Een was lang en breed, de andere twee waren iets kleiner. Ze beenden met snelle passen naar de boot, liepen de loopbrug over en stapten het dek op. Jens volgde hen met zijn blik vanaf zijn plaats boven op de brug. De langste van de drie liep door naar de brug, terwijl de twee anderen beneden bleven staan.

Jens zette zijn koffiekopje neer, klom naar beneden en liep over het dek langs de twee mannen. Hij groette hen – meer zoals je mensen op de golfbaan groet dan op een Vietnamees smokkelschip. Geen van de mannen groette terug. Hij ving een glimp van hen op toen hij hen passeerde. Van dichtbij zagen ze er vermoeid uit, mager, holle ogen, pokdalige huid... Het uiterlijk van een verslaafde.

Op hetzelfde moment dat Jens zijn voet op de ijzeren trap zette die naar de laadruimte leidde, hoorde hij achter zich een van de mannen zeggen: 'Michail!'

Toen volgden er kort na elkaar drie verre knallen. Hij meende ergens een schreeuw te horen en in dezelfde microseconde volgde er een fluittoon, samen met het doffe, harde geluid van iets kleins wat met hoge snelheid vlees raakte. Puur in een reflex vloog hij de trap af naar de laadruimte. In de seconden die daarop volgden, was het volkomen stil. Alsof de schoten al het geluid uit het universum hadden weggeschoten. Hij klom een paar treden op en loerde over de rand van het ruim. Een van de mannen die hij net had gegroet lag zo te zien dood voor hem in een vreemde, onnatuurlijke houding. Jens ontwaarde een machinepistool onder zijn jack. In het tegenlicht van de zon zag hij de contouren van de man die ze Leszek noemden boven op het uitkijkplateau in een geknielde houding de andere man die over het dek rende in zijn vizier volgen. De schutter loste snel achter elkaar vier schoten vanaf zijn plaats op het plateau. De man op het dek wist dekking te zoeken tegen de wand onder de brug, de kogels ketsten af op het metaal.

Jens' hart bonsde. Hij zag dat Leszek snel zijn wapen op zijn rug hing, zich lenig naar beneden liet glijden en uit het zicht verdween. Plotseling hoorde hij nog twee knallen. Ze kwamen van de brug en klonken als pistoolschoten. Hij zag de deur opengaan en de man die Michail heette met een rokend automatisch pistool in zijn hand naar buiten komen. Hij riep iets tegen de man beneden hem. Ze spraken in korte zinnen, Russisch. Michail liep de trap af, hij leek geen haast te hebben. Vervolgens verdwenen ze naar de achtersteven van het schip. Jens kroop snel naar de dode toe, tilde zijn jack op, pakte het machinepistool en gleed achterwaarts de trap af het ruim in en zocht snel de beschutting van de duisternis op.

De grote, koude en vochtige laadruimte stond vol met dicht op elkaar gestouwde verpakkingskisten en vrieskisten. Verderop in het ruim stonden grotere containers op elkaar gestapeld, zeven in totaal, en er hing er ook nog een boven hem in de lucht. De kranen stonden stil en het werk op de kade was gestaakt toen de schotenwisseling was begonnen. Hij vond een veilige plek, hijgde, probeerde na te denken, zich te concentreren. Maar welke kant zijn gedachten ook op gingen, hij kwam steeds uit op hetzelfde, geen van de twee groepen – de Michailgroep en de Leszekgroep – die op elkaar schoten wist wie hij was en daarom zouden ze hem hoogstwaarschijnlijk voor een vijand aanzien. Hij keek naar het wapen dat hij in zijn hand hield, het was een Bizon. Een Russisch machinepistool.

Hij voelde zich opeens ontzettend eenzaam en frunnikte verstrooid met zijn rechterduim aan de veiligheidspal, wat een klikkend geluid maakte. Toen hij zich realiseerde dat het geluid waarschijnlijk ver droeg, hield hij ermee op. Vanaf het dek hadden geen salvo's meer geklonken. Jens kwam geruisloos overeind en sloop tussen de kisten door naar voren.

Plotseling begon het ergens vanuit het niets te ratelen. Een kogelregen sloeg in de kisten vlak bij hem in. Hij wierp zich op de grond en zonder na te denken stond hij net zo snel weer op, slingerde het wapen over zijn schouder naar voren en haalde de trekker over. Het wapen klikte, maar er gebeurde niets. Hij ging weer op zijn hurken zitten, vloekte binnensmonds en veranderde de positie van de veiligheidspal waar hij eerder mee had zitten spelen. Hij slaakte een zucht, besefte dat zijn kans verkeken was en dat de schutter nu zijn positie kende. Hij stond op, rende een paar meter over een open stuk tot hij in het achterste gedeelte van het schip kwam, rende nog een stukje verder en zocht dekking achter een kist. Zijn ademhaling was snel en oppervlakkig en Jens luisterde zo ingespannen dat hij na een tijdje dingen meende te horen die er niet waren. Hij keek spiedend om zich heen, zag niets en wilde al opstaan en weglopen toen een stem in het Engels achter hem fluisterde: 'Laat je wapen vallen.'

Hij aarzelde, maar de man herhaalde de woorden en Jens legde zijn Bizon neer.

'Met z'n hoevelen zijn jullie?' Zijn stem klonk kortaf.

'Ik ben alleen.'

'Wie ben je?'

'Een passagier op het schip...'

'Waarom ben je gewapend?'

'Ik heb het wapen gepakt van de dode man boven op het dek.'

'Heb je de mannen gezien die aan boord zijn gekomen?'

'Ja.'

'Hoeveel waren het er?'

'Drie. Een is doodgeschoten, de tweede is naar de brug gegaan en de derde daarna ook. Ik geloof dat ze naar achteren zijn gelopen, naar de achtersteven.'

Jens vloekte een paar keer in het Zweeds, vroeg toen aan de Engelssprekende man: 'Er is op me geschoten. Was jij dat?'

Nu antwoordde de man in het Zweeds.

'Nee, dat was ik niet, dat waren de anderen, wij niet.'

Jens dacht eerst dat hij het verkeerd verstaan had.

Er bewoog iets in het open gedeelte van het ruim. Jens zocht met zijn blik en draaide zich toen om naar de man. Hij was verdwenen. Jens pakte zijn wapen weer op.

# 5

Anders Ask, zo heette de man die Lars in opdracht van Gunilla had gebeld. Hij bleek een jolige kerel te zijn, joliger dan Lars aankon. Hij had hem ergens in de stad opgepikt en ze waren de binnenstad uit gereden in de richting van Danderyd.

Anders zat comfortabel voor in de Volvo, bekeek de microfoons die op zijn schoot lagen.

'En wie is Lars?'

Lars wierp een korte blik op Anders.

'Ja, wat zal ik zeggen, niets bijzonders.'

Anders hield een microfoontje tegen het licht en bekeek het kritisch.

'Godsamme, wat een klein kutding...' fluisterde hij voor zich uit.

Hij moest erom lachen en stopte het microfoontje terug in het schuimrubber.

'Waar heb je hiervoor gezeten?'

'Västerort,' zei Lars.

'Recherche?'

Lars keek naar Anders.

'Nee...'

Anders wachtte of er nog meer kwam en trok zijn mondhoeken op.

'Nee?'

Lars schoof wat ongemakkelijk heen en weer, een beginnende frons in zijn voorhoofd.

'De uniformdienst,' zei hij zachtjes.

Anders begon te lachen.

'Uniformdienst. Nee maar. Ik zit hier in de auto met iemand van de uniformdienst. Dat is lang geleden! Hoe is het je in vredesnaam gelukt om bij Gunilla terecht te komen?'

'Ze heeft me gebeld.'

'Dat meen je niet!' zei Anders theatraal.

Lars schudde zijn hoofd, hij ergerde zich aan Anders' houding, waar hij geen hoogte van kreeg. Anders zette het doosje met de microfoontjes op het dashboard voor Lars neer. Lars haalde het weg en legde het op zijn schoot.

'En jij dan? Wie ben jij?' was Lars' wedervraag.

'Ik ben Anders.'

'En wie is Anders?'

Anders Ask keek naar buiten.

'Dat gaat je geen donder aan.'

Het was even over enen toen Lars Vinge op het terras aan de achterkant van Sophies huis stond en naar Anders keek die bezig was de deur open te maken; het ging er weinig discreet aan toe.

'Terrasdeuren zijn net dikke meiden,' zei Anders en hij moest om zijn eigen vergelijking lachen.

De deur ging open. Lars was nerveus. Anders was te luidruchtig, te onvoorzichtig. Anders zag zijn nervositeit.

'Ben je een beetje bang, Lars?'

Hij gaf met een handgebaar aan dat Lars naar binnen kon gaan.

'Welkom thuis, schat,' fluisterde hij.

Ze droegen schoenbeschermers en latexhandschoenen. Lars stond in de woonkamer, hij voelde hoe zijn maag zich spande. Hij wilde weg. Anders daarentegen was de rust zelve en had de onhebbelijkheid om tijdens het werk hard te fluiten.

'Blijf uit de buurt van het raam,' zei hij, hij opende zijn tas en begon erin te rommelen. 'Heb jij de microfoons?'

Lars vond dit maar niks. Hij pakte het houten doosje uit zijn jaszak en gaf het aan Anders. Die liep ermee weg, stopte een oortelefoontje in een van zijn oren, zette de ontvanger aan en testte de microfoontjes.

Lars nam het huis in zich op. Het had een grote, lichte woonkamer, groter dan hij had ingeschat toen hij het huis van een afstand had zitten bekijken. Verderop ging hij over in de keuken. Een afstapje in de vorm van een kamerbrede traptrede scheidde de twee vertrekken.

Hij pakte zijn digitale camera en nam een heleboel foto's van de kamer. De meubels waren een allegaartje. Deze stijl had hij nog nooit eerder gezien. Maar het paste allemaal bij elkaar. Een lage, roze, oude fauteuil naast de grote bank met kleurige kussens... dan een antieke houten stoel met een lichtbruine zitting. Je zou zeggen dat het met elkaar vloekte, maar dat was niet zo. De wand achter de bank was bezaaid met schilderijtjes die dicht bij elkaar hingen. De motieven waren heel verschillend van elkaar, maar het geheel was... mooi. Allemaal weelderige bloemen en planten. De kamer was smaakvol, intelligent en doordacht ingericht... ook al leek het een bij elkaar geraapt zootje. De kleuren en de vormen straalden warmte uit. Ze gaven je het gevoel dat je daar wilde zijn, wilde blijven... Op een plank stonden ingelijste foto's. Hij zag de zoon, Albert, van vrolijk jongetje tot nors ogende puber. Er stond zelfs een zwart-witportret van een man, zo op het oog een degelijk type. Lars meende in het voorhoofd en de ogen een gelijkenis met Sophie te zien, waarschijnlijk was het haar vader. Lars' ogen gleden naar een paar andere foto's, een fotootje van een dertiger, Sophies man David, die achter een jongetje, Albert, stond. Dan een foto van het hele gezin, David, Sophie, de jonge Albert en een hond, een blonde labrador. Ze stonden naast elkaar en lachten naar de camera.

Achter hem bij het bankstel trok Anders tape van een rol. Lars keek verder. Een lachende Sophie in een wit tuinmeubel, de foto leek pas genomen, misschien een jaar of twee geleden. Ze had een deken om zich heen geslagen en haar knieën opgetrokken tot aan haar kin. Ze had een aanstekelijke lach, die speciaal voor hem bedoeld leek. Hij bleef er even gebiologeerd naar kijken.

Lars zette zijn camera op macro, zette de lens dicht bij de foto van Sophie en drukte een paar keer af.

Anders trok Lars' aandacht, hij wees naar een lamp bij de bank, daarna naar zijn oor. Anders kwam overeind en liep naar de keuken, 'bange, bange schijterd' mompelend.

Lars bleef naar de kamer kijken. Had Sara maar net zo veel smaak, net zo veel gevoel voor wat bij elkaar paste, niet die bohemiensmaak waardoor alles om de een of andere reden altijd een beetje Indisch moest zijn, goedkoop en... afwijkend.

Er lag een deken opgevouwen op de bank. Lars pakte hem op en voelde eraan. Hij was zacht. Zonder er goed over na te denken bracht hij hem naar zijn gezicht en rook eraan.

'Zeg, ben je nog pervers ook?'

Lars draaide zich om. Anders stond midden in de kamer naar hem te kijken. Lars legde de deken weer op de bank.

'Wat wil je?' vroeg Lars en hij probeerde boos te kijken.

Anders lachte. Een scheve glimlach, een glimlach die getuigde van afkeer.

'Je bent een imbeciel, bange Lars,' fluisterde Anders.

Lars keek hem na toen hij de krakende houten trap op liep. Hij verliet de woonkamer en liep naar de lager gelegen keuken. Daar was het al net zo opgeruimd en netjes. Zijn aandacht werd getrokken door een grote vaas met snijbloemen, het hoge, robuuste aanrecht... en die donkergroene deur naar de kleine voorraadkast. Een donkergroene kleur waarvan hij niet eens had geweten dat die bestond. Was dit niet veel te mooi voor een keuken? Wie zoiets durfde en zo'n inrichting kon verzinnen, begreep wel meer dingen. Al Lars' zintuigen werden geactiveerd, duizenden gedachten en gevoelens stroomden door hem heen. Er was veel wat Lars Vinge niet wist van het leven. Dat begreep hij nu. Hij wilde het weten. Hij wilde het van de vrouw die hier woonde horen...

Hij liep de trap op, probeerde te voorkomen dat de treden kraakten. Anders zat gehurkt bij een nachtkastje in haar slaapkamer. Lars leunde tegen de deurpost.

'Kunnen we gaan?' fluisterde Lars.

'Ben je altijd zo lastig?'

Anders controleerde zijn werk, kwam overeind, botste met zijn ene schouder tegen Lars aan toen hij langs hem liep en verdween vervolgens met veel kabaal naar beneden.

Lars bleef nog even in de deuropening staan en keek de slaapkamer in. Een groot tweepersoonsbed met een sprei. Op het nachtkastje, waar Anders net een microfoon had geplaatst, stond een mooie ijzeren lamp. Vaste vloerbedekking, lichte muren, een paar schilderijen, de meeste in donkere lijsten. Verschillende motieven, een grote een-

zame vlinder, een vrouwengezicht getekend met houtskool op licht-
bruin papier, een schilderij zonder lijst, alleen een diepe, donkerrode
kleur die associaties opriep met iets wat niet bestond. Vervolgens een
olieverfschilderij met een grote, vitale boom. Alles paste bij elkaar.
Lars probeerde het te begrijpen.

Helemaal achter in de slaapkamer zat in de hoek een lage, ivoorwitte dubbele deur. Hij stapte de kamer in, zette zijn voet op de zachte
vloerbedekking, liep ernaartoe, voelde eraan en liet de deur langzaam
open glijden. Het was een grote inloopkast, bijna een kamer op zich.
Hij stapte naar binnen en vond de lichtschakelaar. Een warm licht
stroomde door de ruimte.

Blouses en andere kleren hingen keurig op een rij aan houten kleer-
hangers. Onder de kleding bevonden zich laden, nieuwe eikenhouten
laden. Hij opende er een: sieraden en horloges. In de la eronder: opgevouwen sjaaltjes en nog meer sieraden. Hij bukte, de derde bevatte
ondergoed, slipjes en bh's. Hij deed hem meteen weer dicht, maar
opende hem net zo snel weer, keek in de la, kreeg het gevoel dat hij
al zijn ethische regels al lang had overtreden en dat hij daar nu net zo
goed mee door kon gaan.

Lars stak zijn hand in de la en voelde aan het ondergoed. Zijden
ondergoed... het was zacht, hij kon er niet van afblijven, liet het stre-
lend tussen zijn vingers door gaan en werd plotseling opgewonden,
hard. Hij wilde er een paar meenemen – ze in zijn zak hebben, eraan
kunnen voelen als hij daar zin in kreeg. Geluiden vanaf de beneden-
verdieping brachten hem terug naar de werkelijkheid. Hij deed de la
dicht en verliet de inloopkast en de kamer.

Eenmaal buiten de kamer haalde hij een paar keer diep adem. Hij
liep naar Alberts kamer, duwde de deur met zijn vingers open en keek
naar binnen. Het was een jongenskamer die eruitzag alsof de jongen
niet wist of hij al volwassen was of nog steeds kind. Aan de muur een
volwassen schilderij en een zwart-geel vaantje van voetbalclub AIK
met de slogan *Wij zijn overal*. Een elektrische gitaar met slechts drie
snaren stond tegen het bureau, een lege snoepzak lag op de grond.
Een bed dat niet echt opgemaakt was, maar het dekbed lag in elk geval
recht. Onder het bed zag hij een oude sterrenkijker zonder statief lig-

gen. Hij bukte en zag verderop onder het bed nog wat boeken en een zwarte gitaarkoffer liggen.

Lars nam een paar foto's en keek op zijn horloge; het was later dan hij had gedacht. Hij verliet de kamer en liep naar de trap. Toen hij Sophies kamer passeerde, handelde hij impulsief. Hij liep de slaapkamer weer in, opende de deur van de inloopkast, de derde la, pakte een paar slipjes en stopte die in zijn broekzak. La dicht, kastdeur dicht en weer de kamer uit.

Anders zat achter een computer in wat op een werkkamer leek.

'De tijd tikt verder,' zei Lars in de deuropening.

'Hou je bek,' zei Anders met zijn blik op het scherm gericht.

Anders tikte verder op de computer.

'Anders!'

Anders keek op.

'Hou je bek, zei ik! Kijk nog wat rond, doe verdomme wat je maar wilt, maar ga hier weg.'

Hij begon weer driftig te tikken op het toetsenbord. Lars wilde nog wat zeggen, maar aarzelde en liep weg.

Hij maakte nog een keer een ronde door het huis, liep de keuken in, keek naar de vloer om te controleren of ze misschien iets vergeten waren. Alles leek in orde, hij liep achteruit naar de terrasdeuren waardoor ze waren binnengekomen. Zijn ademhaling was oppervlakkig, hoog in zijn keel, het zweet stond op zijn voorhoofd. Anders kwam de werkkamer uit.

'Ik moet alleen nog even naar de plee, dan gaan we.'

'Nee, alsjeblieft,' smeekte Lars zachtjes.

Anders moest lachen om Lars' nervositeit, pakte een krant die op een dressoir lag en liep op zijn dooie akkertje naar de wc. Anders nam alle tijd, floot het deuntje van de tv-serie *Bonanza*.

Lars verstopte zich in de hal naast de keuken. Daar was hij van buitenaf niet te zien. Hij stond bij de jacks en de jassen die daar keurig hingen, buiten adem, leunde met zijn voorhoofd tegen de muur, sloot zijn ogen en probeerde tot rust te komen. Zijn ademhaling kwam maar tot halverwege zijn borstkas. Hij begon door zijn neus te ademen, geen verschil – zijn ademhaling bleef hoog. Hij was zo gespannen als een vioolsnaar. Zijn hart bonsde in zijn oren, hij had een ge-spannen gevoel in zijn maag, koude handen, een droge mond... Een geluid buiten, voetstappen op het trapje... Er werd een sleutel in het slot gestoken. Lars draaide zich om, staarde naar de deur, bevroor. Niets in zijn lichaam maakte ook maar enige aanstalten om te reage-ren en weg te vluchten. Hij stond daar maar, roerloos, bang als een klein kind, niet in staat om te handelen, door zo'n enorme paniek overvallen dat hij dacht dat hij daar ter plekke zou sterven door de emotionele storm die in zijn binnenste raasde.

Het slot klikte, de deurklink werd naar beneden geduwd, de deur ging naar buiten toe open... hij deed zijn ogen open. Voor hem stond een onbekend vrouwtje van een jaar of zestig. Ze zette een tas op de grond en begon haar jas los te knopen. Hij loerde naar haar, ze keek hem in de ogen, maakte een sprongetje van schrik, greep naar haar hart en brabbelde een paar woorden in een Oost-Europese taal. Daar-na veranderde haar schrik in een soort kalmte. Ze lachte en begon in het Zweeds te ratelen dat ze niet wist dat er iemand thuis zou zijn.

Ze stak haar hand uit en stelde zich voor als Dorota. In het vacuüm van verwarring waarin hij verkeerde, slaagde Lars erin haar hand beet te pakken.

'Lars.'

Achter zich hoorde hij iemand stikken van het lachen en hij draaide zich om. Anders lachte met een hand voor zijn mond.

'Jij slaat werkelijk alles!'

Dorota keek onzeker glimlachend naar de beide mannen, ze ver-trouwde het opeens niet meer zo.

Anders' lach verdween weer net zo snel. Hij liep naar haar toe, greep haar bij de arm, pakte haar handtas op en trok haar de keuken in, waar hij haar op een stoel zette. Hij draaide zich om en keek naar Lars.

'En nu?'

Dorota was bang.

'Kom, dan gaan we,' zei hij.

Anders keek met een minachtende blik naar Lars.

'Goed idee. We gaan.'

Anders keek Dorota aan.

'Wie ben jij?'

Met een onzekere blik keek ze van de een naar de ander.

'Ik maak hier schoon.'

'Je maakt hier schoon?'

Dorota knikte. Hij gooide de handtas op haar schoot.

'Geef me je portemonnee.'

Dorota keek Anders aan alsof ze niet had gehoord wat hij net had gezegd en haalde onhandig van de zenuwen haar portemonnee uit de tas. Anders pakte hem aan, trok de ID-kaart eruit en wierp er een blik op.

'Waar woon je?'

'Spånga,' antwoordde ze fluisterend. Ze had geen speeksel meer in haar mond.

Lars keek naar de vrouw. Hij had plotseling vreselijk met haar te doen.

Anders stopte Dorota's ID-kaart in zijn zak.

'Die houden wij, en jij hebt ons nooit gezien.'

Dorota keek naar de grond.

Anders boog zich naar haar toe.

'Begrijp je wat ik zeg?'

Ze knikte.

Anders draaide zich met een donkere blik om naar Lars en begon naar de terrasdeuren te lopen. Lars bleef nog even staan, hij keek naar de vrouw die nog steeds naar de grond zat te staren.

Anders liep naar de auto, Lars moest achter hem aan hollen om hem in te halen.

Ze zwegen toen Lars de villawijk uitreed, hij hield zich aan de toegestane snelheid. Plotseling pakte Anders Lars bij zijn kraag, sloeg hem hard met de vlakke hand in het gezicht. Lars stond boven op de rem en probeerde de klappen te ontwijken. Anders bleef hem slaan.

'Stomme imbeciel... Ben je nou helemaal achterlijk?' schreeuwde Anders. Toen hield hij opeens op met schreeuwen, ging rechtop zitten en zuchtte zijn woede weg. Lars zat ineengedoken voor zich uit te kijken, onzeker of het slaan zou doorgaan. Zijn oor gloeide en zijn benen waren pap.

'Wat had je gedaan als ik er niet bij was geweest? Had je het opgegeven, had je bekend? Je stelde je voor met je echte naam... Heb je nu echt niet in de gaten waar we hier mee bezig zijn?'

Lars antwoordde niet.

'Stomme idioot,' mopperde Anders voor zich uit.

Lars was niet in staat om te bedenken wat hij zou hebben gedaan. Anders keek naar hem, wees naar voren.

'Kom op, rijden!'

De stilte in de auto onderweg naar de stad was om te snijden, Anders dacht na, Lars leed in stilte.

'We zeggen hier niets over tegen Gunilla. Alles is gesmeerd verlopen, de microfoons zijn geïnstalleerd. Als je er weer naartoe gaat, moet jij maar testen of alles goed werkt. Is dat niet het geval, dan ga ik de volgende keer alleen naar binnen, en je houdt je bek over die schoonmaakster.'

Anders stapte uit bij station Stockholm Oost, liet de tas met de afluisterontvanger in de auto staan en wees ernaar.

'Die moet je straks meteen testen.' Daarna smeet hij het portier dicht en verdween in de mensenmenigte.

Lars bleef zitten. Zijn hele lijf zat vol angst en onbehagen. Hij durfde in zijn gedachten niet terug te gaan naar wat er net voorgevallen was, in plaats daarvan voelde hij een grote woede opkomen, hij haatte Anders Ask meer dan hij ooit iemand gehaat had.

\*

De onbekende man die Zweeds had gesproken was verdwenen. Vanaf zijn plaats in het binnenste van het schip zat Jens te luisteren, zocht met zijn blik, zijn machinepistool in de aanslag. Het geluid dat hij net had gehoord was van verder weg gekomen, vanaf het open gedeelte van het ruim. Verder was het stil. De mannen die op de kade hadden gewerkt en de Vietnamese bemanning moesten gevlucht zijn toen de eerste schoten vielen. Het voelde als een eeuwigheid geleden, maar er waren nog maar een paar minuten verstreken. Lange, taaie, elastische kutminuten. Hij haatte minuten. Vervelende dingen gebeurden altijd binnen enkele minuten.

Hij kreeg weer gehoorprikkels. Hij hoorde iets dichterbij komen, kort gefluister, voetstappen, een windvlaag... Het zweet gutste en de adrenaline gierde door zijn lijf, zijn overhemd plakte aan zijn huid.

Opnieuw kreeg hij sterk het gevoel dat hij daar weg moest, een gevoel van paniek dat hij herkende uit zijn jeugd – het vluchtgevoel.

Hij overlegde bij zichzelf of hij zich verborgen moest houden of moest vechten. Toen hoorde hij de beweging, iets verderop verplaatste een gedaante zich snel door het ruim. Instinctief zette Jens zijn Bizon tegen zijn schouder en schoot een paar keer op de schaduw. Daarna zocht hij dekking. De vraag die hij zich zo-even gesteld had was beantwoord, hij moest vechten. Nu was er geen weg terug meer. Jens wachtte, hoorde zijn eigen hartslag en verder niets. Hij moest zich verplaatsen, maar kreeg maar net de tijd om overeind te komen. Het wapen klonk als een kettingzaag toen het zijn kogels op Jens afvuurde. Hij wierp zich op de grond. De kogels sloegen overal in, het geluid was oorverdovend, daarop volgde een moment van totale stilte. Hij hoorde hoe iets verderop een wapen werd herladen. Jens stond op, bewoog zich naar voren, zocht naar de persoon die op hem geschoten had... Daar, verderop, een beweging. Achter een stapel kisten zag hij een deel van een lichaam, zag hoe het hele lichaam zichtbaar werd. Hoe er een machinepistool, net zo een als hij zelf had, op hem gericht werd. Maar Jens was sneller en schoot een salvo af op de man, die achter de kisten wegdook. Jens liep verder. De man kwam weer vlug tevoorschijn, Jens was nog ongeveer tien meter van hem verwijderd, schoot, trof de ene schouder van de man, die wegdraaide maar er toch in slaagde om zijn wapen op Jens te richten, die zich midden in het ruim bevond en geen enkele mogelijkheid had om dekking te zoeken.

Twee wapens op elkaar gericht. Heel even bleef de tijd stilstaan, alsof iemand de grote secondewijzer die de voortbeweging van het universum stuurde had gevangen. Jens zag de lege ogen van de man, zag de loop die op hem gericht werd. Zou hij nu sterven? Hij kon het niet accepteren. Geen beelden van zijn kindertijd, geen moeder die naar hem lachte in het licht van de schepping. Alleen een donker en leeg gevoel van de zinloosheid van de hele situatie. Zou die klootzak hem doden?

Dat waren zijn gedachten in die lange ogenblikken. Hij knielde met de kolf tegen zijn schouder, terwijl hij de Rus onder schot hield.

Jens schoot, de Rus schoot.

Hun kogels moesten elkaar halverwege in de lucht gepasseerd zijn. Hij kon het fluitende geluid horen toen ze links langs hem heen vlogen en voelde de brandende pijn toen een ervan zijn bovenarm raakte.

De drie kogels die hij had weten af te vuren waren goed gericht en troffen de Rus tegelijkertijd in zijn borst en hals. De halsslagader werd doorboord, het bloed spoot eruit, de man viel, verslapte in zijn val, verloor zijn wapen, knalde tegen een kist en was dood voordat hij de grond raakte.

Jens staarde, hoorde voetstappen achter zich en draaide zich met geheven wapen om. De man die Zweeds had gesproken hield zijn pistool op Jens' voorhoofd gericht. Jens' Bizon hield de man onder schot.

'Laat je wapen zakken... Ik zal je niets doen,' zei hij kalm.

'Laat zelf je wapen zakken,' zei Jens, volkomen onverschillig door alle adrenaline die door zijn lijf joeg.

De man aarzelde en liet toen zijn wapen zakken. Jens deed hetzelfde.

'Ben je gewond?' vroeg hij terwijl hij naar Jens' schouder keek.

Jens keek, voelde aan de wond, het leek een schampschot. Hij schudde zijn hoofd.

'Kom! Laat hem maar.'

Jens keek naar de man die hij net had doodgeschoten. Gedachten over geluk, het lot, dankbaarheid, angst, schuld en onbehagen bleven door hem heen schieten.

'Kom!' zei de Zweedssprekende man weer. Jens volgde hem.

Hij zag dat er een microfoontje op de wang van de man zat en een oortelefoontje in zijn linkeroor. Hij sprak kort en zachtjes, bleef plotseling staan.

'We moeten wachten,' fluisterde hij.

Geen activiteit te zien, geen geluid te horen, alleen maar wachten. Jens keek naar hem, hij was rustig, was kennelijk dit soort dingen gewend.

'Ik heet Aron,' zei hij.

Jens antwoordde niet.

De man duwde met een vinger tegen zijn oortelefoontje en kwam overeind.

'Het is nu veilig, we kunnen naar boven.'

Midden op het dek zat Michail geknield met zijn handen achter zijn hoofd, Leszek stond achter hem met zijn HK G36 met telescoopvizier in zijn handen.

Aron wenkte Jens dat hij hem moest volgen. Ze liepen langs Michail en namen de trap naar de brug. In de stuurhut aangekomen zagen ze de doodgeschoten stuurman in een plas bloed liggen. De kapitein zat verscholen onder een tafel, in shock leek het, in zijn hand hield hij een grote bahcosleutel. Hij kwam onder de tafel vandaan, keek eerst naar de dode stuurman en vervolgens uit het raam. Hij zag Michail geknield op het dek zitten, haat vonkte in zijn ogen. De kapitein botste tegen Jens en Aron aan toen hij de stuurhut uit stormde, de trap af vloog en het dek op rende. Michail kon zich niet verdedigen, de kapitein haalde uit met zijn bahco en sloeg hem op zijn hoofd zodat hij omviel. Hij keek naar de grote Rus die zich probeerde te verdedigen, sloeg hem meerdere keren op zijn benen en armen terwijl hij hem in zijn eigen taal vervloekte. Jens en Aron volgden de afstraffing vanaf de brug.

'Wat doe je op deze boot?' vroeg Aron.

Beneden op het dek dook Michail ineen als een bal.

'Ik ben meegelift naar huis vanuit Paraguay.'

'Wat deed je daar?'

'Van alles en nog wat.'

'Hoe kom je aan de kost?'

Jens wendde zijn blik af van de mishandeling.

'Logistiek,' antwoordde hij.

'Vervoer je iets met dit schip?'

'Hoezo?'

'Omdat ik het vraag.'

De kapitein haalde stevig uit met de bahco.

'Ik vind het nu wel mooi geweest,' zei Jens terwijl hij met zijn duim wees en op de mishandeling doelde.

Aron leek het eerst niet te begrijpen, daarna floot hij kort, gaf een teken aan Leszek, die daarop tussenbeide kwam en ervoor zorgde dat de kapitein zijn geweldpleging staakte. De kapitein spuugde naar de bebloede Michail, die voor dood op het dek lag. De kapitein zette weer koers naar de brug.

In dat korte moment leek iedereen te ontspannen. Leszeks aandacht verslapte, Aron wilde net Jens nog een keer dezelfde vraag stellen. Michail maakte van de gelegenheid gebruik en wist met een uiterste krachtsinspanning overeind te komen. Het ging allemaal razendsnel, met al zijn gebroken botten rende hij het korte stukje over het dek naar de reling, nam een aanloop en wist eroverheen te springen. Op datzelfde moment vuurde Leszek een salvo af uit zijn automatische wapen. Michail verdween. Jens hoorde hem in het water terechtkomen.

Aron en Leszek kregen opeens haast. Ze renden snel over het dek, vatten post bij de reling, liepen elk een kant op, zochten druk pratend het water beneden af. Af en toe losten ze een paar schoten die het water doorkliefden. De zoektocht duurde tien minuten, ten slotte zagen ze in dat het zinloos was om er nog langer mee door te gaan. De man was zwaar mishandeld en misschien hadden hun kogels hem ook nog geraakt. Hij was vast verdronken.

De dieselmotoren stampten ongeduldig onder het dek. Het schip lag nog steeds aan de kade, iedereen wilde weg. Er hadden verscheidene schotenwisselingen plaatsgevonden, mensen waren weggevlucht en de politie was waarschijnlijk onderweg. Rotterdam was een van de grootste havens ter wereld. Als ze eenmaal bij de kade weg waren, zouden ze zich tussen de andere schepen op de vaarroute kunnen verstoppen.

Ze hielpen elkaar om de grote trossen op te tillen waarmee het schip aan de aanmeerplaats lag en gingen snel weer aan boord. De loopplank viel in het water toen het schip van de kade wegvoer.

Lars was naar huis gereden en had in een keukenkastje twee flessen rode wijn gevonden. Eén fles dronk hij meteen leeg, waarna hij de tweede opentrok en nog een paar glazen achteroversloeg. Hij werd dronken en kreeg een kleur. Hij keek uit op de binnenplaats, had medelijden met zichzelf en met de schoonmaakster, vroeg zich af wat ze nu aan het doen was. De alcohol schakelde door naar een hogere versnelling en behoedde hem voor zelfverwijten.

De zon brandde op de ramen, waardoor het in de flat ondraaglijk heet werd.

Hij trok zijn trui uit en dronk nog wat wijn. Hij liep de woonkamer in, gooide de trui op de grond en vulde een glas met de oude cognac die in de boekenkast stond. Het smaakte nergens naar maar hij werkte in etappes nog een paar flinke slokken naar binnen en onderdrukte de oprispingen. Vervolgens ging hij in foetushouding op de bank voor zich uit liggen kijken.

Na een kwartier veranderde er iets in Lars Vinge. Hij werd bitter en glimlachte grimmig om alle imbecielen die hij in de loop der jaren om zich heen had gehad. Zijn ouders, zijn jeugdvrienden, iedereen met wie hij gewerkt had, iedereen die hij ontmoet had... Anders Ask. Hij vervloekte ze allemaal, ze waren allemaal gestoord en infantiel, maar dat was hij niet... Dat was zo'n beetje de informatie die door zijn gemarineerde hersenen circuleerde. Daarom dronk hij ook niet zo vaak, hij had zichzelf dan niet meer in de hand en werd tijdelijk krankzinnig. Dat was al zo sinds hij voor het eerst dronken was geweest, maar daar dacht hij nu niet over na. Nu werd hij volledig in beslag genomen door zijn pogingen om de duisternis in zijn binnenste te rechtvaardigen.

Een uur later kwam Sara thuis, ze keek hem onverschillig aan.

'Ben je ziek?'

Hij antwoordde niet. Ze liep de keuken in, kwam even later terug.

'Heb je wijn gehad?'

Haar stem klonk beschuldigend. Lars bleef liggen, zijn armen om zijn naakte bovenlijf geslagen.

'Ben je dronken?'

Hij antwoordde niet.

'Wat is er, Lars?'

Hij kwam overeind, raapte zijn trui van de grond en trok hem aan. 'Gaat je niks aan,' zei hij en hij liep de hal in, trok zijn schoenen aan en verliet de flat.

In de dichtstbijzijnde kroeg bestelde hij een wodka-tonic en hij raakte verzeild in een discussie met een gepensioneerde alcoholist die vond dat Zweden veel te soft was bij het opleggen van gevangenisstraf. Lars wond zich op en begon aan een warrige redenering over behandeling versus straf. Hij raakte al snel de draad kwijt. De voor de hand liggende argumenten die hij anders altijd paraat had, wilden maar niet komen. De gepensioneerde alcoholist en de barkeeper barstten in lachen uit over Lars' gestuntel.

Na sluitingstijd van de bar dwaalde Lars midden in de nacht door de stad en piste wankelend tegen een parkeermeter. Hij giechelde om niets, trok gezichten, stak zijn middelvinger op tegen auto's en mensen die hem passeerden. Toen werd alles zwart.

Hij werd tegen halfvijf 's ochtends wakker in een portiek in de Wollmar Yxkullsgatan toen de krantenjongen over hem heen stapte. Langzaam slenterde hij in de richting van zijn huis met de handen in zijn broekzakken, hij was dronken en had tegelijkertijd een kater. Thuis in de spiegel in de hal zag hij dat hij een snee op zijn voorhoofd had en een oneindig lege blik. Hij liet zich languit naast Sara in bed vallen, waarop zij uit bed stapte, haar dekbed meegriste en siste dat hij naar drank stonk.

Drie uur later werd Lars wakker met de ochtendzon op zijn gezicht. Sara was weg, haar kant was zoals gewoonlijk niet opgemaakt en daar baalde hij van. Hij trok het dekbed over zijn hoofd en probeerde weer in slaap te vallen, maar hij voelde het overal tintelen, zelfs in zijn ziel.

Met trillende handen dronk hij zijn koffie, probeerde zich te concentreren, zich te herinneren wie hij was. Hij vond niets, een grote leegte, alles was weg.

*

'Wil je me toch even helpen?'

Sophie riep naar boven, terwijl ze haar handen afdroogde aan een keukendoek.

'Ik kom eraan!' riep hij geïrriteerd.

Ze keek naar de keukendoek, besloot dat hij te oud was om weer terug te hangen en gooide hem in de afvalbak. Albert kwam de trap af lopen toen ze aluminiumfolie over de dampende aardappelschotel deed. Ze wees naar een geschenkverpakking op de tafel. Ernaast lagen cadeaupapier, plakband en geel lint. Albert ging zitten en begon cadeaupapier af te knippen.

Ze tilde de ovenvaste vorm van het fornuis naar het aanrecht, haastte zich toen de warmte door de ovenwant heen drong en liet de vorm de laatste centimeters op het aanrecht vallen.

Albert mat of hij voldoende papier voor het cadeau had afgeknipt.

'Voor wie is het?'

'Voor Tom.'

'Waarom?'

'Hij is jarig geweest.'

Hij begon het papier mooi te vouwen, maar plakte het lelijk dicht met het plakband. Dat ergerde haar, ze nam het over en deed het goed... en had er meteen alweer spijt van.

Ze reden de paar kilometer naar haar ouderlijk huis. Het dichte en groene gebladerte zorgde voor een lommerrijke aanblik. De huizen stonden verscholen tussen eiken, berken en appelbomen. De avondzon gaf het geheel een gouden gloed. Mooi, vond ze.

Vanaf de heuvel waarop de villa stond, kwam Rat aanrennen. Rat was een wit hondje, niemand wist tot welk ras hij behoorde, hij was gewoon wit en klein, blafte naar alles wat bewoog en af en toe beet hij iemand.

'Rij maar over hem heen,' zei Albert zachtjes.

Ze mochten de hond geen van beiden.

'Zou je verdrietig zijn als Rat doodging?' ging hij verder.

Sophie glimlachte, maar gaf geen antwoord.

'Nou?' vroeg hij nog eens.

Ze schudde van niet en Albert wierp haar een samenzweerderige glimlach toe.

Tom was in de woonkamer druk in de weer met de drankjes – Sinatra zong en Jobim begeleidde hem.

'Hoi, Tom.'

Met zijn mond vol olijven gebaarde Tom naar Sophie dat ze moest wachten, wat ze niet deed. Yvonne kwam hen tegemoet. Ze kuste Albert op zijn voorhoofd, kneep even in Sophies onderarm en verdween. Zoals meestal droeg ze nieuwe witte gympen. Yvonne bewoog zich op haar zeventigste nog steeds alsof ze zichzelf als een bijzonder aantrekkelijke vrouw beschouwde.

Janes vriend Jesus uit Argentinië zat in kleermakerszit op het vloerkleed voor de tv met het geluid uit naar iets te kijken.

'Hoi, Jesus.'

Ze sprak het uit als *Hessuss*. Hij zei vriendelijk: 'Sophie,' en ging verder met tv-kijken.

Jesus was anders. Hoe wist ze niet, maar elke keer dat ze zich een oordeel had gevormd over zijn manier van doen, had geprobeerd te gissen naar de reden van zijn nogal zonderlinge gedrag, had ze ernaast gezeten. Jane was gelukkig met hem op een manier die Sophie niet begreep, maar waar ze jaloers op was. Ze gingen ieder hun eigen gang en als ze elkaar zagen, glimlachten ze tegen elkaar. Dat kon zijn nadat Jesus drie maanden in Buenos Aires was geweest of wanneer ze elkaar in de keuken tegenkwamen nadat zij een tijdje aan de telefoon had gezeten. De glimlach was altijd hetzelfde, zo groot en zo breed alsof ze beiden op het punt stonden om in lachen uit te barsten.

Sophie liep de keuken in. Jane zat aan de keukentafel en probeerde groente te snijden op een plank. Ze kon niet koken. Sophie zette de aardappelschotel die ze had meegenomen in de oven, drukte een zoen op het hoofd van haar zus en ging naast haar zitten. Ze keek toe hoe Jane met veel moeite een komkommer in dobbelsteentjes sneed. Ze werden allemaal verschillend van vorm en grootte. Jane verbeet haar boosheid en schoof de snijplank door naar haar grote zus, die het van haar overnam.

'Waar zijn jullie geweest?' vroeg Sophie.

Op zondagmiddag waren ze meestal met zijn vieren: Sophie en Albert, haar moeder Yvonne en Tom. Jane en Jesus kwamen wanneer het hun uitkwam, in hun bezoeken zat geen enkele regelmaat, maar het was altijd fijn als ze opdoken.

'Nergens, overal en nergens,' antwoordde ze hoofdschuddend. 'Ik weet het niet.'

Jane liet haar wang op haar hand rusten, lag half op de tafel waarbij ze haar elleboog gebruikte als steun. Zo zat ze meestal. Die houding leek een rustgevend effect op haar te hebben. Ze keek naar Sophie terwijl die de groente sneed.

'Kijk me eens aan,' zei ze.

Sophie keek Jane aan.

'Heb je iets gedaan?'

'Zoals wat?'

'Met je uiterlijk?'

Sophie schudde haar hoofd.

'Nee, hoezo?'

Jane keek haar onderzoekend aan.

'Je ziet er blijer uit... alsof er een last van je is afgevallen.'

Sophie haalde haar schouders op.

'Is er iets bijzonders gebeurd?' vroeg Jane.

'Ik weet het niet.'

'Ben je aan het daten?'

Sophie schudde haar hoofd. Jane bleef haar strak aankijken.

'Sophie?' fluisterde ze.

'Ja, misschien.'

'Misschien?'

Sophie ontmoette Janes blik.

'Wie is het?'

'Een patiënt... een ex-patiënt,' zei Sophie zachtjes. 'Maar we daten niet echt.'

'Wat doen jullie dan wel?'

Sophie glimlachte even.

'Ik weet het niet...'

Ze kieperde alle groenten in een grote schaal. Het zag er slordig uit, ze wilde het mooi maken, maar hield zich in. Ze baalde ervan dat ze het brave meisje werd zodra ze bij haar moeder was. Jane zat nog in dezelfde pose het werk van Sophie te volgen. Plotseling schoot haar iets te binnen.

'Maar waar zit mijn verstand, we zijn natuurlijk in Buenos Aires geweest! Ik begrijp niet wat er met me aan de hand is. Ik ben helemaal in de war. We hebben de broers en zussen van Jesus bezocht. We zijn... donderdag thuisgekomen.'

Ze twijfelde over de dag, maar besloot dat het klopte. Jane was een warrige persoon. Op het eerste gezicht zou je kunnen denken dat ze het speelde, maar dat was niet zo. Ze was ongestructureerd en soms te vrolijk. Dat vonden veel mensen in haar omgeving beangstigend en deze bange mensen vonden haar gemaakt. Wie zich niet door haar uitbundigheid liet afschrikken, vond haar aardig.

Ze zaten aan tafel, Yvonne en Tom ieder aan een uiteinde, de anderen verdeeld rond de tafel. Yvonne had de tafel zoals gewoonlijk mooi gedekt, daar had ze echt talent voor. De maaltijd verliep zoals altijd: gepraat over koetjes en kalfjes, gelach en stille concentratie van iedereen zodat de gevoelens in bedwang werden gehouden en er geen oud zeer of misverstanden opborrelden.

Na het eten gingen Sophie en Jane in een luie stoel op de veranda zitten. Jesus verdween naar de bibliotheek, waar hij zich verdiepte in een Engels boek. Albert zat boven te kaarten met Tom met op de achtergrond de Goldbergvariaties, die Tom zodra de gelegenheid zich voordeed draaide op de oude platenspeler die zijn beste tijd had gehad.

In de rieten stoelen onder de terrasverwarmer zaten de zussen tot in de kleine uurtjes te drinken en te praten. In het begin was Yvonne stilletjes dichterbij geslopen, had gedaan alsof ze druk bezig was met iets achter de terrasdeuren. Ze betrapten haar een paar keer op heterdaad, Yvonne weigerde te bekennen dat ze stiekem stond mee te luisteren – maar ze kon slecht liegen. Het was Tom die ten slotte naar beneden kwam en zei dat ze hen met rust moest laten.

Yvonne was licht neurotisch geweest tijdens het grootste deel van

Sophies jeugd. Na de dood van Georg was de hysterie als een vulkaan tot uitbarsting gekomen. Van een vrolijke huisvrouw was ze verworden tot een gedesillusioneerde egoïste waarbij ze veel meetrok in haar val. Sophie en Jane rouwden om de dood van hun vader, maar het verdriet van Yvonne overheerste alles. Nu eens was ze boos en depressief, dan weer eiste ze begrip en veel te veel liefde van haar dochters. Jane en Sophie wisten niet hoe ze zich moesten gedragen, hun relatie met hun moeder groeide scheef en was gebaseerd op een verward beeld van bezorgdheid en zorgzaamheid. Het leidde tot een verslechtering van de relatie tussen Jane en Sophie. Yvonnes ongezonde gedrag werd een barrière tussen de twee zussen. Ze maakten bijna nooit lol samen, maar zaten meestal alleen op hun kamers en streden om de aandacht van hun moeder.

Maar toen verscheen Tom in hun leven. Ze verhuisden naar een groter huis een paar blokken verderop, met grote ramen en grote schilderijen aan grote muren. Dikke witte donzen dekbedden op grote bedden van kersenhout. Tom bracht hen naar school in zijn groene Jaguar met lichtbruine leren bekleding die licht naar tabaksrook en herenparfum rook. Hun moeder bleef overdag thuis om amateuristische schilderijen te maken. Langzaamaan veranderde ze, liet ze het verdriet achter zich en werd weer een beetje moeder, maar ze bleef nog steeds stevig vasthouden aan haar slachtofferrol, waar ze erg van kon genieten.

Met de jaren, toen Sophie volwassen werd en Yvonne in de overgang kwam, begon Sophie haar weer aardig te vinden. Iets wat heel lang niet het geval was geweest. Af en toe kon Yvonne wijs zijn, menselijk en warm tegelijkertijd – dan herkende Sophie haar weer. Maar al te vaak gedroeg ze zich alsof er een oude, duistere kant in haar wilde terugkomen – een kant vol hysterie, irritatie en ongezonde nieuwsgierigheid, de angst om buitengesloten te worden, de angst om een onzichtbare en ondoorgrondelijke controle te verliezen. Een paar weken geleden was ze bij Sophie thuis gekomen, had een kop thee bij haar gedronken en gevraagd hoe het met haar ging. De vraag was uit de lucht komen vallen en had haar totaal overrompeld. Sophie antwoordde uit gewoonte dat het goed met haar ging, maar ze zag aan haar moeder dat de vraag oprecht was. Daarom bleef ze er even bij stilstaan, dacht erover na en zonder dat ze begreep waarom was ze in huilen uitgebarsten. Yvonne had haar armen om haar heen geslagen. Het was een heerlijk gevoel geweest, maar tegelijkertijd ook een fout gevoel, maar ze stond zichzelf toe om daar te zijn, dicht bij haar moeder, huilend om iets wat ze niet begreep. Misschien was het alleen maar de spanning geweest die ergens in haar had losgelaten, misschien had haar moeder iets gezien wat alleen een moeder kon zien. Sophie had zich daarna lichter gevoeld. Ze hadden het er niet meer over gehad.

De terrasverwarmer op de veranda en de wijn in hun lichaam verwarmden hen van twee kanten en zorgden voor een heerlijk compacte warmteconcentratie. Ze deelden een pakje sigaretten dat ze in de vriezer hadden gevonden. Yvonne bewaarde daar altijd de sigaretten voor de visite en de beide zussen pikten er altijd van. Ze rookten het hele pakje achter elkaar op en bestelden een taxi die hen vervolgens een nieuw pakje en twee zakken zoute drop bracht. Tom kwam nog even langs in zijn pyjama en begon te jammeren dat ze de fles wijn hadden leeggedronken die hij al een leven lang had bewaard voor een speciale gelegenheid. Ze kregen de slappe lach, ze kwamen niet meer bij. Toen ze herinneringen ophaalden aan de zomers van hun jeugd, de geur van geroosterd brood en thee in de keuken van het zomerhuisje, de dagen aan het badstrand en de lieve vragen die hun grootmoeder hun altijd meende te moeten stellen om hun zelfbeeld te versterken, werden ze sentimenteel. Ze hadden het over hun vader en vielen stil. Dat gebeurde altijd als ze over hem praatten, ze werden stil en vroegen zich af waarom hij zo jong was overleden. Papa Georg was lief, mooi en sterk geweest in Sophies herinnering. Ze vroeg zich vaak af of ze nog steeds hetzelfde beeld van hem zou hebben gehad als hij nog had geleefd. Georg Lantz was in een hotel in New York gestorven toen hij daar op zakenreis was, hij was tijdens het douchen dood neergevallen. Ze herinnerde zich van hem alleen de mooie dingen. Zijn lach, zijn grapjes en zijn zorgzaamheid – zijn grootheid, zijn opgewektheid en dat knappe wat ze altijd had gezien bij oudere mannen die zich nooit in een poel van bitterheid hadden laten lokken. Dat hij plezier uitstraalde, alsof dat zijn geschenk was aan zijn vrouw, zijn twee meisjes en aan God. Ze miste hem verschrikkelijk tot op de dag van vandaag, soms praatte ze met hem in haar eenzaamheid.

De alcohol en het tijdstip misten hun uitwerking niet. Jane ging in de logeerkamer naast haar eigen Jesus liggen. Sophie dekte Albert toe in het logeerbed, gaf hem een kus op zijn voorhoofd en liet hem daar slapen.

Ze vroeg de taxichauffeur een omweg te maken. Ze zat op de achterbank en keek naar de huizen die voorbijgleden; ze genoot ervan om aangeschoten en alleen te zijn. Ze hield van de villawijk waar ze was opgegroeid, kende de meeste huizen die ze voorbijreden, wist wie er gewoond hadden, wie er nog steeds woonden. Het was haar plekje, haar veilige haven. Met een zekere weemoed bekeek ze de wereld die daar buiten langs de ramen van de taxi aan haar voorbijgleed. Die zag er nog net zo uit als vroeger, maar dat vroeger bestond niet meer en ze voelde niet meer dezelfde verbondenheid met deze omgeving.

Op de veranda had Jane verteld dat Jesus en zij Jens Vall waren tegengekomen in Buenos Aires. Ze was verbaasd toen zijn naam werd genoemd, had in geen tijden meer aan hem gedacht. Jens Vall... Ze hadden elkaar tijdens hun middelbareschooltijd op een zomervakantie aan de scherenkust leren kennen, waren niet bij elkaar weg te slaan tot het moment dat ze afscheid moesten nemen. Ze wist nog hoe geamputeerd ze zich had gevoeld. Aan het eind van de vakantie ging ze naar hem toe. Hij woonde op Ekerö, zijn ouders waren weg en Jens had het huis voor zichzelf.

Ze lag het grootste deel van de tijd met haar hoofd op zijn borst, zo herinnerde ze zich die week. Ze hadden constant gepraat, alsof ze alles tot dan toe hadden opgespaard. Af en toe gingen ze boodschappen doen met de grote deinende Citroën van zijn ouders – luide muziek aan en geen rijbewijs, alsof ze oefenden in volwassen en vrij zijn... Ze hadden elkaars hand vastgehouden terwijl ze hun tanden poetsten in de badkamer. Mijn hemel, ze was dit allemaal vergeten. Ondanks haar leeftijd realiseerde ze zich dat ze van hem had gehouden in de wetenschap dat ze uiteindelijk gekwetst zou worden. En dat gebeurde ook. Toen ze ouder was, dacht ze te begrijpen dat hij het vermoedelijk ook zo had gevoeld, dat hij ook de nodige weerstand had gevoeld toen hij ertussen uitkneep om de straf van de liefde te ontlopen.

Ze werd afgezet door de taxichauffeur en stapte haar huis binnen, wilde niet dat de roes zou eindigen. Daar was hij te prettig voor, te waardevol. Ze haalde een fles uit de kelder, ontkurkte hem in de keuken, schonk een groot glas vol en ging aan tafel zitten. Ze nam een paar slokken, vond twee gebogen sigaretten in het pakje. Ze stak er een op en rookte hem op zonder de moeite te nemen de wasemkap aan te zetten of een raam te openen. Die heerlijke roes verdween met de laatste wijn, de lichte gedachten werden donkerder van toon, de sigaret smaakte haar niet.

Ze sloot de avond af met het sterke gevoel dat ze dat laatste beter niet had kunnen doen. Dat gevoel nam ze mee de nacht en haar droomloze slaap in.

De volgende ochtend werd ze wakker met een schuldgevoel.

# 6

Het vrachtschip was vanuit de haven van Rotterdam langzaam noordwaarts gevaren, langs de Nederlandse kust. De zee was spiegelglad, de zon scheen fel toen die vrij spel kreeg achter grote cirruswolken. Jens kwam overeind van zijn plaats in de schaduw, liep over het dek, in zijn eigen tempo, en daalde de ijzeren trap naar de laadruimte af.

Daar onder het dek keek hij zijn spullen nog een keer na, hij wilde iets anders doen dan voor zich uit zitten staren met het beeld van dode mensen op zijn netvlies. Hij hoorde voetstappen achter zich, Aron dook op, Jens deed geen poging om de inhoud van de kisten te verbergen.

Aron keek naar de wapens en ging op een van de kisten naast Jens zitten.

'We varen nog een stukje noordwaarts, daarna buigen we af naar het oosten met als bestemming Bremerhaven. Daarvóór, in de buurt van Helgoland, ontmoeten we een boot waarop we de vracht gaan overladen. Op die boot is ook plek voor jou en je spullen.'

Jens keek Aron aan.

'Waarom?' vroeg hij.

'Omdat je geen automatische wapens kunt lossen in Bremerhaven. De douane zal je lading in beslag nemen.'

'Je weet wel beter.'

'Ja, en jij ook...'

Ze keken elkaar aan.

'Neem het aanbod aan. Je weet hoe het werkt.'

Ja, hij wist hoe het werkte, hij begreep de deal. Door gebruik te maken van de aangeboden dienst stond hij bij Aron in het krijt. Jens had het allemaal al eens gezien. Het was een impliciete bedreiging. Jens zat klem. Zo ging dat.

'En waar gaat die boot van vannacht heen?'

'Naar Denemarken,' zei Aron. 'In de beschutting van de duisternis leggen we aan bij een rustige strook aan de kust van Jutland.'

'En daarna?'

'We kunnen je aan een auto helpen. Dat is alles.'

Jens keek Aron aan met samengeknepen ogen, wendde zijn blik af en wijdde zich weer aan zijn kisten.

Het werd nacht, de motoren van het schip stonden uit. Het was stil, alle lichten waren gedoofd en het schip deinde voort door de duisternis.

De afgelopen uren was hij in gedachten alle mogelijkheden langsgegaan. De wapens in Denemarken achterlaten, ze in Duitsland aan land proberen te krijgen. Zelfs de Russen bellen om te zeggen dat ze hun spullen zelf maar ergens moesten oppikken. Maar daar zouden ze nooit op ingaan. Hij moest dit volgens afspraak afhandelen. De wapens moesten naar Polen. Hoe dat moest, zou hij later bekijken. Het ging er nu om ongezien in Denemarken aan land te komen. In het ergste geval zat de kustwacht al achter hen aan.

Jens pakte zijn mobieltje en zag dat het bereik minimaal was. Hij zocht een telefoonnummer in zijn contactenlijst op en liet de telefoon een paar keer overgaan. Zijn gezicht klaarde op toen er aan de andere kant werd opgenomen.

'Oma! Ik ben het, ik hoor je slecht, maar ik ben in Denemarken, ja, Jutland... voor mijn werk. Ik kom morgen of overmorgen even langs...'

Hij had zijn twee kisten aan dek gebracht. Aron en Leszek kwamen naar hem toe. Leszek droeg zijn aanvalsgeweer over zijn schouder. Ditmaal had hij een Hensoldt-nachtvizier op het wapen gemonteerd.

Leszek hoorde de boot het eerst.

'Daar komt ie,' zei hij en hij verdween naar de stuurhut, ging plat op het dak liggen en volgde de naderende boot in zijn vizier.

De zee was kalm, in het donker waren draaiende motoren te horen. Jens zag een grote viskotter dichterbij komen.

De boot gleed langszij. Een stem vanaf de kotter riep naar Aron, die iets antwoordde wat Jens niet verstond. Een man kwam aan boord, een mulat; breed lachend en met open armen liep hij op Aron af.

'Wat hebben we hier te zoeken op de grote zee, Aron?'

Aron lachte terug, wees naar Jens.

'Deze man vergezelt ons een eindje. Samen met een paar kisten die van hem zijn.'

De man keek Jens aan en nam hem even onderzoekend op.

'Welkom, ik heet Thierry.'

Jens groette hem.

'Wat zit er in je kisten?' vroeg de man.

'Hij vervoert automatische wapens,' zei Aron.

Leszek kwam op hen aflopen met het geweer over zijn schouder en knikte naar Thierry, die terugknikte. Vervolgens keek Thierry kritisch naar Jens om vast te stellen of hij het uiterlijk van een wapensmokkelaar had en vroeg toen aan Aron: 'Oké... Aron, heb je wat ik je gevraagd had?'

Aron haalde een tas tevoorschijn, glimlachte en overhandigde hem aan Thierry, die hem even in zijn handen woog voordat hij hem op het dek zette en de rits opentrok. Hij tilde er een voorwerp uit dat in een fluwelen doek gewikkeld was, legde het voorzichtig neer en sloeg de doek terug. Jens hoorde bijna hoe de man zijn adem inhield toen hij het stenen beeldje zag. Onbeduidend in Jens' ogen. Klein, grijs en zonder duidelijke contouren. Thierry hield het tegen het licht van een lamp boven hem. Met groot enthousiasme vertelde hij hoe oud het was, dat het een cultuurschat uit het Incarijk betrof, dat het van onschatbare waarde was, niet in geld uit te drukken.

'Bedankt Aron,' zei Thierry.

'Je moet mij niet bedanken, maar Don Ignacio. Hij heeft dit voor je geregeld.'

Leszek en Aron verdwenen benedendeks.

'Ga je het verkopen?' vroeg Jens.

'Nee, dit is onverkoopbaar. Dit hou ik zelf, thuis, om naar te kijken.'

Hij keek Jens aan.

'Maar ik verkoop wel dingen die hierop lijken, mocht je geïnteresseerd zijn.'

Jens schudde glimlachend zijn hoofd.

'Bovendien is het een goede tegenkracht tegen jouw wapens en de cocaïne op onze tocht naar het vasteland. Het bezit goede krachten. Het helpt ons.'

Nu wist Jens wat Aron en Leszek op het schip deden.

*

Lars had een Volkswagen LT35 gekocht van het geld dat Gunilla naar zijn rekening had overgemaakt. Een grote, witte bestelwagen zonder enig herkenningsteken. De voorbank en de grote laadruimte waren door een tussenwand van elkaar gescheiden en slechts in een van de achterportieren zat een raam, van gespiegeld glas.

De auto stond zeventig meter van Sophies huis geparkeerd op een smalle, hoger gelegen grindweg. Hij had een oude, versleten leunstoel gekocht en die in de laadruimte van de auto gezet. Daar zat hij met een koptelefoon op, die verbonden was met een ontvanger, die op zijn beurt verbonden was met opnameapparatuur, te luisteren naar de familie Brinkmann, die zat te eten. Met elk woord dat er gezegd werd, met elke opmerking leerde Lars Sophie en de wereld waarin ze leefde, haar manier van denken en haar gevoelens, iets beter kennen.

Hij had haar nu twee weken geobserveerd, maar voor zijn gevoel was het een eeuwigheid. Gedurende deze aaneenschakeling van dagen, avonden en nachten waarin hij haar had gevolgd en gefotografeerd, zich dingen over haar had afgevraagd en inhoudsloze rapporten over haar had geschreven voor Gunilla, was er iets in hem veranderd. Hij voelde zich om de een of andere onverklaarbare reden vrijer en sterker, en hij keek niet meer zo ontzettend kritisch naar zichzelf.

Hij wist niet waar die verandering door gekomen was, misschien was het gewoon toeval, misschien was het zijn nieuwe werk, was het een gevolg van zijn eenzaamheid overdag? Hij vroeg zich af of het misschien de verdienste was van Sophie Brinkmann. Haar verschijning had hem iets duidelijk gemaakt, haar vrouwelijkheid had hem iets verteld over zijn mannelijkheid. Ze had hem duidelijk gemaakt wat hij wilde en hoe hij het wilde, ze had iets in hem losgemaakt. Als zij van een afstand zoiets voor hem kon doen, terwijl ze hem niet eens kende, dan moest hij toch eigenlijk voor haar hetzelfde kunnen doen. Hij wist dat ze met elkaar verbonden waren. Hij wist dat zij dat ergens ook wist.

Lars hoorde een openhartig gesprek tussen Sophie en Albert in zijn koptelefoon. Hun manier van communiceren getuigde van een ongedwongen en liefdevolle verstandhouding; hij verbaasde zich over zoveel spontaniteit, dat had hij nog nooit meegemaakt.

De laatste uren van zijn dienst hing hij onderuitgezakt in de leunstoel, knipte zijn nagels met een Leatherman-kopie, luisterde naar Sophie, die in bed lag te lezen. Hij hoorde haar alleen zo nu en dan een bladzijde omslaan. Hij deed zijn ogen dicht. Hij lag naast haar in bed, ze glimlachte naar hem.

Hij reed naar huis door de nacht, met het raampje open; de Zweedse lente was plotseling zomer geworden – de lucht was zoel en helder tegelijkertijd.

Thuis in zijn flat schreef hij zijn rapport op de oude typemachine.

'Waarom doe je dat op de typemachine en niet op de computer?'

Sara stond in de deuropening, slaapdronken en gekleed in dat afgrijselijke verwassen nachthemd. Hij keek haar aan, stond op en smeet de deur vlak voor haar verbaasde gezicht dicht, draaide de sleutel om en liep terug naar zijn bureau.

'Wat is er verdomme met je aan de hand?!' Haar stem klonk gedempt achter de deur.

Hij luisterde niet naar haar en ging verder met typen. In zijn rapport aan Gunilla gaf hij globaal de dialoog tijdens de maaltijd weer. De vellen papier gleden door de fax en daarna door de papierversnipperaar. Hij wilde niet naast Sara liggen. De cognac was op, de flessen wijn waren leeg. Lars stortte zich op de sherry die in de boekenkast stond. Hij had geen idee waar die vandaan kwam. Die fles had daar altijd al gestaan. Hij dronk zo uit de fles, terwijl hij wachtte tot de computer was opgestart. Sherry, wat een bocht... Weinig alcohol en smerig, wie zat daarop te wachten? Hij dronk het toch op. Het verdreef de ellende om hem heen een beetje en warmde zijn hersenen op tot een acceptabele temperatuur. Zijn computerscherm begon te knipperen en het bureaublad verscheen. Hij klikte op een map, markeerde de inhoud en koos diavoorstelling. Daarna opende hij de map met klassieke muziek en begon foto's van Sophie te bekijken op de klanken van Puccini. Hij had honderden foto's van haar, die voor zijn ogen met vijf seconden ertussen werden vertoond, vergroot tot full screen.

Lars zat naar achteren geleund op zijn bureaustoel te kijken naar Sophie die naar haar werk fietste, thuis de sleutel in het slot stak, vaag te zien was achter het keukenraam, naar Sophie die de krant uit de brievenbus haalde, dode takken en wilde loten wegknipte uit haar rozenstruiken die tegen de gevel van het huis groeiden. Hij zag waar ze zich bevond, hoe ze zich voelde, waar ze aan dacht, elke nuance op haar gezicht. Het was net een film, de film over het innerlijke leven van Sophie Brinkmann. Hij moest lachen om het wonder, verbaasd dat hij, die zelden dit soort gedachten had, bij toeval op een vrouw was gestuit van wie hij alles wist. Was het wel toeval? Nee, dat kon het niet zijn, misschien had het lot het zo gewild.

Lars printte zijn favoriete foto's van haar uit, stopte ze in een map, tekende een bloem op de voorkant van de map en verstopte hem vervolgens in een la.

*

Ze dacht aan niets in het bijzonder toen ze door de gang liep met haar ogen op de grond gericht en keek op toen ze voetstappen voor zich hoorde.

Een vrouw van een jaar of vijftig vroeg haar aandacht.

Sophie herkende haar, ze had haar eerder gezien. Ze was familie van iemand op de afdeling, van wie wist ze niet.

'Sophie?'

Sophie was verbaasd dat de vrouw haar met haar naam aansprak; ondanks het naamplaatje op haar borst gebeurde dat zelden.

'Ik ben Gunilla Strandberg en ik zou je graag even spreken.'

Sophie knikte en toonde haar verpleegstersglimlach.

'Natuurlijk.'

Gunilla keek om zich heen en Sophie begreep dat ze niet hier in de gang wilde praten.

'Kom.'

Sophie nodigde Gunilla uit een patiëntenkamer binnen te gaan en liet de deur achter zich dichtvallen.

Gunilla opende haar handtas, haalde er een leren portefeuille uit, keek in een binnenvakje en vond wat ze zocht tussen oude bonnetjes en bankbiljetten. Ze hield haar legitimatie omhoog voor Sophie.

'Ik ben van de recherche.'

'O?'

Sophie sloeg haar armen om zich heen.

'Ik wil alleen even met je praten,' zei Gunilla kalm.

Sophie realiseerde zich hoe ze erbij stond, afwerend, zichzelf beschermend.

'Je herkent me misschien?' vroeg Gunilla.

'Ja, ik heb je hier eerder gezien. Je bent familie van een patiënt.'

Gunilla schudde haar hoofd.

'Kunnen we even gaan zitten?'

Sophie pakte een stoel en schoof hem door naar Gunilla, die erop plaatsnam. Sophie ging op de rand van een ziekenhuisbed zitten. Gunilla zweeg, leek naar woorden te zoeken. Sophie wachtte. Even later keek Gunilla op.

'Ik ben bezig met een onderzoek.'

Sophie wachtte af. Gunilla Strandberg leek nog steeds naar de juiste woorden te zoeken.

'Jij bent bevriend met Hector Guzman?' vroeg ze rustig.

'Met Hector? Nee, dat zou ik niet willen zeggen.'

'Maar jullie gaan met elkaar om?'

Het was meer een constatering dan een vraag. Sophie keek Gunilla aan.

'Hoezo?'

'Nergens om, ik stel je gewoon een paar vragen.'

'Waarom?'
'Hoe close zijn jullie?'
Sophie schudde haar hoofd.
'Hij was een patiënt, we hebben wat gepraat. Wat wil je eigenlijk?'
Gunilla zuchtte, glimlachte half om haar eigen gestuntel.
'Sorry dat ik zo opdringerig ben, ik leer het ook nooit.'
Ze concentreerde zich en keek Sophie recht aan.
'Ik... ik heb je hulp nodig.'

# 7

Michail was hard in het water terechtgekomen. Hij had de schoten die op hem waren afgevuurd ternauwernood kunnen ontwijken. Op weg naar beneden in de donkere zee hoorde hij het gesuis en het gefluit van de projectielen die door het water in hun vaart werden afgeremd. Na een tijdje keerde hij en zwom weer omhoog naar het schip, gebrek aan zuurstof dwong hem naar de oppervlakte. De wigvormige romp van het schip was zijn redding. De mannen boven aan dek konden de onderkant van het schip niet zien. Michail bleef daar, dicht tegen de romp aan, de hele tijd in beweging. Toen de motoren werden gestart zag hij kans naar de stenen kade te zwemmen en mikte op het uiteinde. De kade was hoog. Als er geen ladder of iets anders was waarlangs hij omhoog kon klimmen, zou hij verdrinken. Zijn lichaam deed overal pijn, hij zou het niet lang meer volhouden. Maar na een inspannende zwemtocht rondde hij de kade en vond een oude roestige ketting waaraan hij zich vasthield tot het schip wegvoer. Toen trok hij zichzelf met veel pijn en moeite de pier op, ging kletsnat in de huurauto zitten, opende het dashboardkastje, haalde zijn gps en telefoon eruit en belde Roland Gentz. Hij vertelde dat ze waren begroet met kogels, dat zijn beide kameraden dood waren en dat er drie mannen aan boord waren geweest – twee die hij herkende als Aron en Leszek en een derde die hij niet kende, hoogstwaarschijnlijk een Zweed.

Roland bedankte voor de informatie en zei dat hij binnen een paar uur terug zou bellen. De verbinding werd verbroken.

De Vietnamese kapitein had hem behoorlijk toegetakeld. Een gebroken neus en een paar gebroken ribben, maar daar kon hij mee leven. Hij was niet kwaad op de kapitein, hij had immers diens stuurman voor zijn ogen doodgeschoten. Maar hij had een voorbeeld moeten stellen, want zodra hij buiten de schoten hoorde, wist hij dat de kapitein zijn afspraak met Hanke niet was nagekomen. De stuurman was zijn straf, hij had geen seconde getwijfeld.

Michail koesterde zelden wrok jegens mensen die hem in elkaar sloegen of met scherp op hem schoten; ze waren zijn gelijken. Hij had meegevochten in grote oorlogen tegen zowel de Afghanen als de Tsjetsjenen, had in hinderlagen gelegen en hevige beschietingen meegemaakt, op het randje van wat een mens psychisch aankon. Hij had vrienden doodgeschoten en opgeblazen zien worden, hen zien verbranden. Hij op zijn beurt had dezelfde dingen met zijn vijand gedaan, maar zijn daden hadden nooit iets met woede of wraak te maken. Misschien had hij het daarom allemaal overleefd.

Zo stond hij in het leven en zo ging hij met mensen om en dat was nog steeds zo toen hij voor Ralph Hanke ging werken. Hij was altijd dezelfde, of hij nu in opdracht van Ralph iemand doodschoot of afranselde of naar Stockholm reed om de zoon van Adalberto Guzman aan te rijden.

Hij dacht er nooit over na of het goed of fout was wat hij deed. Als hij in alle jaren dat hij in bloedige en zinloze oorlogen had gevochten één ding had geleerd, dan was het wel dat er helemaal geen goede of foute daden bestonden in deze wereld. Wat van belang was, waren de consequenties van je daden. Als je je daar maar van bewust was, liep het leven door in een hanteerbare richting.

Hij stopte bij een groot winkelcentrum en baarde nogal wat opzien toen hij bebloed en wel naar een drogisterij strompelde. Het rook er lekker en hij zocht bij elkaar wat hij nodig had: verband, pleisters, watten, ontsmettingsmiddel en de sterkste pijnstillers die hij kon vinden. Hij rekende af en de liefftallige in het wit geklede vrouwen bij de kassa ontweken zijn blik.

Michail reed naar een wegrestaurant, liep het toilet in, verbond zichzelf zo goed mogelijk en nam een paar pijnstillers in.

Hij ging tegen de korte muur van het restaurant zitten en spoelde zijn eten weg met drie biertjes. Toen hij zich daarna uitrekte, hoorde hij zijn gewrichten kraken en het deed hem overal zeer.

Terwijl hij op de rekening wachtte zette hij zijn gps-ontvanger aan. Hij had een zendertje bevestigd op een van Guzmans cocaïnekisten in de laadruimte van het schip. Het scherm gaf geen signaal, vermoedelijk bevonden ze zich nog steeds op zee.

Michail nam een kamer in een motel, schone lakens in lelijke kleuren die te sterk naar wasverzachter roken. Hij kleedde zich helemaal uit, onderzocht zichzelf in de spiegel, keek naar de blauwe plekken op zijn bovenlijf, liet zijn schouders rollen en draaide zijn nek. Zijn lichaam vertelde een duidelijke geschiedenis, een hoop littekens, vier kogelgaten en verschillende scherfwonden. De littekens zaten verspreid over zijn lichaam, sommige waren het resultaat van geweld, andere het gevolg van ongelukken, maar elk litteken was rechtstreeks verbonden met een sterke herinnering. Sommige herinneringen was hij graag kwijt geweest, maar zo werkte dat niet, hij moest ze zijn hele leven meedragen. Telkens wanneer hij naar zijn lichaam keek, werd hij zich ervan bewust wat voor soort mens hij eigenlijk was.

Zijn mobieltje ging. Michail liep over de vaste vloerbedekking naar het nachtkastje waar zijn mobieltje lag en nam op. Het was Roland, die vroeg naar de mogelijkheden.

'We hebben de zender die we kunnen volgen, dat is alles.'

*'Ralph is boos.'*

'Dat is hij toch altijd?'

*'Je moet terugslaan, alleen al om je dode kameraden te wreken.'*

Michail begreep dat Roland op zijn gevoelens probeerde in te spelen, maar dat soort gevoelens koesterde hij niet. Het kon Michail geen ene moer schelen dat zijn kameraden dood waren, het waren twee wrakken, hun dood was een bevrijding voor ze.

'Ik zal zien wat ik kan doen, stuur je iemand?'

*'Jij redt je prima alleen.'*

Michail keek naar zichzelf in de grote spiegel en trok zijn nek naar rechts; in zijn schouderpartij schoot iets met een klik op zijn plaats.

'Oké, maar wees iets specifieker.'

Michail hoorde hoe Roland met zijn muis klikte, hij was kennelijk aan het surfen.

*'Ralph is bloedlink, doe iets, geeft niet wat, iets, hij kan pas slapen als*

*hij weet dat ze doorhebben dat ze hebben verloren, je weet hoe hij is.'*

Daar ging Michail niet op in en hij verbrak de verbinding.

Hij nam een douche en belde een escortservice. Bestelde een grote vrouw, niet te jong, niet te slank, ze moest een redelijk mondje Russisch spreken. De vrouw arriveerde, ze kwam uit Albanië, minirokje, kniehoge witte laarzen, roze topje, krachtige heupen, precies zijn smaak. Ze stelde zich voor als Mona Lisa; die naam beviel hem niet en hij vroeg of ze anders kon heten, Lucy misschien?

Michail en Lucy lagen in bed en deelden een fles jenever, terwijl ze naar een Nederlandse talkshow keken. Ze moesten allebei lachen omdat ze er geen touw aan konden vastknopen en toen begon hij haar echt leuk te vinden.

'Kun je niet blijven slapen?'

Ze reikte naar haar mobieltje in de goudkleurige handtas op het bed, belde iemand, las het nummer van Michails Dinerscard voor aan de persoon aan de andere kant.

's Nachts sliep hij met zijn hoofd op haar borst, hij had zijn arm om haar heen geslagen zoals een kind dat bij zijn moeder doet. Om vier uur ging zijn wekker af. Hij ging rechtop zitten en wreef de vermoeidheid uit zijn ogen. De pijn was er nog steeds, die zou nog wel een tijdje blijven. Hij keek naar Lucy, die zachtjes met open mond lag te snurken.

Hij zette zijn GPS-ontvanger aan, stond op en liep de badkamer in. Waste zijn gezicht met koud water en droogde zich zo goed mogelijk af bij de kleine wastafel. Toen hij weer in de slaapkamer kwam, was de zender geactiveerd. Hij keek naar de kaart. De kisten bevonden zich ergens in West-Jutland.

Michail kleedde zich aan en legde een royale fooi voor Lucy op het nachtkastje.

Hij deed de deur voorzichtig achter zich dicht, ging in de huurauto zitten, reed de snelweg op en verdween in de vroege ochtendnevel.

\*

Het vakwerkhuisje met rieten dak stond eenzaam midden tussen de bomen ongeveer honderd meter van de oude provinciale weg. Hij reed een hobbelige grindweg in, met aan weerskanten tarwevelden. De zon scheen in die gouden kleur die Jens zich nog herinnerde van zijn zomers hier als kind – goud, oranje en glinsterend groen tegelijk.

De nacht daarvoor was hij aan boord gegaan van de vissersboot waarmee Thierry was gekomen en was meegevaren naar de kust van Zuid-Jutland. In een afgelegen baai waren ze aan land gegaan en hadden hun goederen gelost in het donker. Er stonden drie auto's voor hen klaar, waarvan een voor Jens, en hij was haastig weggereden.

Hij parkeerde zijn auto voor het huis en bleef nog even zitten. Het was een mooie ochtend, de vogels zongen en de dauw was bezig te verdampen nu het warmer werd. Een deur omgeven door stokrozen ging open en een oude vrouw met wit haar en een schort voor lachte breed naar Jens. Hij lachte terug om het bijna bespottelijk pittoreske beeld, opende het portier en stapte uit.

Ze omhelsden elkaar en bleven even zo staan.

'Dat je zomaar gezellig langskomt... wat een verrassing.'

Grootmoeder Vibeke zette thee, die ze net als altijd serveerde in een aan de rand beschadigd, oud blauw-wit servies. Hij keek naar haar. Ze was oud, stokoud, maar ondanks haar leeftijd leek ze nooit in die fase terecht te komen waarin oude mensen moe en in zichzelf gekeerd raken. Hij wenste dat ze deze aarde mocht verlaten in dezelfde geestesgesteldheid als ze altijd gehad had, dat ze hier in dit huis haar laatste adem mocht uitblazen.

Hij keek om zich heen in de keuken, pakte een foto van de plank boven het fornuis, opa Esben met walrussnor, een breedgerande hoed op en een geweer in een leren koppelriem over zijn schouder.

'Die foto heeft me altijd gefascineerd. Ik vond het er net uitzien alsof hij op de savanne stond om op olifanten of stropers te jagen. Maar dat was niet zo, hij stond op een pas gemaaid tarweveld hier voor het huis en was op konijnen aan het jagen.'

Vibeke knikte.

'Het was een geweldige man.'

Jens bekeek de foto goed.

'Maar wij waren toch niet zo dol op elkaar, opa en ik?'

Hij zette de foto voor zich op tafel en ging zitten.

'Ik weet het niet, hij zei dat je geen grenzen kende. Waarop jij zei dat hij gek was en zich er niet mee moest bemoeien. Jullie kregen altijd ruzie, om de een of andere reden.'

Jens glimlachte bij de herinnering, maar hij had wel een diepe band met zijn opa gehad. Hij had nooit begrepen waarom ze voortdurend met elkaar overhoop lagen.

Ze kwam met de theepot aan en schonk in.

'Elke zomer als je hier kwam konden jullie het in het begin goed met elkaar vinden. Je ging samen met Esben op jacht en jullie visten samen, alsof jullie de kracht van jullie relatie aan het testen waren. Na een paar dagen hield dat op, jij vermaakte je met je eigen dingen en Esben had ook zijn bezigheden.'

Ze ging zitten.

'Op een keer, ik denk dat je veertien was, ging je boodschappen doen in het dorp. Daar was een groep jongens op brommers, een paar jaar ouder dan jij... Ze begonnen ruzie met je te maken. Je kwam thuis met een blauw oog en Esben gaf jou de schuld van iets wat je niet gedaan had, hij had besloten dat jij het probleem was. Wat ik ook zei, het hielp niet, hij wilde niet luisteren.'

Jens wist het nog. Vibeke nam een slok thee.

'De dag voordat je weer naar huis zou gaan, ging je alleen naar het dorp, je zocht de jongens op en sloeg ze alle vier een gebroken neus. Je straalde toen je terugkwam, maar je vertelde het aan niemand. Ik kreeg het pas te horen toen je al weg was en een van de moeders verhaal kwam halen.'

Vibeke glimlachte.

'Esben was altijd ongerust over je; hij zei dat je het er nooit bij liet zitten, ook als je wist dat het spel uit was.'

'Daar had hij wel gelijk in.'

'En nu?'

Hij dacht snel na.

'Waarschijnlijk laat ik het er nog steeds niet bij zitten.'

Ze aten buiten in de tuin aan een oude houten tafel in het prieeltje. Jens en Vibeke zaten tot laat te praten, hij wilde niet naar bed, dit moment mocht van hem eeuwig duren.

'Fijn dat je gekomen bent, lieve jongen.'

Jens keek haar aan, nam een slok wijn en zette het glas weer op tafel.

'Ik had elke zomer haast om hiernaartoe te gaan, telkens wanneer ik weer terugreed naar huis had ik een leeg gevoel... elk jaar weer. Jij bent de enige die me kent, oma.'

Haar ogen werden vochtig. Ouderdomstranen die niets met verdriet of treurigheid te maken hadden.

Jens lag die nacht urenlang wakker in zijn bed naar het plafond te staren. Het bed was zo diep als een badkuip. Hij probeerde zich de nachten te herinneren dat hij hier als kind in hetzelfde bed had gelegen. De herinneringen kwamen als gevoelens, goede gevoelens. Voor het eerst sinds tijden viel hij op zijn rug in slaap.

De droom voerde hem diep de afgrond in. Hij was alleen, zonder een enkele mogelijkheid om eruit te komen. De duisternis lag als een deken over alles heen. Hij probeerde te roepen, maar er kwam geen enkel geluid. Het gebrek aan zuurstof in zijn hoofd bracht hem terug naar een wakkere toestand. Hij deed zijn ogen open.

Op de rand van het bed, met een hand om zijn keel en de andere om een pistool waarvan de loop op zijn kin rustte, zat Michail hem aan te kijken. De blik van de man was leeg maar onderzoekend, alsof hij iets probeerde te lezen in Jens' ogen. Michails toegetakelde smoel toonde nog erger in het witte licht van de maan die de kamer in scheen, het uiterlijk van een bleek en ziek mens.

Zijn diepe stem zei: 'De autosleutels.'

Jens probeerde te denken.

'In mijn broekzak.'

Michail draaide zich om en keek naar de broek die over een stoel hing. Hij keek Jens weer aan en met de kolf van zijn pistool gaf hij hem een klap tegen zijn hoofd. Het echode onwerkelijk, metaalachtig, en Jens viel een lege bewusteloosheid binnen.

*

De grasmaaier beet zich door het gras heen. Het ging zwaar en ze zweette in de hitte. De kleine hulpmotor die het rechtervoorwiel moest aandrijven was kapot, ze had een nieuwe besteld, maar die kwam maar steeds niet. Misschien ook maar beter zo, ze wist toch niet hoe ze die moest monteren.

Sinds haar ontmoeting met Gunilla was ze voortdurend met zichzelf in discussie. Ze had gewandeld, gefietst, gejogd, geprobeerd rust in haar hoofd te vinden. Op de avonden dat ze alleen thuis was had ze geschreven, was ze bij zichzelf te rade gegaan – had ze gepiekerd, gewikt en gewogen.

Ze was continu boos, al meteen vanaf het moment waarop Gunilla haar de vraag had gesteld. Niet om de vraag op zich, maar om het antwoord waar ze niet onderuit kon. Ze was kwaad omdat ze de hele tijd had geweten wat het zou worden. Een andere mogelijkheid dan 'ja' was er niet. Ze was verpleegkundige, de politie had contact met haar gezocht, een beroep op haar gedaan...

Sophie maaide in rechte banen, ze hoefde nu nog maar één strook van tien centimeter hoog gras te maaien over de lengte van de tuin. Ze duwde de grasmaaier er recht overheen en liet hem de toppen van de grassprieten vermalen.

Toen ze klaar was liet ze het handvat los en door de veiligheidsschakelaar sloeg de kleine motor automatisch af. De grasmaaier tikte nog zachtjes na in de hitte, haar handen waren rood en warm van de trillingen – diep in haar oren klonk een hoge piep. Ze bekeek haar werk, het gazon was symmetrisch.

Sophie pakte de karaf ijswater uit de koelkast en schonk zichzelf een glas in. Haar mobieltje op de keukentafel trilde en het scherm lichtte op. Ze stopte met drinken, haalde diep adem en probeerde haar hartslag weer tot bedaren te brengen.

*Onbekend* stond er als afzender. Ze drukte het bericht tevoorschijn.

*Bedankt voor je bericht. Heb het druk gehad. Iets afspreken? Mvrgr H.*

Een dag eerder had ze hem op zijn mobieltje een berichtje gestuurd, ze had even moeten nadenken wat ze zou schrijven, het werd ten slotte: *Bedankt! Het feest was gezellig.*

Nu aarzelde ze of ze zou antwoorden, haar vinger zweefde boven de toetsen. Ze werd uit haar gedachten opgeschrikt doordat er fel geclaxonneerd werd. Ze keek naar buiten. Albert zat al in de auto. Ze keek naar de klok aan de muur en besefte dat ze de tijd helemaal vergeten was. Ze stopte de telefoon in haar zak. Albert toeterde nog een keer, ze riep geïrriteerd dat hij even moest wachten. Ze moest maar zo meegaan, vuil en bezweet, in een spijkerbroek en een verwassen shirt en op rubberlaarzen. Op weg naar buiten deed ze haar haar in een staart en griste haar handtas mee.

Albert zat naast haar in de auto in zijn tennisshirt, witte korte broek en witte tennissokken en met zijn tennisracket in de hoes op schoot. De airco deed het niet. Sophie had het raampje open. De warmte buiten werkte verkoelend zodra de auto sneller ging rijden. Ze praatten niet, Albert was nooit erg spraakzaam voor een wedstrijd. Een mengeling van zenuwachtigheid en concentratie.

Ze reed rechtdoor op de rotonde op het Djursholms Torg, nam de weg omhoog langs het slot en reed bij de watertoren de kleine heuvel weer af. Ze draaide de parkeerplaats op voor de rode en uiterst smakeloze tennishal.

'Je hoeft niet mee.'

Hij opende het portier, zei het laatste meer uit beleefdheid dan met tegenzin.

Ze antwoordde niet, trok de sleutel uit het contactslot en stapte uit. Ze liepen samen naar binnen, Albert een paar stappen voor haar uit.

Op de tennisbanen in de hal werden wedstrijden gespeeld. Albert vond een paar vrienden die een eindje verderop in een groepje bij elkaar zaten, hij ging bij hen zitten en ze begonnen meteen lachend met elkaar te praten. Ze mocht zijn vrienden graag, ze hadden altijd veel lol samen. Sophie vond een lege plaats, ging zitten en keek naar de wedstrijd voor haar. De bal ging heen en weer tussen de twee meisjes die aan het spelen waren, ze vond hen goed. De wedstrijd verliep in een gelijkmatig tempo en Sophies gedachten dwaalden af. Ze pakte haar mobieltje, las Hectors bericht nog een keer en hield haar vinger aarzelend bij de antwoordknop. De namen van Albert en een andere jongen werden omgeroepen. Ze borg de telefoon weer in haar tas en besefte dat ze glimlachte toen ze Albert de tennisbaan op zag lopen.

Zijn tred zag er zelfverzekerd uit, hij maakte een rustige indruk toen hij de scheidsrechter groette, leek geconcentreerd toen hij de bal op-gooide en de eerste bal van de wedstrijd serveerde.

Albert won een van zijn wedstrijden en ging door naar de halve fi-nales, die buiten op de banen bij het slot zouden worden gespeeld. De mensen stonden op en verlieten de tennishal. Ze liep met de stroom mee de hal uit naar de parkeerplaats, zag dat Albert haar zocht in de menigte. Hij gaf een teken dat hij alvast met zijn vrienden vooruit-ging.

Op de parkeerplaats werd ze aangeklampt door een moeder die ze-verde over een inzamelingsactie voor een leraar van Alberts klas. Ze ontliep een andere moeder, die erom bekendstond dat ze meende dat alle kinderen behalve die van haar van het rechte pad af dreigden te raken. Ontweek de rodewijnmaffia, een groep uitgeleefde, voormalige schoonheden. Slanke benen, een buikje, dure make-up, vanzelfspre-kende wellevendheid tijdens de eerste kennismaking, maar al na een paar minuten ging het gesprek over de fouten en gebreken van ande-ren.

Ze ging achter het stuur zitten, voelde geen enkele verbondenheid met de mensen die ze net was tegengekomen. Ze vroeg zich af waarom ze hier woonde, tussen al deze merkwaardige mensen die haar steeds maar weer bleven verbazen.

Ze stuurde de auto naar het slot. Zonder dat ze wist waarom pakte ze haar mobieltje, drukte Hectors bericht tevoorschijn en schreef: *Zeg maar wanneer.*

*

Michail was vanuit Jutland naar het zuiden gereden, de onbewaakte grens over, Duitsland in.

Toen hij na tien uur rijden in München arriveerde, parkeerde hij de auto in de garage van een van de onbewoonde huizen die Hanke bezat.

Het huis stond in een slaperige modale straat waar alle huizen er hetzelfde uitzagen – van baksteen, met robuuste deuren. Hij gokte dat er ongeveer veertig kilo cocaïne in de laadruimte van de auto zat. Ondanks het intermezzo op de boot was hij tevreden met de ontwikkeling en hij wist dat Ralph dat ook zou zijn. Ze hadden het laatste woord gekregen doordat Michail op het nippertje een deel van de cocaïne had kunnen redden, precies zoals Ralph het wilde hebben.

Hij reed achteruit de garage in en trok de garagedeur naar beneden.

De kisten, twee houten exemplaren, stonden op elkaar. Hij trok de ene naar zich toe, vond de zender, haalde hem van de kist af en stopte hem in zijn broekzak. Tilde de tweede op en brak hem open met een beitel, schoof het houten deksel eraf en zag een hoeveelheid ijzervijlsel. Michail veegde het vijlsel weg, stak zijn hand in de kist en kreeg een kolf van een machinepistool te pakken. Hij pakte hem eruit, herkende het wapen, een Steyr AUG. Hij inspecteerde hem snel. Relatief ongebruikt, goede staat. Michail vond nog negen stuks van hetzelfde type, onlangs ingevet met de grendel nog op zijn plaats. Hij brak de tweede kist open, onder het ijzervijlsel vond hij acht spiksplinternieuwe Heckler & Koch MP7's plus twee Heckler & Koch MP5's.

Hij krabde met zijn wijsvinger onder zijn ene oog.

\*

Hector zat op de achterbank van de auto die voor Sophies hek stond te wachten. Ze kwam over het grindpaadje aanlopen, hij volgde haar met zijn blik. Ze keken naar elkaar. Toen ze door het hek liep, leunde hij over de bank heen opzij en duwde het portier voor haar open.

'Welkom, Sophie Brinkmann,' zei hij.

Ze ging naast hem zitten en sloot het portier. Aron zat achter het stuur en startte de auto.

'Hallo Aron,' zei ze.

Aron knikte en reed weg.

'Je woont mooi,' zei Hector.

'Dank je.'

Hector stak een vinger op.

'Ik hou van gele huizen,' zei hij.

'Kijk eens aan,' zei ze lachend.

'Hoe lang woon je hier al?'

'Al een hele poos.'

Hij zocht naar een vervolg.

'Is het een leuke buurt? Woon je er prettig?'

Nu keek ze hem lachend aan alsof ze het een beetje een belachelijk gesprek begon te vinden. Hij begreep het.

'Mooi,' zei hij na een poosje.

'Mm,' glimlachte ze.

Ze reden verder.

'Bedankt voor je cadeautje, ik vind het mooi. Ik gebruik het,' zei hij.

Ze had hem een geldclip gegeven, misschien omdat het niet te persoonlijk en niet te overdadig was.

De autorit verliep in een ontspannen sfeer. Hector praatte op zijn vertrouwde en kalme wijze, stelde vragen en behoedde hen daarmee voor stille of anderszins gênante momenten. Dat kon hij goed – een van zijn kwaliteiten. Ze wist niet of hij het zelf doorhad, maar tijdens de hele autorit raakte zijn rechterbeen heel lichtjes het hare aan.

Aron draaide het Hagapark in, reed verder en parkeerde de auto voor het Vlinderhuis.

'Ben je hier al eens eerder geweest?'

Ze schudde haar hoofd. Ze stapten uit en liepen de grote kas in. Een man stond klaar om haar jas aan te nemen. Vochtig, warm, zingende vogels, ruisend water en – zoals de naam al aangaf – rondfladderende vlinders, die zich van weinig dingen bewust waren, misschien zelfs niet eens van hun eigen pracht. Ze realiseerde zich dat ze dol was op vlinders, altijd al.

In een deel van de tropische ruimte stonden houten stoelen opgesteld voor een eenzame grote stoel die op een kleine verhoging stond. Achter die eenzame stoel zat een orkest bestaande uit vier mannen te wachten. Een cello, twee violen en een dwarsfluit.

Er zaten al een paar mensen te wachten. Sophie zocht ook een plaatsje uit en ging zitten. Hector kwam binnen, vroeg met een gebaar om aandacht. Hij begon in het Spaans en ging over op Zweeds toen hij een Spaanse dichter introduceerde wiens werk in het Zweeds vertaald was. Er klonk applaus in de tropische warmte.

De dichter, een kleine man met een gelukkig gezicht, kwam binnen en nam plaats op de stoel, sprak een paar woorden in het Spaans en begon daarna zijn gedichten voor te lezen, begeleid door het kwartet op de achtergrond.

Aanvankelijk wist Sophie niet goed wat ze ervan moest denken. Ze begon eerst bijna te giechelen, maar na een tijdje werd ze gepakt door de ernst van het moment. Ze luisterde naar de mooie muziek, naar de mooie, gevoelige voordracht van de man. Het was alsof hij een bepaalde harmonie overbracht, ook al begreep ze geen woord van wat er gezegd werd. De vlinders fladderden rond alsof ze zich aan het publiek wilden tonen. Haar gedachten dwaalden af, gingen van Gunilla Strandberg naar Hector, naar haarzelf, en bleven maar van de een naar de ander gaan zonder dat ze er echt uitkwam. De gedachten die zich voortdurend in haar hoofd bleven herhalen sinds haar ontmoeting met Gunilla in het ziekenhuis hadden steeds dezelfde strekking. Zoiets als: *doe wat je hart je ingeeft...* Maar toen ze dat vervolgens deed, begreep ze dat ze meer dan één hart had. Deels het hart waar Gunilla op gedoeld had, *doe het goede* – het morele hart, maar ook het andere hart, dat Hector op de een of andere manier tot leven had gewekt. Het gepassioneerde hart dat zolang ergens diep weggestopt in haar een winterslaap had gehouden.

Het goede doen, had Gunilla in het ziekenhuis tijdens hun gesprek gezegd. *Het goede doen...* Met andere woorden: Hector Guzman aan hen verklikken, dat was goed. Wij staan aan de goede kant, had ze gezegd, hij staat aan de verkeerde kant. Had Gunilla begrepen wie Sophie was? Iemand die op zo'n verzoek van de politie geen nee kon zeggen. Een verpleegkundige – iemand die goed wilde doen.

Sophie sloeg haar ogen op, de dichter was nog steeds zijn verzen aan het voorlezen. Ze keek naar Hector, hij luisterde naar de stem van de dichter. Ze vond het leuk om hem zo te zien: in zijn eigen wereld, geconcentreerd en helemaal zichzelf. Ze keek weer naar haar handen die in haar schoot lagen. Hoe ze het ook wilde bekijken, het contact met Hector was gelegd, het spel was begonnen. Gunilla had dan wel gezegd dat ze zich hier goed bij zou voelen, maar dat was niet zo.

De Spanjaard las, het orkest speelde, de vlinders fladderden en de tranen begonnen over haar wangen te stromen. Ze vond een zakdoek in haar tas. Hector draaide zich om en keek haar aan. Misschien in de veronderstelling dat ze huilde vanwege het sentimentele in de situatie. Ze slaagde erin te lachen alsof ze zich schaamde voor haar tranen, veegde ze weg en deed alsof ze haar aandacht weer op de muziek en het gedicht richtte. Ze voelde dat zijn blik nog even op haar bleef rusten.

Toen de dichter klaar was kreeg hij applaus. Hector stond op, liet het boek zien dat zijn uitgeverij zowel in het Zweeds als in het Spaans uitgaf, vertelde er nog wat omheen en bedankte de dichter voor zijn aanwezigheid.

Ze liepen naar de parkeerplaats, Hector langzaam met zijn stok en zijn been in het gips.

'Mooi? Ontroerend? Goed?' vroeg hij.

'Alle drie,' antwoordde ze.

Ze bleven staan bij een wachtende taxi. Hij gaf de chauffeur opdracht haar thuis te brengen en betaalde. Het portier ging dicht, de taxi reed weg en ze besefte dat ze glimlachte. De vreugde die ze voelde als ze in zijn nabijheid was, beangstigde haar.

'Stocksund, alstublieft.'

De chauffeur mompelde iets.

Haar mobieltje gaf aan dat ze een sms'je had ontvangen. Ze haalde haar mobieltje uit haar tas en las: *Mooi. Kom naar Parkaden, niveau 4, nu,* van een onbekende afzender.

Ze keek een aantal keren naar het bericht, overlegde bij zichzelf.

'Wacht, ik bedenk me. Regeringsgatan, alstublieft.'

De taxichauffeur zuchtte om de een of andere reden.

Ze nam de lift naar niveau 4 van de parkeergarage en liep de garage in. Gunilla zat in de auto op haar te wachten en gebaarde dat Sophie naast haar moest komen zitten.

'Fijn dat je bent gekomen...'

Gunilla startte de auto en begon te rijden.

'Was het leuk? Het Vlinderhuis?'

Sophie antwoordde niet en deed haar veiligheidsriem om.

'We volgen hem niet de hele tijd, wat wij doen heet "niet-stelselma-tige observatie".'

Ze reden de wentelhelling af die hen naar de uitgang in de Rege-ringsgatan leidde. Gunilla reed een Peugeot, een van de nieuwe mo-dellen, zat te ver naar voren, te dicht op het stuur. Het zag er truttig uit. Er was zoals gewoonlijk veel verkeer, maar Gunilla reed beter en zekerder dan Sophie gezien haar rijhouding had gevreesd.

'Ik begrijp dat je hebt nagedacht over ons gesprek, dat het een moei-lijke keus voor je was.'

Uit de radio kwam zachte muziek. Gunilla boog naar voren en zette hem uit.

'Je hebt de juiste beslissing genomen, Sophie. Als je daar iets aan hebt.' Ze reed langs een dubbel geparkeerde vrachtauto.

'Je zult een deel van iets goeds worden. Ons werk in combinatie met jouw waarnemingen zal tot resultaat leiden... Je zult er een goed gevoel over hebben, dat beloof ik je.'

Gunilla keek Sophie aan.

'Wat zeg je ervan?'

'Dat heb ik op dit moment niet.'

'Wat niet?'

'Een goed gevoel. Dat heb ik hier niet bij.'

'En dat is heel logisch,' zei Gunilla zachtjes.

Ze kwamen vast te zitten in het verkeer. Gunilla Strandberg had iets ongekunstelds, iets aards en ongedwongens. Ze straalde kalmte uit, ze leek niet uit haar evenwicht te brengen. De drukte van het verkeer werd iets minder, ze reden de Valhallavägen in en reden in de richting van Lidingö.

'Ik zag iets in je toen je zijn kamer verliet. Ik zat daar op een bank in de gang. Je zag mij niet, maar ik jou wel.'

Sophie wachtte.

'Ik heb je nagetrokken. Weduwe met een zoon, verpleegkundige die leeft van het geld dat haar man haar heeft nagelaten... Je maakte de indruk een vrij comfortabel, rustig en teruggetrokken leven te leiden. Maar daar heeft de ontmoeting met Hector Guzman misschien veran-dering in gebracht?'

Sophie voelde zich ongemakkelijk. Gunilla zag het.

'Wat doet dat met je?' vroeg ze.

'Wat?'

'Dat ik dat over je weet?'

Die vraag verbaasde Sophie. Automatisch antwoordde ze het tegenovergestelde van wat ze voelde: 'Dat maakt me niet uit, ik vind het prima.'

Gunilla zei een tijdje niets.

'Ik zal eerlijk tegen je zijn Sophie, anders gaat het niet werken. Die eerlijkheid betekent ook dat ik uitleg hoe ik werk en wat je van me kunt verwachten.'

'Wat ik van je kan verwachten?'

Ze passeerden een vrachtwagen op de rechterrijbaan die op dat moment een hard sissend geluid uitstootte toen die naar een lagere versnelling terugschakelde.

'Ik ben ook weduwe, mijn man is jaren geleden gestorven.'

Sophie gluurde naar haar.

'Ik weet ook dat je vader is overleden, mijn ouders leven ook niet meer. Ik weet hoe het voelt, ik ken de leegte die nooit echt verdwijnt, het gevoel van eenzaamheid...'

Ze reden over de Lidingöbron. In het glinsterende water onder de brug lagen motorboten en zeilboten.

'En in die eenzaamheid zit ook iets wat ik nooit heb begrepen, een zweem van schaamte.'

Gunilla's woorden kwamen hard aan bij Sophie. Ze bleef recht voor zich uit kijken.

'Weet je wat ik bedoel, Sophie?'

Sophie wilde eerst niet antwoorden, maar daarna knikte ze.

'Waar komt dat vandaan?' vervolgde Gunilla. 'Wat is dat voor iets?'

Sophies ogen volgden de wereld daarbuiten.

'Ik weet het niet,' fluisterde ze.

De rest van de autorit zeiden ze niets meer.

Ze reden een wirwar van straatjes in, Gunilla kronkelde geroutineerd verder, stuurde ten slotte een grindweg in en reed langzaam verder naar een klein houten huis dat tussen loofbomen stond.

'Hier woon ik,' zei ze.

Sophie keek naar het huis; het deed haar denken aan een zomerhuisje. Gunilla liet haar de tuin zien, de pioenen en de rozen. Ze vertelde hoe ze heetten, waar ze vandaan kwamen, hoe ze het deden op verschillende soorten grond en in verschillende seizoenen. Hoe ze de rozen vrijhield van ziekten en plagen, hoe ze direct afhankelijk was van hun welzijn. Sophie kon Gunilla's oprechte interesse voelen, het was fascinerend.

Ze liepen langs een prieeltje en Gunilla gebaarde dat Sophie daar op een witte houten stoel moest plaatsnemen. Gunilla ging tegenover haar zitten, ze had een map op haar schoot, misschien had ze die de hele tijd al bij zich gehad, dat wist Sophie niet.

Gunilla wilde iets zeggen, maar bedacht zich. Ze gaf de map aan Sophie.

'Ik haal iets te drinken voor ons. Bekijk dit alvast maar even.'

Gunilla stond op en liep naar het huis, Sophie keek haar even na en opende toen de map.

Het eerste wat ze zag was een moordonderzoek dat vertaald was uit het Spaans in het Zweeds. Om de andere regel las ze Hectors naam.

Sophie sloeg de bladzijde om, nog meer officiële documenten, die sloeg ze over. Daarna volgde een groot aantal documenten over gepleegde moorden. Ze las weer een stukje. Het ging helemaal terug tot de jaren tachtig. Aan de rand van elk document waren twee foto's vastgehecht: een foto van het lijk en een foto van het slachtoffer toen hij nog leefde. Ze bladerde door de moordonderzoeken, zag foto's van de omgebrachte personen. Een dode man die op een vloer lag in een plas bloed. Een neergeschoten man in een auto, zijn hoofd lag in een vreemde hoek. Een in pak geklede man hing in een strop aan een boom in het bos. Een opgezwollen naakte man in een badkuip. Sophie bladerde terug, legde de foto's van de plaatsen delict opzij en keek in plaats daarvan naar familiefoto's. Mannen met vrouwen en kinderen. Foto's van verschillende gelegenheden, vooral vakantiefoto's, maar ook foto's van gezamenlijke maaltijden, van barbecueën in de tuin of van kerstavond. De mannen waren vrolijk, de kinderen waren vrolijk, de vrouwen waren vrolijk... Maar de mannen waren dood... vermoord.

Ze sloeg een bladzijde om, een uitvergrote foto van Hector; hij staarde haar recht aan, zij staarde terug.

Sophie sloeg de map dicht en probeerde diep adem te halen. Dat lukte niet.

# DEEL II

# 8

Sonya Alizadeh zat op handen en voeten op het grote tweepersoonsbed. Svante Carlgren nam haar van achteren. Hij was jaren ouder en
jaren lelijker. Sonya fakete een orgasme en schreeuwde in het kussen.
Svante kreeg een aanval van grootheidswaanzin.

Eigenlijk hield hij van een wat gewaagdere aanpak, maar vandaag
had hij haast; ze hadden maar een halfuur, dan moest hij naar een
lunchbespreking. Hij glipte graag af en toe even weg voor een wip.
Sonya was zijn erotische droom, misschien nog beter dan een droom.
Haar lange zwarte haar, haar discrete en mysterieuze verschijning en
natuurlijk haar borsten, die hij zo perfect bij de rest van haar weelde-
rig gewelfde lichaam vond passen.

Hij had haar een jaar geleden ontmoet toen hij met zijn vrouw de
première van een toneelvoorstelling bijwoonde. Ze waren in de pauze
tegen elkaar aan gebotst, bij de tafel met bubbels, ze had champagne
op zijn broek gemorst. Zijn vrouw was naar de auto gegaan om een
vest te halen, ze was nogal kouwelijk. Hij kreeg af en toe een punt-
hoofd van dat gekleum van haar.

Svante en Sonya waren aan de praat geraakt na die onhandige ma-
noeuvre en voordat zijn vrouw terug was en ze van elkaar gescheiden
werden, gaf ze hem haar telefoonnummer en bood aan te betalen voor
het stomen van zijn broek. Hij zei dat daar niets van in kwam, zij zei
dat hij toch mocht bellen als hij daar zin in had. Die woorden hadden Svante heel even knikkende knieën bezorgd. Nooit eerder was
een vrouw zo direct geweest als Sonya, nooit eerder had een vrouw
van haar kaliber toenadering tot hem gezocht. Ze was sexy, ze was een
beest. Ze vroeg niet veel, behalve een van tevoren afgesproken bedrag
– ze was perfect. Bovendien had hij gemerkt dat ze hem interessant

vond, en dat vond hij zelf ook, hij beschouwde zichzelf als elite, een van de grote jongens.

Svante Carlgren was na zijn studie economie in Göteborg bij Volvo gaan werken tijdens de jaren van Gyllenhammar, maar toen de grote baas aftrad en naar Londen ging, verhuisde Svante naar Stockholm en werkte zich op binnen het telecombedrijf Ericsson. Het bedrijf was zo groot dat slechts een paar mensen het gehele functioneren ervan konden overzien. Svante was er een van. Hij zou alleen ook nog graag af en toe in een zakenblad staan, op die manier bevestigd worden in zijn werk, maar hij wist ook dat zodra dat gebeurde, zijn machtssfeer zou krimpen. Hij moest genoegen nemen met de waardering die hij van collega's kreeg, met het feit dat hij af en toe met de grote jongens mocht omgaan en soms met het bedrijfsvliegtuig mocht reizen.

Sonya had hem zoals altijd cocaïne aangeboden voordat ze het bed in doken. Hij vond het een geweldige drug, hij werd er op een voor hem volkomen nieuwe manier energiek, vrolijk en zelfbewust van. Hij had nooit eerder in zijn vierenzestigjarige leven drugs gebruikt, maar de combinatie van cocaïne en ongeremde seks met Sonya was zo'n fenomenale mix dat hij die voor geen goud zou willen opgeven.

Hij hield van de vieze praatjes die Sonya uitsloeg en kwam kermend klaar. Zij herhaalde dat hij zó óó groot was.

Svante legde geld en een goud-zilveren armband op het nachtkastje neer. Dat vrouwen cadeautjes op prijs stelden wist hij al lang, hij had verstand van vrouwen.

Gekleed in een zijden ochtendjas liet Sonya hem uit. 'Dag,' zei ze vanuit de deuropening en ze glimlachte goedkeurend naar de armband, die ze om haar rechterpols had gedaan. Ze zei dat ze niet wilde dat hij wegging. Hij antwoordde dat hij wel moest, dat zijn verantwoordelijkheid en zijn werk groter en belangrijker waren dan zij ooit zou begrijpen. Hij kneep haar even in haar wang en liep de trap af. Ze hoorde hem een toonloos deuntje fluiten terwijl hij het gebouw verliet.

Ze haalde de glimlach van haar gezicht en liep de slaapkamer in, waar ze de opnameapparatuur achter de spiegel uitschakelde en de lakens van het bed trok. Zoals altijd na een afspraakje met een man propte ze die in een zwarte vuilniszak, gooide de smakeloze armband er ook bij en zette de vuilniszak bij de voordeur.

In de badkamer stak ze haar vingers in haar keel en gaf over boven de wc, ze spoelde haar mond met mondwater en poetste haar tanden zorgvuldig. Daarna nam ze een douche en waste een zo groot mogelijk deel van Svante Carlgren weg.

Toen Sonya zich schoon voelde, droogde ze zich zorgvuldig af met een nieuwe handdoek en smeerde zich in met verschillende huid-crèmes voor verschillende delen van het lichaam. Toen ze klaar was, rook ze zijn geur niet meer. Terwijl ze in de badkamer bezig was, keek ze niet één keer in de spiegel. Dat zou ze pas over een paar dagen weer kunnen.

Sonya had nu acht uur materiaal van Svante Carlgren, acht uur waarin hij cocaïne gebruikte, zij hem een pak slaag gaf en hij perversi-teiten schreeuwde. Waarin hij een rubberbal in zijn mond had, waarin hij timmerman, slaaf en concerndirecteur van Ericsson was.

*

Hij had om een gesprek met Gunilla gevraagd, ze had gezegd dat het moest wachten. Hij had haar voicemail ingesproken en gevraagd of hij in elk geval feedback kon krijgen op zijn observatiewerk, op de analy-ses die hij haar leverde over Sophie. Ze had niet gereageerd. Toen had hij haar gemaild. Een lange, goed geschreven mail, waarin hij haar eraan herinnerde dat ze tijdens hun eerste gesprek had gezegd dat ze zijn analytische vermogen waardeerde. Hoe wilde ze daar nu gebruik van maken? Weer geen reactie.

Wanneer hij er in zijn eenzaamheid over nadacht hoe hij werd be-handeld, werd Lars ziedend. Hij had alleen maar om een gesprek ge-vraagd, niet meer en niet minder. Hij herkauwde het eindeloos bij zichzelf, voerde in gedachten opeens lange discussies met haar, waarin hij duidelijk maakte dat hij niet de eerste de beste was, dat hele dagen in een auto zitten niets voor hem was.

Gunilla zat achter haar bureau toen hij haar kantoor binnenstapte, ze praatte zachtjes aan de telefoon, keek hem aan en gebaarde dat hij moest wachten. Eva en Erik waren er niet. Lars vond een oude stoel op wieltjes bij Eva's bureau, trok die aan de lage rugleuning naar zich toe en ging geduldig zitten wachten totdat Gunilla klaar was met haar gesprek.

Een paar minuten later hing ze op en richtte zich tot hem.

'Ik ben niet blij met dergelijke mailtjes en telefoontjes van jou, Lars.'

'Ik mag toch wel zeggen hoe ik me voel?' Het kwam er nogal lomp uit.

'Waarom?' vroeg ze.

Daar had hij geen antwoord op, hij vlocht zijn vingers ineen en keek weg.

'Wat wil je, Lars?' vroeg ze.

Hij keek naar zijn handen.

'Wat ik in het mailtje heb gezet, wat ik had ingesproken.'

Hij keek op.

'Waar we het over hadden, toen je me in dienst nam. Dat ik andere taken kan uitvoeren... Ik kan Eva helpen met de analyses, geplande scenario's en plannen van aanpak, ik kan met daderprofielen aan de slag... Van alles.'

Hij was gestrest en nerveus. Zij rustig en oplettend.

'Dan had ik wel contact met je opgenomen.'

Lars knikte met tegenzin. Gunilla ging er beter voor zitten. Er hing een drukkende stilte in het vertrek.

'Mag ik je iets vragen, Lars?'

Lars wachtte.

'Waarom ben je bij de politie gegaan?'

'Omdat ik dat wilde.'

Zijn antwoord kwam veel te snel. Ze liet merken dat zij dat ook vond en gaf hem nog een kans.

'Omdat... Ja, het is lang geleden, omdat ik mee wilde helpen.'

'Meehelpen waaraan?'

'Huh?'

'Waaraan wilde je meehelpen?'

Hij krabde aan zijn mondhoek. Er rinkelde een telefoon op een bureau verderop. Hij keek in de richting van het geluid. Ze bleef zitten, haar blik maakte duidelijk dat ze op antwoord wachtte.

'Nou ja, de maatschappij, de zwakkeren helpen,' zei hij en hij had er meteen spijt van. Gunilla keek hem kritisch aan. Lars kwam er niet meer uit.

'De zwakkeren helpen?' vroeg ze zacht, bijna met weerzin.

Hij greep de kans om te lijmen wat hij zojuist kapot had gemaakt.

'Ik wilde deel uitmaken van een groter geheel.'

Nu klonk zijn stem eerlijker.

Ze knikte bijna onmerkbaar dat hij door moest gaan.

Lars dacht na.

'En omdat ik iets wilde betekenen. Het klinkt misschien stom, maar zo voelde ik het toen.'

'Het klinkt niet stom en je betekent ook iets.'

Hij keek op.

'Je maakt deel uit van een groter geheel... en je betekent iets. Ik zou alleen graag willen dat je dat zelf ook zag.'

Hij wachtte af.

'We zijn een groep. We werken als groep, iedereen probeert een bijdrage te leveren. Ik ben niet altijd blij met mijn positie, ik zou best een paar keer per week met jou willen ruilen als dat kon. Maar zo is het verdeeld. Ieder op zijn eigen plaats, Lars.'

Ze wachtte even.

'Als je hier niet wilt werken, moet je daar duidelijk in zijn. Ik ben eerlijk tegen jou en diezelfde eerlijkheid verwacht ik ook van jou.'

'Ik wil hier werken,' zei hij en slikte.

'Ik kan je verder helpen, als je wilt.'

Dat begreep hij niet.

'Als je hier stopt, wil dat niet zeggen dat je weer terug moet naar Husby of Västerort, ik kan proberen je aan iets anders, iets beters te helpen.'

Hij schudde zijn hoofd.

'Nee, nee... Ik wil hier blijven werken.'

Ze nam hem goed op.

'Doe dat dan.'

Gunilla liet het glimlachje achterwege waarmee ze anders een gesprek altijd beëindigde. Ze keek hem alleen maar aan, maakte hem duidelijk dat dit een ander geval was. Lars ordende zijn gedachten, stond op en liep weg.

'Lars.'

Bij de deur draaide hij zich om. Ze zat papieren te lezen.

'Doe dit niet nog eens.'

Haar stem klonk zacht.

'Sorry,' zei hij hees.

Haar blik was nog steeds op het vel papier gericht.

'Hou op met sorry zeggen.'

Hij wilde de deur uit lopen.

'Wacht,' zei ze.

Ze trok een laatje open, haalde er een autosleutel uit en reikte hem die aan.

'Erik zei dat je nu van auto moet wisselen, terug naar de Volvo, die staat beneden op straat.'

Lars liep naar haar toe, pakte de sleutel van de Volvo aan en verliet het kantoor.

Hij stuurde de auto op goed geluk door de stad, hij voelde zich emotioneel misbruikt. Lars probeerde na te denken, te voelen, te zien waarnaar hij op weg was... *Nada*.

Hij moest met iemand praten en hij wist precies met wie: met de vrouw die niet luisterde. Lars keerde zijn auto over de doorgetrokken streep.

Rosie zat in haar ochtendjas op de hoek van de bank tv te kijken. Daar zat ze altijd. Lars had een bos bloemen bij zich die hij uit de recreatiezaal had gepikt. Daar zetten de verzorgers van bejaardentehuis Lyckoslanten de bloemen van de demente patiënten altijd neer, omdat die ze anders zouden opeten.

Rosie hoorde niet bij de alzheimerclub; met haar tweeënzeventig jaar hoorde ze bij de jonge garde in het tehuis, de groep die het erbij liet zitten.

'Dag, mam.'

Rosie keek naar Lars en richtte haar blik vervolgens weer op de tv.

Het was warm in de kamer, Rosie had een raam op een kier staan. Hij keek naar zijn moeder, zag het zweet bij haar sleutelbeenderen. Het geluid van de tv stond hard. Niet omdat ze slechthorend was, maar omdat ze niet begreep wat ze zeiden. Rosie Vinge was bangelijk van aard. Lars ook, ze had haar angst waarschijnlijk al vroeg op hem overgedragen, vermoedde hij. Ze was altijd al bang geweest, maar toen Lennart overleden was, had ze alleen nog maar gevaren gezien. Ze had zich verschanst in haar appartement, bang voor de zwarten die Rågsved waren binnengevallen, bang voor de geluiden van de koelkast, bang dat er brand zou uitbreken als ze de lampen te lang aan liet, bang voor het donker als het licht uitging.

Hij had niet geweten wat hij met haar aan moest en had nog overwogen haar simpelweg te vergeten, haar weg te laten rotten in haar appartement, maar daar had zijn geweten een stokje voor gestoken en acht jaar geleden had hij haar in het bejaardentehuis ondergebracht. Het personeel stopte haar vol met kalmerende middelen en daar zat ze sindsdien, in haar luchtbel, naar het middagprogramma op tv te kijken.

'Hoe is het met je?'

Telkens wanneer hij kwam, stelde hij diezelfde vraag. Ze glimlachte bij wijze van antwoord. Misschien dacht ze dat hij begreep wat die glimlach betekende, maar dat was niet zo. Hij keek een poosje naar het treurige tafereel voordat hij naar het keukenblok liep, water opzette en een kopje oploskoffie maakte.

'Wil je koffie, mam?'

Ze gaf geen antwoord, dat deed ze nooit.

Hij nam het kopje mee naar de woonkamer en ging naast haar op de bank zitten. Er was een spelshow op tv met een jonge, gladde presentator, je kon bellen als je het antwoord wist. Moeder en zoon zaten zwijgend naast elkaar.

'Op het werk begrijpen ze me niet,' zei Lars.

Hij nam een slok koffie en brandde zijn tong. De jeugdige presentator wilde veel te snel praten en struikelde een paar keer over zijn woorden.

'Ik geloof dat ik verliefd ben,' zei Lars opeens.

Rosie keek hem aan en ging vervolgens weer op in de spelshow. Hij vond het vreselijk om zo naast zijn moeder te zitten, hij begreep niet waarom hij het deed, begreep niet waarom hij opeens weer kind werd als hij bij haar was. Hij krabde hard op zijn hoofd, stond op en liep haar slaapkamer binnen.

Het was er donker en muf en het bed was niet opgemaakt. Lars begon in haar ladekast te rommelen; soms vond hij er geld dat hij in zijn zak stopte. Hij pikte al zolang hij zich kon herinneren geld van haar, alsof hij voortdurend het gevoel had dat ze hem iets schuldig was. Maar nu vond hij geen contanten tussen haar afgrijselijke ondergoed, alleen een heleboel doktersrecepten. Hij griste er drie mee, een ervan zag er apart uit, hij vouwde ze op en stopte ze in zijn zak. Had hij dit geweten? Had hij geweten dat ze daar lagen?

Hij ging terug naar Rosie en keek naar haar. Hij stond een poosje te staren, misschien raakte hij vervuld van verdriet, maar aangezien hij met emoties van dat kaliber niet kon omgaan, raakte hij in plaats daarvan vervuld van haat, dat was veel gemakkelijker.

'Ik maak het uit met Sara.'

Hij zag dat ze had gehoord wat hij had gezegd.

'Je weet toch nog wel wie Sara is?'

'Sara,' zei Rosie op een toon die voor niemand te begrijpen was.

'Ze lijkt te veel op jou,' zei Lars.

Rosie staarde naar de tv, de presentator giechelde gemaakt.

'Het leven is een tredmolen, mam, alles draait maar rond in alle eeuwigheid, ik heb van jou geleerd dat vrouwen laf zijn... Er verandert nooit iets...'

Rosies ene hand begon te trillen op haar schoot, het duurde even voordat ze begon te huilen. Ze snikte erbarmelijk.

Lars voelde zich lichter.

Hij verliet Lyckoslanten, stapte in zijn auto en reed door de lunchdrukte heen. Op de Karlbergsvägen kwam hij in de file terecht en voelde aan de recepten in zijn zak, die nat waren van het zweet van zijn handen. Uit de radio kwam hardrock uit de jaren tachtig, de zanger klonk alsof hij niet goed wijs was. Er tikten een paar regendruppels tegen de ruit, motregen – een dun, zacht regenbuitje, dat warm en vochtig was en niet het verkoelende effect had waar iedereen zo naar uitkeek. Hij boog naar voren en keek omhoog naar de lucht, dikke zwarte wolken die langzaam boven de stad kwamen drijven. De kleur van de omgeving veranderde in een oranje-turquoise schemering. De druk in de lucht werd compact en zwaar. Lars kreeg hoofdpijn, masseerde zijn neusbrug en liet de auto een paar meter verder rijden. Opeens kwam de donder. Geen gerommel, zoals anders, maar een aantal korte, hevige explosies. Hij werd bang en dook instinctief in elkaar en meteen daarna gingen de hemelsluizen open. De regen plensde op de mensen neer die hij vanuit zijn auto naar een beschutte plek zag rennen. De ruitenwissers bewogen op de snelste stand, de binnenkant van de ruit besloeg van onderaf en de buitenwereld vervaagde.

Hij stak de sleutel in de deur. Het bovenste slot was open, Sara was thuis. Lars stapte de hal in en deed de deur zachtjes achter zich dicht, sloop de werkkamer binnen, trok een bureaula open en legde de recepten erin.

Sara zat in de woonkamer een artikel te schrijven over alleenstaande vrouwelijke kunstenaars die krap bij kas zaten. Iets met de titel *De sociaaleconomische aanranding*. Ze was er al een eeuwigheid mee bezig. Hij begreep niet waarom ze zo koppig volhield. Wie wilde zoiets nou lezen?

Lars keek naar Sara, probeerde zich te herinneren wat hij in haar had gezien, wat hij aantrekkelijk had gevonden. Er schoot hem niets te binnen, misschien had hij nooit iets in haar gezien, misschien waren ze een stel geworden omdat er geen anderen over waren om uit te kiezen. Misschien waren ze een stel geworden omdat ze geen van beiden kinderen wilden. Of omdat ze zich zo graag schuldig wilden voelen. Dat meende hij nu te begrijpen, dat zijn drijfveren in het leven vooral uit schuldgevoelens hadden bestaan en dat hij die weerspiegeld had gezien in de vrouw die daar iets zat te schrijven wat niemand wilde lezen. Lars had de pest aan alles wat met schuld te maken had, vooral omdat hij geen idee had waar die schuld vandaan kwam.

'Wat doe je?' vroeg hij vanaf de deurpost waar hij tegenaan geleund stond.

Ze keek op van haar computer.

'Drie keer raden.'

Waarom moest ze zo antwoorden? Hij keek met afschuw naar haar, het viel hem op hoe lelijk ze was. Zo leeg, zo nietszeggend, zo onaantrekkelijk – zo anders dan Sophie. Haar manier van zitten, met kromme rug, in elkaar gedoken, benen over elkaar. Dat vieze theekopje dat ze steeds weer gebruikte zonder het eerst af te wassen. Haar onwil om door de week veel aan uiterlijke verzorging te doen, haar zuinigheid die ze achter een soort intellectuele kletskoek verstopte – het gepersonifieerde tegendeel van alles wat hij wilde.

'Verhuis jij of verhuis ik?' vroeg hij.

'Jij.'

Haar antwoord kwam te snel.

'Nee, jij verhuist, het is mijn flat en tot die tijd slaap ik in de werkkamer.'

Hij liep weg bij de deurpost, de werkkamer in om een tas en zijn camera te halen.

Toen hij langs de woonkamer kwam, stond Sara met haar armen om zich heen geslagen uit het raam te kijken.

'Wat is er gebeurd?' vroeg ze veel te luid.

Zonder antwoord te geven verliet hij de flat.


Toen Jens in zijn woning in de Wittstocksgatan was aangekomen, plofte hij op de bank neer. Hij had gehoopt dat hij even uit zou kunnen puffen. Maar hij kwam niet tot rust.

Hij staarde naar het plafond, luisterde naar het vage, verre geluid van het verkeer op de Valhallavägen. De rusteloosheid deed fysiek pijn en hij stond op. Hij zette een raam open, liep naar de schoonmaakkast in de keuken en haalde zijn boog en een koker met pijlen tevoorschijn.

Zijn woning besloeg 135 vierkante meter en hij had de meeste muren laten doorbreken, omdat hij ruimte wilde, met pijl-en-boog wilde kunnen schieten.

Helemaal achteraan in wat eerst een woonkamer was geweest, stond de schietschijf, een groot, rond rieten geval. Hij schoot telkens vijf pijlen af vanaf zijn plaats in de oude eetkamer. Uit de stereo kwam salsa uit de jaren zeventig. Twee stoere jongens met wijde witte broeken zongen in het Spaans over mannelijke eenzaamheid en meisjes met grote borsten. Tussen de series door dronk hij bier tot hij daar genoeg van kreeg en overstapte op whisky, hij schoot, kreeg genoeg van de salsajongens, hoefde helemaal geen muziek meer, kreeg genoeg van whisky en stapte over op cognac. Ging verder met schieten, kreeg genoeg van het hele gedoe en deed push-ups totdat zijn armen pijn begonnen te doen.

Hij herkende de routine: hoeveel hij ook tot zich nam, drank, muziek of wat dan ook, hij was nooit voldaan en wilde altijd meer. 'Verwend' zou zijn moeder hem noemen, 'verslaafd' zou zijn vader zeggen, misschien was dat allebei in de roos.

Hij had contact opgenomen met de Russen om te zeggen dat de goederen vertraagd waren. De Russen hadden geantwoord dat dat zijn probleem was, dat ze hun spullen op de afgesproken tijd wilden hebben. Ze gaven Jens een week, als het later werd wilden ze korting en zouden ze Jens het ziekenhuis in slaan.

Hij lag op zijn rug op de vloer met één gedachte in zijn hoofd: hij moest Aron of Leszek zien te vinden, die op hun beurt hopelijk zouden vertellen hoe hij Michail kon vinden.

Hij stond op, zette koffie en ging aan de slag. Aron zien te vinden was gemakkelijker gezegd dan gedaan. Jens probeerde het op alle mogelijke manieren. Met behulp van Nummerinformatie en internet liep hij eerst alle Arons in Stockholm na, en daarna in heel Zweden. Toen het ochtend werd, nam hij contact op met de politie, de belastingdienst, het provinciaal bestuur en wat hij nog meer kon bedenken. Maar hij had alleen een voornaam en een signalement. Aron, circa veertig jaar oud, hoekig gezicht, zwart haar... Had iets van een gentleman. Daar kwam je niet ver mee.

Aron had Stockholm genoemd toen ze afscheid namen, maar daarmee was niet gezegd dat hij hier nog was. Misschien woonde hij hier niet eens, misschien niet eens in Zweden. De muren begonnen op hem af te komen. Hij dacht aan Leszek, had die iets gezegd? Nee... Thierry dan misschien? Het stenen beeldje, kon hij daar iets mee? Wat had hij gezegd? Dat hij hem soortgelijke artikelen zou kunnen verkopen, zoiets.

Jens zocht op internet naar stenen beeldjes. Tevergeefs. Hij belde het volkenkundig museum, probeerde het beeldje te beschrijven dat er eigenlijk gewoon uitzag als een stuk steen. De vrouw aan de andere kant van de lijn was behulpzaam genoeg, maar het bracht hem niet verder. Hij printte de adressen uit van alle antiekzaken, kunsthandels en etnische winkels in de hele stad. Een paar pagina's vol.

Jens verliet zijn woning, kocht sigaretten in plaats van snustabak en ging de stad in op zoek naar Aron, Leszek, Thierry en stenen beeldjes. Hij doorkruiste de verschillende stadsdelen, te voet, met de bus en met de metro, hij bezocht winkels en stelde steeds dezelfde onduidelijke vraag, kreeg overal hetzelfde onduidelijke 'nee' te horen. Zijn speurtocht had geen resultaat en hij had ook niet anders verwacht. Hij probeerde zichzelf wijs te maken dat dit een soort vakantie was, even rustig aan na alle drukte van de laatste tijd, maar dat werkte niet. Hij had maar een paar dagen en raakte steeds meer gestrest.

*

'Sophie, heb je het naar je zin in je villawijk?' had hij aan de telefoon gevraagd.

Onderweg in de auto naar Biskopsudden had ze last gehad van zenuwen. De ongerustheid rukte op naar haar keel. Ze wilde niet... Dat was ongeveer het gevoel dat ze had. *Ik wil niet...* Maar dat was niet helemaal waar. Een deel van haar wilde het wel en een ander deel vond dat ze er niet onderuit kon. Niet dat ze gedwongen werd, meer dat de afspraak een morele verplichting was waaraan ze moest voldoen.

En toen had ze hem ontmoet. Hij stond op de steiger. En ondanks alles wat ze nu over hem wist, stelde zijn verschijning haar gerust. Hij zorgde net als altijd voor een luchtige, opgewekte sfeer, waarin zij zich prettig voelde. Alsof hij precies wist wat ze nodig had.

Het was een brede, open boot met een blauwe kap. Er stond 'Bertram 25' op de boeg.

Ze gooiden de trossen los, de motor van de boot ronkte en Hector stuurde hem het kanaal door. Sophie keek naar de wal, de kant op waar zij vandaan gekomen was, en zag een Volvo op de parkeerplaats staan. Er zat een man in.

Toen ze het kanaal uit waren, liet Hector de boot op volle snelheid over het rustige water scheren; de zon scheen boven hen.

Ze hadden een kwartier gevaren toen hij vaart minderde en de boot een verlaten baai in liet glijden, de diepte peilde met zijn echolood, het anker uitwierp en de motor uitschakelde. Het water klotste tegen de romp, er passeerde een zeilboot dicht langs hun achtersteven, de mensen in de zitkuip zwaaiden naar hen en Sophie zwaaide terug. Hector keek kritisch naar de wuivende mensen en richtte zijn ogen toen weer op haar.

'Waarom doen ze dat?'

Ze zag de ergernis in zijn ogen, alsof hij vond dat de wuivende mensen zichzelf belachelijk maakten. Ze glimlachte om zijn weerstand.

'Je zei dat je mij iets wilde laten zien. Dit?' vroeg ze, doelend op de scherenkust om hen heen.

Hij dacht na, schudde vervolgens zijn hoofd, stond op en klapte een zitbank omhoog. Uit de bergruimte kwam een tas tevoorschijn, waar hij twee oude leren fotoalbums uit haalde, een donkergroen en een donkerbruin met gouden randen. Hij ging naast haar zitten.

'Je wilde meer over me weten, zei je.'

Hij sloeg de eerste bladzijde van het donkergroene album open, het waren de jaren zestig en de foto's toonden een man en een vrouw in zondagse kleren die voor de Spaanse trappen in Rome stonden.

'Dit is mijn vader Adalberto, die ken je. Pia, mijn moeder, staat naast hem.'

Sophie keek. Pia was gelukkig, dat sprak niet alleen uit haar gezicht, maar ook uit haar houding. Ontspannen, maar met rechte rug, op een vanzelfsprekende manier mooi. Adalberto met dik, zwart haar zag er trots uit, trots en tevreden. Sophies blik ging weer naar Pia. Ze was blond, ze was mooi, met een bruine teint die ze aan de Italiaanse zon te danken had. Ze zag eruit als het Zweedse ideaal van die tijd.

Hector bladerde verder, liet foto's zien van zijn broer en zus en zichzelf toen ze klein waren. Hij vertelde over zijn eerste levensjaren, over zijn jeugd in Zuid-Spanje, over zijn eenzaamheid toen zijn moeder was overleden, over de band met zijn vader, over vrienden, vijanden, gevoelens, verdringing, relaties. Ze luisterde aandachtig.

Hij wees naar een foto waar hij met zijn broer en zus op stond, hij was toen tien. Lachende monden, alle drie met een indianentooi op.

'Ze hebben het mooiste leven dat er bestaat, mijn zus en mijn broer. Ze hebben kinderen, zijn getrouwd, ze zijn gesetteld. Ik niet.'

Hij leek in die gedachte te blijven hangen, alsof de woorden die hij zojuist had gezegd een werkelijkheid werden waar hij eerder niet de vinger op had willen leggen. Sophie keek naar hem, die kant van hem beviel haar, de nadenkende, verborgen kant, met een diepte die hij tegenover zichzelf niet wilde erkennen, waar hij geen toegang toe dacht te hebben.

Hector sloeg om naar de volgende bladzijde, een foto van zijn zus Inez toen ze vijf jaar was, met een pop in haar armen. Hector glimlachte en sloeg weer een bladzijde om. Zijn gezicht straalde toen hij zichzelf als klein mannetje zag, staand voor een boom, de armen langs zijn lichaam, met één ontbrekende voortand. Hij wees naar het kiekje.

'Thuis in de tuin, ik weet nog dat die foto gemaakt werd. Die tand was ik kwijtgeraakt toen ik met mijn fiets was gevallen, tegen mijn vriendjes zei ik dat ik had gevochten.'

Hij lachte kort en legde het album op Sophies schoot, leunde achterover, haalde een sigaartje uit zijn borstzakje, stak het op en hield de rook van het eerste trekje even in zijn longen voordat hij die uitblies.

'Vroeger was alles beter, of niet?'

Sophie bladerde verder in het album en zag meer foto's van hem als klein jongetje. Bij een foto waarop hij zat te vissen met de avondzon in zijn gezicht bleef ze wat langer stilstaan. Hij was een jaar of tien, en aan de uitdrukking op zijn gezicht zag je daar al dat hij een doelbewust persoon was. Ze vergeleek de foto met hoe hij er nu uitzag, nu hij onderuitgezakt een sigaartje lag te roken; ze zag de gelijkenis.

Ze wisselde van album, zag weer foto's van zijn moeder Pia. Een foto waarop ze het haar van haar drie kinderen waste in een tobbe ergens op een grasveldje. Ze kreeg de indruk dat Pia een gelukkige moeder was. Sophie bladerde verder. Een foto van een jongere, donkerharige Adalberto Guzman die een sigaar zat te roken op een oude stenen veranda, met cipressen en olijfgaarden op de achtergrond. Foto's van spelletjes en kinderfeestjes. Op verschillende plaatsen genomen foto's van Adalberto en Pia met bekende mensen uit die tijd. Sophie herkende Jacques Brel, en misschien Monica Vitti. En een kunstenaar van wie ze zich de naam niet herinnerde. Daarna een reis met het gezin naar Teheran midden jaren zeventig. Eten met vrienden, vrolijke gezichten. Adalberto, Pia en de kinderen. De bladzijden die volgden stonden vol met allerlei foto's van het gezin, onbekende vrienden en familieleden, vrolijke foto's – Madrid, Rome, de Franse Rivièra, Zweden en de scherenkust. In 1981 hield het op, de resterende bladzijden van het album waren leeg.

'Waarom houdt het hier op?'

Hector keek naar het album.

'In dat jaar is mijn moeder overleden. Daarna hebben we geen foto's meer gemaakt.'

'Waarom niet?'

Hector dacht even na.

'Ik weet het niet, misschien omdat we geen gezin meer waren.'

Ze wachtte tot hij verder zou gaan. Dat zag hij.

'In plaats van een gezin werden we vier mensen die zich er in hun eentje doorheen probeerden te slaan... Mijn broer verstopte zich onder de zeespiegel met zijn duikuitrusting, Inez verdween in een soort partyleven in Madrid dat jaren duurde. Mijn vader werkte en daarin volgde ik hem. Misschien omdat ik de dood van mijn moeder het slechtst aankon en me aan mijn vader vastklampte.'

Hij rookte en wendde zijn ogen af. Ze bleef zijn blik halsstarrig zoeken, hij voelde het en keerde zijn gezicht naar haar toe.

'Wat?'

Ze schudde haar hoofd.

'Niets.'

Sophie bladerde terug in het album en keek weer naar de foto's.

'Wat is jouw lievelingsfoto?'

Hij leunde naar voren, pakte het tweede album en bladerde naar een foto van zichzelf op achtjarige leeftijd, een foto waarop hij met wakkere ogen recht in de lens keek. Er was niets bijzonders aan de foto te zien. Hij wees met het sigaartje in zijn mondhoek.

'Waarom?' vroeg ze.

Hij keek naar de foto voordat hij antwoordde.

'Er is niets waar een man meer van houdt dan van het jongetje dat hij ooit was.'

'Is dat zo?' vroeg ze, glimlachend om zijn plotselinge hoogmoed.

Hij knikte overtuigd.

'Waarom ben je met me aan het varen, Sophie?'

Ze moest lachen om de onverwachte vraag, niet omdat het leuk was, maar omdat ze niet wist wat ze anders moest doen.

'Omdat je me hebt uitgenodigd,' wist ze nog te zeggen.

Hij nam haar onderzoekend op. Ze voelde dat ze een halve glimlach op haar gezicht had na die onvrijwillige lach en slaagde erin die met een zekere bevalligheid te laten verdwijnen.

'Je had mijn uitnodiging kunnen afslaan,' zei hij.

Ze haalde haar schouders op als om te zeggen 'dat is waar'.

'Waarom niet?' vroeg hij.

'Ik weet het niet, Hector.'

Haar blik bleef op hem gericht, ze zag iets in zijn karakter wat haar aantrok. Ze deed haar best het niet te zien, het te ontwijken, maar dat lukte niet. Ze kon er niet omheen, bij hun eerste ontmoeting al niet. Hij was eerlijk op die speciale manier, alsof er in zijn persoonlijkheid geen plaats was voor list en bedrog, alsof hij daar niet toe in staat was. Dat vond ze geweldig aan hem. Eerlijk, open en echt, eigenschappen die ze hoog aansloeg. Maar hij was ook levensgevaarlijk. Open, eerlijk, echt en levensgevaarlijk. Daar zat ze niet op te wachten.

'Zijn we vrienden?' vroeg hij.

Zijn woordkeus bevreemdde haar.

'Dat hoop ik wel, ja.'

'We zijn volwassenen,' zei hij, alsof het een stelling was.

Ze knikte.

'Ja, dat ook.'

'Volwassen vrienden?'

'Ja.'

'Maar je weet het niet zeker' zei hij.

Ze antwoordde niet.

'De ene dag ben je dichtbij. En dan ben je opeens weer koel en ge-distantieerd en hou je me op een afstand. Alsof je geen besluit kunt nemen. Ben je op avontuur uit? Verstrooiing misschien? Heb je een saai leven, Sophie?'

Hij wilde nog meer vragen stellen, maar ze wilde niet liegen en al helemaal niet de waarheid spreken. Dus ze leunde naar voren en kuste hem op de mond in de hoop dat hij zou ophouden. Hector beantwoordde de kus zacht, maar in plaats van zich erdoor te laten meevoeren leunde hij achterover en bekeek haar met een blik die nog kritischer was dan zonet. Alsof hij wel doorhad dat haar zoen een af-leidingsmanoeuvre was geweest. Tegelijkertijd leek het of hij iets inge-wikkelds en gecompliceerds probeerde te doorgronden.

Er kwam een motorboot langs razen en Sophie keek hem na.

'Zullen we teruggaan?' vroeg ze zacht.

Zijn blik rustte nog op haar, hij bleef zoeken naar wat hij zojuist niet had begrepen. Daarna krabde hij aan zijn kin en maakte een kort, instemmend geluid. Hij stond op, schoot het half opgerookte sigaartje over de reling, drukte op een knop bij het instrumentenpaneel en het anker kwam omhoog. Hij zette zijn vinger op de startknop, aarzelde, haalde zijn vinger weg en draaide zich naar haar om.

'Ik heb een zoon.'

Ze begreep het niet.

'Ik heb een zoon. Ik mag hem niet zien. Dat wil ik wel graag, maar zijn moeder vindt het niet goed. Ik heb hem al tien jaar niet meer ge-zien.'

Sophie staarde hem aan.

'Hoe heet hij?' was het enige wat ze wist uit te brengen.

'Hij heet Lothar Manuel Tiedemann, hij draagt de achternaam van zijn moeder. Hij is zestien en woont in Berlijn.'

Een paar kleine golfjes brachten hun boot aan het schommelen.

'Nu weet je alles van me, Sophie,' zei hij zacht.

Ze keken elkaar aan. Ze probeerde het allemaal op een rijtje te zetten. Hij wilde meer zeggen, maar deed het niet. In plaats daarvan startte hij de motor en voer de baai uit.

*

Gunilla wandelde over het promenadedeel van de Karlavägen, dat verbreed was voor voetgangers en mensen die hun hond uitlieten. Het was warm in de zon en er stond een zoele bries. Op de hoek van de Artillerigatan stak ze de Karlavägen over. Er zaten mensen aan de tafeltjes op het terras voor bakkerij Tösse. Ze bleef staan, wachtte en luisterde stiekem naar gedesillusioneerde huisvrouwen die op hun ingewikkelde, onderbewuste manier aangaven dat ze zich niet geliefd voelden. En naar mannen die hun taal doorspekten met Engelse uitdrukkingen. Naar jongeren die lachten om situaties die ze niet begreep. Dat deed ze wel vaker, ergens middenin blijven staan en alleen maar luisteren.

Een paar minuten later kwam Sophie aanlopen van de kant van het Karlaplan. Gunilla wachtte op haar en samen liepen in de richting van de Sturegatan.

Na een poosje begon Gunilla vragen te stellen. Het ging zoals gewoonlijk over de mensen rond Hector, hoe ze heetten en wat hun rol was – wat je al dan niet van hen kon verwachten. Die beantwoordde Sophie zo goed mogelijk. Toen Gunilla naar Hector zelf begon te vragen, wie en wat voor iemand hij was, gaf Sophie haar heel weinig informatie; ze deed alsof ze Hector niet kende, alsof ze een stilzwijgend vertrouwen dat hij haar zojuist had geschonken niet wilde beschamen.

Een paar schoolkinderen kwamen hen tegemoet op het trottoir en Sophie ging voor hen opzij.

'Ik ben het type Hector Guzman al vaak tegengekomen in mijn werk. Charmant, opgewekt, totdat ze opeens in het tegendeel veranderen. En de levens van andere mensen kapotmaken...'

Sophie zei niets, ze bleef gewoon naast Gunilla lopen.

'Laat je niets wijsmaken, Sophie.'

# 9

Hij voelde zich beroerd. Hij had constant het gevoel dat hij het niet goed deed. Gunilla liet nooit iets van zich horen, hij was lucht voor haar na hun laatste gesprek. Hij voelde dat hij zich belachelijk had gemaakt, hij had alles terug willen nemen, zijn excuses willen aanbieden, proberen de schade te herstellen. Maar hoe meer hij erover nadacht, hoe meer hij besefte dat het daar alleen maar erger door zou worden. De confrontatie had iets in hem losgemaakt. Hij lag 's nachts te woelen in zijn bed; zweet, ongeordende gedachten en het licht van straatlantaarns door het raam hielden hem uit de slaap. Zijn gevoelens schoten heen en weer tussen boosheid en schaamte, woede en angst, waarvan hij de oorsprong niet kende.

Hij was die ochtend naar het gezondheidscentrum gegaan. Lars vertelde dat hij 's avonds werkte, slecht sliep en rug- en hoofdpijn had. De arts, een man met warme, droge handen, was behulpzaam geweest, had gezegd dat Lars overwerkt was, dat hij een burn-out had. De arts scheen met een zaklampje in zijn ogen, voelde aan zijn amandelen en stak een vinger in zijn anus. Daarna schreef hij een recept uit voor Citodon tegen de rug- en hoofdpijn, en oxazepam tegen datgene wat Lars niet onder woorden kon brengen.

Lars vroeg of hij zijn dossier mocht inzien.

'Waarom?' vroeg de arts.

'Omdat ik dat wil.'

Dat was kennelijk voldoende. De arts draaide het scherm van zijn computer om en Lars las het dossier snel door. Er stond niets over zijn eerdere akkefietjes in.

'Tevreden?'

Lars antwoordde niet.

'Over zes weken wil ik je weer zien,' mompelde de arts.

Lars ging met de recepten naar de apotheek en reed in zijn Volvo door de stad.

Als kind had hij constant slaapproblemen gehad. Rosie gaf hem van haar pillen. Hij was elf jaar en ontwikkelde er al vroeg een tolerantie voor. Moeder Rosie, die al verslaafd was aan pillen en goed bevriend was met een arts met wie ze naar bed ging wanneer vader Lennart niet thuis was, regelde een paar onnozele witte pilletjes waar Lars elke avond om halfacht knock-out door ging. Hij wist nooit meer wat hij gedroomd had en overdag voelde hij een ontzettende leegte. Dat ging jaren zo door, tot ver op de middelbare school.

Een schoolzuster kwam erachter dat hij pillen slikte. Ze stelde een onderzoek in, probeerde haar boosheid te onderdrukken door duidelijk te praten, ze vertelde Lars dat de pillen die hij slikte erg sterk en erg verslavend waren. Dat Lars, nu hij in zijn puberteit zo veel sterke, verslavende pillen had geslikt, in de toekomst heel voorzichtig moest zijn met pillen en andere middelen die zijn humeur beïnvloedden, dat hij een verslaving had ontwikkeld die alleen in toom te houden viel door totale onthouding. Lars had geknikt, maar hij had geen flauw idee waar ze het over had. Hij knikte altijd als mensen iets tegen hem zeiden.

Toen hij zeventien was, stopte hij met de witte pillen en kreeg last van slaapproblemen, stemmingswisselingen en hevige angsten. Tijdens de weinige uren slaap die hij kreeg, had hij inktzwarte nachtmerries. De verslaving liet zich continu voelen, dag en nacht. Hij lag te woelen tussen zijn natte lakens, onrustig, bang en getergd.

Na een paar jaar vlakten de onthoudingsverschijnselen af tot een permanent gevoel van leegte. De behoefte werd minder, het trillen en de stemmingswisselingen ook. Maar de angst bleef en ook de slaapproblemen. Ze werden een dagelijkse routine, zijn werkelijkheid.

Hij parkeerde de auto voor de bowlinghal, die een volledige vergunning had.

Lars zocht een tafeltje op met uitzicht op de banen, waar groepjes gepensioneerden aan het gooien waren. Lars keek in zijn hand, zes pillen, uit elk doosje drie.

Hij gooide de pillen in zijn mond en nam ze in met rode wijn uit Bulgarije. Na een paar minuten verdween de druk op zijn borst en hij ontspande. Hij zat onderuitgezakt op een stoel naar de bowlende mensen te kijken; hij voelde leedvermaak wanneer ze mis gooiden en vond er niets aan wanneer ze het goed deden.

'Hoi?'

Sara stond naast hem. Hij keek haar vragend aan.

'Hoe wist je dat ik hier was?'

'Ik ben je gevolgd.'

'Waarvandaan?'

'Vanaf het gezondheidscentrum.'

Lars keek naar de bowlers en nam een slok wijn. Ze ging zitten en probeerde zijn blik te vangen.

'Hoe gaat het met je, Lars?'

'Goed, hoezo?'

Sara zuchtte zacht.

'Lars, alsjeblieft, kunnen we niet praten?'

Lars deed net of hij het niet snapte en lachte.

'Dat doen we toch... We praten nu toch? Onze monden bewegen.'

Hij lachte op een rare manier. Sara keek naar haar handen.

'Ik wil het zo niet,' fluisterde ze.

Lars zag ballen over de parketbanen rollen en kegels omvallen.

'Ik herken je niet meer, je bent de hele tijd zo boos, je zegt niet wat er is... Komt dat door mij?'

Hij snoof.

'Ik wil je helpen als ik dat kan, Lars.'

Ze keek naar hem om te zien of haar woorden tot hem doordrongen.

'Je hebt dit eerder gehad, Lars,' fluisterde ze.

Hij ontweek haar blik.

'Toen wij elkaar leerden kennen, voordat we besloten te gaan samenwonen, toen je net in Västerort was begonnen. Toen was je ook zo... Dat heeft toen een paar weken geduurd... Toen je daar doorheen was, vertelde je over de medicijnen die je als kind had gekregen...'

'Wat een onzin allemaal...'

Sara moest haar best doen om zich niet uit het veld te laten slaan door zijn houding.

'Nee, dat is geen onzin,' zei ze.

Een slanke oude man in een dun trainingspak gooide een strike en probeerde zijn trotse grijns te verbergen toen hij terugliep naar zijn kameraden.

'We hadden het altijd zo goed, Lars,' zei ze. 'We hadden een relatie zonder ruzie of misverstanden. We lieten elkaar vrij, maar toch hoorden we bij elkaar... We hadden dezelfde interesses, dezelfde ideeën. We hadden iets aan elkaar...'

Hij dronk uit zijn glas, keek haar niet aan.

'Wat is er gebeurd, volgens jou?' vroeg ze.

'Er is niets gebeurd, behalve dat jij paranoïde bent... en lelijk.'

Sara probeerde haar gekwetstheid te verbergen.

'Dan wil ik dat we uit elkaar gaan.'

Zijn mond had nog steeds die scheve glimlach.

'We zijn toch al uit elkaar?'

Sara's verdriet veranderde in woede en ze staarde hem aan, stond daarna snel op en liep weg. Lars keek haar na, nipte van de wijn en zag dat een dikke oude vrouw haar bal in de goot liet rollen. De vrouw probeerde een vrolijk gezicht te zetten toen ze terugliep naar haar vrienden, alsof de lol niet in het winnen zat, maar in de gezelligheid. *Ja, dat zal best wel.*

Toen de bowlinghal sloot, vond hij een Ierse pub die net zo Iers was als McDonald's Fins. Een breedbeeld-tv, elektrische dartboards, minibasketbal met stomme mini-basketballetjes. En om het helemaal af te maken een Iraanse barkeeper die slecht Engels sprak en Lars *'mate'* noemde. Maar wat maakte hem dat uit? Hij was daar om dronken te worden, en dat werd hij ook. Hij dronk zich een ongeluk tot sluitingstijd en werd de volgende ochtend wakker in zijn auto, met een koude neus achter beslagen autoruiten. De wereld buiten was al wakker en volop bezig.

Lars ging rechtop zitten, wreef de vermoeidheid uit zijn ogen, krabde hard door zijn haar dat plat op zijn hoofd zat, dronk met verschaald bier de droogte weg uit zijn mond.

Met zijn kater reed hij naar het Danderydsziekenhuis. Daar zat hij de hele dag in zijn geparkeerde auto op zijn nagels te bijten, zijn pillen te slikken, zijn lunch op te drinken en te wachten.

Toen Lars die middag Sophie het ziekenhuis zag verlaten klaarde zijn humeur op en was hij weer gerustgesteld.

Hij bleef een eindje achter haar toen ze naar huis fietste, vervolgens haalde hij haar in en deed hetzelfde als altijd: hij reed naar haar huis, koos een plek uit voor de nacht, zette zijn koptelefoon op en luisterde naar haar dagelijkse routine.

Dit was nu zijn leven aan het worden, niets was verder nog belangrijk. Hij luisterde naar haar bezigheden, naar haar voetstappen als ze langs een microfoon liep, naar haar avondmaaltijd die ze in haar eentje gebruikte en naar haar gesprekken met Albert.

Om elf uur schakelde Lars over naar de microfoon in de slaapkamer; hij hoorde dat ze het donzen dekbed van het bed trok en ging liggen. Hij begreep dat ze zonder dekbed sliep, hij hoorde nooit dat ze het weer over zich heen trok. Hij visualiseerde hoe ze daar lag op het witte laken, haar haar op het kussen, hoe ze zachtjes ademhaalde, misschien van hem droomde. Hij voelde een schreeuwende behoefte die hij niet begreep, niet kon beteugelen. Lars nam nog een dosis, de pillen gleden naar binnen. Alles werd vanzelfsprekend, zelfs die behoefte.

Toen het drie uur stil was geweest, toen Sophie en Albert diep in slaap waren in hun kamers, stapte Lars uit en sloop langzaam Sophies tuin binnen. De zomernacht was stil en zoel. Hij voelde zich rustig en harmonieus toen hij bij de veranda aan de achterkant bleef staan, om zich heen keek, zachtjes het trapje op liep en de deur voorzichtig met een loper opendeed. Het scharnier piepte een paar keer kort. Hij ging geruisloos de woonkamer binnen en luisterde gespannen.

Ze lag boven te slapen, het gevoel dicht bij haar te zijn was bedwelmend. Lars sloop de keuken in. Voorzichtig deed hij de koelkast open, keek erin en liet zijn fantasie de vrije loop. Hij stelde zich voor dat hij de man in huis was, die uit bed was gestapt om in de keuken iets te eten te halen.

Lars zette brood, boter en beleg voor zichzelf op tafel neer en ging een boterham zitten eten. Hij glimlachte naar zijn zoon die de trap af kwam, ging staan om Sophie een zoen te geven toen zij even later beneden kwam en gebaarde naar het ontbijt dat hij had klaargemaakt. Ze glimlachte en gaf hem nog een zoen. Hij maakte een gevatte opmerking, Sophie en de zoon lachten.

Lars verliet het huis, bij het hekje wuifde hij al fantaserend naar zijn niet-bestaande gezinnetje en liep terug naar zijn auto in het duister van de nacht.

Thuis in zijn appartement nam hij nog een paar pillen en sliep als een roos op zijn vieze matras.

*

Hij zat met zijn knieën tegen de rug van de stoel voor hem. Michail vond de vliegtuigstoel te krap. Naast hem zat Klaus. Klaus was in de veertig, een Duitse bodybuilder van het peziger soort. Klaus werd al kaal en had overal afgetrainde spieren, zelfs in zijn gezicht, dat met een forse pornosnor getooid was. Hij was een mannetjesputter die overal iets van wist en geen specifieke kwaliteiten had – een allrounder die zelden nee zei tegen een klus. Ze hadden eerder samengewerkt bij een paar huisbezoeken waartoe Ralph opdracht had gegeven. Toen was Klaus een goeie geweest, vrij gewetenloos.

Ze waren in München opgestegen en onderweg naar Stockholm Arlanda. De stewardess bood koffie aan, achter in de cabine huilde een kind, oude mannen in colbertjes losten sudoku's op en vrouwen van middelbare leeftijd werkten aan presentaties op hun laptop. Klaus had oortelefoontjes in, waar de Bee Gees dwars doorheen sisten. Klaus bewoog ritmisch mee met zijn hoofd en tikte met zijn rechterhand op zijn broekspijp.

Michail dacht na over wat er moest gebeuren. Hij had geen duidelijk plan, werkte verschillende aanpakken uit in zijn hoofd en woog ze tegen elkaar af. Uiteindelijk kwam hij altijd op hetzelfde uit: hard en secuur toeslaan. Roland was twee dagen eerder in Stockholm geweest en met een grijs op zijn lippen teruggekomen. *We hebben nu iemand,* had hij gezegd. *Hij brengt jullie met Hector in contact...*

Er klonk een 'pling' in de cabine, het lampje van de veiligheids-riem ging aan. Een vrouwenstem neuzelde door de luidsprekers in een noordelijke taal die hij niet verstond. Het toestel zette de landing in. Het schudde behoorlijk, Klaus hield de armleuning vast en tilde in een reflex bij elke schommeling zijn voeten op.

'Ik heb hier zo de pest aan,' zei Klaus. 'Echt zwaar de pest.'

Er stonden dwarswinden toen ze het vliegveld naderden. Klaus zag bleek. Het vliegtuig helde naar links over om snel weer een tegenbe-weging naar rechts te maken. Klaus greep Michails arm vast.

'*Scheisse...*'

Het toestel kwam aan de grond en de straalomkering werd inge-schakeld. Klaus haalde opgelucht adem.

Ze reden in een huurauto naar Stockholm, checkten in bij een hotel aan het Hötorget en gingen de stad in. Het werd al avond en ze aten een hapje op een terras. Het was warm, warmer dan in München.

'Voor zover ik weet, heeft hij drie man in dienst, daar moeten we van uitgaan. Twee van hen, Hectors lijfwacht en die Pool, zijn be-roeps, de derde weet ik niet.'

Onder het luisteren at Klaus van zijn tartaar; hij kauwde snel en hield het mes waarmee hij het vlees sneed op een eigenaardige manier vast.

'Hij heeft een kantoor hier in de stad, maar daar is hij praktisch nooit. De laatste keer dat ik hem hier heb geobserveerd, zat hij veel in het restaurant en daar slaan we toe. We hebben het contact, hij gaat het regelen.'

'Klinkt goed,' reageerde Klaus zonder enthousiasme. Hij wenkte de ober en wees naar zijn lege frisdrankglas.

Ze verlieten het restaurant, stapten in hun huurauto en voerden Sandborgsvägen, Enskede in op hun navigatiesysteem.

'Maak nu een U-bocht,' zei de stem van het navigatiesysteem in het Duits en Klaus volgde de aanwijzing op.

Ze zochten zich een weg door het stadsverkeer, wisten op de Sö-derleden terecht te komen, namen de linkerbaan en reden de Johan-neshovsbron over.

'Net een grote golfbal,' zei Klaus toen ze Globen passeerden.

De auto stopte voor een bescheiden villa. Ze belden aan en er werd opengedaan door een man van middelbare leeftijd met een kaal hoofd en een buikje, gekleed in een ouderwets overhemd met een te korte stropdas. Alsof hij net thuis kwam van zijn werk – ouderwets werk.

*'Willkommen... meine Herren.'*

De man lachte om zijn eigen Duits.

Ze liepen achter hem aan de kelder in, de man opende een ijzeren deur en gebaarde dat ze naar binnen mochten. Michail liep het vertrek in en zag een heleboel wapens, revolvers en automatische pistolen aan de ene muur, hagelgeweren en snelvuurwapens aan de andere.

De man glimlachte opgewonden en praatte als een tv-verkoper over zijn lievelingen – een wapenfreak, dacht Michail. Hij onderbrak het verkooppraatje van de man en wees naar de muur.

'Geef me een Sig en twee ploertendoders.'

De freak haalde het wapen van de muur, gaf Michail een doosje ammunitie, begon te babbelen dat die uit Zwitserland kwam, hoeveel de kogels wogen en waar ze vooral goed voor waren. Hij trok de la van een boekenkast open en haalde er twee ploertendoders uit. Michail gaf het pistool aan Klaus en een stapeltje eurobiljetten aan de man.

Ze verlieten de kelder en het huis zonder gedag te zeggen en stapten in de auto. Klaus las een adres van een blaadje en voerde dat in op het navigatiesysteem. Michail toetste het nummer dat Roland Gentz hem had gegeven in op zijn mobiel en drukte op het groene knopje. Een man nam op.

'Carlos? Ik zou je bellen, je weet wat je moet doen, we zijn er...' Michail leunde naar voren en las op het navigatiesysteem, '... over twintig minuten.'

Michail hing op.

'Maak nu een U-bocht,' zei de digitale vrouw weer.

'Hou je kop,' zei Klaus.

*

De antiekzaken in de Roslagsgatan, de *tourist traps* in de oude binnenstad en in de Drottninggatan, en alle winkeltjes in Södermalm en Kungsholmen – alles wat maar in de verte te maken had met etnische kunst, antiek of gewoon newageprullaria, Jens had overal naar Thierry gezocht. Dat was feitelijk zijn enige aanknopingspunt, Thierry's belangstelling voor een stenen beeldje uit Zuid-Amerika... De kans dat hij Aron of Leszek in de stad zou tegenkomen was minimaal, ook al sjouwde hij hier nu al een paar dagen rond.

De Västmannagatan was minder bekend om zijn winkeltjes. Jens had daar lang geleden een glazen aardbol gekocht. De naast elkaar gelegen winkels gingen toen meer de kant van curiosa en jarenvijftigdesign op. Jens begon bij Norra Bantorget en werkte de hele straat af in de richting van het Odenplan. Boven op zijn vermoeidheid kwam een forse dosis frustratie. Maar hij had geen keus, hij moest wel doorgaan. Winkel in, winkel uit, steeds maar weer vragen of ze iets aan Zuid-Amerikaanse cultuurschatten deden. Of ze misschien een man kenden die Thierry genoemd werd. Steeds dezelfde vragende gezichten.

Na een uur en een kwartier kwam hij langs de winkel waar hij twintig jaar eerder de aardbol had gekocht. De winkel zag er nog hetzelfde uit, alleen de prijzen in de etalage waren anders. Twee portieken verderop zat een winkeltje dat hij niet gezien zou hebben als hij niet aan het zoeken was geweest. De etalage was klein en donker, er waren maar een paar dingen uitgestald. Dekens met duidelijke patronen, maskers, schilden en speren. Hij ging naar binnen. Een winkelbel aan de deur rinkelde.

De winkelruimte stond propvol oude dingen uit alle hoeken van de wereld, het was net alsof hij zich op verschillende plaatsen en in verschillende tijdperken tegelijk bevond. Jens keek zijn ogen uit. Zo veel indrukken. Oude kunstvoorwerpen, textiel, meubels, sieraden, beeldjes. Het was allemaal mooi, aantrekkelijk en bijzonder – machtig, op de een of andere onverklaarbare manier. In een glazen vitrine in een hoek zag hij kleine stenen figuurtjes, het leken wel miniaturen van het beeldje dat hij Thierry op de boot had zien vasthouden.

Achter hem klonken voetstappen en hij draaide zich om. Het gordijn dat als afscheiding diende tussen de winkel en een achterkamer ging opzij en er kwam een mooie vrouw tevoorschijn. Ze had een hoog, rond kapsel en liep fier rechtop, zonder dat ze lang was. Hij gokte dat ze oorspronkelijk uit West-Indië kwam.

'Dag,' zei hij.

Ze antwoordde met een glimlach.

'Thierry...' zei Jens, alsof hij opeens onbewust had begrepen dat hij hier aan het juiste adres was.

Ze aarzelde, draaide zich om en verdween weer achter het gordijn.

Jens voelde zijn hart bonzen. Het duurde een paar seconden voordat de man die tevoorschijn kwam Jens herkende.

'Jij?'

Thierry had Aron gebeld, de situatie in het kort uitgelegd en de hoorn aan Jens gegeven.

Aron had gezegd dat hij naar een restaurant een paar huizen verderop moest gaan.

Thierry hield de deur voor hem open en wees de straat in.

'Daar, hij wacht op je.'

Jens begon in de richting van het restaurant te lopen. Het was allemaal absurd. Een kans van een op de zoveel. Een onvoorstelbaar kleine kans.

'Trasten' stond er op een bordje. Jens ging naar binnen en liep naar de bar, telde een tiental mensen aan verschillende tafeltjes. Hij bestelde een glas tonic en keek de ruimte door terwijl hij dronk.

Een paar minuten later kwam Aron door de zwaaideuren de keuken uit, hij zag Jens en wenkte hem.

Jens liep achter Aron aan de keuken en een korte gang door en werd een kantoor binnengelaten.

Het kantoor was een klein hokje. Een bureau met een computer erop, rommelig, halfvolle asbakken, een stapel kranten, een oud gestolen verkeersbord dat tegen een muur stond – *Stopverbod*. Gebruikte koffiekopjes en een kalender van een paar jaar geleden. Een kamer die onmiskenbaar door meer mensen werd gebruikt, waarschijnlijk alleen mannen. Mannen die wilden dat dit een vrijplaats was, waar niemand verantwoordelijkheid hoefde te nemen.

'Ga zitten als je een stoel kunt vinden.'

Jens vond er een.

'Werk je hier?' vroeg hij, terwijl hij ging zitten.

Aron schudde zijn hoofd.

'Nee.'

Aron ging achter het bureau zitten.

'Wat heb je op je hart?' vroeg hij luchtig, glimlachend om zijn eigen woordkeus.

Jens ordende zijn gedachten snel.

'Na ons afscheid ben ik naar Jutland gegaan. Ik ging een nachtje bij mijn oma logeren en werd wakker met een Glock in mijn mond. De grote Rus zat op de rand van mijn bed.'

Aron trok zijn ene wenkbrauw op.

'Hij heeft me bewusteloos geslagen en is er met mijn kisten vandoor gegaan.'

'En in die kisten zaten je wapens?'

Jens knikte.

'Voor wie waren die?'

'Voor een klant.'

'Maar niet hier in Zweden?'

Jens schudde zijn hoofd.

Aron dacht even na.

'Wist hij dat er wapens in de kisten zaten?'

'Nee, dat denk ik niet. Waarschijnlijk heeft hij in het schip een zendertje aan een van de kisten vastgemaakt en toevallig was dat mijn kist en niet die van jou.'

Aron piekerde en keek hem aan.

'En wat kan ik voor je doen?'

'Ik moet mijn spullen terug hebben, ik moet weten wat je van hem weet... Waar hij is, hoe ik met hem in contact kan komen.'

\*

De kroeg was geen kroeg. Het was een pizzeria met de tekst 'Bier en Wijn' op het raam. Donkere houten meubels en de goedkoopste papieren servetten die te krijgen waren, stug en dun.

Hij at een halve pizza en dronk daar vier biertjes en drie borrels bij. Hij voelde de behoefte om dronken te worden. Lars liet zijn gedachten dwalen, iets wat hij de laatste tijd graag deed. Eerder voelde hij zich altijd schuldig als hij zijn gedachten niet voor iets nuttigs gebruikte, iets bruikbaars. Nu mocht hij ze van zichzelf de vrije loop laten, ze zomaar een kant op laten gaan en zichzelf erdoor laten meevoeren. Heerlijk was dat. Nieuwe emoties doken op en verdwenen. Hij nam ook nog een paar pillen in en raakte zo ontspannen als een slapende baby. Misschien wilden alle mensen dit wel, misschien was dit de toestand waar iedereen die een paar jaar in de volwassen wereld had doorgebracht naar op zoek was. Hij glimlachte bij zichzelf en keek de pizzabakker aan die achter de bar stond. De pizzabakker keek verontrust en wendde zijn ogen af. Hij zag zijn nirwanakalmte vast wel, dacht Lars, en kreeg het waarschijnlijk benauwd omdat hij die zelf niet had. Iedereen was jaloers op hem, dat was altijd al zo geweest.

Lars krabde hard aan zijn wang, aan een puistje dat niet wilde verdwijnen.

Met een warm gezicht en een enge tunnelvisie reed hij rond negen uur naar het huis van Sophie. Hij had acht afluisterplekken die hij beurtelings gebruikte om ontdekking te voorkomen, allemaal dicht bij het huis. Hij parkeerde bij standplaats vier, of was het misschien drie? Schakelde de motor uit, zette zijn koptelefoon op en luisterde. Het was stil in huis. Hij zocht naar Sophie in het geluidsbeeld – zat ze daar gewoon? Hij nam nog een paar pillen en het leven werd warriger.

Even later hoorde hij voetstappen door de keuken en de hal. Hij hoorde de voordeur open- en dichtgaan. Hij schakelde over naar de microfoon in de keuken, luisterde of ze de deur voor iemand had opengedaan of het huis had verlaten. Geen geluid in de keuken en in de hal was het ook stil. Hij wachtte. Ze was de deur uit gegaan.

Lars startte de auto en reed naar het huis, kwam haar Land Cruiser tegen die de heuvel af kwam rijden. Boven op de heuvel keerde hij de Volvo.

Zijn dronkenschap maakte het achtervolgen moeilijk. Om niet te dichtbij te komen en niet te ver achterop te raken en haar kwijt te raken. Maar het avondverkeer was gunstig, er reden weinig auto's over de Roslagsvägen de stad in. Hij bleef in het midden rijden, keek door zijn wimpers en gebruikte de strepen op de weg als richtlijn.

Hij volgde haar naar Vasastan, waar ze parkeerde bij restaurant Trasten. Lars vond een parkeerplaats verderop en zag in zijn binnenspiegel Hector aankomen. Hector en Sophie zoenden elkaar op de wang toen ze elkaar op het trottoir ontmoetten en liepen het restaurant in.

*

Jens herkende de man niet die het vertrek binnenkwam waar hij en Aron zaten te praten.

'Is Carlos hier niet?'

Aron schudde zijn hoofd.

'Hij heeft me gebeld, ik moest hierheen komen.'

Aron schudde weer zijn hoofd.

'Nee, ik heb hem niet gezien.'

De man stond nog even na te denken en kreeg toen Jens in het oog. Hij stelde zich voor.

'Hector Guzman.'

Ze gaven elkaar een hand. Hector was een lange man met een been in het gips, goed gekleed, hij zag er vriendelijk uit en leek iemand met wiens wensen altijd rekening gehouden werd, niet alleen hier, maar overal.

'Jens is de man over wie ik heb verteld, van de boot,' zei Aron. 'Hij heeft een probleem dat wij ook hebben.'

'Mooi, dan kan hij ons deel erbij krijgen,' zei Hector glimlachend. 'Wat voor probleem precies?'

Jens vertelde het verhaal dat begon met het laden in Paraguay en eindigde met Michails bezoek aan zijn oma op Jutland. Halverwege zijn betoog ging Hector op een stoel zitten en keek naar Aron, die af en toe iets toelichtte. Toen Jens klaar was, dacht Hector even na.

'Dat is een nare geschiedenis.'

Jens wachtte. Hector dacht nog even na en keek Jens toen aan.

'Wat zei je arme oma ervan?'

Die vraag had Jens niet verwacht.

'Ze slaat zich er wel doorheen.'

Etensgeuren uit de keuken drongen het kantoor binnen.

'Als we je helpen je spullen terug te krijgen, mag je kiezen: ons vooraf contant betalen voor ons werk of ons later betalen met je diensten.'

'En als het jullie niet lukt?'

'Ons lukt altijd alles,' zei Hector.

'Oké dan. Hoe doen we het?' vroeg Jens.

Aron gaf antwoord.

'In eerste instantie doen we niets. We moeten met hen in contact zien te komen. Het is in ons belang als ze inzien dat het niet onze wapens zijn.'

Hector keek Jens aan.

'We hebben met een stel neuroten te maken, maar dat wist je al.'

Hector raakte opeens in gedachten verzonken en vroeg toen aan Aron: 'Weet je zeker dat Carlos hier niet is?'

Aron knikte.

'Oké Jens,' zei Hector en hij sloeg met zijn handen op zijn knieën, 'het was leuk met je kennis te maken. Nu ga ik de stad in om te eten met een aardige vrouw. Ik heb haar al lang genoeg in het restaurant laten wachten.'

Hij wees met zijn duim, stond op en keek op Jens neer.

'Heb jij zo iemand in je omgeving?'

'Nee, helaas niet.'

'Jammer voor je,' zei hij en hij liep naar de deur.

Jens keek hem na. Net toen Hector de deur wilde opendoen, knalde die tegen hem aan. Hij wankelde. Michail en een andere man stormden naar binnen. Jens zag nog net hoe de kleinste van de twee Hector met een ploertendoder op het hoofd sloeg, terwijl hij met een harde slag tegen zijn keel werd neergemaaid. Michail stormde recht op Aron af. Het ging snel, hier hadden ze op geoefend. Jens stortte zich in een reflex op de kleinste. Gaf hem een kopstoot, gaf hem een heleboel klappen en gooide hem onder zich op de grond. Maar Michail had Aron onschadelijk gemaakt en dook nu achter Jens op. Een harde trap tegen de zijkant van Jens' hoofd bracht hem uit balans. Hij kon zich nog omdraaien, half overeind komen en een vuistslag uitdelen, maar de klappen van Michails ploertendoder tegen zijn hoofd waren snel en hard. Jens probeerde zich te beschermen. Het werd zwart.

*

Hij hoorde doffe geluiden. Iemand schudde aan hem, zei iets wat hij niet verstond. De geluiden raakten met elkaar vervlochten in de tussenwereld waarin hij verkeerde, heen en weer getrokken tussen bewustzijn en droom.

Jens deed zijn ogen open. Zijn hoofdpijn was kolossaal, een soort migraine die overal doorheen ging. De wereld was scherp en verblindend en hij deed zijn ogen weer dicht. Iemand schudde aan hem, harder ditmaal. Hij wilde protesteren, zeggen dat de persoon hem met rust moest laten, maar het schudden hield niet op. Hij deed zijn ogen weer open en wat hij zag in het felle licht maakte hem duidelijk dat hij droomde. Daar was Sophie Lantz, ze riep naar hem. Hij was blij haar te zien in zijn droom, hij was vergeten hoe knap ze was. Ze was ouder nu, met kraaienpootjes, maar heel knap. Hij glimlachte naar haar, draaide zich om en wilde verder slapen. Hij ontdekte dat hij in het kantoor van het restaurant op de grond lag en begreep dat zijn droom heel waarheidsgetrouw was. Zijn geheugen begon weer te werken. Michail was het vertrek binnengekomen...

Jens bewoog zijn benen, keek of ze het nog deden, bewoog zijn handen, deed zijn ogen open en dicht, wilde weg uit die merkwaardige droom.

'Jens?'

Hij deed zijn ogen nog eens open. Ze zat er nog. Jens probeerde zijn blik scherp te stellen. Dat was moeilijk, de wereld wilde niet op zijn plaats belanden.

'Jens? Hoor je me?'

Nu zag hij haar duidelijk en hij besefte dat hij niet droomde.

'Sophie?'

Even zag hij een glimlach door haar ongerustheid heen. Ze hielp hem een stukje overeind totdat hij zat, ging op haar hurken voor hem zitten en las iets in zijn ogen. Hij keek terug, herinnerde zich die ogen, haar uiterlijk, haar verschijning.

'Je hebt een hersenschudding,' zei ze.

Hij keek haar aan.

'Wat doe je hier?'

'Doet er niet toe,' antwoordde ze.

Hij vond het allemaal absurd. Achter hen vloog de deur open en Aron kwam binnen met opgedroogd bloed bij zijn gescheurde wenkbrauw, een blauwe plek op zijn wang en een bij zijn rechteroog. Hij was geconcentreerd en gejaagd tegelijk.

'We gaan,' zei hij.

Jens stond op wankele benen op.

'Haal je auto, Sophie. We zien elkaar aan de achterkant,' ging Aron verder.

Sophie verliet het vertrek.

'Ik heb je hulp nu nodig, Jens,' zei Aron. 'Ze hebben Hector meegenomen, ik kan hem volgen via de gps. Heb jij iets bij je?'

Jens schudde zijn hoofd.

Aron haalde een revolver uit een kast, een .45 met een korte loop.

'Dit valt onder de schuldsanering.'

Jens pakte het wapen aan en controleerde of het geladen was. Ze liepen snel door een achterdeur naar buiten, staken een binnenplaats over en liepen door een ander pand heen naar de straat. De Land Cruiser kwam op hoge snelheid tussen de flats door rijden en bleef abrupt staan. Aron opende het portier aan de passagierskant.

'Jij blijft hier, Sophie. We lenen je auto een poosje.'

'Jullie hebben me nodig,' zei ze. 'Als ik rij, hebben jij en Jens jullie handen vrij.'

Aron had geen tijd om te onderhandelen. Ze sprongen in de auto, Aron voorin en Jens achterin, de auto trok op.

'De E4 in noordelijke richting,' zei Aron met zijn blik op de gps van zijn telefoon.

Sophie reed snel richting Norrtull, volgde de verbindingsweg Norra Länken en verhoogde haar snelheid zodra ze op de snelweg zat.

Op dat moment zag ze dezelfde Volvo weer die haar tegemoetgekomen was op de heuvel toen ze van huis wegreed. Hij zat een eindje achter haar, op de linkerbaan van de verder lege snelweg. In de binnenspiegel zag ze de Volvo dichterbij komen. Sophie overlegde bij zichzelf. Zou ze hem laten volgen? Hen helpen om Hector te redden... Wat zou er daarna gebeuren?

De Volvo kwam steeds dichterbij.

Sophie stuurde de Land Cruiser naar de rechterbaan naast de afslag bij het Hagapark. Toen de uitvoegstrook bijna ophield, wachtte ze tot het allerlaatste moment voordat ze haar stuur naar rechts gooide en gas gaf naar boven. De Volvo miste de afrit en reed rechtdoor op de snelweg. Ze ving een glimp op van de automobilist, ze had hem eerder gezien.

Aron keek op van zijn gps.

'Wat doe je?'

'Sorry, ik weet niet wat ik dacht, ik dacht dat ik op de verkeerde baan zat.'

Boven aangekomen had ze rechtdoor moeten rijden om weer op de snelweg te komen, maar in plaats daarvan sloeg ze links af en reed over de Frösundaleden naar Solna.

'Sophie?!'

Aron klonk boos.

'Sorry, sorry... maar ik moet toch keren!'

Ze speelde gestrest en labiel. Aron keek naar haar en probeerde te begrijpen hoe ze zo ontzettend fout had kunnen rijden. Ze maakte een rondje over de rotonde en reed toen terug naar waar ze vandaan was gekomen, plankgas de snelweg op.

Zoals ze had gehoopt had de Volvo de volgende afrit bij Frösundavik genomen, was gekeerd en de snelweg weer opgereden. Ze zag hem op de tegengestelde baan naderen, op weg terug naar de stad. Ze keek niet naar de bestuurder en vergrootte haar snelheid.

Haar verstand zou haar waarschijnlijk hebben gezegd dat ze naar huis moest gaan, dat ze zich hier niet in moest storten, maar haar verstand zat ergens anders. Ze had geen enkele logica gevolgd en zich maar door één gevoel laten sturen: haar bezorgdheid om Hector. Dat was op dat moment het enige wat telde.

Haar blik viel op Jens in de binnenspiegel, ze was geschrokken toen hij zomaar uit het niets was opgedoken. Nu zat hij daar uit het raam te kijken. Ouder, iets forser dan ze zich herinnerde. Nog steeds met dat blonde, warrige kapsel, gebruind als een groot kind dat terugkomt van zomervakantie. Ze herkende zijn blik, een onmogelijke combinatie van verstandig en wild. Alsof hij haar had horen denken keek hij op en hun ogen ontmoetten elkaar in de spiegel. Aron keek naar de gps in zijn telefoon.

'Ze zitten nu ten westen van ons, bij de volgende afslag moet je eraf.'

Sophie verliet de snelweg. Vanaf de afrit kwamen ze op een provinciale weg die hen een bosgebied binnenvoerde, ze reden in het donker en vonden een grindweg het bos in. Sophie deed de lichten uit en reed in totale duisternis.

'Stop.'

Aron bestudeerde zijn ontvanger.

'Ik loop verder. Jullie wachten hier, laat je mobiel aanstaan.'

Aron schroefde de geluiddemper op zijn pistool.

'Ik ga mee,' zei Jens. 'Ze zijn met zijn tweeën.'

'Nee, jij blijft hier, voor het geval een van hen naar jullie toe komt.'

Aron verliet de auto en verdween snel het donkere bos in.

Jens en Sophie bleven achter in de stilte die de hele auto leek te belegeren. Hij voelde dat hij niet gewoon kon blijven zitten, opende het portier en liep een eindje het bos in. Hij keek spiedend in de richting die Aron op was gelopen.

Sophie volgde hem vanaf haar plaats achter het stuur.

*

Michail was ontevreden. Klaus had de Spanjaard te hard aangepakt. Het plan was geweest het restaurant binnen te gaan en degenen die eventueel bij Hector Guzman in de buurt waren uit te schakelen om daarna in alle rust een gesprek met hem te voeren. In dat gesprek zouden ze hem duidelijk maken dat ze niet tegen Hanke op konden en hem dwingen tot de veranderingen die Ralph wenste. Als hij meewerkte, zouden ze meteen weer weggaan. Zo niet, zouden ze hem ter plekke neerschieten. Maar Klaus had Hector Guzman knock-out geslagen en ze konden niet gaan zitten wachten tot hij bijkwam. En nu bevonden ze zich in een verlaten bosgebied aan de westkant van de snelweg; het geronk van auto's was in de verte te horen. Michail begreep dat de situatie veranderd was.

Na een poosje kwam Hector bij kennis. Hij zat op de grond, tegen de auto geleund, versuft en zag dat het gips om zijn gebroken been bovenaan losliet.

Klaus stond een paar meter van hem af zijn blaas te legen terwijl hij de Vijfde van Beethoven floot. Hector keek naar Michail, die voor hem stond.

'Hanke?' vroeg hij. Zijn keel was droog.

Michail knikte.

'Wat willen jullie?'

'Ze willen de cocaïne die jullie gestolen hebben, ze willen Paraguay-Rotterdam, ze willen de organisatie. Ze willen dat jullie je bij hen aansluiten en als subgroep fungeren. En dat jullie je vanaf nu naar hun wensen voegen. Ze willen ook de naam van degene die Christians auto en vriendin in de fik heeft gestoken. En ze willen weten waarom jullie wapens kopen.'

'Dat is een hele waslijst.'

Daar reageerde Michail niet op. Hector keek hem onderzoekend aan.

'Ben jij degene die me heeft aangereden?'

Michail zei niets.

'Natuurlijk was jij dat...' ging Hector verder. Hij viste een sigaartje uit zijn borstzakje en stak dat in zijn mond.

'Dus jij bent ook in Rotterdam geweest? Wie ben je, Hankes hoertje?'

Michail was onverstoorbaar. Hector vond een aansteker in zijn broekzak, stak het sigaartje aan en nam een paar trekjes.

'Het lijkt erop dat je even dom bent als je eruitziet. Je bent achter de verkeerde kisten aangegaan naar Denemarken, ik heb het hele verhaal gehoord. De man met de kisten was een verstekeling die niets met ons te maken heeft. Onze spullen zaten alleen in net zulke kisten, de kisten waar de goederen op last van de kapitein in moesten worden verpakt. Je hebt je weer laten piepelen.'

Hector nam een paar trekjes.

'Dat verandert niets,' zei Michail. 'Geef me wat ik wil hebben, dan gaan we hier weg.'

Hector schudde zijn hoofd.

'Helaas, je biedt me de slechtste deal aan die ik ooit heb gehoord.'

'Ik bied niets aan.'

Hector keek Michail in de ogen.

'Nee, precies,' zei hij zacht.

'Bega nu geen stommiteit,' zei Michail.

Hector glimlachte bijna.

'Wat zou je zelf van zo'n voorstel hebben gevonden als waar jij nu mee komt?' fluisterde hij.

Michail gaf geen antwoord en vroeg in het Duits aan Klaus of ze hem nu zouden doodschieten.

'Ik heb hier net staan pissen, als ze met DNA-toestanden aan de slag gaan en zo...'

'Dat maakt niet uit als we hem hier doodschieten, wegrijden en hem en de auto ergens anders verbranden,' mompelde Michail.

Hector keek naar de grond, trapte het sigaartje uit, dat slecht was gaan smaken tijdens het gesprek van de mannen.

'Ik kan jullie een aanbod doen: kom bij ons en jullie krijgen het dubbele van wat Hanke jullie betaalt.'

Hector richtte zich tot Michail.

'Bovendien is je toch wel opgevallen dat het meeste van wat jullie hebben ondernomen totaal mislukt is?'

Daar ging Michail niet op in. Hij knikte naar Klaus, die naar de auto liep, de Sig Sauer tevoorschijn haalde, hem doorlaadde, naar Hector toe liep en het pistool op zijn hoofd richtte.

'Je kunt nog steeds kiezen...'

Hector keek op naar de forse man. Het waaide een beetje door de loofbomen boven hem.

'Sodemieter op...' zei hij zacht.

Het metaalachtige, klikkende geluid was onmiskenbaar. Net als in de film, maar dan harder. Drie keer 'plop' achter elkaar. Hector hoorde het zoeven van de kogels die van schuin achter hem kwamen, zag hoe ten minste een ervan Klaus' buik binnendrong en de uitdrukking op zijn gezicht veranderde toen hij zijn hand tegen de ingangswond hield. Hij liet het pistool vallen en schreeuwde met een mengeling van verbazing en pijn. Op hetzelfde moment dook Aron op uit het donkere bos, met getrokken pistool.

'Achteruit!' riep hij, terwijl hij Michail onder schot hield. Hij kwam snel aangelopen en raapte Klaus' pistool van de grond op.

'Ik ben geraakt, verdomme!' huilde Klaus.

Aron liep naar Michail toe, gebaarde dat hij op zijn knieën moest gaan zitten. Michail deed wat hem werd gezegd en Aron schopte hem tegen de keel. De Rus kon niet meer ademhalen en viel om, voorlopig uitgeschakeld. Aron fouilleerde hem snel.

Hij liep naar Hector toe en stak zijn hand uit. Hector pakte die en trok zich op. Ze keken naar de mannen en daarna naar elkaar. Aron stelde de woordeloze vraag. Hector dacht na en schudde zijn hoofd.

'Nee, laat hen maar naar huis gaan met hun mislukking.'

Er klonk een automotor door de nacht. De koplampen verlichtten het bos voordat ze de auto zagen aankomen. Op de top van een heuvel dook hij op, kwam met grote snelheid op hen af en kwam voor Hector tot stilstand.

Sophie liep snel naar hem toe.

'Niks aan de hand,' zei hij.

Ze leidde hem terug naar de auto.

Jens stond bij de Land Cruiser toe te kijken, het pistool bungelend aan zijn hand.

'Rij jij?' vroeg ze aan Jens zonder het antwoord af te wachten.

Hij opende het portier voor haar en Hector.

'Hij gaat dood!' riep Michail.

Gealarmeerd draaide Sophie zich om naar Michail, die op de grond zat.

'Is er iemand gewond?' vroeg ze.

'Nee, er is niemand gewond. We gaan,' zei Aron.

Sophie keek Hector aan. Hij probeerde bij Arons leugen aan te haken, maar dat lukte niet.

'Ja, de man op de grond is gewond, maar zijn vriend zorgt voor hem. Dat komt goed. Kom, dan gaan we.'

Sophie liet Hector los en rende naar Klaus toe.

'Sophie!'

Aron, Hector en Jens riepen haar in koor na. Ze luisterde niet, Aron rende achter haar aan en richtte zijn pistool op Michail. Sophie ging bij Klaus zitten, die zijn handen tegen zijn buik hield. Ze begon hem te onderzoeken en zei tegen Michail dat ze zijn trui wilde hebben. Michail trok zijn trui uit en gooide haar die toe.

Jens en Hector sloegen het hele verloop gade, hoe Sophie hem geroutineerd en zonder zich iets van zijn getergde geschreeuw aan te trekken zo ver kreeg dat hij op zijn rug ging liggen, waarna ze vlot en geconcentreerd zijn verwondingen onderzocht.

'Hij moet naar het ziekenhuis, hij verliest bloed. Kom, we moeten hem in de auto leggen.'

Geen reactie van de mannen.

'Help me dan, hij gaat dood!' riep ze.

Hector richtte zich tot Michail.

'We zorgen voor je vriend, als jij teruggaat naar je opdrachtgevers en tegen hen zegt dat ze dit plan moeten vergeten, en als je belooft dat je nooit meer zoiets flikt...'

Michail zei niets.

'En als je vertelt waar mijn wapens zijn!' zei Jens.

Hector haalde zijn schouders op.

'En aan deze man hier vertelt waar zijn wapens zijn.'

Jens en Michail legden Klaus in de bagageruimte. Sophie joeg hen op, ging bij Klaus zitten en hield de trui tegen zijn schotwond gedrukt.

'Rijden maar!'

Jens ging achter het stuur zitten. Het stof vloog door de lucht toen ze wegreden.

Michail wachtte een paar minuten voordat hij in de huurauto stapte en naar Arlanda reed.

Hij maakte de auto aan de binnenkant schoon bij een tankstation dat dag en nacht open was en zette hem op de parkeerplaats voor gehuurde auto's op het vliegveld neer. De sleutels gooide hij in de bak en vervolgens bracht hij de nacht door op een bankje in de vertrekhal van terminal 5. Hij verdreef de tijd met nadenken over wat er aan de hand was, voor wie hij werkte, hun wensen en bedoelingen... Hun vijanden en vrienden.

Hij voelde zich schuldig, een gevoel dat hij jarenlang niet had gehad. Klaus had niet gewond moeten raken, dat was niet de bedoeling. Hij kwam er niet uit of de mannen van Guzman bang waren of gewoon ruw; ze schoten continu als eersten.

Dat zou hij onthouden.

*

'Sneller!'

Ze keek naar de bloedende man, herkende zijn toestand, de zwakke pols, het bleke gezicht – bloedverlies. Hoe zwaargewond hij was, kon ze niet vaststellen, maar het bloed werd in een constante stroom uit zijn lichaam gepompt. Hij zou doodgaan als hij niet snel medische verzorging kreeg. Klaus' oogleden gingen een klein eindje open, maar vielen snel weer dicht. Ze gaf hem een harde klap op zijn wang om hem wakker te houden. De man lag te sterven op haar schoot. Zij zou er deel aan hebben. Het leven van een ander mens. Waarvoor? Voor Hector? Het stond lijnrecht tegenover alles wat ze had geleerd, alles wat heilig voor haar was geweest in het leven.

'Jens,' zei Hector, 'je moet Aron en mij eerst afzetten voordat je die man bij het ziekenhuis aflevert.'

Hij keek Hector via de binnenspiegel aan.

'We moeten de auto schoonmaken, hebben jullie iemand die ons kan helpen?'

Hector en Aron dachten na. Ze praatten snel met elkaar in het Spaans. Aron koos een nummer op zijn mobiel, belde, stelde zich niet voor, zei alleen in een paar woorden dat er naar de auto van een vriend gekeken moest worden, dat er een nieuw interieur moest komen, vooral in de bagageruimte.

'Sköndal, Semmelvägen,' zei Aron tegen Jens.

Hector zei niets toen hij uitstapte. Aron volgde hem. Sophie zag hen over de Solna Kyrkväg lopen, vlak onder het Karolinskaziekenhuis.

Jens keerde de auto en reed snel door naar het ziekenhuis.

'Sophie! We kunnen niet met hem mee naar binnen, we moeten hem bij de ambulance-ingang achterlaten en maken dat we wegkomen. Oké?'

Ze antwoordde niet en nam Klaus' pols op.

Jens reed het ziekenhuisterrein op. Hij vond de ambulance-ingang, waar niemand was, reed naar binnen en toeterde.

'Laat je niet zien,' zei hij terwijl hij het portier opende.

Sophie verliet Klaus, klom over de bank voor de bagageruimte en liet zich op de vloer voor de achterbank glijden. Haar kleren zaten onder het bloed. Jens rende naar achteren en maakte de achterklep open.

Twee broeders kwamen aanrennen met een brancard op wieltjes, gevolgd door een vrouwelijke arts. Jens ging achter het stuur zitten.

'Schotwond in de buik,' riep hij hun toe.

De broeders en de arts trokken de bewusteloze Klaus uit de auto en legden hem op de brancard. Zodra ze bij de auto weg waren, zette Jens hem in zijn achteruit en reed met open achterklep de ambulance-ingang uit. Toen ze uit het zicht waren, stopte hij, sprong uit de auto, deed de achterklep dicht en sprong weer in de auto. Sophie klom naar voren en ging naast hem zitten. Hij keek haar aan.

'Alles goed met jou?'

'Nee,' antwoordde ze. Er zat bloed op haar handen en haar kleren.

Zwijgend en niet sneller dan was toegestaan reden ze de stad uit. Hij wierp een blik op haar. Ze was bleek, in gedachten verzonken.

'Hij haalt het wel...' zei Jens.

Ze reageerde niet.

'Waarom deed je dat, waarom liet je mij en Aron niet rijden?'

'Kun je niet gewoon je mond houden?' zei ze.

De Land Cruiser reed langzaam tussen de huizen door. Hij vond het juiste nummer en reed de korte geasfalteerde oprit op en wachtte een paar seconden voordat de garagedeur openging. Thierry gebaarde dat hij door mocht rijden. Jens reed de auto naar binnen en stapte uit.

'Je hoeft niets uit te leggen,' zei Thierry. 'Ik heb Aron gesproken. Een geluk dat niemand van ons gewond is.'

*Ons*, dacht Jens.

Sophie stapte aan de passagierskant uit. Thierry zag het bloed op haar handen en kleren.

'Hallo, Sophie... Kom maar mee, mijn vrouw zal je helpen.'

Thierry keek snel in de auto.

'Dit is wel te doen.'

De garage stond via een deur in verbinding met het huis. Daphne kwam hen tegemoet.

'Kom, kind, ik help je wel.'

Ze nam Sophie bij de hand en nam haar mee naar de badkamer.

Daphne liet haar alleen en Sophie trok haar bebloede kleren uit, die ze op de grond liet liggen.

Ze draaide de kraan open en wachtte tot het water lauw was voordat ze onder de straal ging staan. Het was geen lekkere douche, ook niet onprettig, het was gewoon water dat over haar lichaam stroomde. Ze zeepte zich helemaal in; het bloed, dat bleekrood werd bij haar voeten, stroomde het afvoerputje in.

Daarna trok ze de kleren aan die Daphne op een stoel in de bad-kamer had klaargelegd. Ze veegde de beslagen spiegel af en keek naar zichzelf. De kleren waren prima, alleen de mouwen van de trui waren te lang. Daphne kwam een kijkje nemen.

'Ik heb thee gezet. Kom.'

Jens had ook nieuwe kleren gekregen, in Thierry's maat. Verder droeg hij een douchemuts, huishoudhandschoenen en schoenbeschermers. Hij maakte het dashboard en de voorstoelen schoon, alles waar hij bij kon. Thierry deed hetzelfde achterin.

'Was het dezelfde man als op de boot?' vroeg Thierry.

'Ja...'

Thierry drenkte de leren stoelen in schoonmaakmiddel.

'Hij heet Michail... een Rus. Werkt voor Ralph Hanke.'

Jens boende er lustig op los.

'Wie is Hanke?' vroeg hij.

Thierry leegde zijn emmer in een afvoerputje, liep naar een gootsteen en pakte schoon water.

'Een Duitse zakenman die ruzie met ons maakt...'

'Waarom?'

'Weet jij het, weet ik het...'

Hij draaide de kraan dicht.

'Wie ben jij, Jens?'

Jens hoefde niet lang over zijn antwoord na te denken.

'Ik ben iemand die beland is in iets waar hij niets mee te maken heeft...'

Hij was klaar met de bestuurdersplaats.

'En hoe verklaar je dat?' vroeg Thierry.

'Ik beschouw het als toeval... Al lijkt het op dit moment wel mijn noodlot.'

Bij die woorden knikte Thierry. Er werd aangeklopt en Jens keek Thierry aan.

'Maak je geen zorgen.'

Thierry deed de garagedeur open. Een jongeman met een capuchon op overhandigde hem breed glimlachend een opgerolde rubbermat.

'Land Cruiser, zoals je had besteld.'

Thierry nam hem in ontvangst en de jongeman sloot de deur. Jens hoorde een opgevoerde automotor buiten starten en verdwijnen.

Thierry liep naar Sophies auto om de bebloede rubbermat uit de bagageruimte te trekken. Die zat vastgelijmd en het duurde even voor hij losliet. Hij legde hem op de grond van de garage neer, pakte de nieuwe erbij en vergeleek.

'Hij is iets kleiner, maar het moet maar.'

Sophie hoorde geluid in de garage en dronk het theekopje leeg dat

Daphne voor haar had neergezet. De thee smaakte apart en na nog een slok smerig. Ze zette het kopje op tafel neer.

Daphne pakte Sophies hand vast. Sophie schrok, ze vond het niet prettig dat de vrouw haar aanraakte. Maar Daphne liet niet los en na een tijdje vond ze het niet zo erg meer.

'Hoe ben je hierin verzeild geraakt?' vroeg ze.

Daar had Sophie geen antwoord op, ze haalde haar schouders lichtjes op en probeerde te glimlachen. Dat lukte niet. Daphne kneep iets harder in haar hand.

'Hector is een goede man,' zei ze. 'Een goede man,' herhaalde ze, terwijl ze Sophie strak bleef aankijken. Daarna liet ze Sophies hand los, liet haar handen in haar schoot rusten en zei zacht, bijna fluisterend: 'Je hebt iets gezien wat niet voor jouw ogen bestemd was. Als je wilt praten over wat je hebt meegemaakt, praat dan met mij en met niemand anders.'

Sophie ontdekte opeens een andere kant van Daphne, haar toon was anders, ernstiger, stelliger, bijna alsof ze haar een waarschuwing gaf.

De deur ging open en Jens en Thierry kwamen in vol ornaat de keuken binnen. Onder andere omstandigheden zou ze in lachen uitgebarsten zijn.

De Land Cruiser was als nieuw, hij rook zelfs nieuw toen ze voorin ging zitten. Jens nam achter het stuur plaats. Ze reden de wijk uit en de snelweg op, het centrum van Stockholm in.

Hij keek naar haar. Zij volgde de wereld buiten.

'We moeten ooit praten,' zei hij.

'Ja.'

Ze zwegen, ze wilden geen van beiden beginnen en ook niet zomaar wat kletsen.

Jens vond een stukje papier en hield het tegen het stuur, terwijl hij zijn nummer erop schreef. Hij gaf het blaadje aan Sophie.

'Dank je,' fluisterde ze.

Hij stapte uit bij het Karlaplan en Sophie nam het stuur over. Hun 'tot ziens' was kort en onpersoonlijk.

Albert lag lekker te slapen in zijn kamer. Ze stond een poosje naar hem te kijken. Vervolgens liep ze de trap af en deed beneden de lampen aan. In de keuken bleef ze naar haar handen staan kijken. Ze trilden niet, ze waren stil. Ze ging na of ze inwendig ook rustig was, en dat was ze. Dat verbaasde haar en het leek haar niet goed. Ze had opgejaagd moeten zijn door wat er was gebeurd, geschrokken en boos. Ze keek weer naar haar handen, die zacht en rustig waren. Haar hart sloeg zijn monotone slagen. Ze zette water op, haalde Engelse thee tevoorschijn en ging bij het raam staan wachten tot het water kookte. Ze zag wat ze altijd zag: de straatlantaarn die de weg verlichtte, nachtlampjes achter de ramen van de buren. Alles was precies zoals het altijd geweest was, maar het kwam haar niet bekend voor, ze herkende het allemaal niet meer.

# 10

Jens was naar zijn flat gegaan, had een koffer ingepakt en zich ver-kleed. Hij was naar een tankstation gegaan dat dag en nacht open was, had onder een valse naam een auto gehuurd en was aan zijn rit naar München begonnen.

Hij zweette in de warmte van de avond, dronk sportdrank om wak-ker te blijven en rookte sigaretten.

Hij dacht aan Sophie Lantz... Brinkmann.

Carlos Fuentes was twee tanden armer. Zijn ogen waren dichtgetim-merd en toen hij probeerde te praten kwam er een gorgelend geluid, als gevolg van al het bloed dat hij in zijn mond had.

Hij zat op een stoel in het kantoor van Trasten, een stoel waar hij het afgelopen halfuur een paar keer afgevallen was. Hij had gehuild, gesmeekt en gezegd dat hij alles wel wilde doen, hoe gek het ook was.

Daar luisterden Hector en Aron niet naar. Ze hadden hem van huis gehaald. Toen ze aanbelden, wist hij meteen hoe laat het was. In de auto terug naar het restaurant gaf hij toe dat hij zakendeed met Rol-and Gentz. Hector en Aron hadden gezwegen.

Carlos veegde met zijn hand het bloed van zijn mond.

'Je bekent te snel, Carlos.'

Carlos haalde zwaar adem, hij stond stijf van de adrenaline.

'Misschien wel, maar ik spreek de waarheid, Hector!'

De paniek die Carlos uitstraalde, was groot. Aron gaf Carlos een handdoek om zich mee schoon te vegen. Carlos bedankte zijn beul. Aron zei niet 'graag gedaan'.

'Waarom, Carlos?' vroeg Hector.

Carlos veegde bloed af met de handdoek.

'Omdat hij me dreigde te vermoorden.'

'En dat was voor jou genoeg?'

Carlos zat zwijgend voor zich uit te kijken. Hector veegde iets onzichtbaars uit zijn oog. Hij sprak zacht. 'Carlos, je verraadt me en lokt me in de val, de val klapt dicht, ik ontsnap eruit. Zodra ik bij je aanbel, beken je... Wat heb je nog meer gezegd en gedaan, met wie heb je het allemaal nog meer over mij gehad?'

Toen kwamen de tranen, Carlos' grote lichaam trilde op het ritme van zijn snikken.

'Met niemand, ik zweer het, Hector... hij heeft me ook betaald.'

'Gentz?'

Carlos knikte zonder Hector aan te kijken en veegde snot af aan zijn mouw.

'Hoeveel?'

'Honderdduizend,' zei hij.

'Honderdduizend? Kronen?' vroeg Hector ontzet.

Carlos keek naar de grond.

'Maar dat had je toch van mij kunnen krijgen! Het dubbele, of driedubbele, als je had gewild!'

Carlos schraapte zijn keel.

'Ik was bang, hij was ijskoud, verdomme, en hij meende wat hij zei! Het was natuurlijk niet om het geld... Ik had geen keus. Hij liet honderdduizend achter in een plastic zak... Ik had niet om geld gevraagd, dat snap je toch wel?'

Hector en Aron keken Carlos vragend aan.

'Waarom heb je ons niet gewaarschuwd?'

Carlos keek naar Aron. Daar had hij geen antwoord op.

Hector leunde achterover op zijn stoel.

'Wat moeten we met je doen, Carlos?'

De grote man, die anders altijd zo zelfverzekerd en luidruchtig was, zat er nu bij als een schim van wie hij geweest was, met zijn vernielde gebit en toegetakelde gezicht. Hector zou bijna medelijden met hem krijgen.

'Carlos?'

Carlos schudde zijn hoofd.

'Ik weet het niet. Doe wat jullie willen,' mompelde hij.

Hector dacht na.

'We gaan op de oude voet verder. Als je nog iets te vertellen hebt, doe dat dan nu,' zei hij.

Carlos schudde zijn hoofd.

Hector vroeg zich af of hij te aardig was, of hij hier op een dag de zure vruchten van zou plukken. Hij stond op en liep weg. Aron liep achter hem aan.

'Dankjewel,' zei Carlos.

Hector bleef niet staan en keek niet om.

'Bedank me maar niet.'

Aron reed door de Stockholmse nacht, Hector zat voorin naast hem. De stad gleed aan Hector voorbij. De auto reed over de Hamngatan, de neonverlichting brandde nog, ook al werd het alweer licht. Ze reden kruip-door-sluip-door naar het Gustav Adolfs Torg en reden de Norrbro over. Hector probeerde na te denken.

'Carlos...' zuchtte hij bij zichzelf.

Aron parkeerde de auto op de Skeppsbrokajen.

'Ik ga me bezatten, doe je mee?'

Aron schudde zijn hoofd.

'Nee, maar ik loop met je mee naar de deur.'

Ze liepen tussen de huizen in de Brunnsgränd door en sloegen rechts af de Österlånggatan in. Uit een woning boven hen klonk gelach, geschreeuw en muziek.

'Hector,' zei Aron zacht.

'Ja?'

'Die verpleegkundige.'

Ze liepen een paar stappen.

'Wat is daarmee?'

Aron wierp een korte blik op Hector, een blik die iets zei in de trant van *hou alsjeblieft op*.

'Dat komt wel goed, ze is geen risico.'

'Hoe weet je dat?'

Hector gaf geen antwoord.

'Ze is intelligent,' zei Aron.

'Ja, dat zeker.'

Aron zocht naar woorden.

'En ze is verpleegkundige... Waarschijnlijk een vrouw met eigen ideeën en een eigen moraal, ze lijkt me zelfstandig. Wat zij vanavond heeft gezien en meegemaakt, maakt het ingewikkeld voor haar. Wanneer ze over haar verwarring heen is, zal ze zichzelf vragen stellen, goed en kwaad tegen elkaar afwegen... antwoorden vinden, morele antwoorden. En dan zal ze overhaaste, ondoordachte dingen doen.'

Hector liep door, over dat onderwerp wilde hij niet discussiëren.

Ze kwamen aan bij Brända Tomten, het kleine, door huizen omringde pleintje. Ze bleven staan en Hector keek Aron aan, keek naar de wonden in zijn gezicht die hij aan de mishandeling had overgehouden.

'Je ziet er verschrikkelijk uit.'

Aron keek Hector aan.

'Maar jij bent er goed van afgekomen, zo te zien.'

Arons blik ging van zijn vieze kleren naar het been met het gebarsten gips.

'Maar daar moet je iets aan doen.'

Hector gaf geen antwoord. Hij gaf Aron een schouderklopje en liep naar de voordeur.

Aron wachtte beneden op straat totdat hij op de tweede verdieping het licht aan zag gaan. Daarna keerde hij langs dezelfde route terug als ze gekomen waren.

In zijn flat deed Hector in elk vertrek lampen aan, hij trok de gordijnen dicht en zette zachte muziek op. Hij trok een fles wijn open en dronk die in een paar minuten voor de helft leeg. De stress die de avond had teweeggebracht werd iets minder.

Hij belde zijn vader en ze praatten over wat er gebeurd was. Adalberto stelde zijn zoon zo goed mogelijk gerust.

Met een oude revolver op zijn buik viel Hector op de bank in slaap.

*

Ze las het bericht in de ochtendkrant, in het Stockholmkatern – een van de kleine berichtjes onderaan, verstopt tussen advertenties en reclame.

*Zaterdagnacht hebben onbekenden een man met schotwonden afgeleverd bij de ingang van de spoedeisende hulp van het Karolinskaziekenhuis en zijn er daarna in hun auto vandoor gegaan. De gewonde man is meteen geopereerd en naar verluidt is zijn toestand stabiel. De circa 40-jarige man is nog niet door de politie verhoord.*

De spanning viel van haar af. Wat een opluchting. De man leefde nog.

Ze hoorde Alberts voetstappen op de trap. Ze sloeg een pagina van de krant om.

'Goeiemorgen,' zei hij.

'Goeiemorgen,' zei ze terug.

'Was je laat gisteren?' vroeg hij.

Ze knikte bij wijze van antwoord. Hij reikte naar de mueslibus in het kastje boven het fornuis.

'Was het gezellig?'

'Ja, het was gezellig,' mompelde Sophie met haar ogen op de krant.

De ochtend bracht Sophie in de tuin door, ze wiedde onkruid en knipte de overbodige scheuten van de rozen af. De vogels zongen en er kwamen wandelaars langs die groetten met een knikje of door gedistingeerd te zwaaien. Alles was mooi, maar de rust en de idylle spraken haar niet aan, ze voelde zich rusteloos.

Ze stopte met het snoeien van de rozen, liet de snoeischaar in haar hand bungelen toen ze begreep dat haar energie op was.

Sophie ging in een tuinstoel zitten, liet zich koesteren door de warmte, gaf toe aan haar vermoeidheid en liet zich een rustigere wereld in glijden. Ze deed haar ogen dicht.

Ze droomde dat haar vader nog leefde en haar hielp bij alles waar ze hulp bij nodig had.

\*

'Goede reis gehad?'

Leszek haalde Sonya Alizadeh in Málaga van het vliegveld. Hij wachtte haar op bij de gate en nam haar koffers aan, waarna ze samen naar de uitgang liepen.

Hij had zijn auto bij de taxi's geparkeerd. Iemand schreeuwde tegen hem dat hij daar niet mocht staan. Hij schonk er geen aandacht aan en hield het portier voor Sonya open. Ze reden de snelweg richting Marbella op.

Adalberto ontving haar, gekleed in een beige linnen broek en een overhemd. Hij was gebruind en liep op blote voeten. Zijn dunne witte haar was achterovergekamd, het gouden horloge om zijn pols schitterde in al zijn pracht.

'Welkom.'

Hij zoende haar zoals gebruikelijk op beide wangen en liet haar binnen.

In de villa stond de lunch al klaar op een grote tafel in het midden van een licht vertrek dat zich bijna over de hele lengte en breedte van het huis uitstrekte. Grote ramen boden uitzicht op de eindeloze zee en ze gingen zitten.

'Hoe is het gegaan?' vroeg hij, terwijl hij zijn servet uitvouwde.

Ze dronk haar glas water leeg.

'Goed, denk ik. Alles is geregeld, het appartement is schoongemaakt, ik heb daar nooit gewoond.'

Adalberto nam een hap en keek Sonya aan.

'Lijkt het je wat om hier te logeren?'

Ze knikte.

'Het is verstandig van je dat je ons op je laat passen, je weet nooit waartoe mannen zoals hij in staat zijn. Het zijn de gevaarlijkste, de mannen die net doen alsof ze deugen.'

Ze ging niet op zijn bewering in, maar het leek haar niet onwaarschijnlijk. Ze kende Svante Carlgren, ze had hem talloze malen in zich gehad. Hij was echt een nare man. Ze had nooit eerder iemand meegemaakt die zo koel was, zo leeg. Het ontbrak hem aan een inzicht dat andere mannen wel hadden, het leek wel of hij niet wist dat er nog andere mensen op aarde leefden. In die zin was hij een beetje simpel en die onnozelheid zorgde ervoor dat hij aan één ding zijn handen al vol had: het bedrieglijke beeld van zichzelf.

Sonya voelde zich uitgeput, ergens was ze blij dat ze even geen hoer hoefde te zijn. Al had ze daar wel zelf voor gekozen. Zij had het Hector lang geleden voorgesteld. Hij was als een broer voor haar. In elk geval was hij degene die daar het dichtst bij kwam. Haar vader Danush was importeur van heroïne geweest, hij was uit Teheran gevlucht toen de sjah werd afgezet en was zakenpartner geworden van Adalberto. De gezinnen raakten goed bevriend en als enig kind bracht Sonya veel van haar schoolvakanties bij de Guzmans in Marbella door. Ze werd zo'n beetje het vierde kind van het gezin. Haar ouders waren eind jaren tachtig in Zwitserland vermoord. Ze was naar Azië gevlucht, waar ze haar heil had gezocht in veelvuldig en langdurig cocaïnegebruik, waarbij ze er af en toe in was geslaagd haar bodemloze verdriet te vergeten. Hector spoorde haar op en zorgde dat ze weer thuiskwam. Adalberto en Hector lieten haar in hun huis in Marbella logeren en hielpen haar weer op de been. Enige tijd later liet Hector haar een foto van drie dode mannen zien. Ze lagen op de witte tegelvloer van een openbaar toilet in een wegrestaurant in Zuid-Duitsland. Ze hadden kogelgaten in hun hoofd, buik, borst, armen en benen. Ze waren doorzeefd. De mannen hoorden bij de 'Ndrangheta en waren de moordenaars van haar ouders. Ze genoot ervan naar de foto te kijken. Ze hield hem en keek ernaar wanneer het leven moeilijk en oneerlijk op haar overkwam. Sonya wilde iets terugdoen voor alles wat Hector en Adalberto voor haar hadden gedaan. Toen ze Hector het idee had voorgelegd, had hij het haar afgeraden, hij zei dat ze hun niets schuldig was. Maar dat was ze niet met hem eens, wat hij ook zei. Dus ze hield voet bij stuk en zette het plan door. Misschien zou Svante Carlgren de terugbetaling blijken te zijn die een eind zou maken aan het schuldgevoel dat ze zo graag kwijt wilde raken.

Sonya mocht Hector en Adalberto graag, maar ze wist ook dat als puntje bij paaltje kwam het verschil tussen de mannen in haar leven niet zo groot was, ook al probeerde de man tegenover haar dat wel te bewijzen.

Adalberto keek haar aan en het leek wel of hij haar gedachten kon lezen.

'Ik heb voorbereidingen getroffen voor je komst. Er staat een vrouwelijke psychiater voor je klaar als gesprekspartner, als je dat wilt. Een goede vrouw, ze komt hierheen wanneer we haar dat vragen. Je krijgt van me wat je wilt, zeg maar wat je nodig hebt om weer op koers te komen.'

Hij glimlachte en zij antwoordde met een glimlach die het tegendeel uitstraalde van wat ze werkelijk voelde. Die vaardigheid had ze zich al jong eigen gemaakt.

Ze aten in stilte, de zee ruiste achter de open ramen, de zoele zeewind ving de witte linnen gordijnen en liet ze heen en weer bewegen.

De hond Piño kwam naar binnen gerend en begon om eten te schooien. Adalberto negeerde het gebedel van de hond, die even later bij zijn voeten ging liggen.

'Ik heb hem jaren geleden eens iets gegeven tijdens het eten. Hij wil nog steeds niet begrijpen dat dat niet weer gaat gebeuren.'

Hij keek naar Piño.

'Maar toch zijn we vrienden, jij en ik, nietwaar?'

Sonya zag blijdschap op Adalberto's gezicht toen hij naar Piño keek. Daarna verflauwde de glimlach, alsof hij zich opeens realiseerde hoe droevig het was dat de hond maar een hond was.

# 11

Gunilla keek Anders vragend aan.

'Zeg dat nog eens.'

'Nadat Hector de deur had opengehouden voor die verpleegster, gingen er twee mannen het restaurant binnen. Hector is niet meer naar buiten gekomen, maar die verpleegster wel. Lars is haar gevolgd.'

'En die mannen?'

Anders haalde zijn schouders op.

'Weg, verdwenen. Ik ben een halfuur later het restaurant binnengegaan. Nergens een mens te zien. Er is een achterdeur naar een binnenplaats, daar moeten ze door naar buiten zijn gegaan. En vanuit de binnenplaats door een ander pand naar de andere kant van het blok.'

'En daarna?'

Anders schudde zijn hoofd.

'Niks. Ik ben naar huis gegaan.'

Ze zaten op een bankje in Humlegården. De meeste mensen om hen heen leken van de zomerwarmte te genieten. Anders Ask was de enige in het park met een jas aan.

'Dus Sophie en Hector kwamen bij het restaurant aan, gingen naar binnen en twee mannen kwamen na hen. Hoe lang duurde het voordat Sophie naar buiten kwam, zei je?'

'Een halfuur, ongeveer.'

'Ongeveer?'

'Ik heb precieze tijdstippen, maar nu niet bij me.'

Gunilla dacht na.

'En Lars is haar gevolgd?'

Anders knikte.

Gunilla pakte haar mobiel en toetste een nummer in.

'Lars, stoor ik? Kun je meteen naar Humlegården komen? Je bent geweldig,' zei ze en ze hing op.

Anders glimlachte om haar vriendelijke toon, die Lars geen ruimte had gelaten voor een antwoord of een protest. Dat zag ze.

'Hij komt eraan,' zei ze.

'Ik weet het.'

Daarna zaten ze gewoon te zitten, als twee robots in stand-by stand, roerloos uitkijkend over het park. Anders kwam als eerste in beweging. Hij stopte zijn hand in zijn jaszak, haalde er een verfrommeld zakje drop uit en hield haar dat voor. Ze kwam ook weer tot leven, misschien door het ritselende geluid, en pakte er zonder dankjewel te zeggen twee dropjes uit, kauwde en verzonk in gedachten. Eén gedachte sprong eruit. Ze zweefde terug naar het heden, pakte haar mobieltje en zocht het nummer van Eva Castroneves op. Ze hield het toestelletje tegen haar oor.

'Eva, kun je een datumcheck voor me doen?'

Gunilla wachtte.

'Afgelopen zaterdag. Dat was de vijfde, geloof ik.'

Gunilla wierp een blik op Anders, die het met een hoofdknik bevestigde.

'Check het hele etmaal, maar vooral de avond en de nacht van zaterdag op zondag. In de eerste plaats Vasastan, maar kijk ook iets verder. Alles wat van belang zou kunnen zijn. Dankjewel.'

Gunilla hing op. Anders keek haar aan en Gunilla haalde haar schouders op.

'Waar moet ik anders beginnen?'

Hij gaf geen antwoord.

Lars kwam vanaf de kant van het Stureplan aanlopen over het grindpad. Ze keek naar hem. Hij liep stram, alsof hij last had van zijn rug. Dat had hij waarschijnlijk ook; mensen die onder schuld gebukt gingen, ontwikkelden vaak onbewust pijn in hun onderrug.

Hij kwam naar hen toe, met iets onzekers en vijandigs in zijn houding.

'Dag.'

Gunilla keek hem aan.

'Ben je naar de kapper geweest?'

Lars ging onwillekeurig met zijn hand door zijn haar.

'Er is niet zo veel af,' mompelde hij.

'Fijn dat je zo snel kon komen.'

Lars wachtte en stak zijn ene hand in de zak van zijn spijkerbroek.

'Als ik me goed herinner, stond er in je rapport dat Sophie afgelopen zaterdagavond na haar bezoek aan Trasten naar huis was gereden. Anders hier zegt dat hij je bij Trasten heeft gezien, en dat je Sophie bent gevolgd toen ze het restaurant verliet?'

'Dat klopt. Ze ging rond elf uur van huis en reed naar het restaurant. Dat verliet ze rond middernacht, meen ik. Ik ben haar tot aan Norrtull gevolgd, daar ben ik afgeslagen en naar huis gereden. Ik heb haar laten gaan, omdat ik ervan uitging dat ze op weg was naar huis.'

Gunilla en Anders keken hem aan, schijnbaar op zoek naar kleine aanwijzingen dat hij loog. Lars krabde in zijn nek.

'Is er iets gebeurd?' vroeg hij.

'Ik weet het niet, Anders heeft je gezien,' zei Gunilla.

Lars keek naar Anders.

'Ja?'

'Hij heeft ook twee mannen het restaurant zien binnengaan.'

Lars toonde ongeduld, ergernis.

'Ja? En?'

'Heb jij die ook gezien?'

Lars schudde zijn hoofd.

'Nee. Of misschien wel, het was er een komen en gaan van mensen, het is een restaurant.'

Lars viste een keelsnoepje op, stopte het in zijn mond en keek Gunilla aan.

'Wat is dit? Een verhoor?'

Gunilla gaf geen antwoord, Anders hield hem continu in de gaten.

'Die mannen zijn niet meer naar buiten gekomen. Hector is niet meer naar buiten gekomen. Er is een achteruitgang. Jij bent Sophie gevolgd, nadat ze het restaurant had verlaten. Is ze nog ergens gestopt?'

Hij slikte, maar dat was omdat het snoepje hem bijna in de keel schoot. Hij schudde zijn hoofd.

'Nee.'

Lars was knetterhigh geweest. Hij kon zich vrijwel niets meer van die avond herinneren. Hij had alleen een wazig beeld dat hij haar bij Haga was kwijtgeraakt, verder was het compleet blanco. Wat er gebeurd was en hoe hij überhaupt thuis was gekomen, wist God alleen. En die kon hij er niet naar vragen, want hun relatie was nogal koel.

Als je loog, moest je jezelf er altijd van overtuigen dat je de waarheid sprak, dan was het geen liegen meer en vertoonde je geen tekenen van onzekerheid.

'Ze is aan één stuk doorgereden, ik ben gestopt met volgen toen ze de snelweg opreed.'

'Welke route nam ze?'

Hij deed zijn uiterste best om geen onzekere bewegingen te maken en visualiseerde zijn leugen.

'Vanaf het Odenplan sloeg ze links af de Sveavägen op, ook al mag je er van die kant niet in. Vervolgens de Sveavägen door, de rotonde over en de E4 in noordelijke richting op.'

'Waarom niet Roslagstull en de Roslagsvägen? Dat was korter geweest.'

Lars haalde zijn schouders op.

'Lood om oud ijzer. Ze zal wel afgeslagen zijn naar Bergshamra en daar de Stocksundsbron zijn overgestoken. Dat weet ik niet.'

'Waarom ben je haar niet tot aan haar huis gevolgd?'

Lars zoog op het keelsnoepje, het maakte geluid toen het tegen zijn tanden kwam.

'Het was laat, weinig verkeer. Ik moest voorzichtig zijn.'

Gunilla keek hem aan, Anders ook.

'Bedankt, Lars. Fijn dat je de moeite hebt genomen om even te komen.'

Lars keek hen allebei aan.

'En?'

Gunilla gaf met een blik te kennen dat ze niet begreep wat hij bedoelde.

'En verder? Wat is er gebeurd?' vroeg Lars.

'Er is niets gebeurd. Het lukte me alleen niet die avond te reconstrueren.'

'Wat doet hij hier?'

Lars stelde de vraag aan Gunilla, zonder Anders aan te kijken.

'Je hoeft mij niet te schaduwen, Gunilla,' zei hij zacht.

Zijn boosheid verbaasde haar.

'Nee, Lars, dat doen we ook niet. Anders helpt ons met het identificeren van de mensen om Hector heen. Jullie waren gewoon toevallig op hetzelfde moment op dezelfde plaats. Toen ik het plaatje van de avond niet rond kon krijgen, wilde ik je spreken. Maar kennelijk heb je niets toe te voegen aan wat al in je rapport stond, dus het is allemaal in orde. Ja, toch?'

Lars antwoordde niet, zijn sombere stemming klaarde een klein beetje op.

'Dankjewel, Lars... Ga maar verder met je observatie.'

Hij draaide zich op zijn hielen om en liep dezelfde weg terug als waarlangs hij was gekomen. Het had niet veel gescheeld of hij had zichzelf verraden. Hij trilde inwendig.

Gunilla en Anders zwegen totdat Lars verdwenen was.

'Wat zeg je ervan?' vroeg ze.

Anders dacht na.

'Ik weet het niet, ik weet het eerlijk gezegd niet. Hij lijkt niet te liegen.'

'Maar?'

Anders keek uit over het park.

'Hij is van nature onzeker. Vandaag leek hij me te zeker, bijna alsof hij een trucje had bedacht om een leugen te camoufleren.'

Gunilla stond op.

'Breng me naar het bureau en blijf nog even in de buurt.'

Gunilla zat voor het bureau van Eva Castroneves. Eva pakte haar papieren bij elkaar, zocht de juiste passage en las: 'Zaterdag. Geen meldingen in Vastastan behalve dronkenschap, een paar mishandelingen, een diefstal bij de 7-Eleven aan de Sveavägen... Een overdosis in Guldhuset in Vasaparken, autodiefstallen, vernielingen. Een gewone zaterdag. Het enige afwijkende wat ik heb gevonden is een ongeïdentificeerde man die rond één uur 's nachts met schotwonden bij het Karolinskaziekenhuis is afgeleverd.'

'Wie is die man?'

Eva draaide zich om naar een van haar computers en begon iets in te tikken op een toetsenbord. Ze las voor van het scherm: 'Naam niet bekend. Hij had Duits gesproken in een koortsroes, vertelde het verplegend personeel aan de politiemensen ter plaatse. Verder nog geen onderzoeksgegevens, waarschijnlijk is hij nog steeds buiten kennis.'

'Afgeleverd, zei je?'

Eva knikte.

'Ja, door een personenauto die weer is weggereden.'


Even later stonden Gunilla en Anders bij een wit ziekenhuisbed naar het bewusteloze lichaam van Klaus Köhler te kijken.

'Ik weet het niet... Hij zou een van die twee kunnen zijn, de kleinste in dat geval.'

Gunilla wachtte op meer. Anders nam de tijd en keek vanuit verschillende hoeken naar Klaus. Gunilla werd ongeduldig.

'Anders?'

Hij wierp een korte, geërgerde blik op haar alsof haar gepraat hem stoorde in zijn concentratie.

'Ik weet het niet, kunnen we hem overeind zetten?'

Slangen, infusen en kabels liepen van de man naar de apparatuur die op een tafel op wieltjes naast zijn bed stond. Gunilla bukte en keek onder het bed.

'Ik geloof dat het hoofdeinde omhoog kan.'

Anders kwam erbij staan en vond een pedaal onder het bed. Hij zette zijn voet erop, de hydraulica begon te werken en tegen zijn wens in zakte het bed snel naar beneden. De slang van een infuus dat vastzat in Klaus' hand was klem komen te zitten onder zijn arm en toen het bed in de laagste stand terechtkwam, schoot de naald eruit. Een apparaat begon te piepen.

'Verdomme.'

Anders pakte de naald en stak die weer in Klaus' hand. Het apparaat begon nog harder te piepen. Uiteindelijk vond hij het juiste pedaal onder het bed. Klaus Köhlers bovenlichaam kwam majesteitelijk omhoog. Hoe rechter hij kwam te zitten, hoe meer lawaai er uit de machine kwam. De sinuscurve op een monitor vertoonde hoge toppen en diepe dalen. Anders keek naar de grond om een herinneringsbeeld boven te halen en keek daarna weer naar Klaus. Dit deed hij een paar keer achter elkaar, waarna hij de kamer verliet. Gunilla liep achter hem aan, de apparatuur piepte aanhoudend toen de deur achter hen dichtgleed.

'Nou?' vroeg Gunilla.

Er kwam een verpleegkundige hun kant op hollen door de gang.

'Misschien... Waarschijnlijk. Ergens daartussenin, maar net iets dichter bij "waarschijnlijk". Zeventig procent zou ik zeggen.'

Ze zat op een betonnen bloembak voor het ziekenhuis, met haar mobieltje tegen haar oor. Ze stelde vriendelijke vragen aan Sophie en kreeg vriendelijke antwoorden terug.

'Maar zouden jullie niet gaan eten?'

'Dat is er niet van gekomen. Hector moest opeens naar een bespreking, dus ik ben naar huis gegaan.'

Anders stond een eindje verderop. Hij doodde de tijd met pogingen steentjes in een asbak te gooien, wat een storend en rinkelend geluid maakte.

'*Is er iets gebeurd?*'

'Een paar details zijn niet helemaal helder.'

Sophie zei niets.

'Weet jij naar wie hij toe ging?'

'*Nee, geen idee.*'

Anders Ask raakte de asbak een paar keer. *Pling, pling, pling.*

'Echt niet?'

'*Nee. Wat is er, Gunilla?*'

\*

Met haar mobieltje in de hand ging ze bij de koffietafel in de kantine zitten en staarde naar het tafelzeiltje. Gunilla's woorden echoden door haar hoofd. Ze probeerde zich te herinneren wat ze had gezegd, hoe het gesprek was verlopen. Ze probeerde zich haar eigen toon te herinneren... *haar stijl.* Had ze iets verraden? Haar gedachten schoten alle kanten op. Het mobieltje in haar hand begon tegelijkertijd te rinkelen en te trillen. Ze was zo in verwarring dat ze vergat op het scherm te kijken.

'Hallo?'

Hij klonk kortaf. Hij zei dat hij haar wilde spreken en dat verbaasde haar. Ze vroeg waar Hector was.

*'Dat doet er niet toe,'* zei hij.

Ze voelde een plotseling onbehagen. Hij zei tegen haar dat ze na werktijd voor het ziekenhuis op hem moest wachten, dan haalde hij haar op.

'Dat kan niet,' antwoordde ze.

*'Jawel, dat kan wel,'* zei Aron en hij hing op.

Hij bleef achter het stuur zitten en keek haar niet aan, toen ze het portier opende en op de passagiersstoel ging zitten.

Aron reed het keerpleintje af en zette koers naar de snelweg. Maar in plaats van naar Stockholm af te slaan, nam hij de andere oprit, in de richting van Norrtälje.

'Waar gaan we heen?' vroeg ze.

Hij antwoordde niet en ze stelde de vraag nog eens.

'We gaan rijden en praten... Hou op met vragen.'

Ze reden over de snelweg. Na wat wel een eeuwigheid leek vroeg ze fluisterend: 'Wat is er, Aron?'

Aron gaf geen antwoord, hij leek haar niet te zien of te horen. De angst sloeg haar om het hart.

'Kun je niet zeggen waar we naartoe gaan?' vroeg ze smekend.

Hij hoorde haar ongerustheid vast wel, maar misschien was dat precies wat hij wilde.

Even later verliet hij de snelweg en hield rechts aan. Ze zag een bord voorbijschieten; 'Sjöflygvägen' las ze. Hij reed door in de richting van het water. Hij vond een afgezonderde plaats en zette de motor af. De stilte die volgde, was erger dan ze zich had kunnen voorstellen, zo compact en bijna boosaardig. Hij keek strak voor zich uit door de voorruit.

'Binnenkort ga je jezelf vragen stellen over die avond. En je zult er geen heldere antwoorden op hebben. En als je geen antwoorden vindt, zul je de behoefte hebben om je vragen met iemand anders te delen.'

Daar reageerde ze niet op.

'Doe dat niet,' zei hij zachtjes.

Sophie keek naar haar schoot en daarna naar buiten. De zon scheen, net als anders, en in de verte glinsterde het water.

'Weet Hector hiervan?' vroeg ze zacht.

'Dat doet er niet toe,' zei hij.

Ze voelde haar hart bonzen, de lucht in de auto leek ijler te worden.

'Bedreig je me, Aron?'

Nu draaide hij zich naar haar om en keek haar aan. Opeens reageerden haar traanbuizen op de angst die ze had gevoeld en dikke tranen rolden over haar wangen. Ze kuchte en veegde de tranen af met de mouw van haar shirt.

'Moet ik dit serieus nemen?'

Ze wist niet waarom ze die vraag stelde, misschien omdat ze wilde zien of er nog een greintje menselijkheid in hem zat.

'Ja,' zei hij beheerst.

Ze ontdekte dat haar armen trilden, een heel klein beetje maar; het was bijna niet te zien, maar die trillingen waren er wel. Haar armen deden pijn. En ze had een zere keel; het leek wel of alle onlustgevoelens zich daar hadden opgehoopt en ze deed haar best om niet te slikken... Maar ze wilde slikken, haar hele lichaam wilde het. Sophie wendde haar gezicht af van Aron en slikte.

'Kunnen we terugrijden?'

'Als je zegt dat je begrijpt wat ik tegen je heb gezegd.'

Sophie staarde door het raampje naar buiten.

'Ik begrijp het...' zei ze toonloos.

Aron boog naar voren en draaide de contactsleutel om. De motor sloeg aan.

# 12

Hasse Berglund stond in de rij in een hamburgerrestaurant. Het thema was Mexico. De malloten achter de toonbank hadden kleine plastic sombrero's op hun hoofd. Hij bestelde een 'El Jefe', een menu dat bestond uit een driedubbele burger met extra alles en twee zakjes frites. Hasse ging zitten, de schranspartij kon beginnen. Hij nam grote happen en ademde door zijn neus.

Een paar tafeltjes verderop zat een groepje allochtone jongeren. Zwartharig, bleek, met donzige snorretjes en zwarte trainingspakken. Ze waren luidruchtig, stonden stijf van de hormonen, waren pezig en kenden geen grenzen. Twee van hen begonnen te worstelen. Ze schreeuwden, veel te hard, veel te heftig, ze morsten ijs en frisdrank op de vloer.

Hasse keek naar hen, begreep niet dat ze zo bleek waren als ze uit een Arabisch land kwamen. Het was daarginds toch zonnig?

Hij kneep zijn ogen een stukje dicht toen het al te lawaaiig werd. Er ging een milkshake om en de smurrie stroomde over het tafeltje. Een van hen gaf een brul toen hij die rommel op zijn trainingsbroek kreeg. Een ander begon schuttingwoorden te roepen en een derde bekogelde zijn vrienden met ijsblokjes uit zijn frisdrankbeker.

Hasse keek al kauwend naar de jongens. Ze bleven worstelen. Taai, fel, onvoorzichtig... Het werd gewelddadig, de ene begon kwaad te worden. Hij begon te schreeuwen in een taal die Hasse niet herkende. Daarna deed de hele groep mee – een hels koor van jongens met de baard in de keel. Hasse deed zijn ogen dicht.

Achttien maanden geleden hadden Hasse Berglund en zijn collega's van de ME een jonge Libanees in elkaar geslagen op Norra Bantorget. De collega's wisten wanneer ze moesten stoppen, Hasse niet. De collega's hadden hem weggetrokken. Hasse was gekalmeerd, had een gebaar gemaakt dat het in orde was, dat hij zich kon beheersen. De collega's lieten hun greep verslappen, Hasse rukte zich los en deelde die laatste, heerlijke trap uit. De jongen was drie dagen bewusteloos geweest. De artsen constateerden gebroken ribben, inwendige bloedingen, een kaakfractuur en, een gebroken sleutelbeen. Tijdens het proces bezwoeren Hasses collega's zijn onschuld. Twee juryleden zaten te slapen en de officier van justitie was bevriend met iedereen in de zaal, behalve met de jongen. Een bebaarde arts getuigde dat het niet onmogelijk was dat de verwondingen door de jongen zelf waren veroorzaakt en de advocaat van de jongen, die snel verder moest naar een andere rechtszaak, stelde domme, ondoordachte vragen. Hasse ging vrijuit, de jongen hield er blijvend letsel aan over. Maar Hasses leidinggevende was het zat en stelde hem voor de keus: van de binnenstad naar het vliegveld, of van de binnenstad naar maakt-niet-uit-wat.

Hasse was naar Arlanda gegaan, had geprobeerd het prestigeverlies te verdringen, zonder succes. En daar zat hij nu al een eeuwigheid naar alle chocoladenegers en Hottentotten te luisteren, naar alle verzinsels en kletsverhalen waarmee ze het land probeerden binnen te komen, om mee te eten uit de staatsruif en ergens op een bankje qat te gaan zitten kauwen.

Maar toen opeens was hij gebeld. Een vrouwelijke rechercheur, Gunilla Strandberg, had gezegd dat hij met twee collega's van haar moest gaan praten. Hasse begreep er niets van. Maar alles was beter dan het vliegveld.

De jongens schreeuwden, Hasse kauwde zijn mond leeg, maakte zijn tanden schoon met zijn tong, haalde zijn politielegitimatie tevoorschijn en legde die op tafel neer. Hij haalde een paar keer diep adem, pakte toen een van zijn bakjes patat en gooide dat hard naar de jongens. Een van de herrieschoppers kreeg het bakje tegen zijn wang, een paar anderen kregen patat over zich heen. De jongens raakten van hun à propos, werden stil en staarden naar Hasse, die een nieuwe hap nam, zo groot dat die maar net in zijn mond paste.

Een van de jongens stond snel op en sloeg op zijn borst. Hij vroeg iets, maar Hasse nam niet de moeite om naar hem te luisteren. Hij was dat kromme allochtonen-Zweeds zo zat. De jongen kwam zijn kant op. Hasse Berglund stopte nog wat eten in zijn mond, bleef kauwen en stak zijn legitimatie omhoog en deed met dezelfde hand zijn jack open, liet het pistool in zijn schouderholster zien en wees met zijn kin.

'Ga zitten...'

De jongen deinsde terug en ging zitten. Hasse richtte en bekogelde de jongens stuk voor stuk met patat. Ze ondergingen de vernedering gelaten. Hasse gaf geen blijk van woede of vreugde, alleen van trefzekerheid, toen zijn patatjes ruggen, achterhoofden, armen en puisterige gezichten troffen.

Anders Ask en Erik Strandberg kwamen het restaurant binnen, zagen het drama dat zich afspeelde en kwamen naar zijn tafeltje toe.

'Jij moet Hasse Berglund zijn,' zei Erik.

Hasse keek hen aan, knikte en ging door met gooien.

'Ik ben Erik en dit is Anders.'

Erik ging zuchtend zitten. Hij had vandaag koorts, hij zweette, had last van koude rillingen, een constante druk op zijn voorhoofd en een droge mond.

Hasse liet een patatje met een hoge boog in een capuchon terechtkomen.

'Patatje oorlog, zie ik?' zei Anders.

'Ja, precies,' zei Hasse en hij gooide weer.

Anders deed mee, pakte een paar patatjes en gooide die naar de jongens. Hij was ook trefzeker. De jongens keken gekrenkt voor zich uit.

'Jij zat vroeger toch in de binnenstad?' vroeg Erik. Hij ademde zwaar, zijn bloeddruk was hoog.

'Yep.'

'En daarna op Arlanda?'

De patat raakte op.

'Zullen we nog wat bestellen?' vroeg Anders.

Erik schudde zijn hoofd en richtte zich tot de jongens.

'Een fijne dag verder, jongens. Pas goed op elkaar,' zei hij en hij wees dat ze moesten verdwijnen.

De jongeren stonden op en sjokten naar buiten. Daar begonnen ze met elkaar te vechten en tegen elkaar te schreeuwen, en verdwenen uit het zicht.

'Geweldige jongens!' zei Anders.

'De toekomst van Zweden,' zei Hasse.

Erik hoestte in zijn elleboog. Hasse dronk frisdrank met een rietje en keek Erik en Anders aan. Anders ging rechtop zitten en nam het woord.

'Je hebt met Gunilla gesproken, zij heeft je van het project verteld. Wij wilden jou ontmoeten.'

'Ik heb over jou gehoord, Erik, maar niets over ene Anders,' zei Hasse.

'Anders is adviseur...' zei Erik.

'En wat doet een adviseur?'

'Adviseren,' zei Anders.

Hasse vond een patatje op de stoel tussen zijn benen en at het op.

'En jij heet ook Strandberg?' vroeg Hasse. 'Net als Gunilla. Ben je met haar getrouwd of zo?'

Erik keek Hasse onderzoekend aan.

'Nee,' antwoordde hij.

Hasse Berglund wachtte op meer, maar dat kwam niet.

'Nou ja, dat maakt mij ook niet uit, ik vind het gewoon leuk om mee te doen, want daar gaat het toch zeker om? Dat jullie me werk aanbieden?'

'Ik geloof het wel. Wat zeg jij ervan, Anders?'

Anders gaf geen antwoord. Hasses blik ging van de een naar de ander.

'Kom op, ik zit verdomme op een vliegveld. Daar moet ik weg, anders schiet ik nog iemand dood. Ik ben flexibel, dat heb ik al tegen Gunilla gezegd.'

Erik probeerde gemakkelijk te gaan zitten op de harde kunststof stoel die aan de vloer vastzat en hoestte een paar keer rochelend.

'Oké, het werkt als volgt... We werken samen binnen de groep. We trekken Gunilla's beslissingen niet in twijfel, ze heeft altijd gelijk. Misschien komen de resultaten niet altijd in het door ons gewenste tempo, maar ze komen uiteindelijk wel. Dat weet Gunilla, daarom doen we wat ze zegt. Als je je eigen rol in het werk niet begrijpt, dan vraag je daar niet naar, je doet gewoon je werk en houdt je kop. Is dat duidelijk?'

Hasse dronk zijn frisdrankbeker leeg en je hoorde dat er ijs op de bodem lag.

'Oké,' zei hij toonloos nadat hij het rietje had losgelaten.

'En als je klachten hebt, als je het gevoel hebt dat je oneerlijk behandeld wordt, of je hebt iets anders te zeuren over de werkomstandigheden... Nou, dan vlieg je er meteen uit.'

Erik boog naar voren en nam een grote hap van de appeltaart, die Hasse nog niet had uitgepakt. Die was erg heet, zoals gebruikelijk, en hij kauwde met open mond terwijl hij verder praatte.

'We werken volgens een eenvoudig stramien. We maken dingen niet nodeloos ingewikkeld. Als je het goed doet, zul je beloond worden.'

Erik at Hasses appeltaart helemaal op. Hasse hield zich goed. Erik pakte een servet van tafel, wiste het koortszweet van zijn voorhoofd en snoot luidruchtig zijn neus.

'Je wordt binnenkort naar ons overgeplaatst. Klep dicht hierover, geen geklets hierover met andere collega's, wees alleen verrekte dankbaar, oké?'

'*Ten four*,' zei Hasse Berglund als een heuse tv-detective, met een scheve glimlach en een opgestoken duim.

Erik keek hem doordringend aan.

'Met dat soort fratsen hoef je bij mij niet aan te komen.'

Erik stond op en liep naar buiten. Anders trok een onschuldig gezicht, haalde zijn schouders op en liep achter hem aan.

*

Hij zat helemaal te shaken na het gesprek met Gunilla en Anders. De pillen deden niet wat ze moesten doen. Gunilla en Anders waren maatjes... Ze waren iets op het spoor, iets waar ze hem niet bij wilden hebben... Ze hadden hun twijfels over hem. Ze vertrouwden hem niet.

De nervositeit knaagde aan hem. Hij was snel naar huis gegaan en was met de recepten die hij van Rosie had gestolen naar de dichtstbijzijnde apotheek gereden. Daar stond een rij, het schoot niet op, de vrouw achter de kassa had geen haast. Een angstig gevoel drukte op zijn maag. De apothekeres begon vragen te stellen over een van de preparaten. Hij antwoordde kort en bondig, zei dat hij de zoon was van Rosie, dat hij het niet wist en ze alleen maar kwam ophalen. Hij krabde af en toe aan zijn wang.

Toen hij weer thuis was, keek hij het geneesmiddelenrepertorium erop na. Lyrica was verdomme net een verrassingsei, drie presentjes ineen: het hielp tegen epileptische aanvallen, zenuwpijn en angst. Rosie slikte de pillen voor haar zenuwen. Er stond 300 mg op het doosje, dat waren de sterkste. *Bingo.* Hij nam er twee, spoelde ze weg met oud water uit een glas op zijn bureau. Op het tweede recept had hij een neusspray meegekregen, die hij in de prullenbak gooide. Het derde recept, dat er anders uit had gezien en waar de apothekeres vragen over had gesteld, was Ketogan. Dat zocht hij ook op in het repertorium. *Verslavend middel. Bij het voorschrijven van dit geneesmiddel dient men de grootst mogelijke voorzichtigheid in acht te nemen.* Maar hij was immers al verslaafd, dat had de schoolzuster gezegd... en in Lars' hersenen ontstond de gedachte dat de pillen dan voor hem niet gevaarlijk waren. *Wat kon er nou helemaal gebeuren, verdomme?*

Hij las verder. Ketogan was morfine die gebruikt werd bij zeer ernstige pijn. *Zeer ernstige pijn.*

Hij rukte het doosje open. *Zetpillen – gadverdamme!* Maar nood breekt wet. Lars deed zijn broek naar beneden, ging op zijn hurken zitten en stopte een pil in zijn achterste en daarna nog een, en nog een... en nog een. Hij trok zijn broek op en liep naar de woonkamer. Het leven veranderde geleidelijk aan in iets wat zacht en complex was, en geen eisen aan hem stelde. Hij liep doelloos door de kamer en voelde opeens een enorme dankbaarheid voor alles in zijn leven. Alles viel op zijn plaats, alle gevoelens waren waar ze moesten zijn, ingekapseld en veilig en ze konden geen lawaai maken of kritische geluiden laten horen waaraan hij zich kon bezeren. Hij ging in een hoek zitten. De parketvloer voelde zacht aan. Lars ging liggen, het was net een watten waterbed. Hij keek naar de horizon van de vloer. Alles was zo mooi, zo ingewikkeld mooi, zo plezierig, niet te geloven hoe prettig een vloer kon aanvoelen, zo ongelooflijk prettig op zijn eigen platte manier...

Hij lag daar te genieten van alles wat hij begreep en toch ook weer niet. Toen het effect langzaam begon uit te werken, nam hij van alles nog een paar. De wereld werd een tijdlang interessant; zijn vingers begonnen met elkaar te praten en legden hem het eigenlijke gedrag van de natuur uit. Een gedrag dat drie stappen verwijderd was van de natuurwetten, twee stappen van Gods schepping... één stap van het scheppen van God... Toen viel Lars in slaap.

De wekker ging af als een luchtalarm. Er waren uren voorbijgegaan en de leegte die hij had gevoeld was uitgegroeid tot een enorm zwart gat dat al het licht in Lars' universum opslokte. Hij stond op zwakke benen op, zocht lukraak wat pillen bij elkaar en nam die in. Het zwarte gat trok zich terug en het leven werd weer gemakkelijk.

Hij reed naar Stocksund. Alle radiostations speelden goede muziek en hij bewoog op een rare manier mee.

Hij vond een schuilplaats voor de auto, zette zijn koptelefoon op, ging rechtop achter het stuur zitten en luisterde naar haar. Hoe ze daar in huis rondliep in haar eenzaamheid, eten kookte, met haar vriendin Clara telefoneerde en lachte om iets op tv.

Hij wilde haar huis binnengaan, meedoen aan wat zij deed, of er gewoon bij zitten en toekijken. Het werd donker en volkomen stil in het huis. Het verlangen begon aan hem te rukken en te trekken.

Rond halftwee 's nachts zette Lars zijn koptelefoon af, trok een donkere muts over zijn hoofd, opende voorzichtig het portier en liep naar haar huis.

Hij liep over asfalt, rook de geur van kamperfoelie, zonder dat hij wist wat kamperfoelie was, sloop haar tuin binnen en klom geruisloos de veranda op.

De loper deed zijn werk weer net zo goed als de vorige keer. Hij duwde de metalen plaatjes in het slot opzij, waarna Lars de kruk van de terrasdeur voorzichtig kon openen. Hij zette hem op een kier en haalde een bus CRC 5-56 uit zijn jaszak. Hij spoot twee keer snel een beetje olie op de binnenste scharnieren van de deur. De deur gleed geruisloos open.

Lars bleef stil in de woonkamer staan, bukte en maakte zijn veters los. Hij luisterde en hoorde alleen zijn hart slaan. Langzaam en voorzichtig begon hij de trap op te lopen naar de bovenverdieping. De oude houten trap kraakte zacht. Buiten op straat reed een auto langs. Lars vergeleek de geluiden, het aantal decibels leek hem ongeveer hetzelfde. Ze zou niet wakker worden van zijn voetstappen.

De deur naar haar slaapkamer stond op een kier. Lars stond stil, hij haalde rustig en methodisch adem totdat zijn ademhaling op een normaal niveau was en zette een stap op de zachte vloerbedekking. Er kwam een lichte, vage geur op hem af, als een onzichtbare zijden stof die door de kamer zweefde... *Sophie*. Daar lag ze. Als in een fantasie lag ze op haar rug met haar hoofd op haar kussen, een beetje scheef. Haar haren vormden de achtergrond, haar mond dicht, haar borstkas die rustig op en neer ging. Het dekbed kwam tot aan haar buik, ze droeg een nachthemd met kant. Zijn blik ging naar de contouren van haar borsten en bleef daar hangen. Wat was ze mooi. Hij wilde haar wakker maken om haar dat te vertellen: *wat ben je mooi*. Hij wilde naast haar gaan liggen, haar vasthouden en zeggen dat alles goed was. Ze zou begrijpen wat hij bedoelde.

Voorzichtig haalde hij de camera tevoorschijn, schakelde de flitser en het geluid uit en ving haar in de lens. Geluidloos nam hij een stuk of dertig close-upfoto's van de slapende Sophie.

Hij wilde net weggaan toen zijn blik weer op haar borsten viel. Lars staarde ernaar en fantasieën uit het diepst van zijn verwarde persoonlijkheid begonnen gestalte te krijgen. Lars sloop dichter naar haar toe... en nog dichter. Ten slotte was hij vlak bij haar gezicht. Hij zag haar huid, de kraaienpootjes, de lijnen... Hij deed zijn ogen dicht, hij rook, hij wenste...

Ze bewoog in haar slaap en maakte een geluidje. Lars deed zijn ogen open, liep voorzichtig achteruit en verliet geruisloos het vertrek.

Hij was buiten adem toen hij in zijn auto stapte. Hij had het gevoel dat hij met haar had gevreeën, het gevoel dat hij voor het eerst in haar was geweest. Hij voelde zich sterk, veilig en gelukkig. Hij wist dat zij hetzelfde voelde. Ze moest hem in haar slaap hebben ontmoet, in haar droom. Zo was het natuurlijk, hij was haar reddende engel, die in haar leven was zonder dat zij dat wist, die met haar vrijde als ze sliep, die haar tegen het kwaad beschermde wanneer ze wakker was. Hij nam weer een paar pillen en de omgeving veranderde van kleur, zijn tong leek wel groter geworden en het geluidsbeeld werd rommelig.

Lars reed langzaam de stad in en passeerde het Natuurhistorisch Museum in het bleke schijnsel van de straatlantaarns. Hij zag een gigantische pinguïn die hem vragend aankeek.

\*

Sophie had nachtmerries gehad, waarover wist ze niet meer. Ze werd met een naar gevoel wakker. Het gevoel dat ze in gevaar was geweest, een nare gewaarwording. Ze stapte uit bed, ze had te lang geslapen. Beneden hoorde ze de stofzuiger.

Ze had Dorota een hele poos niet gezien. Sophie was anders altijd op haar werk wanneer Dorota kwam schoonmaken, maar vandaag was ze vrij. Ze was blij haar weer te zien; Dorota was aardig, Sophie mocht haar graag.

Toen ze beneden kwam, zwaaide Dorota vanuit de woonkamer, waar ze aan het stofzuigen was, Sophie glimlachte terug en liep de keuken in om haar ontbijt klaar te maken.

'Ik kan je straks wel thuisbrengen!' riep ze.

Dorota zette de stofzuiger uit.

'Wat zei je?'

'Ik kan je straks wel thuisbrengen, Dorota.'

Dorota schudde haar hoofd.

'Dat hoeft niet, ik woon zo ver weg.'

'Nee, dat is niet zo. Dat zeg je altijd maar.'

Dorota zat voorin met haar handtas op schoot. Ze waren de Stocksundbron over gereden en sloegen af bij Bergshamra.

'Wat ben je stil, Dorota. Is alles goed, gaat het goed met je kinderen?'

Ze reden een poosje verder.

'Misschien ben ik moe,' zei Dorota en ze keek uit het raam.

'Je mag wel vrij nemen als je dat wilt.'

Dorota schudde haar hoofd.

'Nee, ik kan wel werken. Ik ben niet op die manier moe, maar moe in mijn hoofd als je dat zo kunt zeggen?'

Dorota probeerde te glimlachen en liet haar blik vervolgens rusten op de wereld buiten, op alles wat er langskwam. Haar geforceerde glimlach verdween. Sophie keek beurtelings naar Dorota en naar de weg.

Dorota woonde in Spånga, daar woonde ze al zolang Sophie haar kende. Bijna twaalf jaar geleden was ze voor het eerst bij hen thuis geweest. Ze hadden een vriendschap opgebouwd. Sophie zag dat Dorota zichzelf niet was en dat was voor het eerst. Ze was altijd vrolijk, vertelde over haar kinderen en lachte om de verhalen van Sophie. Maar nu was ze in zichzelf gekeerd. Sophie keek nog eens. Ze keek verdrietig, misschien wel bang.

Sophie parkeerde de auto bij Dorota voor de deur op het Spånga Torg. Dorota bleef even zitten voordat ze de veiligheidsgordel losmaakte en tegen Sophie zei: 'Dag, bedankt voor het brengen.'

'Ik zie dat je ergens mee zit,' zei Sophie. 'Als je wilt praten, dan weet je me te vinden.'

Dorota bleef zwijgend zitten.

'Wat is er, Dorota?'

Ze aarzelde.

Sophie wachtte.

'De vorige keer dat ik bij jullie kwam schoonmaken, waren er twee mannen in huis.'

Sophie luisterde.

'Ik dacht eerst dat het familieleden of vrienden van jullie waren, maar ze begonnen te dreigen, ze hebben me bedreigd.'

Sophie werd koud.

'Ze zeiden dat ze van de politie waren en dat ik problemen zou krijgen als ik iets vertelde.'

Sophies gedachten schoten alle kanten op.

'Het spijt me, Sophie, het spijt me dat ik het niet heb gezegd, maar ik durfde het niet... Maar nu ben ik van gedachten veranderd. Je bent altijd zo aardig voor me.'

'Wat deden ze? Begreep je wat ze daar deden? Hebben ze iets gezegd?'

Dorota schudde haar hoofd.

'Nee, ik weet niet. De ene probeerde aardig te zijn, de andere was verschrikkelijk, koud en... Ik weet niet. Hij leek me een slecht mens. Ze zeiden niet wat ze daar deden. Nadat ze met mij hadden gesproken gingen ze weg.'

'Waar naartoe?'

'Naar buiten.'

'Door de deur? Hoe waren ze binnengekomen?'

Sophie hoorde haar eigen angst.

'Dat weet ik niet. Ze verdwenen door de terrasdeur. Verder weet ik het niet.'

Sophie probeerde na te denken.

'Vertel wat ze allemaal zeiden.'

Dorota deed haar best om het zich te herinneren.

'De ene zei dat hij Lars heette. Dat is de enige naam die ik gehoord heb.'

'Lars?'

Sophie wist niet waarom ze die naam herhaalde.

'Lars hoe?' ging ze verder.

Dorota haalde voorzichtig haar schouders op.

'Weet ik niet.'

'Hoe zagen ze eruit? Probeer zo duidelijk mogelijk te zijn.'

Dorota had deze reactie van Sophie niet verwacht. Ze zette haar hand tegen de ene kant van haar hoofd en keek schuin naar beneden, waar niets te zien was.

'Ik kan het me zo slecht herinneren...'

'Probeer het, Dorota.'

Sophie was kort aangebonden. Dorota zag haar smeekbede.

'De ene, die zich voorstelde als Lars, was een jaar of dertig, vijfendertig, denk ik. Blond...'

Ze dacht na, doorzocht haar geheugen.

'Hij leek bang... onzeker.'

Sophie luisterde.

'De tweede was gewoner, moeilijk te beschrijven. Rond de veertig, of iets jonger. Donker haar met hier en daar wat grijs... Hij zag er aardig uit, maar hij was gemeen. Hij had vriendelijke ogen. Donker en rond... Net een klein jongetje.'

Dorota huiverde.

'Oef, hij was verschrikkelijk.'

Sophie keek naar de vrouw en zag haar angst. Sophie boog zich naar haar toe en omhelsde haar.

'Dankjewel,' fluisterde ze in de omhelzing.

Ze lieten elkaar los en keken elkaar aan. Dorota streelde Sophie over haar wang.

'Heb je problemen?'

'Nee... Nee, ik heb geen problemen. Dankjewel, Dorota.'

Dorota keek haar aan.

'Die gemene heeft mijn identiteitsbewijs meegenomen, hij zei dat ik tegen niemand iets mocht zeggen. Je moet me beloven dat je niets stoms doet. Hij meende het... Hij weet wie ik ben.'

Sophie nam Dorota's hand in de hare.

'Ik beloof het, Dorota. Er zal je niets gebeuren.'

Sophie reed Spånga uit. Ze reed mee met het verkeer, wisselde van rijstrook, hield zich aan de maximumsnelheid. Ze bevond zich in een vacuüm waar geen plaats was voor gedachten of gevoelens. Daarna werd er ergens een sluis opengezet en een laaiende woede stroomde naar buiten als water door een doorgebroken dam, verspreidde zich door haar hele lichaam en vulde haar tot ze bijna knapte.

# 13

Zijn vermoeidheid was overgegaan in nerveus wakker zijn. Jens voelde zich high toen hij München binnenreed. Hij had twee nachten niet geslapen en functioneerde nu op pure wilskracht.

Het adres dat Michail hem had gegeven bleek in een slaperige villawijk te liggen, waar identieke huizen uit de jaren zestig dicht opeengepakt stonden. Kleine gazonnetjes, een inpandige garage, niet al te luxe. Jens stopte bij nummer 54, stapte uit en keek om zich heen. Nergens een mens te zien. Hij liep een tegelpad over en voelde aan de voordeur; die zat niet op slot. Hij deed de deur open en stapte voorzichtig het huis binnen.

'Hallo?'

Geen antwoord. Er stonden geen meubels, alleen een oude bank in iets wat een woonkamer moest voorstellen. Verticaal gestreept, bleek behang uit lang vervlogen tijden en hier en daar bruine vochtvlekken tegen het plafond en op de vloer. Hij nam een kijkje in de keuken. Een tafel met twee stoelen, een koffiezetapparaat; het was er doodstil. Jens draaide zich om en keek naar de voordeur die hij zojuist achter zich dicht had gedaan. In de deurpost, een decimeter boven de vloer, zaten twee elektrische lichtdiodes. Hetzelfde type dat je in winkels ziet, die een 'pling' veroorzaken als de lichtstraal wordt onderbroken. Hij inspecteerde de amateuristisch aangelegde installatie, volgde de bijbehorende kabel en zag dat die aan een dunne telefoondraad gekoppeld zat, die slordig achter de plafondplint was weggemoffeld.

Hij kreeg haast en rende naar de bovenverdieping. Twee slaapkamers en een badkamer. Hij zocht in kasten, zocht met zijn ogen vloeren en wanden af om een geheime ruimte te vinden. Hij rende weer naar beneden, herhaalde de procedure in de keuken, de woonkamer en de achterkamer. Leeg. Jens overwoog ervandoor te gaan, besefte dat hij misschien belazerd was of in de val gelokt. Wat was erger: de Russen die hun spullen niet kregen of die rottige Duitsers die misschien onderweg waren? Het antwoord luidde: de Russen. Hij moest zijn wapens terug zien te krijgen.

De kelderdeur ging moeilijk open, hij klemde. Hij rukte en trok, maar kon er geen beweging in krijgen. Jens ging er een meter vanaf staan, haalde uit en gaf een trap. Na nog twee harde trappen gaf de deur mee.

Uit de donkere kelder sloeg een zware lucht hem tegemoet toen hij de trap in drie stappen afdaalde. Jens zocht met zijn handen langs de muur naar een lichtknopje. De seconden verstreken, hij kon geen knopje vinden, struikelde ergens over en tastte verder langs de muur. Nu kwam er een andere geur op hem af, een bekende geur – van iets doods. Die had hij in de herfst in het buitenhuis geroken, toen de muizen een plekje binnen zochten en in de muren doodgingen. Dezelfde geur, maar dan scherper en sterker. Hij kokhalsde, ademde in zijn elleboog en liep verder, met zijn andere hand langs de muur.

In de verste hoek van het vertrek vond hij een schakelaar en die draaide hij om. De lampen kwamen slaapdronken tot leven en in het flikkerlicht van de tl-buizen zag Jens een lichaam. Hij stond in een garage zonder auto's, een ruimte badend in een bleek, koud licht. Het lichaam lag op zijn rug dwars over zijn wapenkisten, midden in het vertrek. De keel van de man was doorgesneden. Zijn gezicht was opgezet, lichtgeel en wasachtig. Jens bleef als versteend naar het lijk staan kijken. Hij wist niet wat hij moest doen, hij probeerde de paniekgevoelens waar hij last van begon te krijgen weg te drukken.

Hij hoorde boven de voordeur open- en dichtgaan en het galmende geluid van voetstappen door de lege kamer drong tot in de kelder door. Boven aan de trap doken een paar grote schoenen op.

'Boven komen,' gromde Michail.

Toen Jens de trap op liep, pakte Michail hem beet, fouilleerde hem, zocht naar wapens, vond niets en duwde hem weg.

Op de oude bank zat een jongeman in een pak en een wit overhemd met een paar knoopjes los. Bij het raam aan de straatkant stond een oudere man met de rug naar Jens toe. Hij was correcter gekleed, stijver.

'Je zegt dat je niets met de Guzmans te maken hebt, hoor ik.' Ralph Hanke draaide zich om.

'Er ligt een dooie op mijn kisten in de kelder,' zei Jens.

'Jürgen?'

'Het kan me niet schelen hoe hij heet. Willen jullie zo vriendelijk zijn hem weg te halen?'

Ralph glimlachte. Jens bekeek hem goed en constateerde dat zijn glimlach vreugdeloos was en alleen uit opgetrokken mondhoeken bestond.

'Op Jürgen hebben we lang jacht moeten maken. Hij had ons veertigduizend euro door de neus geboord, snap je? Hij dacht dat het niet op zou vallen. Wat koop je tegenwoordig voor veertigduizend euro? Een beetje auto is duurder. Maar Jürgen kon het niet laten.'

Ralph keek weer naar de straat.

'Hij heeft ons nog met meer dingen problemen bezorgd... We vermoorden geen mensen om veertigduizend euro... We zijn geen monsters.'

'Willen jullie zo vriendelijk zijn die dooie van mijn spullen te halen, dan kan ik weg. Ik had een afspraak met Michail hier,' ging Jens verder.

'Die geldt nog steeds... in principe. Ik wil met je praten voordat je vertrekt.'

Jens keek naar Christian, die hem de hele tijd strak aanstaarde. Ralph draaide zich om.

'Mijn zoon Christian,' zei Ralph.

Jens liet met een schouderophalen zien hoe weinig hem dat kon schelen.

Ralph kwam ter zake.

'Ik wil de Guzmans uitnodigen. Ik wil dat ze bij ons komen... Wij nemen hun zaken van nu af aan over. Zij worden werknemers, zou je kunnen zeggen. Goede arbeidsvoorwaarden.'

Jens haalde zijn schouders op.

'Jullie hebben de verkeerde voor. Ik heb niets met de Guzmans te maken. Ik ben hier om mijn spullen te halen, verder niet.'

Ralph haalde diep adem en schudde zijn hoofd.

'Nee, jij moet mijn voorstel overbrengen, ons bellen en vertellen hoe het is ontvangen. Jij moet hierin bemiddelen. En zolang ik in dit vertrek ben, zijn alle afspraken met Michail niets waard... Sorry.'

Ralph pauzeerde even voor het effect.

'Michail zegt dat hij jou een paar keer is tegengekomen. Jij bent geknipt voor die taak. Als ik met een bemiddelaar zou komen, zouden de Guzmans zich daartegen verzetten. Ik wil dat jij naar huis gaat met die vraag en je neemt je wapens mee. Als je ervoor kiest om niet te doen wat we je vragen, dan komen we je opzoeken.' Ralph haalde zijn schouders op om aan te geven dat Jens het vervolg waarschijnlijk zelf wel kon invullen.

Jens besefte dat hij kansloos was. Als Michail niet in het vertrek was geweest, was hij vader en zoon te lijf gegaan, dat zou niet onplezierig geweest zijn.

'En wat is de vraag?'

Ralph dacht na.

'Het is geen vraag. Zeg maar dat we hen willen uitnodigen, ze begrijpen wel wat ik daarmee bedoel.'

'Ik zal jullie laten weten wat het antwoord is, dan is het wat mij betreft klaar,' zei Jens.

'Wie is de vrouw?'

De vraag kwam plotseling en Jens hield zich van de domme.

'Welke vrouw?'

'De vrouw die achter het stuur zat toen jullie Hector zo heldhaftig redden?'

'Weet ik niet. Een vlam van Hector, neem ik aan.'

Ralph knikte.

'Is hij er zo een?'

'Wat voor een?'

'Een rokkenjager?'

'Daar kan ik geen antwoord op geven.'

'Hoe heet ze?'

Jens schudde zijn hoofd.

'Weet ik niet.'

Ralph staarde Jens aan en keek hem een poosje in de ogen, op zoek naar iets.

'Michail blijft hier om je met je spullen te helpen,' zei hij en hij draaide zich om en liep naar de deur. Christian stond op van de bank en liep achter hem aan. Ze verlieten het huis, de deur ging dicht en het werd stil.

Michail wees naar de keldertrap. Jens keek naar het monster dat voor hem stond. Hij wreef de vermoeidheid uit zijn ogen en liep zuchtend de keldertrap af. Michail kwam achter hem aan.

Ze tilden de dode Jürgen van de kisten, droegen hem een soort oude bijkeuken in en legden hem op de koude vloer. Ze liepen terug naar de garage.

'Hoe gaat het met Klaus?' vroeg Michail zacht.

'Beter dan met Jürgen...'

Michail vroeg het nog eens.

'Wat interesseert jou dat?' vroeg Jens.

'Het interesseert me.'

Hij bleef bij zijn kisten staan.

'We hebben hem naar de spoedeisende hulp gebracht, het komt wel goed met hem.'

Michail liep weg en trok de garagedeur omhoog. Het vertrek vulde zich met daglicht. Ze pakten een van Jens' kisten ieder aan een kant vast, tilden hem gelijktijdig op en liepen naar zijn auto, die langs het trottoir geparkeerd stond.

'Klaus is een goed mens.'

Ze duwden de kist de bagageruimte in.

'Wat is jouw definitie van een goed mens?' vroeg Jens.

Michail gaf geen antwoord, ze liepen de garage weer in en sjouwden de tweede kist naar de auto. Daarna liet Jens de achterklep dichtvallen.

'Geef me je nummer,' zei Michail.

Jens gaf hem zijn mobiele nummer van dat moment. Michail stuurde een contact naar hem door. Jens' mobieltje piepte.

'Wanneer je met de Guzmans hebt gesproken, moet je dit nummer bellen. Zorg dat je iets voor elkaar krijgt. Het is een teringzooi,' zei

Michail en zonder afscheid te nemen liep hij het huis in met zijn waggelende gang.

Jens reed München uit en zette koers naar Polen. Door Tsjechië was korter, maar hij wilde grote grensovergangen zo veel mogelijk mijden. Hij reed verder door Duitsland en hoopte op een eenvoudige grensovergang ergens. Die vond hij bij de Duitse stad Ostritz en hij glipte zonder problemen Polen binnen.

Hij belde Risto, vertelde dat het allemaal mis was gelopen met de wapens, maar dat hij nu onderweg was. Hij vroeg Risto of hij de Russen kon overhalen geen punt te maken van de vertraging, dat hij akkoord ging met een kleine korting, maar dat hij niet wilde dat ze stennis zouden maken. Hij zou over zeven uur in Warschau zijn, hij gaf Risto de naam van een hotel waar hij de volgende dag te bereiken was. Risto zou zien wat hij kon doen.

Het was donker buiten, het leek net of dit deel van het Poolse platteland zonder stroom zat. Overal dichte duisternis. Hij kwam geen auto's tegen, zag geen verlichte ramen van huizen in de verte. Hij kreeg heel even het gevoel dat hij alleen was op de wereld. *Ka-boem, ka-boem.* Het klonk als een trein toen de banden over de naden tussen de betonblokken reden. Het geluid was eenvormig en hypnotiserend. Zijn ogen raakten niet aan het duister gewend. De koplampen verlichtten maar een klein kegelvormig deel van de weg voor hem, die er steeds hetzelfde uitzag. Even grijs en nietszeggend als het duister om hem heen. *Ka-boem, ka-boem...* Het geluid veranderde in een wiegelied. Jens begon te knikkebollen achter het stuur, draaide het raampje open, probeerde wakker te blijven door luid te zingen. Dat werkte niet, hij stopte met zingen, dacht dat hij zong, het liedje ging door in zijn hoofd. Hij knikkebolde. *Ka-boem, ka-boem...* en opeens een ander geluid ergens. Een doordringend geluid. Zijn mobiel!

Hij zou van de weg geraakt zijn als zijn mobieltje niet was gegaan. Hij zat al bijna in de greppel en gaf een heftige ruk aan het stuur. Hij schoot de weg weer op en zuchtte zijn schrik weg.

'Hallo?'

*'Heb ik je wakker gebeld?'*

'Gelukkig wel. Bedankt.'

'*Ik ben het, Sophie.*'

'Ik hoor het.'

'*Waar ben je?*'

'Ik zit in de auto.'

Hij deed het raampje dicht en minderde vaart om haar beter te kunnen verstaan.

'*Ik geloof dat ik hulp nodig heb.*'

'Wat voor hulp?' vroeg hij.

'*Er is iemand bij me in huis geweest.*'

'Bel je vanuit huis?'

'*Nee. Uit een van de weinige telefooncellen die nog bestaan.*'

'Mooi.'

Eonen van stilte.

'Voel je je bedreigd?'

'*Ja... Maar niet acuut.*'

'Ik ben over een dag of twee terug, neem dan weer contact met me op. Als er voor die tijd iets gebeurt, moet je bellen.'

'*Oké.*'

Ze bleef aan de lijn, alsof ze niet wilde ophangen. Hij luisterde naar haar ademhaling.

'*Ik wist niet wie ik moest bellen.*'

'Wees voorzichtig,' zei hij en hij hing op.

Het werd hem allemaal bijna te veel. Hij vond een pakje sigaretten in het vak van de deur, stak een sigaret aan met de autoaansteker, liet het raampje weer naar beneden gaan en blies de rook naar buiten. Hij ademde Poolse landlucht in, licht gekruid met de geur van bruinkool van een vuilverbrandingscentrale in de buurt.

*

Autoruil. Lars had de Volvo verruild voor een Saab. Een oude, donkerblauwe 9000 waarmee hij naar Stocksund reed, de opnameapparatuur in de kofferbak.

Hij parkeerde de auto, zorgde voor de ontvangst, schakelde stemactivering in, sloot de auto af en wandelde naar Stocksund Torg. Daar nam hij een bus die hem afzette bij het Danderydsziekenhuis, waar hij de onderwereld in glipte en de metro naar het centrale metrostation nam.

In de metrowagon bleef hij bij de deuren staan en hield zich vast aan een stang aan het dak. Die klootzakken waren bezig hem bij het vuil te zetten, hij wist het. Gunilla's gedrag wees erop, hoe ze hem negeerde, niet uitnodigde, hem op eeuwigdurende observatieopdrachten uitstuurde en geen commentaar gaf op zijn verslagen. Hem behandelde als een vluchtige kennis, dat vond hij afschuwelijk. En dan was er ook nog een grote, achterlijke racist met een onderkin opgedoken bij bureau Brahegatan. Gunilla had hem voorgesteld als de nieuwe aanwinst van de groep. Hans Berglund: gewezen ME'er, gewezen luchthavenagent, een grote loser met een buikje, dacht Lars. Hij kwam helpen, had ze gezegd. O ja, waarmee dan wel? Moest hij Lars' plaats innemen? Wat hadden Gunilla en Anders in Humlegården gezegd? Wat was er aan de hand? Hoe meer hij erover nadacht, hoe groter zijn verwarring. Verdomme, zijn hersenen werkten niet naar behoren. Hij probeerde zich te concentreren door zijn ogen dicht te doen en vakjes te creëren in zijn hoofd, doosjes waarin hij de verschillende gebeurtenissen stopte die bij elkaar hoorden. Het werden drie doosjes, een voor Gunilla, een voor zijn observatie en een voor Sophie. Dat was een goed begin. Hij stopte een aantal gebeurtenissen in verschillende doosjes, maar daarna begon hij te twijfelen en verhuisde gebeurtenissen van het ene naar het andere doosje. Hij werd boos toen hij zijn concentratie verloor, betrapte zichzelf erop dat hij stond te mompelen en deed zijn ogen open.

Een vader met een buggy keek hem bezorgd aan en wendde zijn ogen af. Lars deed zijn ogen weer dicht en probeerde bij zijn doosjes te komen, maar werd daarbij gestoord toen iemand in de buurt zijn neus snoot. Een stem riep 'Technische Hogeschool' door de luidspreker en dreunde een mededeling af over overstappen op de Roslagslijn. Het lukte niet meer, Lars gaf het op en de doosjes verpulverden in zijn bewustzijn.

De deuren gingen open en er kwam een dronkenlap het rijtuig in die een jonge vrouw begon lastig te vallen die achterin een boek zat te lezen. Een halfjaar eerder zou Lars erop zijn afgestapt, dan had hij zijn politielegitimatie laten zien en de man gesommeerd uit te stappen. Nu maakte hij zich er niet druk om, hij had schijt aan alles en keek naar de grond. De dronkenlap leefde zich uit – de vrouw leed.

Hij zat op de grond in zijn werkkamer, schetste iets op een blaadje, schreef alles op wat er gebeurd was en stelde zichzelf vragen: Gunilla, Sophie, de auto bij Haga. Wat wist Gunilla wat hij niet wist? Lars schreef en tekende op het blaadje: namen, pijlen, vraagtekens. En Anders... Wat deed Anders Ask bij Gunilla?

Nog meer vragen, maar niet meer antwoorden. Hij schreef, dacht na, schreef weer, het werd kladwerk, te veel tekst, te veel vraagtekens.

Lars stond op, keek naar de twee foto's aan de muur: een aap in een Hawaii-shirt die op de wc zat met een wc-rol in zijn mond. Die hing al op zijn kamer toen hij nog klein was, die was hem overal gevolgd. Daarnaast een uitvergroting van een foto van Ingo Johansson in korte broek en met bokshandschoenen, licht voorovergebogen, klaar voor de aanval. Die had Lars van zijn vader gekregen toen hij acht werd. 'Ingo is geen meid, dat moet je verdomd goed begrijpen, jongen.' Lennart dronk altijd vier Rob Roys voor het eten, hij vond het leuk om veel te hard met hem te boksen, zei dat de Joden de wereld regeerden en dat Olof Palme communist was, dat was het ongeveer...

Lars haalde de foto's van de aap en van Ingo van de muur, zette ze op de grond en pakte een dikke viltstift van zijn bureau. Hij ging voor de grote witte muur staan en bracht wat hij zojuist op het blaadje had geschreven over op de muur. Hij schreef, tekende en schiep. Hij deed een stapje naar achteren en keek naar zijn werk, evalueerde het... Er ontbrak nog iets.

Lars printte een foto van Sophie uit die hij op zijn computer had staan, hing die in het midden, deed weer een stap naar achteren en bekeek het resultaat. Ze staarde hem aan, hij staarde terug. Er begon zich iets af te tekenen wat hij niet begreep. Lars krabde met zijn nagels over zijn hoofd, zijn hart ging sneller slaan. Hij printte nog meer foto's uit, foto's van iedereen die met de zaak te maken had en hing ze in waaiervorm om haar heen. Hij schreef erbij wie het waren, wat ze hadden gedaan, wat ze niet hadden gedaan... Hij tekende rode strepen tussen alle gezichten om samenhang te vinden.

Alle lijnen liepen naar Sophie.

*

Hector had gebeld. Zijn stem klonk bijna nederig, behoedzaam, alsof hij haar niet bang wilde maken of lastigvallen. Hij had haar om hulp gevraagd. Ze begreep dat het een smoes was om elkaar te kunnen ontmoeten.

Hector lag op de bank in de woonkamer van zijn woning in de oude binnenstad. Sophie zat bij zijn ingegipste been en onderzocht de scheur aan de bovenkant. Ze wiebelde voorzichtig met het gips.

'Ik kan het niet bepalen. Je moet naar het ziekenhuis, er een arts naar laten kijken.'

'Haal het eraf,' zei hij.

'Het moet nog zeker een week blijven zitten.'

'Ik heb geen pijn, ik kan mijn been onder het gips bewegen, dus dan is het toch al te laat.'

'Hoe lang loop je al zo?'

'Sinds die avond,' zei hij.

*Die avond...* Ze wilden het geen van beiden over die avond hebben, zij al helemaal niet.

'Weet je het zeker?' vroeg ze.

'Wat?'

'Dat het gips eraf moet. Het kan te vroeg zijn, er kunnen complicaties ontstaan.'

Hij knikte.

'Haal het eraf.'

'Tang, schaar?'

'In de keuken, het tweede laatje van boven. Er zit een tang in de gereedschapskist onder de gootsteen.'

Ze stond op, liep de keuken in en begon in zijn keukenlaatjes te rommelen. Ze vond een schaar. Daarna keek ze in het gootsteenkastje, haalde de gereedschapskist eruit, maakte hem open en vond wat ze zocht: een tang met een platte bek. Wel een kleine, het zou niet snel gaan.

Ze liep weer naar de woonkamer. Hij lag onderuitgezakt op de bank en volgde haar met zijn blik. Sophie ging weer bij zijn benen zitten, begon het gips met de tang van boven naar beneden door te knippen en omhoog te wippen. Ze voelde dat hij naar haar keek.

'Dit had je zelf ook gekund,' zei ze.

Ze ging door met knippen.

'Het was niet de bedoeling dat je erbij zou zijn,' ging hij verder.

'Dat heeft Aron me al duidelijk gemaakt,' zei ze kort.

'Hij maakt zich zorgen, ik niet.'

Ze keek Hector aan.

'Moet ik dat geloven?'

'Ja.'

'Dat jij je geen zorgen maakt?'

Hij schudde zijn hoofd.

'Totaal niet, helemaal nergens over.'

'Waarom niet?' vroeg ze.

'Omdat ik je ken.'

'Nee, je kent me niet.'

'Omdat je me mag,' zei hij.

Ze keek hem aan; die woorden bevielen haar niet, zijn stijl en zelfs de glimlach op zijn gezicht bevielen haar niet.

Hij moest haar reactie hebben gezien. Zijn glimlach verdween. Ze knipte weer verder.

'Ik ben geen slecht mens,' zei hij opeens.

Ze reageerde niet, deed haar werk en registreerde voor het eerst een soort wanhoop in hem. Die was niet sterk, maar voelbaar aanwezig in het vertrek. Een lichte paniek die hij in toom probeerde te houden.

'Hoe zit het met je man?' vroeg hij. Hij probeerde nonchalant te klinken. Alsof ze weer in het ziekenhuis waren en 'Tien vragen aan...' met elkaar speelden.

De tang ging traag door het gips.

'Je hebt het nooit over hem,' ging hij verder.

'Toch wel. Je hebt eerder naar hem gevraagd.'

'Dat wel, maar je vertelt niets.'

'Hij is dood,' fluisterde ze, haar aandacht bij de tang die ze stevig vasthield.

'Ja, maar je kunt toch wel iets vertellen?'

'Je hebt er niets mee te maken.'

'Toch wil ik het weten.'

Ze stopte met knippen en keek hem aan.

'Waarom?'

'Waar ben je zo bang voor?'

Haar ergernis groeide snel.

'Ja, waar zou ik nou zo bang voor zijn, Hector?'

Haar sarcasme gleed langs hem heen.

'Hadden jullie een goed huwelijk, David en jij?'

Wat wilde hij? Ze liet de tang los.

'Ik begrijp het niet, Hector.'

'Wat begrijp je niet?'

'Dit niet. Wat wil je?'

'Ik wil weten wie je bent, wat je bagage is. Waar we heen gaan...'

Ze kreeg opeens een naar gevoel.

'Waar we heen gaan? Ik weet het niet... Vind jij niet dat de situatie veranderd is?'

'Nee, dat vind ik niet.'

Ze merkte dat ze hem aanstaarde. Misschien was hij emotioneel gestoord. Niet in staat te begrijpen dat ze bang was na wat er was gebeurd, na de bedreigingen van Aron. Misschien leefde hij in een heel andere wereld... Misschien waren Gunilla's waarschuwingen terecht.

Haar gedachten beangstigden haar. Opeens baarde het haar zorgen dat ze daar met hem was. Ze kreeg het gevoel dat ze op wilde staan en weglopen, een sterke vluchtimpuls, dat ze hem daar wilde achterlaten. Maar dat kon ze niet. Dus ze vermande zich en probeerde het gesprek op gang te houden om haar angst te verbergen. Ze ging verder met het doorknippen van het gips.

'Nee, we hadden niet zo'n goed huwelijk,' zei ze zacht.

Sophie probeerde haar herinneringen te vangen.

'David was een egoïst,' begon ze. 'Zo'n type was hij, erg met zichzelf bezig. Het duurde een paar jaar voor ik daarachter was. Daarna kwam ook aan het licht dat hij me ontrouw was geweest. Ik wilde scheiden en toen, midden in mijn voorbereidingen, werd bij hem de diagnose gesteld. Hij vroeg of hij alsjeblieft mocht blijven. Ergens rekende hij er waarschijnlijk op dat ik voor hem zou zorgen. Hij werd steeds zieker en bang om dood te gaan, hij eiste onnoemelijk veel begrip en aandacht. Daar werd vooral Albert de dupe van; hij begreep er niets van.'

Ze keek Hector aan.

'David gedroeg zich slecht...' ging ze verder. 'Dat herinner ik me van hem.'

Ze knipte in het gips. Hector zei niets, knikte niet.

'En Albert?'

'Die huilde.'

Hector wachtte op meer, maar dat kwam niet. Sophie wrikte het gips omhoog, haalde het eraf en legde een deken over zijn blote benen.

'Zo, Hector, je bent weer vrij man.' Ze probeerde te glimlachen toen ze hoorde hoe onpersoonlijk ze klonk en kwam half overeind.

'Wacht,' zei hij en hij legde zijn hand op haar arm.

De uitdrukking op zijn gezicht was veranderd; hij was meer zichzelf, ontspannener, al keek hij misschien wat verdrietig.

'Ik wil je mijn verontschuldigingen aanbieden,' zei hij.

Ja, het leek alsof hij ergens last van had, of spijt. Hij klonk oprecht. Zo kende ze hem weer.

'Waarvoor?' Ze ging zitten.

'Voor mijn gedrag.'

Sophie zei niets.

'Ik zag het zonet aan je. Jij vertelde iets persoonlijks en moest je schrap zetten omdat je onzeker werd over wie ik was. Volgens mij werd je zelfs bang. Daar wil ik je mijn oprechte verontschuldigingen voor aanbieden.'

Sophie hoorde het aan, zowel vereerd als gefascineerd dat hij haar gedachten zo goed kon lezen.

Zijn transformatie leek hem vermoeid te hebben en hij ging met één hand door zijn haar.

'Toen je Aron en mij op die bewuste avond had afgezet, had ik sterk het gevoel dat er iets kapot was gegaan, iets wat ik niet kon repareren. Misschien je geloof in mij, je hoop, je vertrouwen. Ik weet het niet... Daarom deed ik vandaag zo raar. Ik ben doodgewoon bang om jou te verliezen. Dat wil ik niet, ik wil dat het weer zo wordt als daarvóór.'

Ze zei niets.

'Je hoeft nooit bang voor me te zijn,' zei hij.

# 14

Svante Carlgren ging altijd rond zeven uur 's ochtends van huis. Als hij niet op zakenreis ging, kwam hij gewoonlijk twaalf uur later weer thuis. Zijn leven was hectisch, zo moest het in elk geval voor de buitenwereld lijken, met reizen, vergaderingen, veel verantwoordelijkheid en een uitgebreid takenpakket. Maar eigenlijk was daar niets van waar. Hij verbaasde zich erover dat hij zich zelden gestrest voelde, dat hij eigenlijk zo weinig deed. Hij leefde voor zijn werk, voor zijn carrière, voor zijn veroveringen. Maar het was gemakkelijk, bijna te gemakkelijk. Zijn verantwoordelijkheid bestond er niet in om voor vooruitgang te zorgen, nee, hij hoefde alleen maar in de gaten te houden wat er werkelijk gebeurde binnen het gigantische Ericssonconcern. En zelfs daarvan kon hij niet in alle eerlijkheid beweren dat hij het wist, maar ook dat maakte niet uit. Hij bevond zich op een niveau waar hij het naar zijn zin had en waar hij zou blijven; dat was het enige wat hem interesseerde.

Toen hij net het erf van zijn villa op wilde rijden, kwam er vanaf de andere kant een auto aan die na hem datzelfde deed. Svante keek in de binnenspiegel. In de auto, die hem niet bekend voorkwam, zat een eenzame man achter het stuur.

Svante parkeerde de auto, stapte uit en keek met gefronst voorhoofd naar de bezoeker die zijn auto een paar meter achter de zijne had gezet. Het portier ging open en er stapte een man in een pak uit, slank, zwart haar, markante trekken, geen stropdas...

'Wat kan ik voor u doen?'

'Bent u Svante Carlgren?'

Svante knikte. Aron liep met vastberaden passen naar hem toe en haalde een foto uit zijn binnenzak, waar hij even naar stond te kijken voordat hij hem aan Svante gaf. Die pakte hem aan en bekeek hem goed. Hij zag zichzelf met opengesperde ogen.

Alle energie stroomde uit Svante Carlgren weg, hij wilde iets zeggen, reageren, wat dan ook. Maar het leek wel of hij versteend was, niet in staat om ook maar iets te doen. Misschien kwam het door het verlammende gevoel dat hij belazerd was, misschien door het gevoel van volledige machteloosheid, of gewoon door de totale vernedering.

Aron liet nog een foto zien. Svante in een te kleine onderbroek, die zijn hersenen met een zilveren snuifbuis van cocaïne voorzag vanaf een glazen tafel. Svante pakte de foto niet aan, maar keek er alleen naar. Vervolgens draaide hij zich om en liep naar zijn huis. Aron liep achter hem aan.

Hij stond bij het aanrecht met zijn rug naar Aron toe en schonk een glas wijn voor zichzelf in. Hij bood Aron niets aan. Aron ging op een keukenstoel zitten, zijn benen over elkaar, een arm op zijn bovenbeen.

'Het is nogal eenvoudig,' begon hij. 'Wij zijn een belangengroepering en wij willen van jou horen hoe het bedrijf ervoor staat. Vóór elk kwartaalrapport, vóór elke beleggers- en analistendag, telkens wanneer er iets staat te gebeuren... Wij willen weten of het bedrijf vooruit of achteruit gaat, wij willen van tevoren al het belangrijke nieuws weten, voordat het openbaar wordt. Wij willen weten wat jij hoort en ziet en waarover intern wordt gesproken.' Aron had zacht maar duidelijk gesproken.

Svante probeerde te lachen en dat lukte half.

'Chanteren jullie mij om rijk te worden van Ericsson?'

Svante nam een slok wijn.

'Het spijt me, je hebt de verkeerde voor, ik heb geen toegang tot de informatie die jullie willen hebben.'

Svante nam nog een slok en ging verder: 'Je hebt een iets te simpel beeld van de situatie. Ik weet niet hoe jullie op het idee komen, maar helaas gaat het er in de echte wereld niet zo aan toe.'

Aron zei niets.

'In het echt gaat het zo niet,' herhaalde hij en hij nam nog eens een halve slok uit het glas. Tijdens het drinken bedacht hij iets. 'Bovendien heeft elk groot bedrijf een hele afdeling die zich bezighoudt met het beschermen van chefs tegen dit soort dingen. Dan kom je van een koude kermis thuis, vriend.'

Svante waagde zich aan een glimlach.

Aron bekeek de keuken, die een soort armzaligheid vertoonde die in tegenspraak was met de buitenkant van de villa. De borden en glazen op de verlichte planken waren nieuw gemaakt door iemand die hoopte dat ze voor antiek zouden worden aangezien. De schilderijen aan de muren waren serieproducten met motieven als bloemen in een vaas en jagers in rode jasjes die 's ochtends in alle vroegte te paard door het Engelse landschap reden. Voor het raam stonden droogbloemen en de keukentafel en bijbehorende stoelen waren slechte kopieën van iets victoriaans. Hij vroeg zich af wie met zo'n ongewoon slechte smaak was behept, Svante of zijn vrouw.

'Je mag kiezen wie deze foto's het eerst krijgt. Je vrouw, je kinderen of je collega's.'

Aron ging verder met het bekijken van de foto's. Bij één foto stond hij even stil, hij bekeek hem van alle kanten alsof hij wilde zeggen dat hij niet goed kon zien wat die voorstelde. Aron liet de foto aan Svante zien, die er een snelle blik op wierp.

'Dit staat ook allemaal op film, met geluid.'

Svantes geforceerde zelfverzekerdheid was weg, hij kreeg iets moedeloos, droefgeestigs over zich.

'Wie kies je?' vroeg Aron.

Svante keek hem aan alsof hij het niet snapte.

Aron wapperde met de foto's.

'Je vrouw? Je kinderen? Vrienden? Collega's? Wie mag dit het eerst zien?'

'Ik kan jullie voor die foto's betalen, maar ik kan niet doen wat je me vraagt. Die mogelijkheid heb ik gewoon niet.'

Svantes stem klonk anders, ijler.

'Geef gewoon antwoord op de vraag.'

Svante streek over zijn haar.

'Welke vraag?'

Hij was helemaal de kluts kwijt.

'Wie kies je?'

'Niemand... Ik kies niemand! Ik wil dit op een andere manier oplossen, dat moet toch kunnen?'

'Ik ben hier niet om met je te onderhandelen. Geef antwoord op de vraag, dan ga ik.'

Svante was bang, zijn hersenen kraakten, wie kon hem hieruit helpen?

'Waarom moet je mij nou hebben, ik heb toch niets gedaan? Ik ben een eerlijk mens...'

Aron bladerde door de foto's.

'Als je wilt laten zien dat je meedoet, neem dan contact met me op wanneer je informatie krijgt over het volgende rapport of iets anders wat de positie van het bedrijf verandert. Hoor ik niets van je, dan stuur ik de foto's naar je collega's, om te beginnen naar je naaste medewerkers.'

Aron stond op en legde het stapeltje foto's op de keukentafel neer, draaide de bovenste om en wees naar een mobiel nummer dat erop geschreven stond. Daarna verliet hij de keuken en het huis.

Svante dronk zijn glas leeg en zag vanuit het keukenraam hoe Aron in zijn auto stapte en wegreed. Hij pakte de telefoon en begon een nummer in te toetsen dat hij uit zijn hoofd kende, een nummer dat gebruikt moest worden wanneer omstandigheden zoals deze zich voordeden. De eigen veiligheidsafdeling van het bedrijf had een procedure ontwikkeld voor alle mogelijke en onmogelijke situaties, van diefstal en spionage tot ontvoering en chantage, die in werking trad zodra iemand dat nummer belde.

Hij toetste het laatste cijfer niet in.


Anders zat in zijn eigen auto, een Honda Civic, met zijn mobieltje tegen zijn oor.

'Hij heet Svante Carlgren. Een manager in het middenkader bij Ericsson, getrouwd, heeft een zoon en een dochter die het huis uit zijn, dat is alles wat ik te weten ben gekomen.'

Het bleef even stil aan de lijn.

'*Volg Carlgren, zoek uit wat Aron daar deed,*' zei Gunilla.

Jens belde Risto vanuit zijn hotelkamer. De Russen zochten natuurlijk ruzie met hem. Hij wist het.

'*Ze komen niet... en ze willen granaatwerpers,*' zei Risto.

'Pardon?'

'*Ze willen ieder een granaatwerper als rente omdat je te laat levert.*'

'Granaatwerper?'

'*Ja.*'

'Neem je me in de maling?'

Risto gaf geen antwoord.

'Zeg maar dat ze de pot op kunnen,' zei Jens.

'*Dat lijkt me niet zo'n goed idee.*'

Jens was moe. En boos dat iedereen op dit moment over hem heen liep. Hij sloeg zijn linkerhand voor zijn ogen.

'Zeg het ze toch maar.'

'*Normaal gesproken zou ik dat wel doen, maar we hebben het nu over Dimitri. Hij is, hoe zal ik het zeggen... impulsief. Het lijkt wel of ze zich elke dag meer over jou opwinden. Ze hebben een bepaalde mening over je, dat je arrogant bent en denkt dat je beter bent dan zij.*'

'Dat ben ik toch ook.'

'*Natuurlijk... Ze geven je een week. Dan willen ze hun granaatwerpers.*'

'Snappen ze dan niet dat dat niet kan? Granaatwerpers, dat slaat toch nergens op? Dat weet ik, dat weet jij, dat weet iedereen.'

'*Dat verandert helaas niets aan de zaak.*'

Zijn linkerhand masseerde zijn voorhoofd.

'Vergeet het maar. Ik heb de wapens die ze besteld hebben, die mogen ze zo komen halen.'

'*Dat zullen ze niet accepteren.*'

'Dat interesseert me geen ruk.'

Risto zweeg. Jens zuchtte.

'Wat zou jij doen, Risto?'

'*Proberen een financiële oplossing te vinden. Geef ze de wapens, geef het geld terug. Dan hou je hier niets aan over, maar je bent wel van ze af.*'

'Waarom?'

'*Omdat dit een bende krankzinnige junks is die tot alles in staat zijn. Het was vanaf het eerste begin fout van me om in deze klus te bemiddelen, het spijt me.*'

Als hij alleen maar aan Dimitri dacht, voelde hij al verbittering.

'Nee, zeg maar tegen ze dat we een deal hadden, dat ik bereid was de prijs te verlagen bij de uiteindelijke leverantie vanwege vertraging. Maar dat is alles. Daar blijf ik bij en ik heb geen interesse voor iets anders.'

'*Oké*,' zei Risto en hij hing op.

Jens zat op zijn bed. Zijn oog viel op een schilderij dat voor moderne kunst moest doorgaan. Het motief was een zwarte driehoek die boven een blauwe kubus zweefde. Zelfs het schilderij maakte hem kwaad.

Hij ging op zijn rug op bed naar het plafond liggen staren. De laatste tijd was niets gelopen zoals hij zich had voorgesteld, zijn vermoeidheid brak records, zijn wilskracht taande. Jens zuchtte en deed zijn ogen dicht. Een kwartier later werd hij met een schok wakker. Tenminste, dat dacht hij, maar het kwartier bleek uren te hebben geduurd.

Hij douchte, nam een snel ontbijt en ging op weg naar huis. Een vage eeuwigheid later reed hij over de Sontbrug. Hij was zenuwachtig, hij had twee kisten met automatische wapens achterin. Het enige wat hij kon doen, was de Zweedse douanebeambte vriendelijk aankijken en er het beste van hopen. Kennelijk zag hij er betrouwbaar genoeg uit, want de bebaarde douanier tikte met twee vingers tegen de klep van zijn pet – een routinegebaar dat 'jij bent oké' betekende. Jens glipte er zonder problemen doorheen en was gedurende de hele rit naar Stockholm misselijk. Zijn zenuwen waren niet meer wat ze geweest waren. Kwam het door de stress, de leeftijd of gewoon het besef dat hij nu al zo lang met vuur speelde dat hij zich binnenkort flink zou branden?

Weer een paar uur later stoof hij over de Essingeleden Stockholm door, ergens blij dat hij heelhuids terug was. Hij sloeg niet af naar het centrum, maar reed verder in noordelijke richting, nam de afslag bij de kerk van Danderyd en reed voor de scholengemeenschap langs. Daarachter, tussen dennen, een vrij open sparrenbos en lelijke kantoorgebouwen, stond een loods, die hij al tijden huurde.

Hij laadde zijn wapens uit en vond tot zijn vreugde een zaklamp waar hij al jaren naar zocht. Die hing achterin aan een haak. Hij was erg gesteld op die zaklamp. Hij was niet te groot, niet te zwaar en had een superieure lichtkegel. Bovendien was het een verrekt mooi ding – zilverkleurig, van aluminium – perfect gewoon. Hij liet hem een rondje draaien in de lucht, ving hem op bij het handvat, deed de deur achter zich op slot en voelde zich iets vrolijker. Misschien omdat hij weer thuis was, misschien omdat hij de zaklamp had gevonden.

*

Ze reed achteruit het hek uit en reed twee rondjes om het blok om te kijken of ze iets afwijkends zag, maar dat was niet het geval. Ze reed naar de stad, met het raampje open, reed de Birger Jarlsgatan helemaal uit tot aan de Engelbrektsgatan en stuurde de parkeergarage in de David Bagares Gata in. Vanuit de garage wandelde ze naar het Engelbrektsplan, stapte een telefooncel binnen, voerde haar telefoonkaart in en draaide een nummer.

'Ja?'

'Nog eens met mij.'

'Hallo.'

Ze wachtte om hem de kans te geven iets te zeggen. Dat deed hij niet.

'Ben je nu thuis?'

'Ja.'

Het was een verschrikking om met hem te bellen; hij was kortaf en uit zijn stem kon ze niets opmaken.

'Kunnen we ergens afspreken?'

Twintig minuten later ontmoetten ze elkaar op de Strandvägen, op de kade. Hij zat daar al op een bankje toen zij aan kwam lopen. Hij zag haar, stond op, hield afstand, geen omhelzing en zelfs geen formele handdruk. Dat vond ze wel prettig.

Ze gingen op het bankje zitten. Het was een warme avond. Hij droeg een spijkerbroek, een poloshirt en sportschoenen. Zij ongeveer dezelfde outfit, maar dan de vrouwelijke variant. Er kwamen mensen langswandelen, sommige nuchter, sommige dronken. Het was druk in de stad, ook al was het een doordeweekse dag. Ze haalde een pas gekocht pakje sigaretten uit haar zak, trok het plastic eraf en haalde er een uit.

'Wil jij ook?'

Hij pakte een sigaret, zij stak de hare aan en gaf hem de aansteker. Ze namen een paar trekjes. Ze wees naar het Strand Hotel aan de andere kant van het water.

'Daar heb ik nog gewerkt.'

Het hotel schitterde in al zijn pracht.

'Ik had in Azië rondgetrokken. Toen ik weer thuis was, ben ik daar bij de receptie begonnen. Ik was een jaar of tweeëntwintig, drieëntwintig.'

Hij zat wijdbeens, keek naar het hotel en inhaleerde een paar keer diep.

'Vertel over de mannen die bij jou thuis zijn geweest.'

Ze dacht na. Probeerde uit te maken wat ze wel en niet moest zeggen.

'Een paar weken geleden zijn er twee mannen bij mij thuis geweest, die zich voor agenten uitgaven. Toen de werkster kwam, betrapte ze hen op heterdaad. Ze heeft een eigen sleutel. Ze bedreigden haar, zeiden dat ze in de problemen zou raken als ze iemand erover vertelde.'

Jens zat met zijn onderarmen op zijn benen naar zijn schoenen te kijken.

'Hoe bedreigden ze haar?'

'Dat weet ik niet.'

'Waarom heeft ze dat nu pas verteld? Waarom niet meteen nadat het gebeurd was?'

'Ze was bang.'

Hij knikte bij zichzelf.

'Hadden ze iets meegenomen?'

Ze schudde haar hoofd.

'Wat deden ze daar dan... denk je?'

Sophie dacht na en keek hem aan.

'Ik weet het niet.'

Hij probeerde in haar ogen te lezen of dat echt waar was, maar zag niets waaruit hij dat op kon maken. In plaats daarvan zag hij haar zoals hij haar van vroeger kende.

'Wat?' zei ze.

'Niks.'

Hij rookte de sigaret op tot aan het filter en trapte hem daarna uit onder zijn schoen.

'Hoe ken je Hector?'

Ze wist dat die vraag zou komen.

'Hij lag op mijn afdeling... in het ziekenhuis. Hij had een auto-ongeluk gehad. We raakten bevriend.'

'Goed bevriend?'

'Redelijk goed... Best goed bevriend.'

'En wat betekent dat?'

'Wat ik zeg, best goed.'

Ze zwegen; ze waren zich er allebei van bewust dat hun eerste ontmoeting in restaurant Trasten omgeven was met geheimen die ze geen van beiden wilden prijsgeven.

'En dit heeft iets met Hector te maken?'

'Dat denk ik,' fluisterde ze, terwijl ze intussen nadacht. Jens zag het en liet haar peinzen. 'Maar ik weet het niet. Ik weet niets.'

'Wat is er verder nog in je leven wat de politie naar je huis zou kunnen lokken? Als we ervan uitgaan dat het politiemensen waren.'

Ze bekeek de ideeën die door haar hoofd schoten van alle kanten, stond op van het bankje en liep naar de rand van de kade.

'Ben jij veranderd in de loop der jaren, Jens?'

Hij gaf geen antwoord op de vraag. Ze draaide zich om, keek even naar hem, sloeg haar armen om zichzelf heen en zocht naar de juiste woorden.

'Er zit een rechercheur achter Hector aan, hij weet dat niet. Die rechercheur, een vrouw, heeft mij gevraagd informatie over hem door te geven...'

Sophie keek Jens aan met een blik die zei dat ze hoopte dat ze niet te veel had gezegd.

'Heb je haar over die avond verteld?' vroeg hij.

'Natuurlijk niet,' antwoordde ze zacht.

'Wat heb je dan verteld?'

Ze probeerde haar gedachten te ordenen. 'Kleinigheden... Niets bijzonders. Namen, plaatsen, mensen. Maar ze heeft me gebeld en naar die avond gevraagd. Ik weet niet of ze iets weet.'

Jens' verbazing was intact.

'Wat vroeg ze?'

'Wat ik die avond had gedaan.'

'En wat heb je gezegd?'

'Ik zei dat we uit eten zouden gaan, maar dat Hector naar een bespreking moest en dat ik naar huis was gegaan.'

'Maakte ze ergens toespelingen op?'

Sophie schudde haar hoofd. Jens dacht na. Vervolgens keek hij op.

'En verder?'

Ze gaf geen antwoord.

'Sophie?'

'Ja?'

'Ga door.'

Ze aarzelde.

'Aron heeft tegen me gezegd...' ging ze verder.

'Wat heeft Aron gezegd?'

'Dat ik niet moest praten over wat ik gezien heb.'

'Een dreigement?'

Ze knikte.

'En Hector, wat zegt die ervan?'

Ze zuchtte. Ze wilde niet over Hector praten.

'Verder nog iets?'

'Nee, zo is het wel genoeg.'

Ze zag er gekweld uit. Haar stem veranderde, haar toon werd zachter. Ze werd helemaal kleiner.

'Ik zit in de nesten, Jens... Ik weet niet wat ik moet doen.'

Hij vond het moeilijk om naar haar te kijken.

'Kun jij me helpen?'

Hij knikte even, alsof hij al 'ja' had gezegd op die vraag.

'Dus wie waren die figuren nou die in jouw huis zijn geweest? Hectors bende of de smeris?'

Ze hield haar armen nog steeds om zichzelf heen geslagen.

'De politie als je het mij vraagt.'

'Waarom?'

Sophie haalde haar schouders op.

'Ik weet het niet...'

Ze was bleek en moe.

'Je hebt toch wel een idee?'

'Misschien zochten ze iets over Hector... Iets wat ik hun niet had verteld...'

'Maar je hebt nog iets anders bedacht, iets wat heel waarschijnlijk is als ze op informatie uit zijn.'

Ze keek hem aan.

'Ja... Maar hoe weet ik dat zeker? Moet ik de telefoon uit elkaar halen, in de hanglamp zoeken? Doen ze dat zo?'

Hij knikte, ook al had ze haar vraag ironisch bedoeld.

'Waarschijnlijk doen ze dat inderdaad zo.'

Ze ordenden het gesprek in hun hoofd en even later keek hij op.

'Kun je morgen thuisblijven van je werk?'

'Jawel...'

Hij zag haar ongerustheid. Sophie draaide zich om en begon in de richting van het Nybroplan te lopen.

Hij bleef zitten en keek haar na, ze had nog dezelfde manier van bewegen als vroeger. Goh, wat was hij toen gek op haar geweest... lang geleden. Het kwam allemaal weer boven, de gevoelens die hij had verdrongen. Hoe ze elkaar die zomer in een vorig leven hadden ontmoet. Hoe ze elkaar hadden gevonden, over alles wat los en vast zat hadden gepraat. Hoe ze zich hadden bezat, 's avonds laat hadden gegeten op het terras en 's ochtends lang hadden uitgeslapen. Hoe hij daar en toen voor het eerst en voor het laatst van zijn leven had gevoeld dat hij het gras zou kunnen maaien van hun gezamenlijke tuin, totdat hij van ouderdom niet meer kon lopen. En hoe dat gevoel hem de stuipen op het lijf had gejaagd. Hoe hij zich van haar had losgemaakt, ook al wilde hij dat niet... Van de tijd die daarop volgde, herinnerde hij zich helemaal niets.

Jens pakte zijn mobieltje, zocht een nummer in de contactenlijst en belde. Na een paar keer overgaan nam een oudere man op.

'Hoi, Harry, ken je me nog?'

*'Natuurlijk ken ik je nog, leuk dat je belt.'*

'Heb je morgenvroeg tijd?'

*'Ik kan wel tijd maken.'*

'Kom dan om zeven uur bij me ontbijten. Neem je spullen en je werkbroek mee. Heb je de bedrijfswagen nog?'

*'Natuurlijk, er is niks veranderd.'*

'Hier ook niet... Nou, dan zie ik je morgen.'

Jens hing op en keek uit over het water van de Nybroviken.

Waarom was hij zo lichtzinnig ingegaan op haar verzoek om hulp? Ze had een relatie met Hector Guzman, de smeris hield haar in de gaten en ze was onlangs getuige geweest van een poging tot moord waar hij zelf ook bij was geweest. Hector en zijn bende schoten wild om zich heen als het gevaarlijk werd. Ze hadden invloedrijke jongens als Hanke achter zich aan, ze smokkelden cocaïne en wie weet wat ze nog meer deden... en daar zat Sophie middenin. Had hij daarom gezegd dat hij haar wel zou helpen? Omdat hij die wereld kende? Of omdat ze Sophie was? Onder normale omstandigheden zou hij de benen hebben genomen zodra hij haar zag. Hij zou halsoverkop gevlucht zijn, zonder goed te begrijpen waarom. Dat had hij altijd gedaan bij vrouwen. Maar nu was hij blijven zitten in zijn suffe poloshirt, sukkel die hij was, en had haar zijn hulp aangeboden...

Jens verborg zijn gezicht in zijn handen; shit, wat was hij moe. Hij leunde achterover op het bankje, wat zou het fijn zijn als het weer net zo was als vroeger. Toen was het gemakkelijker geweest, gemakkelijker om zijn emoties opzij te zetten, gemakkelijker om overal lak aan te hebben... Daarom zeiden oude mensen natuurlijk dat vroeger alles beter was, omdat er vanuit het verleden zo veel op hen afkwam waar ze niet mee om konden gaan. Vroeg of laat kwam natuurlijk alles weer boven.

De telefoon trilde in zijn broekzak. Hij haalde diep adem om de lichte druk op zijn borst kwijt te raken.

'Ja?'

Hij luisterde naar de gedempte stem aan de andere kant. Hector Guzman vroeg vriendelijk of Jens iemand was die 's avonds koffie dronk.

Lars Vinge maakte een stuk of veertig foto's van Jens Vall op het bankje aan het water. Toen Jens opstond, keek hij recht in de telelens. Lars kreeg een paar mooie, scherpe close-ups. Hij verliet zijn plaats in een portiek in de Skeppargatan en liep terug naar de parkeergarage in de David Bagares Gata, waar hij eerder wilde zijn dan Sophie.

*

Het was bijna elf uur, de duisternis was ingevallen. Jens liep door de portiek naar binnen en klom de trappen op. Er zat een bordje op de deur: UITGEVERIJ DE ANDALUSISCHE HOND BV.

Hij zat tegenover Hector in diens kantoor. Er stond een raam open, het was nog steeds warm, hij hoorde mensen op straat. Af en toe werd er gelachen, er liepen jongeren langs, en in een appartement in de buurt werd 'Volare' gedraaid.

Hectors bureau leek wel een oude werkbank en zijn stoel was een comfortabel ogende leren bureaustoel op wieltjes uit de jaren vijftig.

Hector zat iets te overpeinzen.

'Voordat we gaan praten: kan ik je iets aanbieden? Je ziet er moe uit.'

'Aan de telefoon had je het over koffie.'

Hector stond op en verliet het kantoor. Jens liep achter hem aan door een kleine vergaderkamer en een bibliotheek met kasten vol boeken. Terwijl ze erlangs liepen, wuifde Hector met zijn hand. 'Deze titels worden door onze uitgeverij uitgebracht. Er zitten veel vertalingen bij uit het Spaans, maar ook nieuw werk dat hier in Zweden is geschreven.'

Ze liepen door naar een keuken.

'Op deze verdieping houd ik kantoor.' Hij wees naar het plafond. 'Ik woon hier recht boven.'

De keuken was klein, maar smaakvol ingericht. Alles van goede kwaliteit. Ze bleven staan en keken elkaar lang aan. Maten zich met elkaar. Jens was langer, maar hij had het idee dat Hector groter was, alsof zijn totale omvang groter was dan zijn fysieke lichaam. Als ze jonger waren geweest, waren ze met de ruggen tegen elkaar aan gaan staan en hadden ze hun handen plat op hun hoofd gelegd.

Hector wendde zijn ogen af en ging met het espressoapparaat in de weer.

'Wat is die Ralph Hanke voor iemand?'

'Ik weet het niet... Zelfingenomen, theatraal...'

Hector zette twee kopjes onder het apparaat, drukte op een knop en in het binnenste van de machine werden met een vervelend geluid koffiebonen gemalen.

'Melk?'

'Een drup.'

Hij goot een drupje melk in beide kopjes en gaf een ervan aan Jens. 'Vertel.'

'Ik kwam daar aan, bij een soort geschakelde woning in een voorstad van München, en vond mijn spullen in de kelder. Ze hadden een lijk op mijn kisten gelegd.'

Met gefronste wenkbrauwen dronk Hector zijn kopje leeg.

'Toen kwam die grote Rus, Michail, samen met Ralph en zijn zoon van wie ik me de naam niet herinner.'

'Christian,' zei Hector.

'Ralph wilde dat ik zou bemiddelen tussen jullie en hen.'

'En wat vind jij daarvan? Van dat bemiddelen?'

'Ik vind niks.'

Hector knikte.

'Er komt geen bemiddeling. Die kerels hebben onze goederen gestolen, ze hebben twee keer geprobeerd me te vermoorden, ze hebben gedreigd en god weet wat nog meer... Hun voornaamste doel bij dit alles is ons bij hun organisatie in te lijven.'

'Ja, daar kwam het ongeveer op neer,' zei Jens.

'Goed. Ga ze maar vertellen dat ze hier voor eens en voor altijd mee moeten stoppen, dat hun mislukte pogingen hen hadden moeten laten inzien wie ze tegenover zich hebben. Als ze zich nu niet terugtrekken, staat dat voor ons gelijk aan een oorlogsverklaring.'

Hector draaide zich om en spoelde het espressokopje af onder de keukenkraan. Opeens keek hij somber, er welde boosheid in hem op die zich verschanste in een rimpel op zijn voorhoofd. Hij draaide de kraan dicht en keek Jens aan. Hectors somberheid was fysiek aanwezig in het vertrek.

'Steeds wanneer het er de laatste tijd heet aan toe gaat, duik jij opeens op. En ik moet geloven dat dat toeval is? Nu kom je terug als een soort bemiddelaar. Dat is niet helemaal logisch, wel?'

Jens gaf geen antwoord. Hector keek hem aan en haalde zijn schouders op.

'Maar aan de andere kant maak je een ongekunstelde... rustige indruk.'

Jens nam niet de moeite om daarop in te gaan.

'Breng ons antwoord maar aan Hanke over.'

Hector verliet de keuken en liep terug naar zijn kantoor.

'Verkloot je het, dan ben je er geweest,' zei hij zonder zich om te draaien.

In het trappenhuis op weg naar de straat beneden belde hij het nummer dat hij van Michail had gekregen. Roland Gentz nam op.

'Ja.'

'Ik moest dit nummer bellen om een reactie uit Stockholm over te brengen. Klopt dat?'

'Ja.'

'Hector laat weten dat jullie al te ver zijn gegaan, dat jullie nu moeten stoppen... Als jullie nog iets proberen, escaleert het zo dat niemand de boel meer in de hand kan houden.'

'Ik begrijp het, bedankt voor je telefoontje.'

De verbinding werd verbroken.

Terwijl Jens door de oude binnenstad wandelde, probeerde hij een rangorde aan te brengen in alles wat er gaande was; hij gaf cijfers van 1 tot 10, waarbij grote en belangrijke zaken, waar meteen iets aan gedaan moest worden, een 1 kregen, en dingen die wel konden wachten, die hij later kon oplossen een 10. Hij kreeg een heleboel enen en tween, die hij niet onderling kon ordenen. Jens schudde de gedachten van zich af en ging boodschappen doen voor het ontbijt. Hij vond een nachtwinkel die vers brood, versgemalen koffie en zelfgemaakte jam verkocht. Hij kocht het beste wat hij kon vinden, Harry zou over een paar uur komen en dan kreeg hij een goed ontbijt.

*

Albert was naar school. Om halfnegen 's ochtends ging de bel. Ze deed de deur open voor Jens en een oudere man die zich voorstelde als Harry. Beiden waren gekleed als klusjesman.

'Goedemorgen, mevrouwtje,' zei Jens.

Naar zijn idee waren klusjesmannen positief, rechtschapen en joviaal, terwijl ze tegelijkertijd met beide benen op de grond stonden – zo werden ze in elk geval op tv afgebeeld.

'Kom binnen, fijn dat u kon komen.'

Ze gingen naar binnen. Jens speelde klusjesman, Sophie speelde opdrachtgever. Harry hield zich stil, hij kroop in de hoek van de woonkamer, waar hij op zijn hurken ging zitten en zijn gereedschapskist openmaakte. Sophie wees lukraak her en der.

'Eerst moet hier de deur eruit, de ramen moeten weg, daar komen openslaande deuren voor in de plaats en er moet een trapje komen naar de tuin.'

Jens keek om zich heen.

'Prima.'

Terwijl ze praatten, zette Harry een ovaal plastic geval voor zijn oog en keek de kamer rond. Hij stond op en liep zoekend rond met het instrumentje voor zijn oog en een meter in zijn hand waarvan hij iets aflas. Sophie en Jens gingen verder met hun toneelstukje.

Harry schreef iets op een blaadje. Jens pakte het papiertje aan, las het en liet het aan Sophie zien. *Geen camera's.* Ze gingen verder, Sophies fantasie begon uitgeput te raken, ze kon niet al te veel aan het huis veranderen. Jens nam het over en vertelde wat kon en wat niet kon. Hij gebruikte verkeerde termen, hij was absoluut geen timmerman.

Harry ging met een nieuw instrument op zoek, dat uitsloeg toen hij bij een lamp bleef staan. Hij vond een verborgen microfoon, draaide zich om naar Jens en stak zijn duim op, pakte een Zweeds vlaggetje aan een prikker en zette het naast de lamp. Hij ging verder, vond er een in de keuken en zette daar ook een vlaggetje bij. Op de boven-verdieping vond hij microfoons in de slaapkamer, in Alberts kamer en op de overloop. Overal kwamen vlaggetjes te staan. Harry keek de telefoons na en vond er nog twee. Jens had een droge mond van al het bouwvakkerspraat. Sophie zag bleek.

Harry haalde een minicamera tevoorschijn. Het leek wel de stift van een balpen. Die maakte hij vast achter een nagenoeg onzichtbaar elektriciteitssnoer in een hoek tussen plafond en muur, en controleer-de de functionaliteit ervan met behulp van een kleine tv-monitor in zijn hand. Hij zag zichzelf erop, stapte naar achteren en controleerde het beeld. Harry gaf de handmonitor aan Sophie en schreef op een blaadje: 'Bewegingsdetector. De camera start bij beweging, controleer hem elke dag, hou de monitor verborgen, hooguit acht meter van de camera.'

Voordat ze weggingen, gaf Jens Sophie een prepaid mobieltje en een handgeschreven briefje waarop stond dat ze het huis over een halfuur moest verlaten en hem moest bellen.

Harry en Jens reden in de bestelwagen.

'Wat denk je?' vroeg Jens.

'Ik denk dat de lui die haar afluisteren over middelen beschikken. Ik heb dit soort microfoons vorig jaar in Londen gezien toen ik daar aan het inkopen was. Ze zijn minuscuul, je kunt ze met het blote oog bijna niet zien en ze zijn ook verschrikkelijk duur. Het nadeel is dat je er dicht bij moet zijn, de reikwijdte is klein, tweehonderd meter geloof ik. Veel minder nog in een villawijk met overal bomen en hui-zen. Degenen die hier gebruik van maken, zetten waarschijnlijk een ontvanger in een geparkeerde auto, halen die op en luisteren het af.'

Harry reed en praatte tegelijk.

'Degenen die de microfoons hebben geïnstalleerd hebben dit eerder gedaan. Waarschijnlijk zit er nog meer afluisterapparatuur in het huis. Maak haar duidelijk dat ze ook voorzichtig moet zijn met het gebruik van haar computer, mobieltje... gewoon met alles.'

'Als jij zou moeten raden, wie doet dit dan? De politie of de andere partij?'

Harry keek strak voor zich uit.

'Geen idee.'

*

'Filmt ie?' vroeg Anders.

De portier schudde zijn hoofd.

'Nee, om de een of andere reden neemt hij foto's. Het is een oud ding, zoals gezegd. Het idee is dat hij elke dertig seconden een foto maakt wanneer er een ambulance bij de ingang staat.'

'Waarom?'

De portier haalde zijn schouders op.

'Omdat ze dan bij de receptie zien dat er een ambulance binnenkomt, denk ik, maar ik heb geen idee...'

Anders en de portier zaten achter diens bureau en namen de foto's door van de avond waarop de neergeschoten man was binnengebracht. De foto's waren scheve close-ups door de voorruit van de auto heen.

'Waarom staat hij zo ingesteld?'

'Al sla je me dood.'

Anders zuchtte. Hij zag het bovenste gedeelte van een donkerkleurige auto, de helft van het raam en een deel van het dak. Hij zag een arm op het stuur, een wazige rechterarm, vermoedelijk van een man die bezig was uit te stappen. Anders zuchtte nog eens. Geen foto van toen de auto bij de ingang wegreed en op de laatste foto was hij weg, geen auto meer te zien.

'Ik wil alle foto's hebben, ook die op elkaar lijken.'

Eva had de foto's op de computer ingescand. Anders, Gunilla en Erik staarden naar het scherm.

'Wat is het voor auto?' vroeg Gunilla.

Niemand antwoordde.

'Vergelijk hem eens met...' zei Gunilla en ze keek in haar papieren, '... een Toyota Land Cruiser, model 2001.'

Eva begon iets in te tikken en zocht foto's van Land Cruisers op in de computer. Ze vond er een die haar aansprak, haalde die in een 3D-programma binnen en begon hem alle kanten op te draaien en vergeleek hem met de foto.

'Hij ziet er hetzelfde uit,' zei ze.

Eva opende een nieuw programma en voerde schalen en maten in. Voor de anderen was het abracadabra. Een meetinstrument dat ze met de muis bestuurde, mat delen van beide auto's op. Ze beoordeelde de resultaten.

'Hoogstwaarschijnlijk is het een Toyota Land Cruiser, model 2001.'

'Een stoere verpleegster,' fluisterde Anders.

'Dat weten we niet zeker,' zei Gunilla.

'Er zijn meer mensen met zo'n auto,' mompelde Erik.

Daarna werd het stil. Iedereen volgde zijn eigen gedachtegang, totdat Gunilla die verstoorde.

'Bedenk een scenario waarin je ervan uitgaat dat het Sophies auto is.'

Anders nam het woord.

'Het enige teken van leven dat we van deze auto hebben is een arm die op foto nummer drie te zien is. Het is niet de arm van Sophie, maar van een man die op het punt staat uit te stappen. Het kan Hector niet zijn, daarvoor is de kleur van de hand te licht. Het kan Aron zijn. Het kan de collega zijn van de man die beschoten was... of heel iemand anders. Hoe het ook zij, Sophie kan om het blok van het restaurant heen gereden zijn en hen daar hebben opgepikt, er is een achteruitgang, dat heb ik gecheckt.'

'En Lars dan?' kwam Gunilla ertussen. 'Waarom zou Lars beweren dat ze naar huis reed?'

'Misschien dacht hij dat. Misschien raakte hij haar kwijt toen ze om het blok heen reed om de anderen op te halen. Misschien heeft hij dat gewoon niet gezien.'

'Maar dan had hij moeten zeggen dat ze om het blok heen was gereden en dat heeft hij niet gezegd. Hij zei dat ze de Odengatan op reed, dat hij haar daar achterna is gereden.'

'Misschien liegt hij?' zei Anders.

'Waarom zou hij liegen?' vroeg Gunilla.

Hij antwoordde niet.

'Anders, waarom zou Lars liegen?'

Anders schudde zijn hoofd.

'Ik weet het niet...'

Erik trok een pruilmondje en trok zijn onderlip in.

'Ik vind dat we haar auto moeten onderzoeken voordat we met theorieën beginnen. Als daar een man met schotwonden in is vervoerd, zullen we sporen vinden,' zei hij.

Gunilla richtte zich tot Eva. 'Check alle auto's van dat model en die kleur in de regio Stockholm, ik wil de namen van alle eigenaren. Anders, ik wil dat jij en Hans Berglund nader kennis met elkaar maken.'

'We kennen elkaar al,' zei hij.

# 15

Anders Ask en Hasse Berglund waren 's middags bij de technische recherche langsgegaan. Gunilla had gezegd dat ze een kist moesten afhalen bij de receptie. Daar hoefden ze niet voor te tekenen, alleen ophalen. Anders pakte hem onder zijn arm en verliet de technische afdeling, knikte naar oude dienders die hij herkende. De dienders knikten met hun kin terug.

Ze aten pizza in Hasses lievelingstentje, Pizzeria Colosseum in Botkyrka. Hasse nam een Colosseum speciaal met varkensfilet en bearnaisesaus, Anders nam een Hawaii. Ze dronken er Falcon bij; volgens Hasse Berglund het enige bier dat te drinken was, de rest smaakte allemaal naar pis... Vossenpis, hoe dat ook mocht smaken.

In een hoek van de pizzeria zaten een paar dronkenlappen die nog net geen daklozen waren rode wijn te drinken uit een karaf. Ze konden niet bij een onderwerp blijven, ze schreeuwden tegen elkaar over onderwijs, gezondheidszorg, directeuren en die eikel van een... hoe heette die politicus ook weer... Carl Bildt.

Hasse stond op, liep naar hen toe en vroeg hun om een beetje te dimmen. De hese, afgeleefde vrouw met het roodgeverfde haar schreeuwde dat ze al lang geen orders meer aannam van mannen... dat was tegen haar principes... dat moest hij verdomd goed in zijn oren knopen. Een vriend van haar begon onsamenhangend te snauwen tegen Hasse, die terugliep naar zijn pizza en ging zitten.

'Waarom ga je überhaupt naar die mensen toe?'

'Ik weet het niet,' zuchtte Berglund en hij nam een hap van een grote punt waar de kaas van afdroop.

'Vertel nu over mama,' ging hij met zijn mond vol verder.

Anders sneed zijn pizza.

'Zoveel valt er niet te vertellen, we kennen elkaar al lang. Ze heeft me een paar keer van de totale vernedering gered. Ik ben er bij de veiligheidsdienst uit getrapt.'

Anders nam een hap.

'Waarom ben je eruit getrapt?'

'Ze hebben me met mijn vingers in de koektrommel betrapt,' zei hij met zijn mond vol.

'Wat voor koektrommel?' vroeg Hasse.

Anders at zijn mond leeg.

'Een bende Eritreeërs die we observeerden in Norsborg. Ik zou er op een avond afluisterapparatuur installeren en toen vond ik een papieren zak met contanten onder het aanrecht. Ik deed een greep en vulde mijn zakken... Een collega van me heeft me erbij gelapt, die idioot.'

'En toen heeft zij je geholpen?'

'Ja, in zekere zin... Ik kreeg mijn ontslag in plaats van dat ik de bak in draaide.'

'Waarom?'

'Waarom wat?'

'Waarom heeft ze jou geholpen?'

'Ik moest als tegenprestatie iets voor haar doen, een paar klusjes, en loyaal blijven.'

'Ben je dat?' vroeg Hasse al kauwend.

Anders knikte.

'Ja, dat ben ik.'

'Wat lief.'

Hasse dronk zijn bierglas leeg. Het ploegje dronkenlappen begon tegen elkaar te schreeuwen, Hasse keek die kant op en Anders gebaarde dat hij er niet op moest letten.

'En wat gebeurde er?' vroeg hij.

'Ik ging als de grootste zondebok weg bij de veiligheidsdienst. Ik heb in de daaropvolgende jaren allerlei klusjes voor haar gedaan en daarna ging het weer mis.'

Anders kauwde.

'We waren met een paar jongens die snel geld wilden verdienen. We hadden een paar paarden doping gegeven tijdens de paardenkoersen op Täby. Het ging mis, twee gingen er dood, we stonden daar toen de controleurs binnenkwamen, ik met de spuit in mijn hand.'

Hij lachte bij de herinnering.

'Daar redde Gunilla me ook uit, het was lullig, maar het leek wel of ze altijd alles recht kwam zetten als ik er een zootje van had gemaakt... Dus ik ben haar wel wat verplicht.'

Hasse dronk zijn grote glas bier leeg; er zat schuim op zijn bovenlip toen hij het glas neerzette.

'Je zat ergens over te kletsen in de auto... dat wij een team moesten vormen.'

Anders nam een hap en haalde zijn schouders op.

'Nee, dat was niets.'

'Jawel, zeg op,' zei Berglund.

Anders schudde zijn hoofd.

'Het was niks belangrijks.'

'Vertel het dan.'

Anders dacht na en kauwde zijn mond leeg. Dronk zijn bier op en wierp een blik over zijn schouder.

'Gunilla en Erik voerden samen een onderzoek uit. Ik freelancete. We wilden Zdenko te grazen nemen, de Drafkoning, je weet wel. Een gangsterbaas, hij opereerde vanuit Malmö. Hij had een vriendin, een Zweedse, met een compleet lege bovenkamer. Een blondje uit Alingsås... achtentwintig jaar oud. Patricia nog wat...'

Anders maakte zich los uit een gedachtekronkel waar hij even in verstrikt was geraakt.

'Gunilla had haar er al vroeg bij gehaald, ze wist iets van haar, ik weet niet wat. We gaven haar een microfoontje mee, maar dat leverde niets op. Opeens verdween ze. Zdenko konden we niets maken, die is later doodgeschoten op Jägersro in Malmö.'

'Waar was zij naartoe verdwenen?'

'Ik weet het niet, weg... verdwenen.'

'Hoezo?'

Anders sneed in zijn pizza.

'Weg, zeg ik. Ze was verdwenen, ze werd als vermist opgegeven, foetsie, weg.'

'Is ze dood?'

Anders stopte nog meer pizza in zijn mond en keek Hasse kauwend en schouderophalend aan.

'Hoe was het mogelijk dat jullie vrijuit gingen?'

'Dat was niet zo moeilijk, we verwijderden alles wat we over haar hadden, alsof ze bij ons nooit had bestaan. Zo werkt Gunilla. Altijd al, en ze gebruikt mensen. Ze ziet het als een logisch bestanddeel van haar werk om diegenen erbij te betrekken die erbij betrokken moeten worden, ook als ze dat niet willen.'

Hij keek op.

'En de mensen die ze niet nodig heeft, houdt ze buiten de deur; daarom lukt haar zo'n beetje alles waar ze aan begint.'

'Hoe dan?'

'Hoe dan? Ik zit hier toch, de verrader van de veiligheidsdienst, de paardenmoordenaar. En jij, een verschrikkelijke ME'er met stemmingswisselingen, dat zegt toch genoeg?'

'Hoe heeft ze dat blondje van Zdenko erbij weten te krijgen?' vroeg Hasse.

'Ik weet het niet... Waarschijnlijk door haar iets te beloven of ergens mee te bedreigen.'

'Zoals onze verpleegster?'

'Nee, niet echt... Dit was iets anders, ik ben er nooit achter gekomen. Maar het is hoe dan ook voorbij, afgelopen.'

Op de achtergrond zemelden de zuiplappen over de Palestijnse kwestie.

'Die keer kwamen we met de schrik vrij,' ging Anders verder.

'En daarmee bedoel je...?'

Anders spoelde zijn pizza weg met bier.

'Daarmee bedoel ik wat ik eerder zei, dat we goed moeten opletten. We hebben een nooduitgang nodig. Dit kan helemaal goed gaan, maar als het misloopt, gaan we naar de gallemiezen.'

'Naar de gallemiezen? Wat is dat voor suffe uitdrukking?'

'Ze neemt grote risico's op dit moment.'

'Het lijkt me dat ze ze goed op een rijtje heeft.' Hasse zakte iets onderuit op de stoel en maakte zijn tanden schoon met zijn tong.

Anders haalde zijn schouders op.

'Dat wel, maar je snapt toch wel wat we doen?'

'Wat dan?'

'De groep die ze heeft gevormd is contourloos, als een schaduw in de grote organisatie. Zo wil ze het en dat heeft ze voor elkaar gekregen... Het is geen gewone klus waar we aan werken. Het is bijna juridische anarchie. Ze doet wat ze wil om resultaat te boeken. Ze heeft een manier gevonden. Op een dag krijgt iemand uit de top daar genoeg van. Ik zeg alleen dat als je iets vreemds ziet of hoort, praat dan met mij. Dan doe ik hetzelfde met jou. Oké?'

Hasse smoorde een hik.

'Ik ben een oude ME'er die naar het vliegveld gestuurd is. Dat is hetzelfde als bij de gevonden voorwerpen belanden. Mijn carrière was afgelopen, ik zou daar tot mijn vijfenzestigste blijven ronddarren en wegrotten. Vervolgens zou ik me dood drinken en ergens in een armetierig flatje eenzaam sterven. Maar ik kreeg een telefoontje dat daar verandering in bracht. Ik heb een kans uit duizenden gekregen, dus ik ben van plan te doen wat me gezegd wordt, ik ben van plan dit te doen zoals de baas het wil.'

Hasse keek het lokaal rond en boerde zacht met zijn vuist tegen zijn mond.

'Je weet wel wat ik bedoel,' eindigde hij.

De alcoholisten waren nu het immigratiebeleid aan het bespreken, ze waren geen van allen racist, maar... De roodharige vrouw kende zelfs een paar immigranten en dat waren kennelijk toffe gasten, maar dat ze hier kwamen en de banen inpikten van fatsoenlijke Zweden, daar was ze niet over te spreken. Hasse rechtte zijn rug.

'Hoe laat moeten we er zijn?' vroeg hij.

'Over drie uur...'

'Nemen we nog een slok?'

Anders kon geen reden vinden om nee te zeggen. Ze bestelden nog een rondje. Hasse dronk zijn biertje in één keer op, Anders de helft en Hasse wenkte om nog één.'

'En ook twee Jägermeister!' riep hij.

Even konden ze niets verzinnen om over te praten en ze keken voor zich uit het lokaal in. Ze hoorden het geouwehoer van de dronken-lappen en uit de luidsprekers aan het plafond een panfluit die 'I just called to say I love you' speelde. Anders maakte Olympische ringen op het tafeltje met de bodem van zijn natte bierglas.

'Wat voor nooduitgang had je in gedachten?' vroeg Hasse.

Het bier en de Jägermeister werden voor hen neergezet. Ze sloegen het donkere drankje in één teug achterover.

'Nog twee!' zei Hasse nog voordat hij het lege glaasje had neergezet. De serveerster in een zwart T-shirt was al een heel eind weg.

'Ze heeft het toch wel gehoord?'

'Ik denk dat we strategisch moeten zijn.'

'Klets geen onzin, Anders... And...'

Hasse boerde midden in de zin. Hij glimlachte breed.

'Anders And!' barstte hij uit.

Anders keek met een vragende blik naar Hasse, die verder lalde: 'Donald Duck heet in het Noors Anders And. Dat ben jij dus, Donald Duck!'

Anders keek Hasse aan, verbaasd over zijn eigenaardige gevoel voor humor.

'Hoe zal ik je noemen? Donald Duck of Anders And?'

Anders dronk het bodempje uit zijn glas.

'Anders And,' zei hij berustend.

'Oké dan, ga verder!'

'We moeten onze rug vrij hebben.'

'Hoe doe je zoiets?'

'We ontkennen glashard, als het zo ver komt, maar dat glashard ontkennen moeten we wel samen doen.'

'Daar toosten we glashard op,' zei Hasse en hij hief zijn glas.

Ze verlieten het Colosseum en Botkyrka, kochten een sixpack alco-holarm bier bij de benzinepomp en scheurden de stad in over de Es-singeleden.

'Ik ben dol op autorijden als ik dronken ben,' zei Hasse.

Anders hing uit het open raampje en liet de zoele avondlucht tegen zijn gezicht komen.

'Zeg, die Lars, wat is dat voor een sukkel?' vroeg Hasse.

De wind streek door Anders' haar.

'Een sukkel. Trek je niks van hem aan.'

Ze doodden de tijd met rondrijden door de binnenstad, bier drinken, kijken hoe het nachtleven ervoor stond en luisteren naar een oude cd van Randy Crawford.

Hasse stuurde de Volvo in een krap rondje over de rotonde van Sergels Torg, schakelde terug en gaf plankgas, reed de rotonde drie keer rond. De mannen werden door de G-krachten naar rechts getrokken. Randy Crawford zong, Anders leegde het blikje bier, boerde luid en gooide het in de fontein. Hasse, die niet voor hem wilde onderdoen, deed met zijn rechterhand voor zijn mond een vrachtwagenclaxon na en liet een luide scheet.

Toen de klok twee sloeg trokken ze naar Stocksund.

Ze zaten in de Volvo, een paar straten van Sophies huis. Ze hadden een draadloze verbinding gemaakt met de apparatuur in Lars' afluisterwagen, die geparkeerd stond bij een stukje bos. Anders had een koptelefoon op.

'Ze liggen zoet te slapen, geloof ik. Zullen we?'

Ze stapten uit en volgden de weg, Anders met de doos van de technische recherche onder zijn arm, Hasse met een blikje bier in zijn hand. De zon stond ergens onder de horizon. In dit seizoen werd het 's nachts nooit heel erg donker.

'Ik heb zo de pest aan de zomer,' zei Anders. Ze trokken allebei een zwarte gebreide muts over hun hoofd. Anders keek Hasse aan.

'En waar is je bloemetjespak?'

Hasse grinnikte.

'Bij welk onderdeel heb jij gezeten?'

'Tolkendiensten. En jij?'

'Verkenners, Arvidsjaur,' antwoordde Hasse.

'Natuurlijk...'

Ze slopen het grindpad op waar de Land Cruiser geparkeerd stond en wachtten tot alle geluiden weggestorven waren.

Anders knipte een zaklamp aan en liet de lichtkegel door de auto bewegen. Die zag er netjes uit.

Hij deed de doos van de technische recherche open, haalde er een elektrisch apparaat uit dat hij op de auto richtte en drukte op een knop. Een digitale wijzer begon het spectrum af te zoeken, van laagfrequente geluiden, helemaal onderaan in het spectrum, langzaam naar boven. Dertig meter verderop ging de auto van de buurman open en de lichten knipperden. Ze lachten gedempt.

De digitale wijzer vond wat hij zocht. Sophies auto ging open. Anders stopte de digitale loper in de tas en deed voorzichtig het achterportier open. Hij haalde een uv-lamp uit de kist, deed hem aan en zocht de zittingen af met de lichtbron. Hij zag geen afwijkingen, ook al speurde hij overal – vloer, lijsten, stoelen, dak – de hele auto. Nergens bloed, ontzettend goed schoongemaakt.

Anders deed de deur dicht, opende de bagageruimte, keek erin en zocht met de lamp alle delen van de ruimte af. Daar vond hij ook niets, hij deed de lamp uit en snoof, nam de geuren in zich op. Hij rook een zwakke chloorlucht en een andere scherpe geur, iets chemisch... vervolgens een bekende geur, hij snoof weer, was het lijm? Hij keek naar de mat die de vloer van de bagageruimte bedekte, was die niet aan de kleine kant? Hij tilde hem aan één kant op en ging er met zijn neus boven hangen. Het was lijm. Echt wel.

'Hasse!' siste hij.

Hasse kwam vermoeid naar hem toe.

'Moet je ruiken.'

Hasse bukte en rook.

'Lijm?'

Anders knikte.

'Kijk eens naar die mat, dat is niet de originele, hij is te klein.'

Hasse haalde zijn schouders op en dronk zijn bierblikje leeg. De meeste dingen interesseerden hem geen hout als hij dronken was. Anders nam een monster van de lijm en knipte een stuk van de mat af. Hij stopte de monsters in afzonderlijke plastic zakjes en sloot die af. De rest van de auto fotografeerde hij zorgvuldig, waarna hij die met de digitale loper afsloot, evenals de auto van de buurman. Alles was pais en vree.

Gunilla had hem gebeld en gezegd dat hij om acht uur 's avonds zijn observatie moest staken, dat hij in plaats daarvan naar de stad moest gaan, naar restaurant Trasten. Dat had ze hem nooit eerder gevraagd. Daar gebeurde niets en na een tijdje had hij door dat er iets anders gaande was en hij ging weer terug naar Stocksund.

Lars had afstand bewaard en zich in een naburige tuin in de bosjes verstopt. Hij had hen gezien toen ze aan kwamen lopen, halfdronken en onbevreesd, en had hen over een bloemetjespak horen praten. Wat deden ze daar in vredesnaam?

De telelens had mooie foto's opgeleverd, de geluidloze ontspanner schoot duidelijke close-ups van Anders Ask en de grote Hans Berglund. Hij wachtte tot ze weg waren en bleef nog even zitten totdat hij zeker wist dat hij alleen was. Hij scheurde een blaadje uit zijn notitieboekje en schreef er in zijn onregelmatige handschrift 'wees voorzichtig' op.

Lars stopte het briefje bij Sophie in de brievenbus.

Thuis in zijn flat zette Lars de foto's van Anders Ask en Hans Berglund op de computer, hij printte er een paar van uit en hing die aan de muur. Hij ging op zijn kantoorstoel zitten, reed achteruit en keek naar zijn werk. De muur was gegroeid, alsof hij een eigen leven leidde.

Sara stond in de deuropening. Ze was net wakker en tuurde met toegeknepen ogen naar de muur, die helemaal bedekt was met namen, foto's, woorden, pijlen, tijdstippen, strepen en vraagtekens. Een wirwar, een waanzinnige wirwar. Haar ogen gingen naar Lars, die ernaar zat te kijken. Leeg, bleek, slechte huid, vet haar – hij leek wel ziek.

'Jij moet hulp zoeken,' zei ze.

Hij draaide zich naar haar om. 'Jij moet hier weg.'

'Ik ga ook weg, ik kan alleen nergens heen. Ik heb met Terese gesproken, misschien kan zij me helpen.'

Hij keek haar aan. 'Denk je dat mij dat iets kan schelen?'

Ze keek verdrietig en richtte haar ogen weer op de muur.

'Wat is dit, Lars?'

Lars bekeek zijn grootse werk tevreden.

'Het leven aan een muur... Het hele klereleven... aan een muur!'

Ze begreep er niets van. Hij stond op en liep op onvaste benen naar haar toe. Zijn uitdrukking had iets voldaans, haar gezicht klaarde voorzichtig een beetje op, misschien wilde hij haar omhelzen...

Pets! Ze kreeg een harde klap in het gezicht. Ze zakte door haar benen en viel op de grond. Sara zag sterretjes. Opeens zat hij met een verwrongen gezicht over haar heen gebogen. Hij schreeuwde zo hard dat het speeksel uit zijn mond spatte, hij schreeuwde dat ze nooit meer in zijn werkkamer mocht komen. Deed ze dat wel, dan zou hij haar vermoorden.

# DEEL III

# 16

'Carlos Fuentes heeft zaterdagnacht hulp gezocht op de afdeling spoedeisende hulp.'

Gunilla bleef staan, dacht na over de woorden en trok toen haar jas uit.

'Diezelfde nacht?'

Eva knikte.

'Hij beweerde dat hij was overvallen door een groep jongeren.'

Gunilla hing haar jas op een kleerhanger.

'Is hij verhoord?'

Eva wees op een stapel papieren voor haar op het bureau.

Gunilla las het verhoor dat een patrouille die nacht om 01.48 uur had afgenomen. Er stond niets opmerkelijks in. Carlos was het Odenplan overgestoken en de Norrtullsgatan in gelopen toen hij door drie onbekende jongens werd overvallen. Een signalement kon hij niet geven, de jongens waren snel weggevlucht. Gunilla nam snel het medisch rapport door, Carlos was twee boventanden kwijtgeraakt, had blauwe plekken en bloeduitstortingen in zijn gezicht. Ze las het nog een keer.

'Geen verwondingen op zijn lichaam,' zei ze.

Eva keek op van haar scherm.

'Wat zei je?'

'Hij werd overvallen door drie jongemannen die het blijkbaar allemaal op zijn gezicht hadden voorzien. Hij heeft geen enkele verwonding op zijn romp, zijn armen of zijn benen.'

'Dat kan toch?' zei Eva.

Gunilla hield haar blik nog steeds op het papier gevestigd.

'Ja, dat kan...'

Ze ging op een stoel zitten, las het rapport nog een keer van begin tot eind door. Toen ze klaar was stond ze op, liep naar het whiteboard dat aan de muur hing, pakte een viltstift en noteerde de datum waarop de neergeschoten man op de afdeling spoedeisende hulp was afgeleverd en daarboven schreef ze *Twee onbekende mannen in Trasten*. Vervolgens schreef ze *Hector?* en *Sophies auto? En Man met schotwond* en *Carlos Fuentes mishandeld.* De zinnen vormden een halve maan boven de datum. Onder de datum schreef ze *Onbekende man in Sophies auto? Pas schoongemaakte auto?*

Ze deed een stap naar achteren. Er was geen bewijs dat het Sophies auto was die de ambulance-ingang was binnengereden, er was geen bewijs dat deze gebeurtenissen iets met elkaar te maken hadden. Aan de andere kant, met alle respect voor het toeval... soms zijn dingen iets té toevallig.

'Eva?' zei ze.

Eva Castroneves keek op.

'Carlos is diezelfde avond mishandeld en Anders heeft de man die met schotwonden in het ziekenhuis ligt geïdentificeerd als een van de twee mannen die Trasten binnengingen, met zeventig procent zekerheid zoals hij het uitdrukte... De mat in de bagageruimte van Sophies auto is te klein en is onlangs gelijmd, hij rook de geur van schoonmaakmiddel... Kunnen we het idee van toeval van de hand wijzen?'

Eva keek aandachtig naar het whiteboard en gaf geen antwoord.

Gunilla draaide zich weer om naar het bord, ze zocht iets en piekerde even. Eva ging met haar eigen bezigheden verder. Nadat Gunilla een eeuwigheid naar het bord had gestaard kwam ze weer tot leven, liep naar haar bureau, deed haar halsketting af en maakte de middelste la open met een sleutel die aan haar halsketting zat. Ze haalde een zwart notitieboekje tevoorschijn, sloot de la af, deed de ketting om en verliet de kamer.

Gunilla liep naar buiten, de Brahegatan op. Ze sloeg links af en wandelde de Valhallavägen in. Ze liep een tijdje door tot ze een plek vond waar ze kon zitten. Het werd een bankje recht tegenover de metro-ingang bij het stadion. Daar bleef ze een poosje zitten.

Te midden van al het verkeersgedruis en andere omgevingsgeluiden deed ze haar ogen dicht en liet de buitenwereld plaatsmaken voor haar innerlijke wereld. Geleidelijk aan verdwenen de geluiden van het verkeer, het geruis van de wind in de bomen, de hele omgeving. Gunilla was in opperste concentratie, er kwam niets binnen, er ging niets naar buiten. Ze liet beelden van Sophie Brinkmann voor haar geestesoog passeren. Ze zag haar gezichtsuitdrukkingen voor zich, hoorde haar stem en zag haar kleine en weinig opvallende handgebaren. Haar rechterhand die haar haar achter haar oor schoof, haar wijsvinger die over haar wenkbrauwen ging, haar hand die stil op haar rechterbovenbeen lag. Gunilla zag het rukje met haar hoofd, ze zag drie verschillende glimlachen: de eerlijke, de beleefde, de vragende. Ze hoorde drie verschillende intonaties: de natuurlijke, de weifelende, de *onbewust oneerlijke*... Ze zette haar momenten met Sophie naast elkaar, zette intonaties naast elkaar, zette uitdrukkingen en formuleringen naast elkaar. Ze zag de verschillende gelaatsuitdrukkingen van Sophie tijdens hun autoritje, toen Gunilla het had gehad over het gevoel van schaamte dat met het ouderloos zijn verbonden was. Ze riep de klank van Sophies stem weer in zich op: eerlijk en zacht... ontwijkend. Ze herinnerde zich Sophies uitdrukking toen ze haar duidelijk had gemaakt dat ze haar in de gaten hielden en haar vervolgens had gevraagd *Wat doet dat met je?* Toen had Sophie anders geklonken, toen had ze gelogen. Gunilla vergeleek die stem met hoe Sophie aan de telefoon had geklonken toen ze bezwoer dat Hector nog in restaurant Trasten was geweest toen zij van daaruit naar huis reed. Het volume en de toonhoogte waren hetzelfde. Ze had gelogen.

Gunilla zag in gedachten het chronologische verloop: Hector verdwijnt om de een of andere reden uit het restaurant, Sophie en Aron helpen hem... Sophie liegt. Liegt ze voortdurend? De hele tijd al?

De werkelijkheid kwam terug, het geluid van haar eigen ademhaling, het geluid van de zachte wind in de loofbomen, het geluid van het verkeer en de mensen... Gunilla Strandberg begon met haar ogen te knipperen en opende haar ogen.

Ze sloeg het zwarte notitieboekje open dat op haar schoot lag, schreef alles op wat haar zojuist duidelijk was geworden, alle redeneringen en reflecties, alle inzichten... haar intuïtieve gedachten. Het boekje stond vol met dit soort onduidelijke helderheden.

Ze las na wat ze zojuist had opgeschreven, keer op keer – het beeld begon steeds duidelijker te worden. Sophie Brinkmann deed kennelijk precies wat ze zelf wilde.

Gunilla stond op en liep terug naar het bureau, belde haar broer Erik en zei dat ze hem even als klankbord wilde gebruiken.

\*

Albert voelde zich vrolijk toen hij van haar huis liep, met nog steeds de smaak van haar kauwgom in zijn mond. Twee weken geleden hadden ze iets met elkaar gekregen. Nu waren ze een stel. Ze heette Anna Moberg en hij had haar altijd al erg leuk gevonden.

Er kwam een auto naast hem rijden. Hij volgde Albert in hetzelfde langzame tempo als waarin hij liep. Albert keek naar de auto, naar de bestuurder, vroeg zich af wat die van hem wilde, maar het raampje aan de bestuurderskant bleef dicht. Hij liep verder, bleef toen staan.

De auto reed nog een paar meter door en stopte toen ook. Albert stak achter de auto langs de weg over en versnelde zijn pas. Er gleed een raampje open.

'Hé, knul!'

Albert draaide zich om, zag een grote, onbekende man in een windjack achter het stuur zitten.

'Albert Brinkmann?'

Albert knikte.

'Kom eens hier dan kan ik met je praten.'

Albert was op zijn hoede.

'Nee, ik moet naar huis.'

Hij hoorde de nervositeit in zijn stem doorklinken, probeerde die te maskeren door vastberaden te blijven staan, maar zijn lichaam gehoorzaamde hem niet. De man in de auto wenkte hem.

'Kom eens hier zei ik, ik ben van de politie.'

Albert liep met nerveuze stappen naar de auto toe. De man hield een legitimatiebewijs omhoog.

'Ik heet Hasse, ga achterin zitten.'

Albert aarzelde.

'Ga op de achterbank zitten,' herhaalde hij zachtjes.

De achterbank was van velours. Hij rook een geur van eten, hamburgers misschien. Hans Berglund keek via de binnenspiegel naar Albert.

'Jij zit echt in de shit.'

Albert zei niets. Hoorde een synchroon kort en dof geluid toen alle portieren centraal vergrendeld werden. De man draaide zich om, ontmoette Alberts blik.

'Nou moet je niet net doen alsof je niet weet waar ik het over heb.'

De man had een rond gezicht, kort haar en een onderkin. Albert zag iets van waanzin in zijn bleke, waterige ogen.

De klap kwam volkomen onverwacht. Hasse gaf hem met zijn vlakke hand een oplawaai tegen zijn hoofd en Albert sloeg hard met zijn hoofd tegen het zijraam. Een secondelang begreep hij er niets van, daarna kwam de pijn. Albert greep naar zijn hoofd.

'Waar hebt u het over? U hebt de verkeerde voor,' mompelde hij. De tranen sprongen hem in de ogen, hij trilde over zijn hele lichaam.

'Nee, Albert, ik heb nooit de verkeerde voor.'

Hasse had zich weer omgedraaid en keek strak voor zich uit.

'Ik heb net een meisje gesproken, veertien jaar oud, een kind eigenlijk nog, die zegt dat je haar twee weken geleden op een feest hebt verkracht... en zal ik je eens wat zeggen?'

Albert keek naar zijn knieën, hield zijn hand tegen de zijkant van zijn hoofd, waar het pijn deed.

'En zal ik je eens wat zeggen?' brulde Hasse.

Albert dwong zichzelf de man aan te kijken.

'Ja?'

'Ik geloof haar... we hebben drie jongens die bereid zijn te getuigen, we hebben ook een doktersverklaring. Veertien jaar betekent minderjarig. Dat is niet iets waar door de samenleving licht over wordt gedacht... integendeel.'

Alberts angst verdween een beetje.

'Ja maar, dan is dat een heel andere jongen. Ik heet Albert Brinkmann, ik woon in Stocksund, daar verderop.'

Hij wees in de richting van zijn huis. Hasse ging er beter voor zitten.

'Ben je op een feest in Ekerö geweest...' vroeg hij en hij keek op zijn notitieblokje, 'Kvarnbacken, de veertiende van deze maand?'

'Ik weet niet hoe het daar heette.'

'Maar je bent daar op een feest geweest?'

Albert knikte met tegenzin.

'Maar ik heb daar geen meisje ontmoet... Ik heb een vriendin.'

'Ben je zo'n geil kereltje, Albert?' zei Hasse op vertrouwelijke toon. 'Dat zijn we allemaal wel eens. Maar als het ontaardt, kom ik in beeld om orde op zaken te stellen. Dat is mijn werk, zie je.'

Het begon benauwd te worden in de auto.

'Maar ik heb niets gedaan,' fluisterde Albert.

Hasse liet zijn tong over zijn voortanden gaan, deed de zonneklep naar beneden en inspecteerde zijn grijns in het spiegeltje.

'We rijden nu naar de stad, naar Norrmalm. Daar zijn de getuigen, ze mogen even naar je kijken. Als het inderdaad is zoals je zegt, kun je gaan. Oké?'

Albert probeerde zijn gedachten te ordenen.

'Hoe heet ze dan, dat meisje?' vroeg hij.

Hans Berglund klapte de zonneklep weer omhoog, startte de auto en reed de stad in. Op Alberts vraag gaf hij geen antwoord.

*

'Daar ben je, er is telefoon voor je, het is Albert.'

Ze glimlachte naar haar collega en liep de receptie in, ging op een stoel zitten en pakte de hoorn die daar op het bureau op haar lag te wachten.

'Hoi, lieverd.'

Aan de andere kant hoorde ze haar zoon huilen als een klein kind. Niet in staat om uit te leggen wat er gebeurd was. Ze luisterde, kalmeerde hem en zei dat ze eraan kwam.

Op het politiebureau mocht ze op de zoveelste verdieping in een lege gang plaatsnemen en daar wachten. Ze zat alleen in de stilte. Recht voor haar stond een deur van een kantoor op een kier. De kamer was

leeg, werd niet gebruikt. Ergens verderop in de gang klonken voetstappen. Er kwam een grote, bebaarde man met een plastic map in
zijn hand aanlopen. Hij bleef voor haar staan, stelde zich voor als Erik
en ging naast haar op de bank zitten. Ze rook de geur van oud zweet
die nog in zijn kleren hing.

'Uw zoon, Albert. Hij heeft het u toch verteld?'

De stem van de man was donker en alledaags.

'Het is een misverstand...'

Erik wreef in zijn ogen, krabde lichtjes over zijn voorhoofd. Hij
maakte een vermoeide en uitgebluste indruk.

'Hij heeft zich kennelijk vergrepen aan een meisje...'

'Nee, dat heeft hij niet,' zei ze. 'En nu wil ik hem zien.'

Erik schraapte zijn keel.

'Dat mag u ook, straks.'

'Nu, of moet ik een advocaat bellen?'

'Dat is niet nodig.'

Ze begreep het niet.

'Wat bedoelt u?'

'Wat ik zeg, dat het niet nodig zal zijn.'

'Wat niet?'

'Een advocaat bellen.'

'Dan wil ik hem zien.'

Hij tilde zijn hand een eindje op van zijn been.

'Rustig maar. Alles op zijn tijd. Laten we eerst even wat praten, oké?'

Ze keek hem aan, al zijn gezichtsuitdrukkingen gingen schuil onder
zijn baard.

'Misschien hebt u gelijk,' begon Erik. 'En heeft Albert niets gedaan.
Ik vind alleen dat u alles niet zo zwart-wit moet zien. Uw zoon is hier
binnengebracht... We zijn politiemensen, we weten wat we doen.'

Ze probeerde te begrijpen wat hij bedoelde.

'Hier, leest u dit eens... Dan krijgt u een beeld van de situatie.'

Hij overhandigde haar de plastic map. Ze nam hem aan en opende
hem, bladerde erdoorheen. Het waren getuigenverklaringen, drie in
totaal. Ze las hier en daar een fragment over Alberts activiteiten die
avond.

'Het is verschrikkelijk van zo'n jonge knul en het is vast zoals u zegt, maar... Nu zit hij hier en we hebben ook nog eens die drie getuigen-verklaringen... Het is een ernstige zaak.'

Erik stond op van de bank en rechtte zijn grote lichaam, ergens kraakte een bot. Hij keek de gang af, naar beide kanten, ze waren nog steeds alleen.

'U mag de jongen nu mee naar huis nemen,' zei hij zachtjes. 'En heb het hier met niemand over, dat zou het alleen maar nog erger maken voor uzelf en uw zoon.'

Erik liep weg. Ze bleef naar de grote man kijken die langzaam van haar wegliep. Achter haar onvermogen om de situatie te begrijpen be-gon zich langzaam een ander scenario af te tekenen, een scenario dat gebaseerd was op leugens, verraad, dreigementen en manipulatie. Ze werd in haar gedachten onderbroken door voetstappen verderop en ze zag Albert aan komen lopen zonder begeleiding van een agent. Al-leen en verward liep hij door de lege gang. Ze stond op en hij liep snel naar haar toe. Hij leek helemaal te trillen van angst en vertwijfeling.

*

Erik Strandberg had een vruchtbare dag gehad. Hij had vanachter het spiegelglas van de verhoorkamer naar Albert gekeken, hij had gezien hoe de jongen op zijn stoel had zitten draaien. Stel je eens voor, zo'n ventje dat totaal niet begreep wat hij daar deed. Doodsbang en vol-ledig in paniek. Fascinerend bijna.

Erik was blij geweest toen hij Hasse Berglunds open en flexibele houding ten opzichte van het werk ontdekte. Ze hadden veel met el-kaar gemeen. Allereerst hun manier van optreden, rechttoe rechtaan en ongekunsteld, maar ook de humor – ze lachten om dezelfde din-gen, om dezelfde idiote dingen die er om hen heen gebeurden.

De dag daarvoor had hij Berglund zijn idee voorgelegd, hij was met-een enthousiast, had het voorstel overgenomen en het verder uitge-werkt.

'We gaan naar Negerstad,' had Hasse Berglund gezegd.

Zo gezegd, zo gedaan. Ze hadden wat rondgelopen tussen een hele hoop flats waar veel met kleuren was gewerkt.

'Welke idioot is nou zo gek om te denken dat het hier leuker wordt als je de flats lelijke kleuren geeft?'

'Geen flauw idee,' antwoordde Hasse.

Niemand zou er ook maar een moment aan twijfelen dat deze twee mannen met hun korte jacks, hun spijkerbroeken van de merken Apache en Workers Delight en hun lelijke zwarte stappers die het midden hielden tussen gympen en uitgaansschoenen, rechercheurs waren.

'Ik kwam deze jongens regelmatig tegen toen ik in de binnenstad werkte, hun groep is oké. Houden zich bezig met drugs en andere shit, maar het zijn goeie jongens die openstaan voor ideeën,' zei Hasse en hij vond de juiste voordeur.

Ze namen de lift. Iemand had met een viltstift 'lul' op de muur geschreven, en ook andere schuttingwoorden waren vereeuwigd op het metaal rondom de lift, de meeste verkeerd gespeld. Erik en Hasse grinnikten.

De deurbel zat ingebouwd in de deur, het was een mechanische bel. Ze klonken allemaal hetzelfde in alle flatgebouwen in dit hele verdomde kutland. Hasse drukte snel tien keer achter elkaar op de bel, best wel irritant. Erik grinnikte weer.

De deur werd opengedaan door een puistige jongen in een T-shirt en een zwarte trainingsbroek met witte strepen. Hij keek angstig, maar misschien keek hij altijd wel zo. Er verscheen een glimlach op zijn gezicht toen hij Hasse herkende.

'Het grote opperhoofd! Zonder uniform... wat doe jij in Hallunda?'

Hasse en Erik stapten naar binnen, het rook naar hasj in het appartement. Er waren nog twee jongens in de kamer. Ze waren een videospelletje aan het spelen. Er lagen vloeipapier en dode joints in de asbak, de luxaflex was dicht.

De jongen, die Istvan heette, wees naar een bruine leren bank. Erik en Hasse gaven de voorkeur aan een stoel en controleerden de zitting voordat ze plaatsnamen.

'Istvan, cowboy... hoe is het met je?' Hasse ging zitten.

'Comme ci, comme ça,' antwoordde Istvan en hij maakte het handgebaar dat daarbij hoorde. Vervolgens begon hij om de een of andere reden zo hard te lachen dat hij bijna stikte. Zijn vrienden, die geconcentreerd met het videospelletje bezig waren, lachten proestend met hem mee – de hele tijd met hun ogen strak op de tv gericht. Erik draaide ongemakkelijk heen en weer op zijn stoel.

'We hebben jullie hulp nodig, vijfduizend de man.'

Istvan wachtte af.

'Jullie zijn getuigen in een verkrachtingszaak. Een vijftienjarige jongen heeft een meisje gepakt. Jullie waren op dat feest, jullie hebben het allemaal vanuit drie verschillende hoeken gezien. Begrepen?'

Istvan knikte.

'Absoluut.'

De andere jongens gingen helemaal op in het videospelletje. Hasse vroeg of ze de tv uit wilden zetten.

'Waarom?' vroeg de ene.

Voor dat soort vragen was Hasse Berglund allergisch.

'Zet hem nu maar gewoon uit, als je zo vriendelijk zou willen zijn,' zei hij veel te luid.

Er viel een stilte en er klonk een vrolijk deuntje uit de tv. Hasse concentreerde zich.

'Ik vertel jullie een verhaal, jullie luisteren, daarna bespreken we wat het beste scenario is. Jullie moeten dit verhaal vloeiend kunnen vertellen. Jullie krijgen je geld vandaag. Mocht het nodig zijn dan roep ik jullie hulp nog een keer in bij een latere gelegenheid, dat is bij de prijs inbegrepen.'

Iedereen knikte.

Hasse overhoorde de jongens drie keer over het verzonnen verhaal. Ze kregen hun geld en de mededeling dat Hasse hen persoonlijk zou doden als een van hen zijn mond voorbijpraatte.

'Als ik ooit word vermoord, dan hoop ik dat het door jou is, Groot Opperhoofd.'

Hasse maakte drie boksbewegingen in de lucht richting Istvan, die zich verdedigde.

Erik grinnikte. Istvan vroeg of ze nog even wilden blijven en een joint met hen wilden delen.

'Die troep maakt je dom,' mopperde Erik.

Die woorden bezorgden de jongens prompt een hysterische lach-aanval.

In de auto op de terugweg vanuit Hallunda belde Erik een vroegere collega in Norrmalm en vroeg hem of hij in de loop van de dag even een verhoorkamer mocht lenen.

'*Twee uur krijg je, meer niet. En gebruik de trap aan de zijkant als je komt, niet de lift.*'

Alles was gesmeerd gegaan. Die jongen, Albert, deed het bijna in zijn broek. Die moeder van hem, die verpleegster, was zo bleek als een vaatdoek geweest. Angst is een raar ding, dacht hij toen hij door de Vasagatan liep. Sommige mensen verzuipen er gewoon in.

Erik glipte een kebabzaak binnen en bestelde een uitgebreide scho-tel. De Turk achter de toonbank wilde over de voetbaluitslagen en het weer praten. Erik reageerde niet. De man begreep de hint en sneed het opgewarmde vlees stilzwijgend af. Erik nam plaats op een hoge kruk bij een smal barretje voor het raam, zuchtte en vouwde de tabloid uit die hij had gepikt uit de koffiekamer van de Norrmalmpolitie, sloeg een paar bladzijden om, een beroemdheid die hij niet herkende was kennelijk homoseksueel geworden. Erik had constant het gevoel dat hij steeds minder begreep van de wereld waarin hij leefde.

*

'Albert?'

Leunend tegen het aanrecht stond ze naar hem te kijken. Albert hield zijn blik strak op de tafel gericht en weigerde op te kijken.

Alsof iemand anders haar stuurde, liep ze naar hem toe en gaf met haar vlakke hand een klap op zijn rechterwang, zo hard dat ze er zelf van schrok. Geschokt deinsde ze terug om vervolgens weer tot zich-zelf te komen en met open armen op hem af te lopen. Hij kwam haar tegemoet door op te staan. Ze bleven even in die omhelzing staan, ze streek hem over zijn haar.

'Ik heb niets gedaan,' zei hij hees.

Ze hoorde het kind in hem, de angst van een onschuldige.

'Dat weet ik,' fluisterde ze.

'Waarom moesten ze mij dan hebben?'

Ze dacht na over zijn vraag, dacht dat ze een antwoord had, maar was niet van plan hem dat te vertellen.

'Niets... het is nu uit de wereld, ze hadden zich vergist...'

Ze hoorde hoe ze zichzelf herhaalde, dacht aan de microfoons die haar woorden oppikten en ze waarschijnlijk overbrachten naar Gunilla Strandberg.

'Maar ze hadden toch getuigen! Verkrachting? Hoe kwamen ze...'

'Sst,' zei ze, 'vergeet het nu maar, het is gewoon gebeurd. Iedereen maakt fouten, zelfs de politie.'

Ze aaide hem over zijn hoofd.

'Hij heeft me geslagen,' zei Albert zacht.

Sophie knipperde met haar ogen alsof er een vuiltje in zat. Ze dwong zichzelf kalm te blijven, bleef hem strelen.

'Wat zei je?'

'De agent in de auto, die heeft me in mijn gezicht geslagen.'

Plotseling zag ze de wereld om zich heen niet meer; haar aandacht werd naar binnen gericht, waar iets begon te gloeien. Een stukje kleur dat voelbaar begon te worden, begon te branden, te zwellen, druk uit te oefenen... haar te vullen. Het werd een enorme, kleurige woede. Niet dezelfde woede die zonet uit haar ongerustheid was ontstaan. Maar een vurige razernij die elke cel in haar vulde, zich verspreidde, zich in haar nestelde en al het andere wegdrukte. Merkwaardig genoeg zorgde die ervoor dat ze ontspande, dat ze zich weer kon concentreren.

'We vertellen dit aan niemand. Beloof me dat,' fluisterde ze.

'Waarom niet?'

'Omdat ik het zeg.'

Albert bevrijdde zich uit de omhelzing, was in verwarring.

'Waarom niet?' vroeg hij nog een keer.

'Omdat dit anders is,' fluisterde ze.

'Hoezo?'

Albert wachtte op een antwoord dat niet kwam. Hij voelde zich er ongemakkelijk bij, draaide zich om en verliet de keuken.

De telefoon ging en Sophie nam op. Het was haar moeder, Yvonne, die als gebruikelijk allereerst vroeg hoe het met haar ging. Sophie gaf het antwoord dat Yvonne verwachtte: 'Goed hoor.'

'*Komen jullie zondag?*'

Yvonne klonk als een martelaar toen ze de vraag stelde. Sophie probeerde te doen alsof er niets aan de hand was.

'Ja, rond zeven uur... Zoals altijd.'

'*Ja, maar jullie komen altijd om halfacht. Dat is niet zo erg, maar nu eten we...*'

Sophie viel haar moeder in de rede.

'We komen rond zeven uur, of om halfacht.'

Ze nam afscheid en hing op. En toen knapte er iets in haar. Sophie smeet de telefoon op de grond. Toen hij niet kapotging, gooide ze hem nog een keer op de grond en stampte er vervolgens op. Ze spande haar kaken, maar kreeg niet het gevoel van opluchting dat het afreageren haar had moeten geven. Ze had nog steeds hetzelfde gevoel van woede en onmacht als voordat ze de telefoon op de grond had gesmeten.

Albert stond vanuit de woonkamer naar haar te kijken. Ze keken elkaar aan. Sophie bukte om de kapotte stukken telefoon op te rapen.

*

De ramen stonden open, de stereo stond aan en Jens was aan het stofzuigen. Het mondstuk gleed over de vloer en de kleden. Hij probeerde rust te vinden, soms kreeg hij die als hij zijn huis ging schoonmaken. Maar vandaag niet; bovendien was het nog schoon, hij had de dag daarvoor al gezogen. Hij vond het altijd prettig het geluid te horen van dingen die in het mondstuk verdwenen, door de buis ratelden en via de slang in de stofzuigerzak landden. Dan voelde hij een bepaalde voldoening omdat hij met iets nuttigs bezig was. Maar vandaag waren die geluiden er niet, terwijl hij en de stofzuiger als een innig verknocht stel door het appartement bewogen.

Hij meende een geluid te horen boven de muziek en het geluid van de stofzuigermotor uit. Hij luisterde, hoorde niets en ging verder met zuigen. Weer dat geluid. Hij deed de stofzuiger uit met zijn voet, luisterde – er werd aangebeld.

Sophie stond in de keuken. Ze vertelde duidelijk, beknopt en precies wat er met Albert was gebeurd bij de politie. Hij begreep het niet.

'De politie zegt dat er getuigen zijn en dat het meisje veertien jaar is,' ging ze verder.

Jens zag haar angst. Die tekende haar hele gezicht. Ze zag er plotseling ouder uit, dun... bang.

Een espressokannetje op het fornuis begon steeds harder te sissen. Hij hoorde het niet, hij probeerde Sophies verhaal te begrijpen. Uiteindelijk maakte Sophie hem erop attent. Het sissende geluid drong zijn bewustzijn binnen en verdreef zijn gedachten. Hij haalde het kannetje van de plaat.

'Zou het waar kunnen zijn?' vroeg hij toen hij twee kopjes van een plank pakte.

Ze schudde haar hoofd alsof zijn vraag ronduit krankzinnig was.

'Dat weet je heel zeker?'

Ze reageerde fel.

'Alsjeblieft, zeg. Natuurlijk weet ik dat zeker.'

Jens keek haar onderzoekend aan, niet van zijn stuk gebracht door haar korte uitbarsting.

'Maar kan het erop hebben geleken?'

Sophie wilde hem onderbreken.

'Nee, wacht Sophie. Kan er iets kleins, iets ongevaarlijks, iets onschuldigs zijn voorgevallen?' Sophie wilde ontkennend antwoorden, maar bedacht zich en haalde diep adem.

'Ik weet het niet...' zei ze zacht.

Jens liet haar even rustig nadenken.

'Kom,' zei hij en hij liep met de kopjes naar het bankstel in een hoek van de kamer.

Hij gebaarde dat ze op de bank plaats moest nemen, zette de kopjes op de salontafel en ging tegenover haar zitten in de gemakkelijke stoel.

'Zou Albert misschien toenadering hebben gezocht tot het meisje, met haar hebben geflirt?'

'Ik weet het niet,' zei ze nogmaals.

'Wat zegt Albert ervan?'

Ze keek op en toen weer naar beneden.

'Hij zegt dat daar helemaal geen meisje was. Hij heeft daar niemand ontmoet, heeft nauwelijks met iemand gesproken. Hij was naar dat feest gegaan omdat daar een ander meisje zou zijn.'

'Wie dan?'

'Zijn huidige vriendin, Anna heet ze.'

'Kan zij hem een alibi geven?'

'Nee, mijn zoon had niet de moed om haar aan te spreken.'

'Hoe ziet hij dit?'

'Hij weet het niet. Eerst had hij een theorie dat een jongen met wie hij heibel had gehad hem een hak wilde zetten... Maar hij nam ook wel aan wat ik tegen hem zei.'

'Wat heb je tegen hem gezegd?'

'Dat de politie een fout had gemaakt.'

'Slikte hij dat?'

Die vraag beviel haar niet en ze gaf geen antwoord. Er viel een stilte, ze dronken hun koffiekopjes leeg en verzonken in hun eigen overpeinzingen en gedachten. Jens' gedachten leidden nergens toe, hij moest meer weten om het te kunnen begrijpen.

'Dus de politie hield Hector in de gaten toen hij in het ziekenhuis lag?'

'Ja.'

'En jij en Hector raakten bevriend en de politie ontdekte dat?'

Sophie knikte. Ze wist niet waar hij heen wilde.

'Ze namen contact met je op en vroegen of je verklikker wilde worden?'

Ze zweeg.

'Daarna hebben ze afluisterapparatuur in je hele huis geplaatst?'

Zijn toon beviel haar niet.

'En ze begonnen je te observeren?'

Ze keek naar haar handen. Draaide een ring in de juiste stand.

'En nu dreigen ze je zoon met een aanklacht wegens verkrachting?'

Hij leunde achterover in zijn stoel.

'Het klinkt ambitieus,' zei hij.

Ze keek hem aan en probeerde uit te maken of hij sarcastisch was.

'Wat vind je zelf?' vroeg hij.

'Misschien.'

'Hoe bedoel je, misschien?'

'Ambitieus misschien.'

'Het lijkt wel of ze meer kruit aan jou verschieten dan aan Hector... Waarom?'

'Ik weet het niet.'

Hij deed opeens anders. Alsof hij plotseling niet meer de puf had om begripvol te zijn. Alsof hij geen tijd meer voor haar had.

'Je wordt bedreigd door de politie, afgeluisterd, je gaat om met een verdachte misdadiger en moet optreden als verklikker omdat de politie je zoon anders te pakken neemt?'

Sophie ging er automatisch tegen in.

'Nee, echt niet.'

Hij wierp haar een vermoeide blik toe.

'Ik heb niets met hem en ik weet niet of hij een misdadiger is... en ik heb nog niet geklikt.'

'Heb je nog andere vrienden die op een zaterdagavond het bos worden ingereden om geëxecuteerd te worden?'

'Hou op.'

'Nee, jij moet ophouden, Sophie. Wat denk je dat dit is? Je kunt geen eigen werkelijkheid creëren vanuit je eigen wensen. Wat jou is overkomen is echt niet normaal. Deze politieman lijkt me een levensgroot gevaar. En je hebt wel geklikt, ook al zie je dat zelf anders. Op het moment waarop de politie jou vragen ging stellen, ben jij een verklikker geworden. Wat je wel of niet hebt gezegd doet er voor Hector en zijn aanhang totaal niet toe als ze erachter komen.'

Jens wilde verdergaan, maar hield zich in.

'Waarom doet de politie dit?' vroeg hij.

'Ik weet het niet.'

'Wat denk je?'

'Controle. Me klem zetten, me dwingen dingen te doen die ik niet wil... Ik weet het niet.'

Ze keek hem aan.

'Het is niet waar dat ik mijn eigen werkelijkheid creëer. Ik ben alleen niet van plan om iemand al bij voorbaat te veroordelen. Het is alsof ik door een mijnenveld loop, één misstap...'

Ze keek weer naar haar handen, naar haar vingers en de ringen die eraan zaten. De ring met diamanten van haar grootmoeder, haar trouwring die ze nog steeds droeg.

Ze ging langzaam verder: 'Hector, de politie... Ik heb gedaan wat ik dacht dat goed was. Ik had niemand met wie ik het erover kon hebben. Ik wist niet welke rol ik had in alles wat er gebeurd is. Ik weet alleen dat ik een innerlijke stem moest volgen die ik heel lang niet gehoord had. Ik heb al zo lang naar de stilte geluisterd, om hulp geroepen. Maar nu opeens gaat het om mijn zoon, alleen om hem, al het andere is onbelangrijk.'

Hij was weer ontspannen, zijn stem klonk zwaar en hees.

'Wie in je omgeving weet hier nog meer van?'

'Niemand.'

'Niemand?'

Ze schudde haar hoofd.

'Niemand.'

'Ga je met niemand om? Heb je geen vriendin die je kunt bellen als je iemand nodig hebt?'

'Jawel.'

'En zij weet ook niets?'

Sophie schudde haar hoofd.

'Nee.'

Jens dacht na.

'Goed,' zei hij rustig en hij keek haar weer aan. 'Waarom niet?'

Ze keek hem vragend aan.

'Waarom heb je dit aan niemand verteld? Het is toch logisch dat je het hier met iemand over hebt?'

'Dat doe ik nu toch?'

Het geluid van een propellervliegtuigje hoog in de lucht kwam door het open raam naar binnen.

'En nu wil je er met Albert vandoor?' vervolgde hij.

'Ik weet niet wat ik moet doen.'

'En als je mocht kiezen?'

'Dan zou ik van het hele gedoe af willen zijn.'

'Dat begrijp ik. Hoe zou je van het hele gedoe af kunnen komen?'

Ze haalde haar schouders op, maar zei niets.

'Sophie!'

'Ik weet het niet. Wat zijn dat voor idiote vragen?'

'Je hebt toch wel een idee hoe? De gedachte moet toch zeker één keer bij je zijn opgekomen?'

Ze gaf niet meteen antwoord, maar wist hoe de zaken ervoor stonden.

'Ik kan niets bedenken, ik zie geen uitweg. Hoe ik het ook wend of keer, er is altijd iemand met wie het slecht afloopt. En dat wil ik niet. Ik heb niets gedaan, helemaal niets, ik wil niemand opofferen.'

'Maar het is toch overduidelijk wie hier geofferd moet worden?'

Ze ontmoette zijn blik.

'Ja... natuurlijk.'

'Waarom offer je hem dan niet op? Doe wat de politie je heeft gevraagd. Geef ze zo veel mogelijk info, laat ze hem arresteren – dan is dat uit de wereld en jij en je zoon pakken het gewone leven weer op.'

Ze keek hem kritisch aan.

'Zou jij dat doen?'

Hij schudde zijn hoofd.

'Nee. Daar houdt het namelijk niet mee op, ik zou de rest van mijn leven op de vlucht zijn, zowel voor de smeris als voor Hectors bende. Ze zouden het er niet bij laten zitten.'

'Nou dan,' zei ze onverschillig.

Sophie haalde een blaadje tevoorschijn en gaf het aan Jens. Hij nam het aan en las wat erop stond: *Wees voorzichtig.*

'Waar heb je dat gevonden?'

'In mijn brievenbus.'

'Wanneer?'

'Een paar dagen geleden.'

'Voordat ze Albert hadden opgepakt?'

Ze knikte. Hij keek nog een keer naar het briefje alsof hij dan iets zou begrijpen wat er niet stond.

'Wie heeft het geschreven?'

'Dat weet ik niet.'

Jens snapte er niets van. Hij legde het briefje op de salontafel en leunde naar voren in de stoel. Hij zat wijdbeens, met zijn ellebogen op zijn knieën.

'Als ik jou was zou ik zo veel mogelijk informatie verzamelen over de grootste bedreiging en op dit moment is dat de politie. Daarna zou ik ze er op de een of andere manier mee confronteren.'

'Hoe dan?'

Hij haalde zijn schouders op.

'In dit geval betekent confrontatie ze een beetje uit hun evenwicht brengen... misschien ergens achter komen.'

'En daarna?'

Jens stond op uit zijn stoel en liep naar de keuken.

'Ik weet het niet...'

# 17

Carlos, gekleed in een fonkelnieuw trainingspak, was soep aan het eten. Hij kon alleen maar vloeibaar voedsel tot zich nemen. Hij zat in zijn mooie leunstoel met een handdoek op zijn knieën. Er was een film op de tv met Terence Hill en Bud Spencer. Bud sloeg de schurken met zijn vlakke hand neer, begeleid door overdreven geluidseffecten. Terence' nagesynchroniseerde stem hield de bewegingen van zijn lippen niet bij. Carlos grinnikte om het gevecht, zijn gezicht deed pijn.

In de hal klonk de bel.

Anders en Hasse glimlachten vriendelijk toen Carlos opendeed.

'Carlos Fuentes?' vroeg Hasse.

Carlos knikte. Hasse wapperde met zijn politielegitimatie.

'Ik ben Kling, dit is Klang. Mogen we binnenkomen?'

'Ik heb al met de politie gepraat, ze zijn in het ziekenhuis bij me geweest.'

Hasse en Anders drongen zich langs Carlos heen en beenden het appartement door naar de keuken. Carlos keek hen na.

'Wat willen jullie?'

Kling en Klang zaten ieder op een keukenstoel te wippen. Carlos stond tegen het aanrecht geleund.

'En je weet niet meer hoe ze eruitzagen?'

Carlos schudde zijn hoofd.

'Hoe oud zei je dat ze waren?'

Anders stelde de vragen. Carlos dacht na.

'Tieners...'

'Dertien of negentien?' vroeg Anders.

'Eerder negentien, misschien zeventien.'

'Zeventien?' vroeg Hasse.

Carlos knikte.

'En die mishandelden je zomaar, die zeventienjarigen?'

Carlos knikte weer.

'Jeetje,' zei Hasse.

Carlos wist niet of hij nu de spot met hem dreef.

'Maar je moet toch iets hebben gezien? Een gezicht...'

Carlos schudde zijn hoofd.

'Het ging zo snel.'

'Nationaliteit? Zweeds?'

Carlos deed net alsof hij nadacht.

'Ik denk dat het allochtonen waren, ze hadden een capuchon op.'

Carlos krabde aan het puntje van zijn neus.

'Altijd weer die allochtonen,' zei Hasse.

Anders bladerde voor de schijn in zijn notitieboekje.

'En je was van je werk onderweg naar huis?'

'Ja...'

'Waar werk je?'

'Ik heb een restaurant, Trasten.'

'En alles was rustig in Trasten die avond? Geen heibel? Niets ge-beurd?'

Carlos schudde zijn hoofd, ging weer met zijn wijsvinger over het puntje van zijn neus – snel, nauwelijks merkbaar.

'Nee. Het restaurant sluit om elf uur, toen ben ik ernaartoe gegaan om af te sluiten. Een rustige zaterdagavond.'

'Natuurlijk was het dat, Carlos,' zei Anders glimlachend.

Carlos probeerde terug te lachen.

'Waar kom je vandaan, Carlos?' vroeg Hasse.

'Uit Spanje... Málaga oorspronkelijk.'

'Heet de koning niet Carlos?'

Carlos probeerde de logica van de vragen te begrijpen.

'Nee, die heet Juan Carlos...'

'Nou, dan heet hij toch Carlos?' zei Hasse.

Carlos volgde het niet helemaal.

'Er is dus niets gebeurd?' Anders stelde de vraag nog een keer.

Carlos keek Anders aan en schudde zijn hoofd.

'Alles zoals anders?' vroeg Hasse.

Carlos' blik schoot van de een naar de ander.

'Dat heb ik toch al gezegd!'

'Don Carlos! Was er niet een of andere pornoster die zo heette?'

Carlos keek naar Hasse, wist niet of de man daar een antwoord op verwachtte.

'Ik weet het niet,' zei hij zachtjes.

Anders keek Carlos onderzoekend aan.

'Heb je ooit psychologie gestudeerd?'

'Wat?'

'Heb je psychologie gestudeerd?'

Carlos schudde zijn hoofd.

'Psychologie? Nee.'

Anders wees naar Hasse.

'Wij wel, wij zijn psychologen. Van de Kling en Klang-psychologen-school.'

Nu was Carlos het spoor helemaal bijster.

'Daar leer je onder andere dat krabben aan de neus een van de duidelijkste tekenen van liegen is.'

Carlos voelde aan zijn neus.

'Precies. Je krabt voortdurend aan het puntje van je neus, Carlos. Die kleine irritante rotzenuw aan het uiteinde begint zich telkens wanneer we liegen te roeren.'

'Ik lieg niet,' zei hij.

'Hoe ken je Hector Guzman?' vroeg Hasse.

'Hector?'

Anders en Hasse wachtten.

'Hij is een oude bekende van me, hij komt af en toe in mijn restaurant eten.'

'Hoe zou je hem omschrijven?'

'Niets bijzonders, een gewone man.'

'Hoe is een gewone man?'

Carlos krabde aan het puntje van zijn neus.

'Nou, gewoon. Hij werkt, hij eet, hij slaapt... Ik weet het niet.'

'Heb je Hector zaterdag gezien?'

'Nee.'

'Maar hij was wel in je restaurant?'

'Niet toen ik kwam. Ik kwam laat, ik wilde afsluiten.'

'Was er die avond iemand bij hem? Weet je daar iets van?'

Carlos schudde zijn hoofd.

'Nee, dat weet ik niet.'

'Een vrouw? Sophie?'

Carlos schudde zijn hoofd, blij dat hij niet hoefde te liegen.

'Ik weet het niet,' zei hij mat.

Anders stond op en liep naar Carlos toe. Onderzocht zijn gehavende gezicht. Carlos voelde zich in het nauw gedreven, deed zijn best het tegendeel uit te stralen. Hasse stond opeens achter Anders, ze staarden hem allebei aan.

'Ze hebben goed gemikt...' fluisterde Anders.

Carlos trok een vragend gezicht.

'Die jongeren, toen ze je te grazen namen. Alleen maar klappen in je gezicht.'

Carlos knikte.

'Geen andere verwondingen?'

Carlos schudde zijn hoofd.

'Je gaat deze dragen.'

Anders hield een microfoon omhoog.

'Je kunt hem in je broekzak stoppen of waar je maar wilt, maar hoogstens dertig meter van deze hier.'

Anders liet een doosje zien. Carlos schudde wanhopig zijn hoofd.

'Helaas heb jij daar niets over te zeggen, Carlos. Draag die microfoon en hou je kop. Zet hem aan als je bij Hector en Aron in de buurt bent, vang alle informatie op.'

Hasse en Anders verlieten de keuken en liepen naar de voordeur.

'Dit kunnen jullie niet maken,' fluisterde Carlos.

Anders draaide zich om.

'O, jawel hoor. En nog wel meer ook.'

'Wat bedoel je?'

Hasse beende snel op Carlos af, pakte hem bij de keel en hamerde een paar keer met zijn vuist tegen de zijkant van zijn hoofd. De slagen klonken vlezig en hard toen ze zijn slaap, zijn oor en zijn jukbeen troffen. Carlos zakte versuft op de keukenvloer in elkaar en zag de onscherpe contouren van Kling en Klang door de voordeur verdwijnen.

Carlos bleef zitten en probeerde te kalmeren. Zijn hart ging enorm tekeer. Hij voelde een plotselinge druk op zijn borst, zijn ademhaling werd zwaarder, zijn hart begon nog sneller te slaan en hij werd duizelig. Hij slaagde erin op te staan en wankelend de badkamer in te komen. Zijn hart bonsde nu in zijn borstkas. Met trillende handen wist hij vijf pilletjes uit het potje met zijn hartmedicijnen te pakken. Hij nam er drie van in en leunde met beide handen op de wastafel, haalde diep adem en algauw werd zijn hartritme regelmatiger. Carlos bekeek zichzelf in de spiegel. In alle opzichten een geslagen man. Hij zag twee mogelijkheden. In de toekomst kwam daar misschien een derde bij, maar zoals het er nu uitzag waren het er twee: hij kon kiezen tussen Hector en Hanke. Misschien zou de politie later een derde optie kunnen zijn, maar hij kreeg geen duidelijkheid over wat ze wel of niet wisten. Hij moest nu eerst zichzelf beschermen. Carlos woog Hector en Hanke tegen elkaar af: wie was het sterkst, wie zou dit winnen? Hij had geen idee, wist niet eens waar de strijd over ging, wist alleen dat hij zijn chef had verkocht, een pak slaag van hem had gekregen en dat er een paar politiemensen bij hem waren geweest, die kennelijk meer wisten dan ze wilden vertellen.

Carlos keek naar zijn gehavende gezicht. Dat had Hector gedaan... Misschien stonden ze nu quitte.

Carlos liep de badkamer uit. Nee, ze stonden niet quitte, absoluut niet... In zijn hart wist hij dat. Maar het ging niet meer om zijn hart, er waren nu veel grotere belangen. Hij liep de keuken in, trok een fles wijn open en dronk een groot glas leeg. Hij zou niemand bellen in de toestand waarin hij nu verkeerde, hij zou het iets meer tijd geven, zien hoe de zaken zich ontwikkelden. Daarna zou hij beslissen wiens kant hij zou kiezen.

\*

Er lagen een hoop papieren op tafel. Hector las. Tegenover hem zat Ernst, de jurist, op een stoel. Aan de korte kant van het bureau zat Aron, die alles nog een keer nalas ter controle.

'De firma's heb ik laten registreren in West-Indië en op Macao,' zei Ernst. 'Ze staan geregistreerd als investeringsmaatschappijen met jou, Thierry, Daphne en je vader als eigenaren. Jij bezit eenenvijftig procent, Adalberto vijfenveertig procent, die op jou overgaan mocht hij komen te overlijden. Hetzelfde geldt als jij komt te overlijden, jouw deel gaat dan op hem over. Thierry en Daphne bezitten samen vier procent en staan geregistreerd als intekenaars van de firma. Zij hebben allemaal een volmacht ondertekend en die heb ik hier...'

Ernst schoof vier documenten over de tafel naar hem toe.

'Dit geeft jou de volledige zeggenschap over de inkomsten en uitgaven van het bedrijf.'

Hector zette snel zijn handtekening op de documenten.

'Wat gebeurt er als mijn vader en ik allebei overlijden?'

'Dan krijgt iemand anders alles. Dat mag je bij gelegenheid bepalen. Ik heb de papieren hier, het is alleen een kwestie van invullen en ondertekenen als je hebt besloten wie het gaat of gaan worden.'

Hector las de volmacht vluchtig door. Hij pakte de papieren, vouwde ze op, stopte ze in een envelop en deed de envelop in zijn aktetas.

Arons telefoon rinkelde.

'Ja?'

'*We halen onze doelen niet,*' zei Svante Carlgren en hij hing direct daarna op.

*

Hij had het nummer gebeld, hij had hun informatie gegeven. Nu dachten ze dat ze hem hadden. Maar dat was niet zo, hij had zichzelf alleen uitstel bezorgd.

Hij werd in de eerste plaats niet goed als hij aan die kuthoer dacht die hem had verraden. Hij zou haar hoofd willen vastgrijpen en dat tegen een muur helemaal tot gort slaan, tegen haar zeggen dat het niemand, maar dan ook werkelijk niemand, ooit was gelukt om hem,

Svante Carlgren, erin te luizen. Haar alleen wel. Hij slaakte een diepe zucht, hij was kapot. Hij wilde ook de man die hem had bedreigd vermoorden, die moest echt helemaal dood. De laatste tijd was hij alleen maar bezig geweest met hoe hij zich hieruit kon redden. Hij had verschillende ideeën tegen elkaar afgewogen en zich afgevraagd met wie hij het hierover kon hebben: de Russische maffia, motorbendes... want dat waren toch de mensen met wie je contact opnam als je in de shit zat? Maar geen van hen zou hem kunnen helpen, dat begreep hij wel. Hij had overwogen om de man zelf neer te schieten met zijn hagelgeweer, de Purdey waarmee hij altijd op fazanten joeg. Een goed onderhouden geweer dat in zijn wapenkast in de kelder stond. Om die klootzak in zijn gezicht te schieten – twee schoten zouden voldoende zijn. Maar Svante wist dat dat ook niet zou werken, hij zou opgepakt worden, dat gebeurde met iedereen die emotioneel handelde.

Svante Carlgren toetste een nummer in, het interne nummer van Östensson van de afdeling beveiliging. Östensson nam meteen op met een: 'Yep?'

'Met Svante Carlgren.'

'*Hé. Goedemiddag!*'

'Ik bel je met een vraag, het gaat niet over het werk, maar een vriend van me heeft hulp nodig.'

'*O.*'

'Kan dat?'

'*Ja... dat denk ik wel.*'

'Jij was toch werkzaam bij een particulier beveiligingsbedrijf voordat je bij ons kwam werken?'

'*Klopt.*'

'Hoe werkt zoiets?'

'*Dat hangt ervan af wat je bedoelt.*'

'Hielden jullie je bezig met het opsporen van mensen?'

'*Af en toe, ja.*'

'Waren jullie flexibel?'

'*Kun je wat duidelijker zijn?*'

'Waren jullie flexibel? Duidelijker kan ik het niet zeggen.'

Östensson zweeg een seconde te lang.

*'Ja, dat zou ik wel durven beweren.'*

'Ik heb een vriend die hulp nodig heeft.'

*'Dat zei je, ja.'*

'Heb je misschien een naam voor me?'

*'Zivkovic, Håkan Zivkovic.'*

Östensson gaf hem een telefoonnummer en Svante bedankte hem.

*'Svante?'*

'Ja?'

*'Je probeert me niet iets te zeggen, wel?'*

Svante moest lachen.

'Nee, het is net wat ik zeg... Ik wil een maat in nood helpen, maar ik begrijp dat je dat moet vragen.'

Svante hing op en toetste het nummer van Håkan Zivkovic in. Hij stelde zich voor als Carl xvi Gustaf, zei dat hij hulp nodig had bij het vinden van iemand van wie hij de naam niet wist, vertelde hoe hij eruitzag en in wat voor auto hij reed.

*'We gaan het voor je proberen, maar als je anoniem wilt blijven, kost het je wel extra.'*

'Waarom?'

*'Dat is gewoon zo.'*

'O.'

Håkan gaf Svante een rekeningnummer en Svante beloofde dat het geld in de loop van de volgende dag op Håkans rekening zou staan.

\*

In een zo goed als leeg appartement in Farsta zaten zeven betrouwbare personen achter computers blanco aandelen Ericsson te verkopen uit honderdzesendertig verschillende portefeuilles via gecodeerde verbindingen. Ze goochelden met financiële instrumenten die voor een hefboom zorgden op een dalende koers van het aandeel Ericsson. Even voor vijven waren ze klaar. Meteen daarna sloot de beurs, het aandeel was bijna de hele dag onveranderd gebleven.

Aron en Hector hielden het allemaal in de gaten. Ze gingen uit elkaar, sliepen die nacht slecht en kwamen de volgende ochtend in dezelfde flat weer bijeen.

Op de tv in de flat was het ochtendjournaal. De nieuwslezeres klonk ernstig toen ze sprak over fout berekende prognoses in Azië, waar niemand van hen zich eigenlijk druk over maakte. De stille, nerveuze spanning die vanaf de vorige dag in de flat had gehangen werd minder. Toen om negen uur de beurs opende begonnen ze de aandelen weer terug te kopen en verkochten ze de opties en de warrants die ze de vorige dag hadden aangeschaft weer door. Ze keken vrolijk naar hun computerschermen, waar het gedrag van het aandeel Ericsson te zien was – de curve was net een skihelling.

# 18

Het was negen uur 's avonds toen er werd aangebeld. Hij stond voor de deur met een papieren zak van de overdekte markt in de ene hand en een fles bubbels in de andere. Hectors glimlach was echt, alsof hij een prijs had gewonnen. Er schoten allerlei gedachten door haar hoofd. *Albert... Jens is ergens in de buurt... de microfoons... Niet nu...*

'Ik heb eten bij me,' zei hij en hij hield de tas in zijn linkerhand omhoog.

Ze probeerde naar hem te glimlachen.

'Dag, Hector. Wat brengt jou hier?'

'Ik had geen zin om alleen te eten.'

'En Aron?'

'Die is hier ergens.'

Sophie keek over zijn schouder.

'Kom binnen.'

Ze zaten in de keuken. Ze had de tafel gedekt en glazen gepakt. Hector had het eten uit de tas gehaald. Ze aten kleine beetjes uit de doosjes, dronken bubbels en praatten. Sophie was zich de hele tijd bewust van de microfoons die in de keukenlamp boven hen verstopt zaten. De situatie vergde nogal wat van haar zenuwen, maar tot haar opluchting gedroeg hij zich net als anders. Gewoon een vriend die langskwam en wat te eten had meegenomen. Meer maakte hij er ook niet van, hij was heel gezellig, bracht een soort rust en keek meer naar haar mond dan in haar ogen wanneer ze iets zei.

'Zo gemakkelijk is het nou,' zei hij.

Ze nam een hap.

'Wat is gemakkelijk, Hector?'

'Om hier zo samen te zitten.' Zijn toon was anders, serieuzer.

Ze werd ongerust en glimlachte vaag.

'Ja... dat is gemakkelijk.'

'Sophie?'

'Ja?'

Hij zocht naar het juiste woord.

'Ik wilde een cadeautje voor je kopen, een sieraad of zoiets...'

Ze wilde protesteren, maar hij gaf met een handgebaar aan dat ze hem moest laten uitpraten.

'Je trakteren op iets persoonlijks, een reis, een toneelvoorstelling, een wandeling met lunch, ik weet het niet. Maar telkens wanneer ik iets heb bedacht, komt de twijfel. Ik vraag me dan af of dat sieraad, die toneelvoorstelling of wat het ook is wel iets voor jou is. Dan twijfel ik eraan of ik je wel ken en of ik je ooit voor me zal kunnen winnen, hoe hard ik mijn best ook doe. En daarom durf ik het niet. Ik durf geen fout te maken uit angst je te verliezen.'

Ze keek naar haar bord, nam een hap en ontweek Hectors blik.

Hij fluisterde tegen haar om haar aandacht te krijgen.

'Wanneer gaan we serieus praten? Praten over ons, over wat er gebeurd is...'

'Hallo.'

De stem kwam van achter hen. Plotseling stond Albert in de keuken, als een geschenk uit de hemel, en keek eerst Sophie en vervolgens Hector vragend aan.

'Hallo Albert.'

'Hallo?'

'Dit is Hector.'

'Hallo Hector,' zei Albert alsof het de gewoonste zaak van de wereld was en hij pakte een bord uit de kast en bestek uit de la. Hector volgde hem met zijn blik. Albert ging schaamteloos aan tafel zitten, ontmoette heel even Hectors blik.

'Hector? Dat is toch een hondennaam?' vroeg hij terwijl hij met een lichte twinkeling in zijn ogen eten opschepte.

'Ja,' zei Hector. 'Dat klopt, een hondennaam. En Albert? Ik meen me te herinneren dat we vroeger een ezel hadden die zo heette.'

En toen begonnen ze met elkaar te praten en grapjes te maken alsof ze nooit anders gedaan hadden – een soort saamhorigheid waarvan ze zich waarschijnlijk niet eens bewust waren.

Hector lachte, Albert lachte en praatte. Sophie volgde het geheel met een vrolijke glimlach en grote angst.

*

Het was een warme avond. Jens zat op een bank op Stocksunds Torg. Er passeerden een paar feestelijk geklede jongeren met studentenpetten op. Een meisje met een Breezer in haar hand kon met moeite haar evenwicht bewaren op haar hoge hakken. Ze praatte niet, maar schreeuwde en de anderen leken niet naar haar te luisteren.

Jens wachtte op meer duisternis, maar die kwam maar niet. Hij liet de aangeschoten jongeren verdwijnen, pakte toen zijn platte zwarte rugzak, stond op en wandelde door de smalle straten naar Sophies huis. Hij passeerde dat op afstand en liep een heuvel op en een tuin in van waar hij de omgeving kon overzien. De familie die daar woonde, was hoogstwaarschijnlijk niet thuis. In het huis brandde hier en daar een nachtlampje – dat leek hier in de wijk de regel te zijn wanneer er niemand thuis was. Jens verplaatste zich naar de struiken op het hogere deel van het gazon, kroop ertussen en ging op zijn buik liggen, haalde zijn kijker uit zijn rugzak en zocht daarmee het gebied af.

Hij ontdekte de Saab, richtte, stelde de kijker scherp en zag een man op de bestuurdersstoel. De auto stond enigszins verdekt opgesteld achter een paar bomen. Als hij niet had gezocht, zou hij hem niet opgemerkt hebben. Jens zocht met de kijker de onmiddellijke omgeving van de auto af, speurend naar afwijkingen. Hij verruimde zijn zoekveld en speurde in een groter gebied, op zoek naar andere mensen. Niets.

Jens' plan was eenvoudig dichterbij komen, de man van een afstandje fotograferen en hem met Harry's hulp identificeren. Daar zou hij mee beginnen... De man in de auto was hoogstwaarschijnlijk een smeris. Maar Jens kon niet langer meer op waarschijnlijkheden varen.

Nu waren er feiten nodig om orde te scheppen in deze geschiedenis.

Jens liet de kijker zakken en richtte zijn blik op Sophies huis. Hij zag beweging in de keuken en zette de kijker weer voor zijn ogen.

Hector Guzman verscheen in de lens. Dat was wel het laatste wat Jens had verwacht. Hector, Sophie en Albert zaten aan tafel. *Hector?* Dan is Aron hier vast ook in de buurt. Waar? Jens speurde met zijn kijker het gebied verder af, snel en grondig. De man in de Saab bevond zich aan de westkant van Sophies huis. Jens aan de noordkant. Hij zocht in het zuiden en in het oosten, nergens een geparkeerde auto of een Aron te bekennen. Terug naar Sophies keuken. Hector had het raam verlaten. Vervolgens weer met een zwaai naar de Saab en terug naar het ooste-lijke deel van het gebied. Als Aron hier was, dan veranderde dat de zaak drastisch.

En hij was er. Jens zag hem door de kijker toen hij vanuit oostelijke richting over de weg kwam aanlopen. Hij liep in wandeltempo op ram-koers naar de smeris in de Saab. Jens volgde Aron door de lens en nam in zijn hoofd een aantal mogelijke scenario's door. Hij besefte dat er maar één ding op zat. Hij keek naar Aron en naar de Saab verderop, probeerde de afstand te berekenen en hoeveel tijd hij dus had. Het ging om seconden, niet meer. Bovendien kon hij niet de snelste route ne-men... en hij moest sluipen. En Aron hoorde mensen die slopen... *Ver-domme.*

Jens stond op en begon de heuvel over te rennen, parallel aan Aron, die beneden over de weg liep. Hij verhoogde zijn tempo, waardoor hij ook meer lawaai maakte. Maar dat risico moest hij maar nemen, hij moest er voor hem zien te komen, ver voor hem. En hij moest de auto van achteren naderen om zich te kunnen verstoppen als Aron eraan kwam. Dus rende hij in een wijde boog, hij liep ongeveer twee keer de afstand die Aron aflegde. Hij moest zich zeker twee keer zo snel voortbewegen... en zonder geluid te maken.

Jens rende dwars door jong struikgewas heen, door een aantal tuinen, en even later parallel aan de Saab die daar beneden geparkeerd stond. Hij zocht Aron, zag hem niet en begon aan een ruime bocht. Jens mikte recht op het zuiden en zette koers naar een helling met dauwnat gras, rende naar beneden, met de Saab aan zijn linkerhand. Hij gleed uit, viel, stond al glijdend weer op en stormde op de Saab af. Nu zag hij Aron verderop op de weg, hij kwam recht op hem en de auto af. Jens had nog een afstand van twintig meter voor zich waar hij zich volledig bloot moest geven. Zo diep mogelijk ineengedoken stormde hij naar voren en naderde de auto schuin van achteren. Hij hoopte dat de man daarbinnen zijn aandacht bij iets anders had, dat hij niet in zijn binnenspiegel zou kijken... dat hij diep genoeg vooroverliep en Arons aandacht niet zou trekken.

Jens mikte op het achterportier en hoopte vurig dat het niet op slot zat. Hij pakte de handgreep vast en rukte het portier open. *Dank u, Heer!* Hij wierp zich op de achterbank en hield zijn hoofd laag achter de bestuurdersstoel.

'Rij nu weg!'

De man was kalm en stil.

'Wat?'

'Start de auto en rij weg, Guzmans lijfwacht komt nu jouw kant op!'

Jens tilde zijn hoofd een beetje op en zag Aron dichterbij komen. De man achter het stuur was kennelijk niet al te snugger.

'Kijk naar links!'

De man keek. Toen leek hij het te begrijpen.

De Saab ging er plankgas vandoor. Jens liet zich op de vloer voor de achterbank rollen. Hij maakte zijn rugzak open en haalde zijn Beretta 92 eruit, drukte die in de zij van de man.

'Draai de binnenspiegel weg.'

Het duurde een paar seconden voordat de man het begreep. Hij boog de binnenspiegel die tegen de voorruit zat weg.

Ze reden een tijdje rond. De man leek merkwaardig kalm.

'Geef me je portemonnee.'

'Ik ben van de politie,' zei hij slaapdronken.

'Hoe heet je?'

'Lars.'

'Lars hoe?'

'Vinge.'

Jens drukte de loop achter zijn oor.

'Portemonnee.'

Die lag op het dashboard. Lars reikte ernaar en boog zijn arm naar achteren zodat Jens hem kon aanpakken.

'Je telefoon...'

Lars gaf hem zijn mobieltje. Jens stopte alles in zijn jaszak. Daarna vroeg hij om zijn wapen, waar hij de munitie uit haalde. Het magazijn stopte hij in zijn broekzak en het pistool liet hij op de vloer vallen.

'Waar gaan we heen?'

'Rij gewoon maar wat.'

Dat deed Lars. Jens kon vanaf de plek waar hij lag niet zien waarheen.

'Wie ben je?' vroeg Lars.

Jens antwoordde niet.

'Waarom heb je me gewaarschuwd?'

'Bek dicht.'

Ze reden een kwartierlang doelloos rond totdat Jens zei dat hij moest stoppen.

Lars stuurde de Saab naar de kant van de weg, stopte de auto en op hetzelfde moment leunde Jens tussen de twee stoelen door naar voren en trok de autosleutel uit het contactslot.

'Kijk voor je,' zei hij en hij liet Vinge achter met duizend vragen. Jens verwijderde zich haastig van de Saab en verdween in de begroeiing van een tuin.

Toen hij niet meer gezien kon worden bleef Jens staan en keek om zich heen. Ze waren weer terug in de wijk waar Sophie woonde. Haar huis lag twee huizenblokken verder. Die smeris moest gewoon constant hetzelfde rondje hebben gereden.

Jens begaf zich snel naar zijn auto, die bij het plein stond. Hij wilde daar weg, wilde Aron of Hector niet tegen het lijf lopen. Hij kroop snel achter het stuur, reed naar de oprit bij Inverness, haalde de ID-kaart uit de portemonnee. Een politielegitimatie: *Lars Vinge*. Hij bekeek de foto, het was dezelfde vent, hij stopte de kaart in zijn zak, haalde Vinges mobiele telefoon tevoorschijn en begon in de contactenlijst te bladeren. Hij vond een paar namen: *Anders, Dokter, Gunilla, Mama, Sara...* dat was het – een ongebruikelijk korte lijst. Jens doorzocht de 'laatst gekozen nummers' en de 'ontvangen oproepen'. Lars was geen frequente gebruiker van de telefoon, hij belde Gunilla maar af en toe. Hij ging over naar de 'gemiste oproepen', dat waren er drie van *Sara* en twee van *Onbekend*.

Jens reed de Stocksundsbron over, opende het raampje en gooide de autosleutels en het magazijn over de leuning van de brug.

*

Albert had hen alleen gelaten, hij had zich teruggetrokken in de woonkamer.

'Leuke zoon heb je,' zei Hector. Vervolgens begon hij te praten over hoe belangrijk het was dat je al vroeg de juiste houding aannam ten opzichte van de wereld om je heen, dat het dan verder vanzelf ging, dat alles op zijn plaats viel. Hij vergeleek Albert met zichzelf.

Sophie onderbrak hem.

'Je moet nu weggaan, Hector.'

Hij begreep het niet.

'Wil je dat ik wegga?'

Ze knikte, hij probeerde iets te lezen in haar gezichtsuitdrukking.

'Waarom?'

'Omdat ik het wil. Ik wil niet dat je hier weer komt.'

Hector keek haar met een frons op zijn voorhoofd onderzoekend aan, zijn handen gevouwen.

'Oké,' zei hij en hij probeerde te doen alsof haar woorden niet zoveel betekenden. Hij vermande zich en stond op. Maar in plaats van weg te gaan bleef hij bij de rand van de tafel staan.

'Wat heb ik gedaan?'

Ze ontweek zijn blik.

'Je hebt niets gedaan. Ik wil gewoon dat je gaat.'

Hij was zichtbaar verdrietig. Maar hij ging er verder niet op in, pakte zijn telefoon, belde een nummer, mompelde iets in het Spaans en verliet het huis. Aron kwam met de auto voorrijden.

Ze bleef aan de keukentafel zitten, hoe lang wist ze niet.

'Wil je eenzaam sterven, mam?'

de ene dienst naar de andere?' vroeg Jens.

'Geen idee... politie, wie kan het schelen?' mompelde Harry en hij nam een slok koffie, zette zijn koffiekopje neer en begon weer op de toetsen te drukken.

'Dit gaat even duren,' zei hij.

Jens bleef zitten. Harry tikte verder, keek naar Jens, tikte weer even en draaide zich toen naar hem om.

'Daar in de hoek vind je speelgoed, ga daar zolang maar even spelen.'

Jens begreep het.

Tegen de muur stond een opgeklapte tafeltennistafel, hij klapte hem uit en begon met zichzelf te spelen. Het tikkende geluid van de pingpongbal was heerlijk om je op te concentreren. Het was hypnotiserend. Jens dacht aan niets, liet de bal maar tussen hem en de muur heen en weer stuiteren. Hij sloot zich af, zijn concentratie was maar op één ding gericht, dat de stomme bal doorkreeg dat hij kansloos was tegen hem. Maar dat was hij niet, want Harry riep hem, Jens verloor zijn concentratie en de bal won. Hij stuiterde van de tafel af en rolde weg over de vloer naar zijn eigen nietszeggende vrijheid.

Harry had meerdere pagina's in een klein venster op het scherm openstaan toen Jens weer naast hem op de stoel plaatsnam.

'Lars Vinge is een vrij onzichtbaar type, er is niets interessants over hem te vinden. Hij is een smeris, is van Västerort naar de rijksrecherche gegaan. Ik heb in medische dossiers gezocht en ontdekt dat hij onlangs nog bij een arts is geweest. De oude dossiers worden niet bijgehouden, dus een bezoek aan een arts vóór 1997 is moeilijk boven water te halen. Hoe dan ook, onlangs is hij bij de dokter geweest met rugklachten en slaapproblemen. Volgens deze informatie slikt hij Sobril en Citodon.'

'Wat is dat?'

'Sobril is een kalmeringsmiddel, verslavend... Het is een benzo die mensen flink in de problemen brengt.'

'En dat andere dan?'

'Citodon is een pijnstiller, lijkt op paracetamol, smaakt als paracetamol... Maar het is codeïne. Wordt in je lichaam omgezet in morfine.'

'Hoe kom je aan die kennis, Harry?'

'Gaat je niks aan,' mompelde hij en hij tikte op zijn toetsenbord, klikte met de muis, zocht en keek in de platte, tweedimensionale digitale wereld voor hem. Hij leek spijt te hebben van zijn onvriendelijke antwoord.

'Mijn ex was medicijnverslaafd. Ze had een complete apotheek thuis. Waar ze alleen maar met de dag slechter van werd in plaats van beter.'

'En toen?'

'Uiteindelijk herkende ze zichzelf niet meer en ik haar ook niet.'

'Wat erg.'

Harry keek Jens in de ogen.

'Ja, dat was erg,' antwoordde hij met volledige eerlijkheid in zijn stem en hij keerde terug naar zijn computer.

Jens nam Harry onderzoekend op vanuit zijn ooghoek. Harry hield privézaken meestal voor zich.

'Dus we hebben te maken met een medicijnverslaafde rechercheur?' vroeg hij.

Harry schudde zijn hoofd.

'Nee, nee, dat hoeft niet. Je komt natuurlijk niet al na één pil in de problemen... Bij de meeste mensen gaat het goed, als ze de pillen maar kort en spaarzaam gebruiken.'

'Nog meer?'

Harry schudde zijn hoofd weer.

'Niets, behalve dat hij niet getrouwd is, in Södermalm woont en een of ander essay over etnische problemen in Husby heeft geschreven toen hij wijkagent of zoiets was... Hij heeft een taxirijbewijs, relatief weinig geld en volgens zijn betaalkaarten koopt hij af en toe films via internet en doet hij boodschappen bij een goedkope supermarkt.'

Jens las de magere informatie op het scherm.

'Ik moet meer details hebben. Kun je boven water halen waar hij nu mee bezig is? Met wie hij werkt... en voor wie?'

'Bel ze op en vraag het ze,' antwoordde Harry.

'Zouden ze antwoord geven?'

'Waarschijnlijk niet.'

'Oké. Trek ook even een vrouw na, een rechercheur, Gunilla Strandberg.'

Harry ging aan de slag en rammelde op zijn toetsenbord.

'Wie is ze?'

'De baas denk ik, Sophies contact.'

Harry stopte op een pagina, scrolde naar beneden en las voor.

'Gunilla Strandberg, in achtenzeventig in dienst getreden. Heeft de normale weg gevolgd lijkt het... uniformdienst in Stockholm, midden jaren tachtig een aantal jaren rechercheur op een politiebureau in Karlstad... Weer terug in Stockholm, bij de rijksrecherche begonnen, inspecteur geworden... Geschorst in afwachting van een onderzoek in 2002, twee maanden, daarna weer aan het werk.'

'Wat voor onderzoek was dat?'

'Weet ik niet, dit is het personeelsbestand van de politie. Hier staan alleen maar harde feiten in.'

'Kun je naar een andere pagina gaan, met meer informatie?'

Harry wisselde van venster, gaf opnieuw een zoekopdracht met haar naam. Hij haalde een aantal pagina's op, verkleinde ze en zette ze naast elkaar op het scherm.

'Ongetrouwd, woont in Lidingö. Heeft een broer, Erik... Geen belangwekkende zaken in haar medische dossier... Kennelijk nooit ziek geweest.'

Harry tikte weer op het toetsenbord.

'Ze heeft een aantal betalingsachterstanden, maar haar financiële situatie is goed. Ze is lid van Amnesty en doneert behoorlijke bedragen aan Human Rights Watch en UNICEF... Misschien is ze lid van Vrienden van de Pioenroos. Haar naam komt voor in een ledenbestand.'

Harry rekte zich uit.

'Het is een redelijk gefortuneerd mens dat slordig is met het betalen van rekeningen, haar verantwoordelijkheid neemt als wereldburger, nooit ziek is en van pioenrozen houdt... Dat is het.'

*

Lars was niet geschokt, hij trilde niet eens. Dat had alles te maken met de Ketogan die hij tegenwoordig tot zijn beschikking had. Hij was emotieloos. Zelfs toen het koude staal van de pistoolloop tegen zijn lichaam geduwd werd... Leeg.

Hij wist niet hoe hij zijn toestand moest noemen. *Verbaasd* misschien? Ja, dat was het, verbaasd. Verbaasd dat een onbekende man met een wapen zijn auto was binnengedrongen en zijn telefoon, zijn ID-kaart en zijn autosleutels had afgepakt... *verbaasd*.

Verbijsterd keek hij de nacht in en trok zijn onderlip naar binnen. Hij wist hoe beroerd het er met hem voor stond, hij voelde het. In de eerste plaats door de pillen, maar ook door alles wat er gebeurd was. Het was razendsnel gebeurd, in de loop van een aantal weken had hij alles in de soep laten lopen. Het beetje leven dat hij nog had gehad was nu weg. Zijn relaties waren naar de knoppen, zijn gevoelsleven was in oproer en zijn motoriek liet hem in de steek. Zijn ziel was dood en ergens diep in de krochten van zijn innerlijke hel begraven. Het leek wel alsof er niets eigens meer in hem zat, alleen dingen die anderen erin hadden gestopt. Hij herkende zichzelf niet. Hij was het niet meer... maar het was ook niet iemand anders. Wie was die vent? Niet een van Hectors mannen... Misschien een vriend? Een vriend die Sophie hielp? Waarom?

Hij liet zijn onderlip los en staarde voor zich uit. *Verbaasd* was toch niet het juiste woord – hij was niet verbaasd, hij was helemaal niets.

Lars bleef uren zo zitten. Maar in zijn door drugs veroorzaakte verwarring begon hem iets te dagen, hij begon iets van betekenis te ontwaren. Zijn telefoon was weg, zijn portemonnee, het magazijn van zijn pistool, de sleutels van de auto... alles was weg, samen met zijn persoonlijkheid en zijn ziel... samen met zijn vroegere leven. Misschien was het een teken? Een teken van verandering? Dat hij het roer moest omgooien, opnieuw moest beginnen, bij nul... Moest uitzoeken wat er nu werkelijk om hem heen gebeurde, partij kiezen.

Plotseling realiseerde hij zich dat hij vrij was om te kiezen welke kant hij op wilde. Lars zag een verlenging van de termijn, zag voor zich wat hij vanaf nu zou doen, wat hij móést doen.

Hij strekte zijn arm naar achteren uit en pakte zijn dienstwapen zonder magazijn van de vloer voor de achterbank, sprong uit de auto, liep eromheen en opende de kofferbak. Hij sloot het tasje met de afluisterapparatuur met behulp van het klittenband, tilde het eruit, liep ermee naar een tuin en zette het achter een berk neer. Lars ging zitten en trok zijn veters uit zijn sportschoenen, knoopte ze aan elkaar tot één lange veter, stond op en liep terug naar de Saab, draaide de dop van de benzinetank, liet de veter er zo ver mogelijk in zakken, trok hem weer omhoog, rook eraan – *benzine, wat een heerlijke geur...*

Vervolgens liet hij het andere uiteinde er zo ver mogelijk in zakken. De schoenveter bleef een paar centimeter uit de tank steken. Hij keek naar de boom, probeerde zijn vluchtroute te bepalen. Hij had drie, misschien vier seconden. Nee, meer. Vijf, zes...

Hij pakte een aansteker en stak het met benzine doordrenkte uiteinde aan. De veter brandde snel, sneller dan hij verwacht had. Lars rende zo hard als hij nog nooit had gerend, met lange passen, met de paniek suizend in zijn achterhoofd.

De explosie klonk dof en zwaar alsof iemand een dik kleed over de hele buurt had laten vallen. De schokgolf voelde als een warme windvlaag in zijn rug toen hij tegen de grond sloeg boven op de tas met de afluisterapparatuur. Hij draaide zich om. De vuurzuil bleef een paar seconden rechtop staan. De vlammen aan de bovenkant, die naar binnen en naar beneden leken te willen, gaven hem een paddenstoelvorm. Daarna verdween hij in het halfduister van de vallende avond. De Saab stond in lichterlaaie. Het siste, tikte en knetterde. De achterruit was verdwenen, de kofferbak hing uit zijn scharnieren. Het plastic begon te smelten, het glas barstte, het linkerachterwiel braakte rubber uit in de vlammen. Hij keek met grote ogen naar het vuurwerk.

*

Sophie had gedroomd dat de verwarmingsketel in de kelder was ontploft. Voor haar slaapkamer kwam ze Albert tegen.

'Wat was dat?' vroeg hij.

'Ik weet het niet.'

Ze liep naar beneden, maar zag niets vreemds, liep door naar de

kelder, zocht met haar blik, snoof of ze iets verdachts rook, maar nee.
Ze hoorde Albert buiten roepen.

Toen ze buiten kwam, zag ze een paar straten verderop een schijnsel
boven de bomen. Een fel, geelachtig licht.

Ze begonnen die kant op te lopen.

Een grote groep slaapdronken mensen stond naar het vuur te kijken. Uit de omringende straten kwamen nog meer mensen aanlopen.
Sophie zag dat het een auto was, een oude Saab.

Albert kwam een vriend tegen, ze begonnen te praten en te lachen.
Ze keek naar de brandende auto, hoorde in de verte de brandweersi-
renes, hoorde het lawaai en het kraken van plastic, rubber en metaal.

Hij stond vlak achter haar.

Lars was overeind gekomen na de explosie en wilde al weggaan toen
hij ineens op het idee kwam dat zij hier vast naartoe zou komen. Hij
was blijven staan, had zich omgedraaid en zich teruggetrokken in het
donker. Hij had gezien hoe de mensen uit de nabijgelegen huizen aan
kwamen lopen. Lars had de tas verstopt, met zijn hand door zijn haar
gewoeld en was teruggelopen.

Nu was hij ook een omwonende die wakker was geworden van een
explosie, snel wat kleren had aangeschoten en naar buiten was gegaan
om te kijken wat er aan de hand was.

Eerst zag hij haar niet en dat maakte hem ongeduldig. Lars probeerde te kalmeren door naar het commentaar van de anderen te luisteren. Het waren voornamelijk grapjes. Iemand vroeg om een vuurtje,
een man zei iets over Saab, aandelen en faillissement. Lars begreep
de humor niet, maar alle anderen kennelijk wel. Meer mensen sloten
zich aan om het spektakel te aanschouwen. En toen zag hij haar.

Ze was over de weg schuin achter hem komen aanlopen. Hij had
heel even die kant opgekeken, zag Albert voor haar uit lopen, zag haar
prachtige verschijning. Hij glimlachte, hij voelde het. Hij haalde de
glimlach weer van zijn gezicht, draaide zich om en keek naar het vuur,
zag haar vanuit een ooghoek, ze was een eindje van hem vandaan blijven staan. Lars was langzaam door de mensenmenigte heen dichter
naar haar toe gekropen.

Nu stond hij vlak achter haar, hij staarde in haar nek, dat deel van haar dat hij zo aantrekkelijk vond. Ze droeg haar haar in een staart, ze had een blote nek. Hij wilde zijn hand uitsteken om die nek te strelen, te masseren, zijn vinger in die kleine holte te duwen.

'Sophie?'

Een vrouw in een ochtendjas kwam naar haar toe lopen.

'Dit is toch krankzinnig! Wat is er gebeurd?'

Lars volgde het gesprek.

'Hoi Cissi, ik weet het niet, ik werd wakker van de klap.'

'Ja, ik ook...'

Hij had haar stem lang en vaak in zijn koptelefoon gehoord, had haar door zijn telelens gezien, was vlak bij haar geweest toen ze lag te slapen, maar zoals nu had hij haar nog nooit gezien: gewoon, wakker, *Sophie*. Hij bleef maar naar haar lichaamsbewegingen kijken, haar kleine gebaren, hij glimlachte weer.

Cissi haalde een pakje sigaretten uit de zak van haar ochtendjas.

'Ik wist deze nog snel mee te grissen, wil je er een?'

'Graag.'

Ze staken ieder een sigaret op en keken naar de brandende auto. Cissi rukte haar blik ervan los, nam een trekje, draaide zich om en ontmoette Lars' vreemde glimlach. Ze nam hem van top tot teen op.

'Wat sta jij daar stom te grijnzen?'

Sophie draaide zich ook om en zag Lars. Ze staarden elkaar aan. Hij wendde zijn blik af, keek naar de grond en verdween toen snel in de menigte.

Cissi nam nog een trekje.

'Wie was die griezel?'

Sophie wist het... Ze wist wie het was. Ze schrok ervan. Ze had een mannetjesputter verwacht, een echte politieman, zoals ze zich die voorstelde. Maar niet de man die ze net had gezien, met die fletse, holle en zoekende ogen en dat rare gedrag.

'Ik weet het niet,' zei ze en ze zocht hem tussen de mensen. Maar Lars Vinge was verdwenen.

*

*De muur.* De wirwar van alle foto's, alle namen, alle lijnen, alle aante-keningen... Wat een chaos, hij liet zijn ademhaling rustiger worden. Concentreerde zich op de foto's van Sophie. Hij deed een paar stap-pen achteruit en meende iets van een samenhang te zien, maar toen hij die wilde grijpen, was hij alweer weg... *Verdomme!*

Lars schreef op de muur: *man 35-40, gewapend, kalm.* Hij trok een streep naar Sophie. Hij stapte naar achteren, keek, probeerde zich iets te herinneren. Herkende hij de stem van de man in de auto? Zijn blik bleef hangen bij de foto van de man die Sophie op de Strandvägen had ontmoet. Zijn gedachten stuiterden alle kanten op. De tijd verstreek, zijn concentratie verslapte. Zijn gedachten draaiden maar door.

Lars liep de badkamer in, maakte een nieuwe dosis. Deze keer dacht hij dat het hem gelukt was een cocktail te mixen die de concentratie bevorderde. Hij gooide de pillen naar binnen, zag zichzelf in de spie-gel en neuriede het slot van 'New York, New York'. Lars was bleek, hangerig en had gele puistjes rond zijn mond zitten – wat hij zag be-viel hem wel.

Terug naar de muur. Lars ging verder met werken, zoeken, graven. Hij krabde aan zijn puistjes, kon zijn benen niet stilhouden en tan-denknarste als een herkauwende eland. Zat er een patroon in al die lijnen dat hij maar niet zag? Zat er een code verstopt in alles wat hij op de muur had geschreven? Had hij zelf onbewust een geheimschrift gecreëerd met daarin besloten het antwoord op alles wat hij niet be-greep? Misschien wel... Het goddelijke antwoord op alles? Was het daar in de chaos op de muur te vinden? Stonden er misschien nog an-dere antwoorden? Lars voelde hoe hij zich door zijn drugsintelligentie liet meevoeren. Toen hield het op. Alsof Ingo Johansson uit de foto was gestapt die tegen de muur stond, een stap naar voren had gedaan en hem een rechtse directe tegen zijn hoofd had gegeven.

Lars zat op de stoel met een gebogen nek, niet in staat om te denken of zich te bewegen. Hij was mentaal gevloerd, door de morfine waren zijn hersenen net stroop. Kwijl liep langs zijn mondhoek. Hij staarde naar zijn benen, zag grasvlekken op de knieën van zijn spijkerbroek... alsof hij een klein jongetje was! Lars moest erom lachen, grasvlekken op zijn knieën! De dosering was te hoog geweest. De vermoeidheid zakte naar zijn nek, zijn schouders en verder naar zijn borstkas, zijn buik, benen, voeten – tot in de verste hoeken van Lars Vinge. Hij liet zich van zijn stoel glijden, kwam op zijn knieën terecht, viel voorover en ving zichzelf op met zijn handen. Het deed pijn in zijn polsen en onderarmen toen hij landde.

Hij zag een eenzaam snoer dat onder het bureau bevestigd was. Lars staarde naar het snoer. Het leverde hem een reeks vage en vluchtige associaties op.

Hij nam wat Ketogan en benzo in... en nog wat ander spul. Een mega-overdosis. Maar hij kwam er niet door in de gewenste toestand. In plaats daarvan was het net alsof hij door een druk van buitenaf werd samengeperst, zo voelde het. Hij kon zich niet bewegen, kon niet denken, hij was zwaarder dan de massa van een imploderende ster. En toen doemde Ingo weer op. Deze keer maakte hij een of andere droge opmerking, kwam met zijn linkse, maakte een schijnbeweging, gevolgd door een rechtse uppercut. Alles werd zwart.

*

Het telefoonsignaal haalde hem ruw uit een compacte en geluidloze duisternis. Lars keek op de klok, hij moest urenlang onder zeil zijn geweest. Het telefoonsignaal snerpte weer. Aanhoudend en schril. Hij ging op zijn knieën zitten. Er kwam geen eind aan het lawaai. Hij zocht steun bij een tafel, kwam overeind en liep op onvaste benen over de parketvloer. Zijn onderrug en zijn knieën deden pijn.

'Hallo?'

'*Lars Vinge?*'

'Ja?'

'*Je spreekt met Gunnel Nordin van Lyckoslanten. Ik moet je helaas meedelen dat je moeder vanmorgen is overleden.*'

'Goh... Wat erg...'

Lars hing op en liep naar de keuken zonder te weten wat hij daar zocht en weer ging de telefoon. Hij keek om zich heen om zich op die manier te herinneren waar hij naar op zoek was. Weer klonk het telefoonsignaal. Hij keek naar het plafond, vervolgens naar de vloer, zocht op de plek waar hij stond, maakte een draai van driehonderd-zestig graden. De telefoon ging. Nee, hij wist niet meer wat hij zocht, zijn hersenen draaiden op volle toeren.

De telefoon rinkelde. Hij nam op.

'Hallo?'

*'Ja, nogmaals met Gunnel Nordin, Lyckoslanten...'*

'Ja?'

Lars keek naar zijn voeten.

*'Ik weet niet of je hebt begrepen wat ik net vertelde.'*

'Ja, mijn moeder is gestorven, zei je.'

Zijn wang begon te jeuken, alsof hij zojuist door een mug was ge-stoken. Hij krabde hard en geïrriteerd met zijn nagels.

*'Wil je hierheen komen? Om haar te zien voordat we haar wegbren-gen?'*

Hij keek naar zijn nagels, een beetje bloed.

'Nee, nee, het is goed zo, brengen jullie haar maar weg.'

Gunnel Nordin viel even stil.

*'Ik moet je helaas vragen hierheen te komen om een aantal zaken af te handelen, papieren te ondertekenen en Rosies bezittingen op te halen. Schikt je dat deze week?'*

'Ja... dat kan wel.'

Lars' ogen bleven dwalend rondkijken, hij zocht iets.

*'Er is nog iets wat ik je moet vertellen...'*

'O?'

*'Rosie... je moeder heeft zelf een eind aan haar leven gemaakt.'*

'O... Oké.'

Hij hing weer op. Wat zocht hij nou, verdomme?

Lars deed de koelkast open, de kou die hem tegemoetkwam was aangenaam. Hij bleef daar een hele poos staan, hoe lang wist hij niet. De telefoon ging weer, deze keer klonk hij luider. Hij staarde naar het koelelement helemaal achter in de koelkast. Hoorde het tikken.

Het telefoonsignaal snerpte, boorde zich in hem, verstoorde zijn ge-moedsrust. Hij hoorde zichzelf krijsen, een ijzingwekkende schreeuw, vol woede alsof die ergens uit zijn diepste zelf kwam. Het verbaasde hem dat hij zo kon schreeuwen, dat was nog nooit eerder gebeurd.

'Ja?'

'*Lars, wat is er gisteren gebeurd?*'

Het was de stem van Gunilla.

'Gisteren? Niets, voor zover ik weet.'

'*Je auto is uitgebrand.*'

'Mijn auto?'

'*De Saab, in Stocksund, vannacht.*'

'Hoe kan dat?'

'*Dat weten we niet. Volgens getuigen is hij geëxplodeerd. Hoe laat ben je naar huis gegaan?*'

'Rond elf uur.'

'*En de apparatuur?*'

'In de Saab. Waar is de auto nu?'

'*Hij is meegenomen naar Täby voor technisch onderzoek, maar je weet hoe lang zoiets duurt.*'

Dat wist hij niet.

'*Wie kan dit gedaan hebben, Lars?*'

Lars deed alsof hij totaal verbluft was.

'Geen idee... vandalen, snotjongens... Ik weet het niet, Gunilla.'

'*Hoeveel opgenomen materiaal is er verdwenen?*'

'Niets van waarde, ik heb immers alles al voor je uitgetypt.'

Gunilla bleef even zitten met de hoorn in haar handen, toen hing ze op.

Jens wilde verder slapen, maar de telefoon bleef maar rinkelen. Hij reikte naar zijn mobieltje en gooide zijn oude wekker om, die op de grond viel. Hij had de stand van de wijzers nog net kunnen zien en in combinatie met het zonlicht dat door de gordijnen drong bracht die hem tot de conclusie dat het al midden op de dag was.

'Ja...'

'*Heb ik je wakker gemaakt?*'

'Nee, nee, ik was op.'

'*Kunnen we praten?*'

Jens probeerde de losse eindjes in zijn hoofd bijeen te rapen.

'Bel je met de mobiel die ik je heb gegeven?'

'Ja.'

'Hang op, dan bel ik jou.'

Hij sloeg het grote witte dekbed open en zette zijn voeten op de zachte vloerbedekking. Zijn slaapkamer was zo licht als het binnenste van een cumuluswolk. Alles was wit op een dof donkerrood schilderij na: een Mark Rothko-kopie waar hij altijd weer van genoot. Jens rekte zich uit, stond op en liep de kamer uit. Krabde op zijn hoofd, strekte zijn lichaam. Hij droeg slechts een ivoorwitte katoenen boxershort, groot en wijd met knopen, met de hand gemaakt in Turkije. Hij had er twintig gekocht bij een kleermaker. Ze waren, volgens hem, de beste kledingstukken die hij ooit had aangeschaft.

Hij liep verder de keuken in, trok een keukenla open en pakte er een nieuwe simkaart uit, scheurde het plastic eraf en stopte de kaart onder de batterij in zijn mobieltje en belde Sophie.

'*Er is hier vannacht een auto uitgebrand,*' zei ze toen ze opnam.

Hij was nog niet helemaal wakker.

'Uitgebrand? Hoe?'

'*Rond halfeen vannacht werd ik wakker van een explosie. Albert en ik zijn ernaartoe gegaan, er stond een auto in lichterlaaie, een Saab. De brandweer heeft het moeten blussen.*'

'Een Saab?'

'Ja.'

'Vreemd.'

'*Dat kun je wel zeggen... Heb jij er iets mee te maken?*'

'Nee.'

Jens dacht aan de vorige avond.

'Een paar uur eerder was ik daar wel. Maar dat wist je al, dat heb ik tegen je gezegd.'

'*Wat is er gebeurd?*'

'Er zat een man in de Saab, een agent. Ik had hem zullen besluipen en fotograferen. In alle stilte, hij mocht niets merken. Dat was het plan.'

'*Maar?*'

'Maar plannen verlopen zelden zoals je graag wilt.'

'*Dus?*'

'Ik zag Hector in je keuken zitten. Daarna zag ik Aron de wijk binnenlopen. Hij koerste recht op de man in de Saab af.'

Sophie wachtte.

'Dus moest ik die agent daar weg zien te krijgen. Als Aron argwaan had gekregen, de afluisterapparatuur in de auto had gevonden – ja, vul zelf maar in.'

*'Wat is er gebeurd?'*

'Ik ben de Saab in gedoken en heb hem gedwongen weg te rijden.'

*'En toen?'*

'Een paar huizenblokken verder ben ik weer uitgestapt en richting stad vertrokken.'

*'Meer niet?'*

'Nee, meer niet. Ik heb zijn naam,' zei Jens.

*'Hoe heet hij?'*

'Lars Vinge.'

*'Hoe ziet hij eruit?'*

'Wacht...'

Jens liep de hal in, pakte Lars Vinges rijbewijs, legde dat op het haltafeltje neer, maakte een foto zonder flitslicht en stuurde die naar haar door.

Ze zwegen. Hij hoorde haar ademhaling en toen een gilletje.

*'Dat is hem. Die man heb ik gisteren gezien, hij stond tussen de toeschouwers toen de auto uitbrandde.'*

Die reactie verraste hem.

'Weet je het zeker?'

*'Ja. En op de avond toen Hector verdween reed hij ook in die Volvo. Ik heb hem ook nog ergens anders gezien... Ik weet even niet waar, misschien in Djurgården. Heeft hij jou gezien?'*

'Nee, ik lag verborgen achter de bestuurdersstoel.'

Jens dacht na.

'Hij heeft die auto vast zelf in brand gestoken.'

*'Waarom?'*

'Misschien omdat hij het gevoel had dat hij genaaid werd toen ik hem zijn spullen afhandig maakte.'

*'Wat heb je gepakt?'*

'Zijn telefoon, portemonnee en het magazijn van zijn wapen... de autosleutels. Alles wat hem dierbaar was.'

'*Wat gaat er nu gebeuren, Jens?*'

Hij hoorde haar ongerustheid.

'*Is de politie nu gevaarlijker?*'

'Misschien hebben we geluk.'

'*Hoe dan?*'

'Hij verdoezelt dit, agent Lars. Houdt dit voor zichzelf, schaamt zich misschien. Daarom heeft hij die auto in brand gestoken.'

'*Of niet,*' zei ze zachtjes. '*Jouw acties maken het misschien alleen maar erger, vooral voor Albert. Heb je daar wel aan gedacht?*'

'Jazeker wel. Maar dat woog voor mij minder zwaar dan het gevaar dat jij ontmaskerd zou worden bij Aron en Hector. Dat was erger geweest.'

Hij hoorde haar voetstappen op het asfalt. Hij wist niet wat hij moest zeggen.

'Wat ga je vandaag doen?' kwam eruit. Zodra hij de woorden had uitgesproken, had hij er al spijt van.

'*Ik moet werken.*'

Hij zocht naar iets anders om te zeggen, vond niets.

'Dag, Sophie.'

Ze hing op.

# 19

Sara had in een koffieshop aan de overkant van de straat zitten wachten. Ze had een plekje opgezocht met uitzicht op haar eigen voordeur en toen Lars naar buiten kwam en de straat uitliep, volgde ze hem met haar blik. Ze vond hem er anders uitzien, stijver – hij leek wel ziek.

Sara wachtte tot ze hem niet meer zag. Toen stond ze op, liep het trottoir op, keek snel naar links en naar rechts en stak toen de Swedenborgsgatan over. In de lift zette ze haar zonnebril af en bekeek haar spiegelbeeld nauwkeurig. Haar rechteroog was helemaal blauw van de mishandeling. Gedeelten van het blauw neigden nu meer naar groen. Ze zag er verschrikkelijk uit.

Sara opende de deur met haar sleutel, stapte het appartement binnen, oude post lag ongeopend op de vloer voor haar voeten en midden in de hal stond een stoel met een stapel pannen erop. Het rook er muf, bedompt.

Ze liep de werkkamer in, die verduisterd en rommelig was. Een onopgemaakte matras op de vloer. Het laken lag een eind verder op het parket. Een kussen vol vlekken, zonder sloop, een deken die naast de matras was gegooid. Borden met etensresten, glazen, gebruikt keukenpapier... *Lieve hemel.*

En al het werk? Overal een grote chaos van papieren, foto's... en die *muur*, die volgekalkte muur. Sara haalde diep adem, trok een stoel bij en ging zitten om de puinhoop te bekijken. Plotseling werd ze overspoeld door verdriet, verdriet dat de man van wie ze zo veel had gehouden zijn houvast was kwijtgeraakt. Dat dit nu zijn leven was, *het verval.* Maar het verdriet was van korte duur, ze wilde medelijden voelen maar kon dat niet, in plaats daarvan voelde ze haat, ze haatte hem om wat hij haar had aangedaan. Sara zag de foto van een vrouw die Sophie heette, zag de foto van een man die kennelijk Hector heette. Meer namen, meer foto's, Gunilla, Anders, Hasse, Albert, Aron... En een man zonder naam, hij zat op een bankje aan het water, het leek wel de Strandvägen. Sara liet haar blik over de muur gaan, kreeg geen duidelijk beeld. En dan die tekst! Overal woorden, met kleine letters geschreven waar maar ruimte was, een deel doorgehaald – driftig doorgekrast. Een andere tekst in grotere, bredere letters, alsof hij in verschillende gemoedstoestanden had geschreven.

Ze zette zijn computer aan. Wist het password nog van vroeger, toen ze de computer samen gebruikten. Ze drukte op ENTER. Terwijl ze wachtte tot de computer was opgestart, opende ze de bureaulade. Rommelig en zonder logica. In de onderste la vond ze een map waarop iemand een bloem had getekend. Ze sloeg hem open. Uitgeprinte foto's op A4-formaat. Een map vol met steeds dezelfde vrouw. Ze draaide zich om en keek naar de muur... *Sophie.* Sara bladerde verder in de map. Honderden foto's van Sophie in verschillende situaties. Sophie op de fiets, Sophie in de keuken, een foto die door het raam was genomen. Sophie die wandelt, Sophie die in de tuin werkt. Sophie die door een grote hal loopt, misschien een ziekenhuis... Sophie die autorijdt en... Sophie die slaapt. *Nee toch...* Een close-up van haar slapende gezicht. De foto moest in haar slaapkamer van dichtbij zijn genomen. *Dit is ziek, dit is een obsessie...*

Ze nam de inhoud van de andere laden ook door, vond twee zijden slipjes, die waren niet van haar, ze waren van een duur merk. Ze legde ze terug, vond een schrift, sloeg het open en bladerde erin. Gedichten... Lars' beroerde handschrift. Slechte gedichten, naïeve taal: *zomerweide... dorstig naar de diepste liefdesbron... Jouw mooie haar dat warmte waait naar het kwaad van de wereld... Jij en ik, Sophie, tegen de hele wereld...*

Sara staarde er met gevoelens van walging naar. De computer was opgestart. Op het bureaublad bevond zich een grote hoeveelheid mappen met een datum als naam. Ze opende er een. De map zat vol met geluidsbestanden. Ze klikte op het eerste, er begonnen geluiden uit de luidsprekers van de computer te stromen. Sara luisterde, aanvankelijk waren het alleen maar omgevingsgeluiden, na een tijdje hoorde ze voetstappen op een parketvloer, een deur die ergens openging, een hele poos niets, toen ging er een tv aan en hoorde ze in de verte de bekende stem van een nieuwslezeres. Ze liet het bestand de nietszeggende geluiden afspelen, stond op en keek naar de gezichten op de muur.

Ze wist dat Gunilla Lars' chef was, maar de anderen? Anders en Hasse waren misschien zijn collega's...

Alles ging van Sophie uit. Ze volgde de lijnen, las Lars' aantekeningen... er begon een beeld te ontstaan.

*Albert, kom, we gaan wat eten.*

Sara schrok, de stem kwam uit de computer, hij klonk helder en dichtbij. Sara luisterde, ze hoorde hoe iemand borden uit een kast pakte, was dat Sophie? Er volgde stilte en daarna was het bestand klaar met afspelen. Ze liep naar de computer, koos een ander bestand, hoorde een telefoongesprek, Sophie praatte met iemand die ze kende, lachte, stelde korte vragen. Het gesprek was geroddel, klonk alsof Sophie het met een vriendin over iemand had die zich belachelijk had gemaakt op een feest. Sara klikte nog een bestand aan. Sophie die een jongen verhoorde over de Tweede Wereldoorlog, hij antwoordde zelfverzekerd op alle vragen behalve op een vraag over het Molotov-Ribbentroppact. Ze zag een foto van een tiener aan de muur, Albert. Hij zag er tevreden uit, opgewekt en vrolijk. Ze klikte een ander geluidsbestand aan, muziek uit een stereo ergens. Nieuwe file, de jongen Albert at brood met een vriend, zieke humor en lachaanvallen wisselden elkaar af. Toen een nieuw bestand. Opnieuw alleen maar omgevingsgeluiden en iets wat klonk als een klap. Een gesprek tussen de jongen en Sophie. Ze hoorde de woorden 'verkrachting', 'bewijs', 'politie binnenstad', 'verhoor'... Sara luisterde geconcentreerd, luisterde nog eens – vijf keer naar hetzelfde fragment. *Mijn hemel...*

Ze kopieerde zo veel mogelijk geluidsbestanden naar een USB-stick. Haalde een camera uit haar jaszak en fotografeerde de muur, de foto's, de gedichten...

Ze kopieerde alles wat ze maar kon kopiëren voordat ze het huis verliet.

*

Hij had zijn V70 weer opgehaald. Die stond nog op de plek waar hij hem een week geleden had achtergelaten, op een parkeerplaats in Aspudden.

Lars slipte toen hij afremde bij Lyckoslanten. Hij had harder gereden dan hij zich had gerealiseerd, hij moest plotseling remmen toen hij zijn snelheid verkeerd had ingeschat. *Was hij zijn gevoel voor snelheid in de stad kwijt?* Hij gleed weg op het grind dat op het asfalt lag, wist de Volvo net op tijd tot stilstand te brengen voordat hij tegen een geparkeerde auto zou zijn aangereden. Twee jongeren die hem passeerden, staken hun duim op. Lars aarzelde te lang. Zijn duim-omhoog-antwoord zou te laat zijn gekomen.

Hij vond een ziekenverzorgster in het bejaardentehuis, stelde zich voor en zei dat hij de bezittingen van zijn moeder kwam bekijken. De ziekenverzorgster knikte, zei dat ze de kamer voor hem open zou maken. Hij volgde haar, ze had een enorm achterwerk, hij kon zijn ogen er niet van afhouden. De ziekenverzorgster maakte Rosies kamer open en Lars stapte naar binnen.

'Als je klaar bent, kom dan even naar de receptie, dan moet je nog wat papieren ondertekenen.'

Hij deed de deur dicht, liep onmiddellijk Rosies slaapkamer in, trok de la open waar ze haar recepten bewaarde en pakte de hele stapel op. Hij bladerde er snel doorheen, Xanor, Lyrica, Sobril, Stesolid, Ketogan.

Lars stopte de recepten in de binnenzak van zijn jas en liep de badkamer in. Depolan in het spiegelkastje, Ritalin, onaangebroken, wat andere rommel, Halcion en Fluscand in losse doordrukstrips. Een potje op de bovenste plank, hij reikte ernaar, las het etiket, Hibernal... Hij herkende het potje. Van het oudere soort... *Hibernal...* Een herinnering schoot voorbij en verdween net zo snel weer. Hij propte alles in zijn zakken. Er stond ook nog een oud potje op de middelste plank achter het tandenborstelglas. Lithium – *een klassieker...*

Er werd op de deur geklopt. Lars ruimde alles netjes op en spoelde om de een of andere duistere reden het toilet door.

Voor de deur stond een man met een baard en een zwarte jas aan. Het witte vierkantje in de kraag scheen recht in zijn gezicht.

'Lars Vinge? Ik ben Johan Rydén, de dominee.'

Lars gaapte hem aan.

'Mag ik binnenkomen?'

Lars stapte opzij en deed de deur achter de dominee dicht. Johan was een vriendelijke man.

'Gecondoleerd.'

Het duurde even voordat Lars begreep wat de man bedoelde.

'Bedankt...'

'Hoe voel je je?'

*Hoe voel je je? Hoe voel je je...*

Lars voelde helemaal niets, maar dat kon hij toch moeilijk zeggen? Hij ontmoette de ogen van de dominee. Er begon iets in Lars te groeien waar hij goed bekend mee was: een leugen.

Lars zuchtte.

'Ja, hoe voelt het als een dierbare is overleden... Leeg, verdrietig... triest.'

Johan knikte langzaam, alsof hij precies begreep wat Lars bedoelde. Lars ging met gebogen hoofd verder: 'Het is een vreemd gevoel, om je moeder te verliezen...'

Johan knikte heel langzaam en Lars schudde zijn hoofd.

'Maar... ik weet niet,' zei hij zachtjes, tevreden over zijn theater.

Lars keek in het gezicht van dominee Johan, dat menselijkheid, waardigheid en vertrouwen uitstraalde. Jemig, wat moest hij daarop geoefend hebben thuis voor de spiegel.

'Nee, hoe zouden we dat ook kunnen weten, Lars?'

Lars trok een bedroefd gezicht.

'Je moeder heeft ervoor gekozen om zelf haar leven te beëindigen... Dat hoef jij niet te dragen. Ze was ziek, ze was moe, ze was klaar met haar leven.'

'Arme mama...' fluisterde Lars.

Hij zocht in Johans blik, zag dat de dominee hem geloofde. De dominee geloofde in Lars... en in God.

Lars verliet Lyckoslanten zonder om te kijken. Reed naar de dichtst-bijzijnde apotheek, haalde alle recepten op en hoopte dat dat apothe-kerswijf niet in de computer zou zien dat degene voor wie de recepten bestemd waren overleden was. Dat was niet het geval. Vrij baan, een nieuwe lading.

*

Hij stelde zich voor als Alfonse. Hij was jong, een jaar of vijfentwintig, en glimlachte zelfverzekerd op een manier alsof hij vond dat het leven een ongelooflijk grappig fenomeen was.

'Hector,' zei Hector toen Alfonse hem de hand schudde.

Alfonse keek om zich heen in het kantoor en ging zitten.

'Boeken?'

'Ik heb een uitgeverij, ik ben uitgever.'

Alfonse proefde het woord en glimlachte. 'Uitgever...' zei hij zacht-jes bij zichzelf.

Hector keek Alfonse onderzoekend aan, meende een familietrekje te zien.

'Je lijkt op je oom.'

Alfonse keek theatraal naar Hector alsof hem dat kwetste.

'Dat hoop ik niet.'

Ze glimlachten naar elkaar.

'Hoe gaat het met Don Ignacio?'

'Voortreffelijk. Hij heeft net een nieuw vliegtuig gekocht, hij is als een kind zo blij.'

'Dat doet me deugd. Doe hem de groeten en feliciteer hem van mij.'

Hector ging er goed voor zitten.

'Laten we het hebben over de reden waarom je hier bent, daarna neem ik je graag mee uit eten als je geen andere plannen hebt.'

'Bedankt Hector, maar vandaag niet. Stockholm stikt van de land-genoten met wie ik heb afgesproken.'

'Hoe lang blijf je?'

'Er is een vrouw in deze stad voor wie ik een zwak heb, ik logeer bij haar. Vanmorgen realiseerde ik me hoe heerlijk het is om daar wakker te worden en met haar te ontbijten en daarom blijf ik wat langer dan gepland.'

'Dan kunnen we later nog wel eens uit eten gaan.'

'Hoogstwaarschijnlijk wel. En we worden het vast eens over de kwestie waarvoor ik hier ben.'

Ze bleven elkaar aankijken, Alfonses toon veranderde.

'Don Ignacio maakt zich zorgen,' zei hij zachtjes. 'Hij vraagt zich af waarom jullie geen bestellingen meer plaatsen. We hebben begrepen dat jullie voorraad in Paraguay zo langzamerhand op zou moeten zijn, maar hij heeft al een hele tijd niets van jou of van je vader gehoord. We willen weten of alles onder controle is... Wat er aan de hand is, en natuurlijk willen we ons ervan verzekeren dat het goed gaat met jullie en dat jullie niet in de problemen zijn geraakt.'

Hector stak een sigaartje op.

'We hebben wat problemen gehad met onze lijn.'

Alfonse wachtte terwijl Hector een trekje nam.

'Die is gekaapt.'

'Door wie?'

'Duitsers...'

Alfonse keek naar Hector.

'O?'

Hector blies rook uit.

'Het is een ingewikkelde geschiedenis, we hebben net de controle weer overgenomen, maar zullen de route even stilleggen tot de zaken weer wat genormaliseerd zijn.'

'Hoe lang?'

'Weet ik niet.'

Alfonse knikte.

'Don Ignacio zal blij zijn om te horen dat met jullie alles goed is... maar nu ik me ervan verzekerd heb dat het goed gaat met jullie... laat ik het zo zeggen: Don Ignacio is van mening dat er een afspraak bestaat. En die afspraak houdt in dat wij jullie voorzien van de vitamines en zorgen voor het transport naar Ciudad del Este. Het is een rijdende winkel. Maar nu is die om de een of andere reden blijven staan. Don Ignacio wil dit nog geen contractbreuk noemen, maar... Nou, je begrijpt het wel.'

Hector ging rechtop zitten.

'Ik zie het niet als een afspraak. We hebben geen termijn afgesproken... We hebben een prijs afgesproken. Don Ignacio heeft altijd zijn geld van ons gekregen, of niet?'

'En daar is hij jullie ook dankbaar voor, erg dankbaar.'

'En wij zijn dankbaar dat het zo prettig samenwerken is met jullie,' zei Hector.

Alfonse was goedgekleed en beleefd. Hij zag er goed uit, met het donkere dikke haar en de markante gelaatstrekken van de Zuid-Amerikaan, een geprononceerde kin en jukbeenderen die hem een aantrekkelijke hardheid gaven. Vrouwen vonden hem hoogstwaarschijnlijk knap. Hij maakte een rustige indruk, ondanks zijn bijna continue glimlach. Maar achter die glimlach zag Hector de waanzin. Hij kon iemands waanzin van een kilometer ver zien. Hij had hem bij Alfonse gezien zodra hij de deur was binnengestapt. Bij Don Ignacio Ramirez had hij hem tientallen jaren geleden bij hun eerste ontmoeting ook meteen gezien. Die krankzinnigheid bij mensen beviel hem, het gaf hem een gevoel van saamhorigheid, van verwantschap. Hector besloot dat hij Alfonse mocht.

'Dan hebben we een probleem,' zei Alfonse.

Hector haalde zijn schouders op.

'Ik weet niet of het een probleem is, zie het als een pauze.'

'In onze taal bestaat dat woord niet. Don Ignacio rekent op jullie geld, voor zijn diensten. Als jullie even een pauze houden zoals je zegt, dan heeft dat geen invloed op onze afspraak.'

'Maar mijn beste Alfonse, zo'n afspraak hebben we niet.'

'Don Ignacio vindt van wel en als hij iets vindt, dan is dat zo...'

Hector dacht na.

'Kan ik je iets aanbieden?'

Alfonse schudde zijn hoofd.

'Wat voor probleem hebben jullie, kunnen we jullie ergens mee helpen? Die Duitsers, misschien kunnen we iets doen als zij voor problemen zorgen?'

Hector dacht na over het aanbod, maar wist dat de hulp van de Colombianen hun uiteindelijk duur zou komen te staan.

'Nee, we redden ons wel, zo groot is het probleem niet.'

'Vertel.'

Hector nam een trek van zijn sigaartje.

'Om ons onbekende redenen zijn ze erin gestapt en hebben de hele zaak overgenomen, ze hebben mensen van ons omgekocht en vermoedelijk bedreigd. Daarna hebben wij ingegrepen en alles teruggepakt, maar het ging er nogal verhit aan toe. De boot waar we gebruik van maakten heeft een kapitein die zich een tijdje gedeisd wil houden.'

Alfonse overlegde even met zichzelf.

'Dan zijn er twee mogelijkheden,' zei hij.

Hector wachtte.

'Of jullie betalen – wij vullen jullie voorraad in Paraguay aan en jullie zorgen ervoor dat het voor onze volgende levering op de markt wordt gebracht.'

'Of?'

'Of wij nemen contact op met jullie Duitse vrienden. Zij lijken meer geïnteresseerd in zakendoen dan jullie.'

Hector en Alfonse namen elkaar op. Hector zuchtte, glimlachte omdat hij zo gemakkelijk in de val was gelopen.

'We gaan op de oude voet verder,' zei Hector. 'Jullie vullen onze voorraad aan en ik stuur geld. Geef me alleen wat meer tijd.'

Alfonse bedankte met een gebaar.

'En, ga je nog leuke dingen doen met je landgenoten in Stockholm? Heb je nog tips nodig?' vroeg Hector.

'Nee, ze hebben al een tafel gereserveerd, we gaan ergens eten.'

Hij keek op zijn horloge.

'Daarna gaan we salsa dansen in een club waarvan ik de naam niet meer weet. Wil je ons gezelschap houden?'

'Bedankt, maar ik heb al andere afspraken.'

'Dan regelen we de zaken voordat ik terugvlieg?'

'Wanneer het jou schikt.'

Alfonse keek Hector even aan.

'Je lijkt me een goeie vent, Hector Guzman.'

'Jij mij ook, Alfonse Ramirez.'

Alfonse verliet Hectors kantoor en sloeg rechts af toen hij buiten-kwam.

Hasse Berglund liet de elegante Colombiaan een eindje weglopen, stond toen op, vouwde de krant op waarin hij net had zitten bladeren en volgde hem.

*

Gunilla's telefoon trilde in haar zak. Ze herkende het nummer op het schermpje niet.

'Ja?'

*'Spreek ik met Gunilla Strandberg?'*

'Wie vraagt dat?'

*'Ik ben Sara Jonsson en ik zou u graag willen spreken.'*

'Kennen wij elkaar?'

*'Niet echt. Mijn ex-vriend werkt voor u.'*

'O?'

*'Lars Vinge.'*

Het kwartje viel. Sara Jonsson... Gunilla wist dat ze freelancejourna-liste was. Dat had Lars verteld tijdens zijn sollicitatiegesprek. Gunilla had haar nagetrokken: Sara Jonsson, een freelance cultuurjournaliste die zelden iets publiceerde.

'O, juist. Is er iets bijzonders?'

*'Ja.'*

'En dat is?'

*'Ik wil u onder vier ogen spreken.'*

Gunilla beluisterde haar stem. De vrouw was gespannen, nerveus. Probeerde dat te verbergen achter een onduidelijke vastbeslotenheid.

'Waar wil je afspreken, Sara?'

*'In Djurgården, bij Djurgårdsbrunn.'*

'O. En wanneer?'

*'Over een uur.'*

'Is er zo veel haast bij?'

*'Ja.'*

'Dan zien we elkaar daar over een uur.'

Gunilla glimlachte toen ze het gesprek beëindigde, maar haar glimlach verdween net zo snel weer.

Erik en Gunilla parkeerden voor Djurgårdsbrunns Värdshus. Sara Jonsson stond buiten te wachten. Ze droeg een goedkope, verwassen blouse van een of ander in massaproductie vervaardigd merk, een donkere zonnebril en een rok tot net boven de knieën. Ze was vergeten haar benen te scheren en haar ongekamde haar had ze slordig in een knot opgestoken.

Sara's hand was koud en klam toen ze elkaar begroetten. Haar angst schemerde door alles heen – de zonnebril beschermde haar slechts gedeeltelijk.

'Zo Sara, zullen we in het restaurant gaan zitten?' vroeg Gunilla.

'Nee. Ik wil een eindje gaan lopen.'

'Ook goed, het is mooi weer.'

Ze begonnen naar het bruggetje over het kanaal te lopen.

'Hoe lang wonen jij en Lars al samen?'

'We wonen niet meer samen.'

'Het spijt me om dat te moeten horen.'

Sara was met haar gedachten elders. Gunilla en Erik zagen het, ze keken elkaar even aan.

'Ik weet niet waar ik moet beginnen,' zei ze toen ze de voetgangersbrug over waren.

Gunilla wachtte rustig.

'Lars is veranderd.'

'In welke zin?'

'Ik weet het niet, dat maakt ook niet uit, maar dat was de reden dat ik naar antwoorden begon te zoeken.'

Sara was nog steeds nerveus.

'Hij werkt toch nog steeds voor u?'

Gunilla knikte.

'Dan weet u dat hij veel weg is geweest, 's avonds werken en overdag slapen... We zijn het contact met elkaar kwijtgeraakt.'

'Als je wilt kan ik zijn rooster veranderen...'

Sara schudde haar hoofd.

'Daar gaat het niet om, zoals ik al zei zijn we niet meer bij elkaar...'
In haar stem klonk iets van gekwetstheid door.
'Waarom niet, als ik vragen mag?'
Sara draaide zich om naar Gunilla, bleef staan en deed haar zonnebril af.
Gunilla zag haar oog.
'Wat is er gebeurd?'
'Wat denkt u?'
Gunilla keek kritisch naar haar blauwe oog.
'Lars?'
Sara antwoordde niet, zette haar bril weer op en liep verder.
'Ik begon tussen zijn spullen te zoeken, tussen zijn persoonlijke spullen. Probeerde de oorzaak van zijn verandering te achterhalen.'
Gunilla luisterde.
'Hoe meer ik zocht, hoe duidelijker het me werd dat hij met iets bezig was buiten zijn... wat zal ik zeggen, buiten zijn eigenlijke opdracht om.'
'Hoe bedoel je dat?'
'Ik bedoel dat ik een beeld heb gekregen van wat er gaande is.'
'O, en wat is er dan gaande?'
Sara liep met haar blik op de grond gericht, keek op.
'Ik ben journaliste.'
'Ja, dat weet ik.'
'Als journaliste heb ik de plicht om machtsmisbruik te rapporteren.'
Gunilla trok een wenkbrauw op.
'Oei, dat klinkt nobel.'
Sara zette zich schrap.
'Ik weet wat jullie doen... Jullie luisteren af, bedreigen en achtervolgen.'
'Nu weet ik even niet waar je op doelt,' zei Gunilla.
'Ik doel op Sophie, ik doel op Hector.'
Sara had geen idee hoe het allemaal in elkaar zat. Ze had alleen de namen, ze had alleen de vage informatie uit de geluidsopnames die ze op de computer had gehoord. Ze wist dat er werd afgeluisterd, ze wist wat ze over Gunilla's eerdere onderzoeken in het politieregister

had gevonden – meer niet. Maar dat zou ze Gunilla niet aan de neus hangen. Dit was haar scoop, dit zou haar van de terugkerende desinteresse van de cultuurredacties verlossen en haar iets beters opleveren. Ze zou onderzoeksjournalist worden, een rechtschapen persoon die het misbruik van macht aan de gewone burger zou onthullen. Daar was ze beter op haar plaats, dat was echt iets voor haar, dat was Sara Jonsson ten voeten uit.

Gunilla wist haar verbazing te verbergen.

'Ik kan je zeggen dat we een hoop verschillende zaken onderzoeken, sommige daarvan zijn in deze fase van het onderzoek zeer vertrouwelijk en lekken over zo'n onderzoek is strafbaar. Als je informatie wilt hebben dan krijg je die, maar op zijn tijd, niet zolang het onze onderzoeken en de levens van onze medewerkers in gevaar brengt.'

Sara kwam met haar volgende troefkaart.

'Albert... Verhoor, politie binnenstad... Verkrachting. Hij is pas vijftien!'

Gunilla staarde haar aan. Sara las elke reactie van haar gezicht af. Had ze in de roos geschoten? Misschien wel...

'Wat zei je?'

'U hebt me wel gehoord.'

Erik probeerde de situatie te redden.

'We zijn bezig met een onderzoek. We werken onder strikte geheimhouding. Dit onderzoek bevat gevoelige informatie. Wat je hebt gehoord of gezien hou je voor jezelf totdat wij je groen licht geven om het te publiceren,' zei hij.

Sara bleef kalm. Ze voelde dat ze goed zat, ze zocht in Gunilla's ogen.

'Aftappen, illegaal afluisteren, Sophie... Wat is jullie bedoeling eigenlijk?'

Gunilla keek Sara strak aan, er kwam iets bedroefds over haar.

Sara's nervositeit was minder geworden, ze speelde haar troefkaart uit.

'Patricia Nordström, zegt die naam u iets?'

Gunilla probeerde haar gezicht in de plooi te houden, maar het werd een glimlach zonder vreugde, stijf en onnatuurlijk.

'Patricia Nordström is vijf jaar geleden verdwenen,' vervolgde Sara. 'Ze verdween toen u met haar werkte. Er is in het materiaal geen enkele aanwijzing te vinden dat haar verdwijning iets met de Drafkoning te maken heeft, ze verdween toen ú met haar werkte. Geldt dat ook voor Sophie? Verdwijnt zij straks ook?'

Sara speelde hoog spel. Ze had eigenlijk geen idee waar ze het over had, ze wist alleen dat er een luchtje aan deze zaak zat, dat had ze al door toen Lars eraan begon te werken. Van de ene dag op de andere werd hij overgeplaatst van de uniformdienst naar de recherche, ongelooflijk. Hij was opeens Lars niet meer, maar heel iemand anders, dat was al even ongelooflijk...

Gunilla bleef Sara strak aankijken, toen draaide ze zich om en liep weg. Zelfs Erik was verbaasd en er zat voor hem niets anders op dan haar te volgen.

Gunilla was terneergeslagen toen ze de parkeerplaats af draaiden en weer de stad inreden.

'Dom, dom meisje,' zei ze bij zichzelf.

Erik zat zwijgend achter het stuur.

'Waarom nu?' ging ze verder.

Erik wist dat ze geen antwoord van hem verwachtte.

'Begrijpt ze het niet?'

Gunilla staarde voor zich uit.

'Is het weer hetzelfde liedje?' vervolgde ze.

Ze passeerden de Kaknästoren.

'Hoe is ze hier allemaal achter gekomen?'

Gunilla zuchtte, verzonk in gepeins.

'Verdomme,' fluisterde ze bij zichzelf.

'Patricia Nordström? Hoe is ze daarachter gekomen?' vroeg Erik.

Gunilla klapte de zonneklep naar beneden.

'Er staat nog iets in de dossiers bij de politie. Een aantal kleinigheden heb ik niet kunnen verwijderen. Ik weet niet hoe ze daaraan is gekomen, misschien heeft ze de gegevens gewoon opgevraagd. Maar dat doet er ook niet toe. Ze heeft iets begrepen wat ze niet had moeten begrijpen.'

'Heeft Lars haar geholpen?'

'Ik weet het niet, ik denk het niet... Je hebt gezien wat hij met haar heeft gedaan.'

Gunilla dacht even na.

'Wat zei ze voordat ze over Patricia begon?'

'Aftappen...'

'En daarvoor?'

'Albert...'

'Hoe weet ze van Albert?' vroeg ze.

Daar had Erik geen antwoord op.

Gunilla klapte de zonneklep zuchtend omhoog.

'We wachten met Lars. We laten hem op een afstand begaan... zoals gewoonlijk. Maar Sara...'

Erik stuurde de Strandvägen op.

'Het wordt misschien tijd om Hans in te wijden.'

Erik mompelde instemmend.

'Verdomme,' fluisterde ze weer bij zichzelf.

*

Ralph Hanke had een slechte bui. Zoals altijd in zo'n geval hulde hij zich in een compact stilzwijgen. De mensen in zijn omgeving ervoeren dat als elektriciteit in een hoogspanningskabel. Iedereen hield afstand.

Hij keek uit over het centrum van München door de panoramaramen op de zesde verdieping. Het was nevelig. Er hingen grijze wolken vlak boven hem. Een aantal etages hoger en hij zou helemaal niets zien – misschien was dat op zich wel mooi geweest. Hij stond vaak naar dit uitzicht te kijken als hij zijn gedachten niet kon ordenen. Niet dat het echt tot hem doordrong wat hij zag, maar hij kon gewoon beter nadenken als hij de wereld een eindje onder zich had. Vandaag droeg hij een vest. Dat kwam niet vaak voor, maar als hij er een keer een droeg, vond hij dat prettig. Misschien omdat hij dan zijn pak niet aan hoefde, omdat hij zich vrij kon voelen. Maar het vest had ook een andere invloed op Ralph. Het bracht hem in een bepaalde gemoedstoestand. Hij werd scherpzinniger, koelbloediger en bozer, vandaag ook weer. En met een scherpzinnige, koelbloedige gedachte in een boze bui vielen sommige besluiten in het leven een stuk gemakkelijker te nemen.

Er klonk geritsel in de intercom.

'*Herr Hanke?*'

De kalme stem van zijn secretaresse vulde de kamer.

'Ja, Frau Wagner?'

'*Herr Gentz is er.*'

De deur van het kantoor ging open, Roland Gentz stapte naar binnen en liep over de parketvloer, ging zitten in een fauteuil en pakte enkele papieren uit zijn tas. Ze groetten elkaar niet. Dat deden ze nooit. Niet uit onbeleefdheid, maar volgens een stilzwijgende afspraak dat ze zo deden als ze aan het werk waren – ze waren niet-groetende mannen.

Ralph stond nog bij het raam. Het grijze weer in combinatie met alle problemen deed hem verlangen naar een borrel. Hij keek uit over de stad.

'Wil je een borrel?'

Roland keek op van zijn papieren, verbaasd over de vraag.

'Wanneer zijn we gestopt met overdag drinken?' vroeg Ralph.

Roland dacht na.

'Ergens in de jaren negentig... Tegelijk met de stropdas overboord gezet, volgens mij.'

Ralph liep naar zijn bureau.

'Twee goede dingen,' verzuchtte hij.

Hij ging zitten.

'Nou?'

'Ach, waarom ook niet?'

Ralph drukte op de intercom.

'Frau Wagner. Twee single malt zonder ijs.'

'*Ja, Herr Hanke.*'

Ralph nam een afwachtende houding aan en vouwde zijn handen. Roland bladerde zijn papieren door.

'We hebben betaald gekregen voor die drie overdekte winkelcentra in Groot-Brittannië... We hebben nog steeds problemen met Hamburg en de bouw van dat viaduct... Iets met de hydraulica, dat duurt even. We halen de contracten met de Amerikanen wel binnen, maar ook daar moeten we geduld hebben, er zijn een boel kapers op de kust.'

Ralph luisterde nauwelijks, hij had zijn stoel gedraaid en keek weer uit het raam. Roland maalde door op de achtergrond. Na een aantal minuten onderbrak Ralph hem.

'Laat dat maar even... Hoe staan de zaken er in Zweden voor?'

Roland keek op van zijn papieren.

'In Zweden? Geen nieuws...'

'Wat is het laatste?'

Roland ordende zijn gedachten.

'De vriend van Michail ligt in het ziekenhuis...'

'Gaat hij praten?'

Roland schudde zijn hoofd.

'Nee.'

'Hoe weet je dat?'

'Dat zegt Michail.'

'Het is stil geweest aan die kant.'

Roland reageerde niet.

'En die bemiddelaar, die met die wapens?'

Roland ging er beter voor zitten.

'Wil je mijn mening horen, Ralph?'

Ralph keek uit over de stad.

'Ga je gang.'

'Waarom laten we die hele zaak niet rusten? Het verstoort onze andere zaken, het is een risicofactor die met de dag alleen maar groter wordt... En het is een verwaarloosbaar klein project... Laten we het vergeten en ons concentreren op wat belangrijk is.'

Ralph draaide zijn stoel naar Roland.

'Hoe heette die man die we hebben gekocht?'

Roland vroeg zich af of Ralph een woord had gehoord van wat hij net had gezegd.

'Carlos, Carlos Fuentes.'

'Wie is hij?'

'Een onbenul die een paar restaurants bezit. Een soort van stroman van Hector, hoe precies weet ik niet.'

'Laten we meer gebruik van hem maken.'

'Ik denk dat hij al over de datum is.'

'Hoezo?'

'Hij was degene die ervoor gezorgd heeft dat Hector naar het restaurant kwam om daar te grazen genomen te worden door Michail en die andere. Ze zullen niet zo dom zijn om te denken dat dat toeval was.'

'Is hij dood?'

Roland haalde zijn schouders op.

'Misschien...'

Er werd zachtjes op de deur geklopt. Frau Wagner kwam binnen met een blad waarop twee whiskyglazen met een dikke bodem stonden. Ze schonk de mannen in en verliet daarna de kamer.

Ze begonnen niet meteen te drinken, maar snoven eerst de geur van de whisky op. Ralph dronk als eerste, Roland volgde zijn voorbeeld. Ze namen een slok en hielden de nasmaak nog even in hun mond. Dat was whisky op zijn best – de smaakimpressie die valse herinneringen en dramatisch mooie gevoelens opriep over iets wat buiten ieders bereik lag. Misschien lag het daaraan dat een bepaald type romanticus zich te pletter zoop aan deze drank.

Ze zetten hun glazen neer.

'Hebben we iemand in Spanje?' vroeg Ralph.

'Hoe bedoel je?'

'Hebben we iemand zoals Michail in Spanje?'

Roland schudde zijn hoofd.

'Nee.'

'Regel dat. Ik wil daar iemand gestationeerd hebben, iemand die we snel kunnen inzetten.'

'Hoe?'

'Met geweld, het liefst een man of twee, drie.'

'Ik ben het er niet mee eens,' zei Gentz zacht.

Daar ging Ralph niet op in. Diep beneden was het geroezemoes van de Münchense binnenstad te horen.

'En die vrouw dan? Wie is ze, wat weten we van haar?'
'Niets... Gewoon een vrouw, wil je dat ik daar verder naar kijk?'
Ralph bracht het glas nadenkend naar zijn mond.
'Ja, doe dat.'

# 20

Een witte pioenroos was net uitgekomen. Hij was ongelooflijk mooi, groot, breed, symmetrisch en dromerig. Tommy Jansson keek ernaar. Hij zat achterovergeleund in een van Gunilla's witte houten stoelen. Ze had de tafel gedekt in het prieeltje, een klein afgeschermd hoekje in de tuin waar het geurde naar ouderwetse theerozen en clematis.

Tommy Jansson, afdelingschef van de inlichtingendienst van de rijksrecherche, de afdeling waar Gunilla de afgelopen veertien jaar had gewerkt. Hij was formeel haar chef, een oude mannetjesputter die in Amerikaanse auto's reed met een 357 in zijn holster. Wat het leven betrof was hij net een kind, wat het werk betrof een prof. Zij waardeerde hem als chef maar ook als vriend en collega.

Gunilla zette een schaal versgebakken kaneelbroodjes op tafel. Tommy wachtte tot ze tegenover hem had plaatsgenomen.

'Ze noemen je "mama", hoorde ik.'

Gunilla glimlachte.

'Wie zegt dat?'

'Je broer. Onderweg hierheen heb ik hem gebeld om alvast eens te horen hoe het bij jullie gaat.'

Ze ging rechtop zitten.

'Waarom heb je hem gebeld?'

'Zomaar.'

Gunilla schonk Engelse thee in Tommy's kop. Hij slurpte er een beetje van voordat hij het woord nam.

'We zijn nu een tijdje verder. De mensen gaan zich dingen afvragen.'

'O?' zei Gunilla.

'De officier van justitie wacht op materiaal van je.'

'Je weet hoe ik werk, Tommy. Je weet dat ik niet iets wil geven wat niet waterdicht is, wat een halfgestreste officier van justitie verkeerd begrijpt en misbruikt zodat het uiteindelijk op niets uitloopt.'

'Natuurlijk, maar er zitten mensen in mijn nek te hijgen. Ik kan je niet de hele tijd uit de wind houden.'

De vogels waren druk aan het kwetteren in de bomen, het was stil in de wijk. Ze keek hem met half dichtgeknepen ogen aan.

'Me uit de wind houden?'

'Je weet wel wat ik bedoel.'

'Nee, dat weet ik niet.'

Tommy keek haar onderzoekend aan.

'De ovj is niet de enige die vragen stelt,' vervolgde hij. 'Maar zij maakt haar theorieën aan iedereen kenbaar. Dat maakt mensen onzeker.'

'Berit Ståhl?'

Tommy knikte.

'Wat zegt ze?'

'Wil je dat weten?'

Gunilla antwoordde niet. Tommy zat niet lekker op de houten stoel en draaide heen en weer.

'Ze zegt dat ze niet begrijpt waarom jij zo de vrije hand krijgt.'

'En wat zeg jij dan, Tommy?'

'Ik zeg wat ik altijd zeg, dat je een van onze beste mensen bent.'

'En dan zegt zij?'

Tommy nam een slok thee en liet het kopje op zijn bovenbeen rusten.

'Dat dat nergens uit blijkt.'

'Dat wat nergens uit blijkt?'

'Ze heeft al je zaken van de afgelopen vijftien jaar doorgenomen en zegt dat het aandeel van je onderzoeken dat tot veroordelingen heeft geleid ver onder het gemiddelde ligt.'

Gunilla zuchtte.

'Dat is nou precies wat ik bedoel. Nog meer?'

'Dat was alles.'

'Nee, dat was niet alles...'

Gunilla liet haar blik op Tommy rusten. Hij sloeg zijn ogen neer.

'Ze zegt ook dat ze wel doorheeft waarom je zo werkt, met een eigen team, geen pottenkijkers, een eigen kantoor enzovoort. Omdat je op die manier iets op poten kunt zetten waar jij de baas over bent wanneer de politie over een paar jaar gereorganiseerd wordt.'

'O? En?'

Tommy haalde zijn schouders op.

'Dat zegt ze.'

'Dat ik ambitieus ben?'

Tommy zuchtte.

'Niemand maakt zich er druk over... nog niet. Maar als ze meer stampij gaat maken, zal er uiteindelijk iemand nerveus worden en vragen gaan stellen.'

Tommy ging zachter praten.

'Als je in het duister tast, Gunilla, als je niet zo veel hebt als je wel zou willen, dan wil ik dat je me dat vertelt. Ik heb je in het verleden ook in bescherming genomen en zal dat in de toekomst blijven doen... Maar als ik merk dat je niet open en eerlijk tegen me bent...'

'Maak je geen zorgen,' zei ze kalm.

Hij wreef met zijn ene knokkel over zijn oor.

'Dat doe ik ook niet...'

Nu begon ze te lachen.

'Dat doe je wel.'

Hij antwoordde niet.

'Hou je aan de afspraak die we aan het begin hebben gemaakt, Tommy...'

'Wat voor afspraak?'

'Dat ik niet hoef te rapporteren,' zei Gunilla.

'Wie zegt dat ik hier kom voor een rapportage?'

'Waarom zou je hier anders komen? Voor de kaneelbroodjes?'

'Ja, voor de kaneelbroodjes.'

Ze lachten geen van beiden.

Tommy liet wat er gezegd was tot zich doordringen. Hij peinsde, ze was zijn gelijke, ze dachten over veel dingen hetzelfde. Daar praatten ze niet over; er was veel waar ze niet over hoefden te praten. Ze wisten dat ze door de bank genomen dezelfde meningen en ideeën hadden.

Tommy verbrak de patstelling.

'Ik wil weten hoe ver je bent met je onderzoek, wanneer je verwacht de bewijsvoering rond te krijgen... Ik wil ook weten of je iets nodig hebt.'

Er kwam iets kils over haar.

'Flikker op,' zei ze.

Hij deed alsof hij het niet begreep.

'Wat?'

'Ik weet wat je probeert, maar dat zal je niet lukken.'

'Waar heb je het over, Gunilla?'

'Als je denkt dat je nu informatie kunt verzamelen zodat iemand anders het kan overnemen, dan heb je het mis.'

Tommy schudde zijn hoofd.

'Ik ben hier niet om je te ontslaan.'

'Dat zei ik ook niet. Maar ik weet waar je mee bezig bent.'

'En waar ben ik dan mee bezig?'

'Jij bent je aan het indekken, je verzamelt informatie en als blijkt dat het niet gaat zoals je graag wilt, vervang je me. Ik heb je dat eerder zien doen.'

Tommy raakte geïrriteerd.

'Hou op met dat spelletje.'

'Hou zelf op, Tommy. Ik meen wat ik net gezegd heb, ik ga het niet anders doen. We hebben een afspraak. Daar komt niemand tussen... zeker Berit Ståhl niet.'

'Trek je van haar niks aan,' zei Tommy.

Gunilla ontspande.

'Dank je...'

Hij schudde zijn hoofd.

'Nee, je hoeft me niet te bedanken. Jij lijkt onze afspraak verkeerd te hebben begrepen.'

In een tuin verderop klonk kindergelach.

'Hoezo?'

'Die betreft allereerst mij en de andere chefs.'

Gunilla antwoordde niet. Hij keek haar indringend aan.

'Je zit in de shit,' zei hij.

Ze trok haar neus op.

'Een merkwaardige manier van zeggen.'

'Is dat zo?'

Ze schudde haar hoofd.

'Nee, dat is niet zo,' antwoordde ze zachtjes.

Door de jaren heen hadden ze honderden van dit soort gesprekjes gevoerd, allemaal met dezelfde inhoud – Tommy wilde de controle hebben en zij kon die niet uit handen geven, daar kwam het ongeveer op neer.

'Hoe gaat het met Monica?' vroeg Gunilla. Nu was haar toon milder.

Tommy liet zijn blik over de tuin gaan.

'Het gaat goed met haar, nog geen ziekteverschijnselen.'

'Wat zeggen de artsen?'

Nu keek hij haar aan.

'Ze weten wat ze heeft en wat er gaat komen.'

'En dat houdt in?'

Met gedempte stem ging Tommy verder: 'als is een ongeneeslijke ziekte en de eerste symptomen daarvan zullen zich binnenkort bij Monica openbaren.'

Gunilla zag zijn verdriet. Hij keek naar het theekopje.

'Weet je wat nog het ergste is?' vroeg hij zacht.

Gunilla schudde haar hoofd.

'Ik ben banger dan zij.'

Toen werd het weer stil. Alleen het gezoem van insecten, de wind in de bomen, de vogels die zongen.

Tommy dronk zijn thee op, zette het kopje op het tafeltje neer en stond op. Hij werd weer chef.

'Ik sta achter je, Gunilla. Maar trek me aan mijn jasje als je hulp nodig hebt.'

Tommy liep het prieeltje uit en verdween naar het hek. Ze keek zijn brede rug na. Achter haar zoemde een hommel.

*

Het was halfdrie 's nachts. Lars maakte de terrasdeur open met de loper; dat ging nu probleemloos. Hij trok zijn schoenen uit en liep op kousenvoeten de woonkamer in. De hele wereld lag te slapen. Hij ging aan de slag, sloop naar de staande lamp naast de bank en bracht zijn ogen er dichtbij. Hij vond het piepkleine microfoontje dat Anders had geïnstalleerd en verwijderde het voorzichtig tussen duim en wijsvinger. Hij borg het op in een plastic zakje dat hij in zijn zak stopte en trok zich weer terug naar de terrasdeur. Er kwam een gedachte bij hem op en hij bleef stilstaan. De gedachte bestond niet uit woorden, het waren eerder gevoelens, iets in de trant van: ze ligt daarboven... *verdorie.*

Lars liep naar de trap, werd er gewoon naartoe gezogen. Stil en behoedzaam sloop hij naar boven.

De deur van haar kamer stond op een kier. Lars hield zijn oor bij de opening en luisterde. Diepe, lange ademhalingen. Langzaam duwde hij de deur verder open, alles gebeurde geluidloos. Een voorzichtige stap en hij stond binnen op de vloerbedekking.

Daar lag ze, bijna net zo als de vorige keer, op haar rug met haar haar op het kussen, slechts een paar meter van hem vandaan. De twijfel kwam. Wat deed hij daar... Hij wilde zich omdraaien... Maar... Hij staarde naar haar, zag hoe mooi ze was, voelde het verlangen in zich groeien en de twijfel verdween. Lars wilde bij haar in bed kruipen, wilde haar vertellen hoe ellendig hij zich voelde. Misschien wilde ze hem wel troosten. Een geluid wekte hem uit zijn fantasie. Een zacht fladderend en klapperend geluid. Het kwam vanachter de gordijnen. Een nachtvlinder. De vleugels sloegen af en toe tegen het raam in een complex verlangen om naar het zwakke licht van de straatlantaarn buiten te vliegen.

Lars' hartslag was rustig, zijn ademhaling was rustig... Behoedzaam ging hij op zijn knieën zitten en kroop naar haar toe. Voorzichtig, voorzichtig, straks zou hij haar geur ruiken. Hij kreeg een stijve en kwam opeens op het idee om zijn hand op haar mond te leggen... om op haar te gaan liggen, om... *Nee, niet op deze manier.* Lars baalde van zichzelf. Maar hij kon toch... *Nee, dat kon niet... of toch wel?* Hij vocht tegen zijn ingeving, maar zoals altijd was ook deze keer de impuls te sterk voor Lars Vinge.

Hij zat nog steeds op zijn knieën toen hij zijn broek open knoopte, zijn gulp naar beneden ritste en zijn linkerhand naar binnen stak. Hij wilde het niet, maar hij kon het niet laten. Lars sloot zijn ogen en vrijde met haar in zijn fantasie. Ze kreunde zijn naam, vroeg om meer, streelde zijn rug, zei dat ze van hem hield. De vleugels van de nacht-vlinder sloegen onafgebroken tegen het raam. Lars kuste haar in de lucht toen hij klaarkwam in zijn broek. Het gevoel dat erop volgde was dat van totale leegte.

Hij liep voorzichtig de trap af, sloop de woonkamer door en verliet het huis zoals hij was gekomen.

*

Elkaar aankijken konden ze niet. Anders liet zijn hoofd hangen, Hasse zuchtte bij elke ademhaling. Ze zaten in de Honda van Anders, die in de Bastugatan geparkeerd stond. Hasse verbrak de stilte.

'Heb jij het eerder gedaan?'

Anders staarde in de nacht, knikte toen.

'Hoe is dat?'

Daar wilde Anders het niet over hebben.

Hij stak zijn hand in zijn zak. Hield Berglund zijn hand voor, witte pilletjes.

'Wat is dat?'

'Neem er twee. Dat helpt.'

'Ik neem nooit pillen.'

'Ben je dom of zo?'

Hasse begreep het niet.

'Wat?'

'Pak aan!'

Anders brulde de woorden uit, leunde zuchtend tegen het portier en staarde weer in de nacht. Hasse pakte de pilletjes en slikte ze door.

De tijd verstreek langzaam. De tijd kroop voorbij alsof hij door dikke, zware muren heen moest, alsof hij hen wilde laten lijden. Als-of hij hun een keus wilde geven. Anders haatte dat gevoel. Hij keek rusteloos op zijn horloge. Vijf minuten voor het afgesproken tijdstip opende hij het portier.

'Kom, we gaan.'

Ze verlieten de auto, liepen naar de voordeur, konden met behulp van de juiste code naar binnen en liepen de stenen trap op.

*Dahl* stond er op de deur. Daaronder was met plakband een papiertje opgehangen waarop *S. Jonsson* stond geschreven.

Ze luisterden of ze iets hoorden. Anders begon het slot open te maken. Hij trilde of aarzelde niet, de pillen deden hun werk. Ze brachten geen enkel geluid voort en letten goed op of ze geen verdachte geluiden hoorden.

Anders legde zijn hand op de deurkruk, duwde hem voorzichtig naar beneden tot de deur vanzelf een eindje openging, wachtte even, duwde hem daarna zo ver open dat ze beiden door de opening naar binnen konden glippen.

Anders en Hasse stonden doodstil in de hal. Meteen rechts was een smal keukentje met een ingeklapte tafel bij het raam, twee klapstoeltjes en een paar kastjes. Het was een studio, niet zo groot. Anders deed een stap naar binnen. Een tv, een bank, een salontafel, een schilderij, een staande lamp... Een gordijn met een bed erachter. Daar lag ze, ze hoorden haar zachtjes ademhalen.

Ze trokken hun schoenen uit en slopen geruisloos de kamer in. Anders ging op zijn hurken zitten en vouwde een stoffen Gore-Tex mapje open. Een spuit lag ingebed in zachte stof. Hij pakte hem voorzichtig op en draaide de plastic beschermdop eraf.

Hasse bleef op de achtergrond. Hij ademde niet zo zwaar meer, de pillen hadden bij hem ook gewerkt. Anders stond op. Hij ontmoette Hasses blik, *aan de slag*. Ze begonnen zich geluidloos in de richting van het gordijn te bewegen.

Sara sliep op haar buik met kleine snurkgeluiden van de huig. Hasse schoof voorzichtig het gordijn een stukje opzij, kroop erdoor en ging bij het hoofdeinde van het bed staan, klaar om haar op te vangen als ze wakker werd. Anders ging geruisloos aan het voeteneinde zitten. Hij moest het dekbed optillen, probeerde het eerst voorzichtig, tilde het een, twee centimeter op. Ze bewoog niet. Anders tilde het nog een paar centimeter hoger op, Sara sliep diep. Hij zag geen voeten, tilde het dekbed nog wat verder op, Sara schopte in een reflex in haar slaap.

Anders sprong op. Haar ene voet krabde de andere, ze mompelde iets, het klonk vermanend, alsof ze iemand flink uitfoeterde. Toen was het weer stil. Anders en Hasse keken elkaar aan. Anders haalde diep adem, concentreerde zich, hield de spuit rechtop in zijn rechterhand, zijn wijsvinger en middelvinger op de plastic vleugeltjes, zijn duim op de zuiger. Bij haar laatste beweging was haar ene voet onder het dekbed vandaan gekomen. Anders knikte naar Hasse dat hij moest opletten. Hasse ging wijdbeens staan, zijn armen uitgestoken.

Anders keek naar de spuit. Het vocht was doorzichtig, akelig doorzichtig. Hij wachtte, alsof hij aarzelde, alsof hij zich afvroeg waar hij mee bezig was. Anders zette de dunne injectienaald tegen de zool van Sara's rechtervoet en duwde hem er een centimeter in. Ze reageerde op de pijn, Anders ving haar voet op en hield hem vast, terwijl Hasse met zijn hele gewicht haar armen op het bed drukte. Ze schreeuwde in de matras toen Anders het vocht in haar bloedbaan spoot. Ze vocht, rukte en trok, Anders verloor de greep op haar voet, de spuit zat er nog in. Ze schopte instinctief met beide benen. De naald schoot eruit en de spuit vloog weg. Hasse probeerde haar met al zijn kracht vast te houden.

Het verdovende middel deed er een paar lange seconden over om haar hart te bereiken en een hartstilstand te veroorzaken. Sara stopte met schreeuwen, ze stopte met schoppen. Het werd stil, stiller dan ze ooit voor mogelijk hadden gehouden.

De mannen staarden naar de vrouw die op haar buik op het bed lag, keken elkaar daarna heel even aan. Hasse liet haar los en deed een stap achteruit.

'Godsamme,' fluisterde hij. 'Ze werd helemaal slap!'

Hij liep nog verder achteruit.

'Helemaal slap...' zei hij met zijn ogen nog steeds op Sara gericht. 'Is ze dood?'

Anders kwam overeind en keek naar Sara. Ze lag bijna in dezelfde houding als toen ze kwamen. Haar hoofd op het kussen, haar haar in de war, haar gezicht naar rechts gedraaid. Ze staarde naar het gordijn.

'Ja... ze is dood.'

Ze bleven even roerloos staan, niet omdat ze daar een bepaalde reden voor hadden, maar vanuit een gevoel dat ze niet weg wilden; ze wilden de tijd liever stopzetten, de klok terugdraaien en alles ongedaan maken. Ze staarden naar hun perverse werk. Hasse slikte moeizaam, Anders vermande zich.

'Zoek de spuit, die ligt hier nog ergens.'

Hasse begreep het eerst niet en keek Anders vragend aan.

'De spuit, zoek de spuit!'

Hasse begon te zoeken. Anders ging weer aan het voeteneinde bij Sara's voeten zitten met een klein zaklampje in zijn mond. Hij trok zijn handschoenen uit en streek voorzichtig met zijn hand over haar voetzool. Hij vond de afgebroken naald, trok hem er tussen duim en wijsvinger uit zoals je 's zomers een splinter uit de voet van een kind trekt.

Hasse vond de spuit een eindje verderop. Ze maakten een rondje door de flat, doorzochten voorzichtig laden en kasten. Anders vond Sara's camera verborgen in een sieradenkistje, hij vond aantekeningen en een dagboek en stopte alles in zijn jas.

Ze ruimden alles weer op, verlieten de studio en reden door nachtelijk Stockholm.

Anders hield zijn telefoontje voor zijn oor.

'Het is gepiept,' zei hij.

Gunilla sprak zachtjes, misschien uit respect, misschien omdat ze net wakker was.

'*Je weet dat dit een hoger doel dient. Veel hoger dan waar je nu weet van hebt.*'

Anders reageerde niet.

'*Hoe voel je je?*'

Ze klonk echt als een moeder. Niet als zijn moeder, maar als de moeder van iemand anders.

'Net als de vorige keer.'

'*Dat diende ook een hoger doel. En die doelen zijn met elkaar verweven, dat snap je toch hè? Dit was nodig, er stond te veel op het spel.*'

Deze keer was het Anders die zweeg.

'*Het was zij of wij, Anders. Ze wist van Patricia Nordström.*'

Daar schrok hij van.

'Wat?'

'*Ja.*'

'Hoe dan?'

'*Ik weet het niet, maar ze zal wel iets gevonden hebben in de internet-bestanden.*'

'En Lars dan? Wat weet hij?'

'*Geen idee. Misschien wel meer dan we denken.*'

'Is hij gevaarlijk?'

'*Wat denk je?*'

'Als ik op mijn instinct afga, nee... Maar je weet het niet.'

'*Nee, je weet het niet...*'

Hij hoorde haar zuchten.

'*Hoe was het voor Hans?*' vroeg ze.

Anders keek naar Hasse, die met hangende schouders en een lege blik de auto door de nacht stuurde.

'Oké, geloof ik.'

'*Mooi,*' zei ze zacht.

Ze reden rondjes door de stad. Ze deden verder niets, ze staarden maar wat voor zich uit... Ze wilden geen van beiden alleen naar huis gaan. Hasse was verbeten. Anders zag het en klopte hem een paar keer op zijn schouder.

'Het gaat over.'

'Wanneer?' mompelde Hasse.

'Over een paar dagen,' loog hij

Hasse stuurde door de nacht.

'Kun je me nu dan het hele verhaal vertellen?' vroeg Hasse.

'Wat wil je weten?'

'Alles,' fluisterde hij.

'Zoals wat?'

'Begin maar met waarom jullie dat blondje hebben vermoord, de vriendin van de Drafkoning. Want dat hebben jullie toch gedaan?' Zijn stem was zacht, bijna fluisterend.

Anders ontdekte dat zijn rechterbeen onrustige bewegingen maakte. Hij wist het te stoppen.

'We hadden geen keus. Ze had gezien dat een van onze jongens een medewerker van de Drafkoning om zeep hielp.'

'En waarom deden jullie dat?' vroeg Hasse.

Anders wreef in zijn ogen.

'Het was een complete chaos... Ik weet het allemaal niet zo goed meer.'

Anders keek uit het raam. De huizen die ze voorbijreden zagen er plotseling dreigend uit.

'Er was een man dicht bij Zdenko die we aan onze kant probeerden te krijgen. We wilden hem gebruiken als verklikker, maar hij speelde dubbelspel. Hij heeft ons gigantisch genaaid. Ik vertrouwde hem volledig. Gunilla en Erik ook... Maar hij was loyaal aan zijn baas. Dat hadden we helemaal verkeerd ingeschat. Toen we dat door hadden, ging het hele zaakje bijna naar de klote en stonden we op het punt om alles te verliezen. Dus begonnen we Patricia Nordström, Zdenko's vriendin, te bewerken. Zij hielp ons zodat we uiteindelijk toch kregen wat we wilden hebben. Ik heb toen de zelfmoord van de verrader geregeld.'

Anders kuchte.

'Maar ze had alles gezien. Werd hysterisch, begon te schelden en te tieren dat ze naar de politie zou gaan... Het was verschrikkelijk.'

'Wat hebben jullie gedaan?'

Anders keek naar Hasse en zweeg veelzeggend.

'Hoe?'

Anders vond het niet prettig eraan herinnerd te worden.

'Net als de journaliste, het was vanavond een groot déjà vu... Maar daarvóór heb ik die klootzak van een Zdenko een kogel door zijn kop gejaagd op Jägersro... Ik had een pruik op. Het verhaal dat je in de roddelbladen hebt kunnen lezen over een bendeoorlog en dat soort onzin was pure bullshit. We hebben een groot deel van zijn vermogen opgenomen, alles waar we bij konden komen.'

'Waar is dat blondje beland?'

De vage contouren van de stad begonnen vorm te krijgen toen de eerste zonnestralen aan de horizon verschenen.

'Ergens op de bodem van de zee,' zei Anders voor zich uit.

Het gevoel van onbehagen was er weer toen ze wakker werd. Ze wilde weg van het bed, alsof de kamer besmet was met iets.

Sophie zette een kop thee voor zichzelf, liep naar de keldertrap, haalde de monitor uit zijn bergplaats en zette hem aan. Elke morgen dezelfde routine. Ze hield hem in haar ene hand voor zich toen ze terugliep naar de keuken, nippend van de hete thee. Plotseling verscheen er een beeld. Het was nacht, een flauw schijnsel van een straatlantaarn verderop in de woonkamer. Een man in donkere kleren liep langs de camera naar de trap, daarna stopte de film. Het had maar vier seconden geduurd. Ze werd koud vanbinnen, zette haar theekopje neer om het niet uit haar hand te laten vallen. Alle kracht was uit haar weggestroomd. Een nieuw filmpje volgde, dezelfde man kwam uit de tegengestelde richting, liep vanaf de trap de woonkamer in en verdween toen uit beeld.

Het was geen gewone angst die zich van haar meester maakte. Het was een misselijkmakende angst, waar ze duizelig en slap van werd. Ze keek nog eens, de film was donker en korrelig. Vijandig en bedreigend. Ze vond de terugspoelknop, spoelde terug en zette het beeld stil. De man bevroor in een pose met zijn ene been voor het andere. Zijn haar was nat, van het zweet.

Er was geen vergissing mogelijk, het was Lars, politieman Lars...

Svante Carlgren stond zich in de badkamer te scheren toen zijn nieuwe mobiele telefoon ging. Hij wist wie het was, maar één persoon had dit nummer. Hij hield de telefoon een eindje van het scheerschuim op zijn wang af.

'Carl Gustaf,' antwoordde hij.

'*Met Håkan...*'

Svante deed een streek met zijn scheermesje.

'Wat heb je op je hart?'

'*Ik heb meer info nodig over die man van jou.*'

'Waarom?'

*'Omdat ik de gebruikelijke kanalen heb gebruikt, heb gezocht en wat heb rondgevraagd maar overal bot gevangen. We hadden gehoopt dat dit iemand zou zijn die we kenden... maar dat lijkt niet zo te zijn.'*

'Ik heb je al betaald. En je belt me om te zeggen dat je niets hebt.'

*'Dat heb ik niet gezegd.'*

'Zo klonk het anders wel.'

Svante schoor zich tussen zijn neus en bovenlip.

*'Ik heb een beter signalement nodig.'*

'Dat heb ik je gegeven, meer heb ik niet.'

*'We moeten elkaar zien, ik wil dat je een paar foto's bekijkt. We moeten samen een duidelijker profiel van de man opstellen.'*

Svante zat in zijn auto op de parkeerplaats bij Villa Källhagen. Het raampje stond open, een paar wandelaars liepen over het pad tussen het restaurant en het Zeevaartmuseum. Gedachteloos trommelde hij met zijn vingers op het stuur – hij had een hekel aan wachten.

Een terreinwagen draaide voor hem de parkeerplaats op. Håkan stapte uit. Grijs overhemd, stekeltjeshaar boven op zijn hoofd, de zijkanten gladgeschoren. Zijn ogen lagen diep in hun kassen, alsof ze zich voortdurend in de schaduw bevonden. Aan de passagierskant stapte een kleinere man uit, hetzelfde kapsel, ouder.

'Zullen we even een eindje met mijn auto gaan rijden?' vroeg Svante door het halfopen raampje.

Håkan schudde zijn hoofd.

'We gaan een eindje wandelen.'

Svante stapte uit, stak zijn hand uit. Håkan gedroeg zich nerveus, begroette hem gehaast.

'Dit is mijn collega Leif Rydbäck,' zei hij en hij wees.

Svante schudde de hand van de kleine man.

Het drietal liep vanaf de parkeerplaats in de richting van het water.

De telelens ving de drie mannen in scherpe beelden. Anders maakte een stuk of twintig foto's vanaf de achterbank van zijn auto. Hij wist wie die stekelkop in het grijze overhemd was, en die kleine kende hij ook, al wist hij bij god niet meer hoe ze heetten. Hij had hen eerder gezien. Die lange was een halve gangster, maar dat was lang geleden. Anders zocht in zijn geheugen. Het lag op het puntje van zijn tong. Het was iets met een onderzoek naar een of andere restaurantmaffia met vermoede terroristische banden, daar dook hij op. Niet als terrorist, maar hij bedreigde wel een groep Syriërs die op een aantal plaatsen in de stad restaurants bezaten... Hoe heette die sukkel ook weer? En die kleine? Anders zocht en dacht na... maar het wilde hem niet te binnen schieten.

Hij belde Reutersvärd, een oud-collega uit de tijd van de veiligheidsdienst.

'Hoe heette die vent ook weer?'

*'Zivkovic, Håkan Zivkovic. Er wordt gezegd dat hij op het rechte pad is. Runt een eigen beveiligingsbedrijf, voert voor verschillende verzekeringsmaatschappijen onderzoeken uit en schaduwt mensen voor een klantenkring die bijna uitsluitend uit jaloerse echtelieden bestaat, die foto's willen als bewijs voor hun ergste vermoedens. Hij heeft nog contact met het gespuis van vroeger, geeft hun zo nu en dan kleine opdrachten. Maar alles binnen de grenzen van wat wij toelaatbaar vinden.'*

'Wat voor gespuis?'

*'Zweeds gespuis. De lui die we altijd in de gaten hielden, maar van wie we allemaal wisten dat ze ongevaarlijk waren. Conny Blomberg, Tony Ledin, Leif Rydbäck en die lelijkerd met die hazenlip, Calle Schewens...'*

'Wie van hen is klein, platte neus, stekeltjeshaar en rond de vijftig?'

*'Dat moet Rydbäck zijn.'*

'En daar laat Zivkovic zich tegenwoordig mee in?'

*'Inlaten, dat weet ik niet, maar ze doen soms wat kleine klusjes voor hem.'*

'Zit daar een of andere klikker tussen?'

*'Ja, Rydbäck verlinkt je voor een paar centen of andere voordeeltjes. Bij Ledin en Schewens moet je uit de buurt blijven, te agressief, allergisch voor blauw. Van Conny Blomberg weet ik niets behalve dat hij zelf zijn* ADHD *met hasj behandelt en valt op travestieten met borsten.'*

'Oké, bedankt, Reutersvärd. Tot horens...'

Reutersvärd wilde niet ophangen, hij wilde nog wat kletsen en een paar nieuwsgierige vragen stellen over waar Anders zich tegenwoordig zoal mee bezighield. Anders zei dat hij een tunnel in reed en beeindigde het gesprek.

Hij volgde de drie mannen met zijn ogen, ze liepen in de richting van het Zeevaartmuseum. Hij keek kritisch naar hun ruggen, hun houding jegens elkaar. Zivkovic legde iets uit, Svante bewaarde afstand, maar luisterde, daarna de omgekeerde situatie: Svante legde iets uit, Zivkovic luisterde en bewaarde afstand. Leif leek niet te luisteren, hij was er de hele tijd alleen bij, dicht bij Zivkovic.

Anders peinsde over het beeld dat hij zag – Svante Carlgren, Håkan Zivkovic en Leif Rydbäck aan de wandel op Djurgården? Waarom? Svante zocht Håkan en Leif op nadat Aron Geisler hem een bezoekje had gebracht. Werkten Aron en Svante Carlgren samen aan iets? Kenden ze elkaar? Maar waarom dan Zivkovic en Rydbäck? Moesten zij een opdracht uitvoeren?

De mannen verdwenen uit Anders' beeld. Hij streek over zijn baardstoppels, zijn hersenen waren druk bezig een theorie op te stellen.

Had Aron Geisler Carlgren misschien afgeperst? Dan moest het om een serieuze bedreiging gaan, anders was Svante wel naar de afdeling beveiliging van Ericsson gegaan of rechtstreeks naar de politie. Maar dat had hij niet gedaan. Moest Håkan Zivkovic Svante helpen Aron te vinden? Misschien... Maar dat zou nooit gebeuren, dat wist Anders.

Hij kreeg een paar kleine baardhaartjes op zijn kin te pakken, trok eraan en bekeek zijn theorie van alle kanten. Die was het testen waard.

Hij startte de Honda en reed de stad weer in. Toen hij vast kwam te zitten in een file op de Strandvägen begon hij aan de lastige klus zijn licht op te steken in de onderwereld om daar een telefoonnummer van Leif Rydbäck te pakken te krijgen buiten zijn gebruikelijke kanalen om. Het duurde een tijdje en het kostte hem een aantal dure wederdiensten voordat hij beet had. Nadat de telefoon een paar keer was overgegaan nam Leif op met een kort geluid dat Anders niet kon plaatsen.

'Rydbäck?'

'*Hoezo?*'

'Met Anders Ask.'

Korte stilte.

'*Ken ik niet.*'

Anders hoorde dat Leif in een auto zat, vermoedelijk samen met Zivkovic.

'Toch wel. Ik zat bij de veiligheidsdienst toen jij er een zootje van maakte met die Syriërs en hun restaurants. Ik was erbij toen je gearresteerd werd samen met die lul van een Håkan of hoe die ook maar heette.'

'*Dat weet ik nog, jij was die lelijkerd met die grote bek.*'

'Wat had je dat stom aangepakt, Leif. Een kind had het beter gedaan. Waar zat je verstand?'

'*Wat wil je?*' mompelde Leif.

'Misschien slaat het nergens op, maar ik heb een vraag. Jouw antwoord kan je wat contanten opleveren, wat zeg je ervan?'

'*Je kunt het altijd proberen.*'

'Er zijn een paar niet al te snuggere kerels in de stad opgedoken, die zich bezighouden met het afpersen van managers uit het bedrijfsleven. Aron Geisler en Hector Guzman. Ken je die? Guzman heeft een uitgeverijtje of zoiets in Gamla Stan.'

Anders hoorde dat Leif zijn hand op de hoorn legde, hoorde hem hard fluisteren. Zijn hand verdween van de microfoon. Leif probeerde beheerst en kalm te klinken.

'*Nee, dat geloof ik niet. Hoe zei je ook alweer dat ze heetten?*'

'Hector Guzman; G u z m a n, uitgever in Gamla Stan. Die andere heet Aron Geisler.' Anders spelde die achternaam ook, hoorde Leif driftig pennen op een stuk papier.

'*Sorry, geen idee... En Ask?*'

'Ja?'

'*Donder op en neuk je moeder.*'

'Okidoki.'

Leif drukte hem weg.

\*

Erik was verdrietig. Af en toe kreeg hij zo'n bui en werd hij opeens stil en introvert. Moeilijk te bereiken. Misschien was het een normale manier om met verdriet om te gaan als je wat ouder werd. Maar als kind had Erik zijn verdriet al op deze manier geuit, sinds het overlijden van hun ouders. Hij had nooit echt gerouwd, wist waarschijnlijk niet hoe dat moest. Gunilla ook niet, maar zij had iets gevonden waaraan ze zich kon vasthouden. Iets wat haar behoedde voor depressies en andere duisternis. Ze wist niet wat het was en hoefde dat ook niet te weten. Ze was sterk, wilde dat ook graag zo houden.

Gunilla had zich altijd verantwoordelijk voor hem gevoeld – ze voelde zich geroepen hem datgene te geven wat hij zichzelf niet kon geven. En dat had ze gedaan, zo goed als ze kon, hun hele leven lang.

Het was een eeuwigheid geleden dat Siv en Carl-Adam Strandberg, hun ouders, waren gestorven. Iemand had hen doodgeschoten toen ze aan het kamperen waren bij een meer in Värmland. De moordenaar, Ivar Gamlin, was dronken geweest en was met een hagelgeweer het bos in getrokken nadat hij zijn vrouw in elkaar geslagen had. Om de een of andere onbegrijpelijke reden had hij het echtpaar Strandberg door het tentdoek heen doodgeschoten. Gamlin had geprobeerd zelfmoord te plegen, maar had alleen zijn spraakvermogen en zijn gezicht weggeschoten. Hij was in het begin van de jaren tachtig in de gevangenis gestorven, doodgeslagen door een medegevangene. Zijn benen en armen waren gebroken. Niemand in de gevangenis kon vertellen wat er gebeurd was. Het personeel had geen antwoord op de vraag hoe het de moordenaar gelukt was om midden in de nacht Ivar Gamlins cel binnen te dringen.

Gunilla keek naar haar broer, die in de donkerste hoek van de woonkamer zat. Buiten scheen de zon, maar hij had de duisternis opgezocht.

Ze liep de keuken in om een lichte lunch klaar te maken. Haring en aardappelen, knäckebröd, donker bier en een borreltje uit het vriesvak. Ze wist dat hij dat lekker vond. En daarbij een kop koffie en een stukje taart, en als hij depressief was zoals vandaag: een krant, zodat hij kon doen alsof hij las en zich niet verplicht voelde om met haar te praten. Ze smeerde het knäckebröd voorzichtig en geduldig zodat het niet in stukken brak. Erik wilde de boter overal hebben, tot aan elke rand en in elke hoek toe. Ze zette het bord met de haring, het glas bier, het knäckebröd en het ijskoude, olieachtige borreltje op een dienblad, droeg het de woonkamer in en zette het op het tafeltje naast Eriks leunstoel neer. Gunilla streek haar broer over zijn wang. Hij bromde iets.

De telefoon ging. Anders gaf haar duidelijke en beknopte informatie over de ontmoeting tussen Zivkovic, Rydbäck en Svante Carlgren. Over zijn afpersingstheorie en dat hij Leif Rydbäck had gebeld en had onthuld waar ze Hector en Aron konden vinden.

'We zullen wel zien of ik gelijk heb,' zei hij en hij hing op.

Ze vertelde het nieuws aan haar broer. Hij reageerde niet, at van zijn knäckebröd. Gunilla ging bij het raam staan. De wereld buiten was groen.

'We moeten ons voorbereiden,' zei ze.

Ze liet haar blik over de tuin gaan.

'Ik zal de bloemen missen, Erik. De pioenen, de rozen... de hele tuin.'

Hij had net zijn beslagen borrelglaasje in zijn rechterhand genomen.

'Zet die verpleegster klem,' zei hij met hese stem en hij sloeg zijn borrel in één keer achterover.

Haar blik rustte op de rozen bij de houten schutting.

'Hoe?'

Hij zette het glaasje neer en antwoordde piepend.

'Zorg dat ze niet op ideeën komt, we moeten haar erbuiten zien te houden totdat we helemaal klaar zijn en weg kunnen...'

Gunilla luisterde naar zijn woorden en dacht erover na terwijl ze door de kamer naar de terrasdeuren liep.

Het zonlicht verblindde haar toen ze buiten op de veranda kwam.

*

Lars had zich geschoren, zijn haren gekamd, zich netjes aangekleed. Alledaags netjes – schoon en fris.

De microfoon die hij uit Sophies woonkamer had weggenomen, lag in een klein, geseald plastic zakje. Hij stopte het voorzichtig in zijn zak, liep de badkamer in, pepte zich op met een perfecte combinatie die bestond uit een krachtige dosis morfine in zijn anus, een cocktail benzo in zijn maag en Lyrica in zijn zenuwbanen. Hij was rustig, knap en relaxed in de badkamerspiegel. De gele puistjes waren netjes uitgeknepen. Hij boog zich wat dichter naar de spiegel toe, de aanslag op zijn voortanden leek wel een pas afgeworpen slangenhuid. Hij opende zijn badkamerkastje, kneep wat tandpasta op zijn tandenborstel en begon zijn tanden te poetsen, terwijl de cocktail zijn werk begon te doen. De tandenborstel voelde als een dot watten tegen zijn tanden, het was aangenaam, alles was aangenaam. Vervelende gevoelens en problemen bevonden zich ergens aan de andere kant van het universum. Hij spoelde zijn mond met lauw water, alles was perfect. Het potje Hibernal stond voor hem in het badkamerkastje. Hij pakte het, keek ernaar en schudde eraan. Het geluid van sambaballen. Hij schudde er nog eens aan, zou je dit geluid horen in Cuba? Hij zette het potje weer terug.

Lars zeilde de trappen af, zweefde met zijn auto naar de Brahegatan en gleed door het politiebureau, de trappen op, zijn kantoor in.

Hij knikte naar de groep, probeerde de stemming in de kamer te peilen, zag Hasse en Anders die in hun stoel zaten te wachten. Erik, die verderop aan zijn bureau zat, zag er moe uit, hij deed zijn ogen dicht terwijl hij met zijn wijsvinger en zijn duim de brug van zijn neus masseerde om misschien een hoofdpijn te verlichten. *Hasse en Anders...* Lars keek hen weer aan, zij zagen er ook moe uit, maar anders moe. Hasse zag er ronduit afgepeigerd uit, leeg en uitgeblust... Hij zat met hangende schouders. Anders zat met zijn armen over elkaar en zijn benen uitgestoken voor zich uit te staren.

Lars ging op een stoel zitten, het kussen was zacht. Eva Castroneves kwam met een kop koffie in haar hand op hem aflopen.

'Ik wist niet of je melk in je koffie wilde hebben?'

Hij keek haar niet-begrijpend aan, ze had niet de puf om in een of ander misverstand te blijven hangen, hield hem gewoon het kopje voor.

'Hier.'

Hij nam het aan zonder te bedanken.

'Alsjeblieft,' zei ze zachtjes.

'Dankjewel,' fluisterde hij.

Ze ging op de stoel naast hem zitten.

'Hoe gaat het met je?' vroeg ze.

Hij keek haar aan. Was ze veranderd? Blijer? Waarom ging ze naast hem zitten?

'Het gaat goed, vind ik. Langzaam maar goed... Ik heb het gevoel dat we op de goede weg zitten.'

Ze knikte.

'Ik ook.'

Hij hield haar vast met zijn blik. Ze schoof wat ongemakkelijk op haar stoel heen en weer.

'Ik neem toch maar een beetje melk,' zei hij. Hij stond op en liep naar het keukentje.

Lars opende de koelkast en haalde op hetzelfde moment het plastic zakje uit zijn zak, plaatste het microfoontje tussen de duim en wijsvinger van de hand waarmee hij het koffiekopje vasthield, schonk een wolkje melk in de koffie en liep de keuken weer uit. Hij liet zijn blik door het vertrek gaan, Erik had een avondkrant gevonden waar hij verstrooid in bladerde, Eva zat voor zich uit te kijken, Anders en Hasse zaten nog steeds in dezelfde houding, armen over elkaar, een peinzende uitdrukking op hun gezicht.

Lars liep naar het verrijdbare bord met informatie over de zaak; terwijl hij net deed alsof hij een document las, liet hij het piepkleine microfoontje in het zachte vilt van het bord glijden. Hij draaide zich om, liep wat heen en weer door de kamer, bekeek een aantal dingen, dronk van zijn koffie – alsof hij zijn benen wilde strekken voordat het overleg begon.

In de Brahegatan, een paar panden verderop, had Lars een huurauto geparkeerd. Een Renault. In de kofferbak onder een deken lag de afluisterapparatuur.

De deur ging open, Gunilla kwam met gestreste stappen de kamer binnenlopen, verontschuldigde zich dat ze laat was. Eva Castroneves stond op, pakte haar handtas en liep naar Gunilla toe. Lars observeerde de twee vrouwen die bij de deur met elkaar stonden te fluisteren. Hij zag hun glimlach en hoorde hen zelfs lachen. Hij was verbaasd toen Eva zich naar voren boog en Gunilla op beide wangen zoende. Daarna liep ze naar Erik, glimlachte naar hem en streek hem over zijn wang. Erik zei hees 'bon voyage', waarna Eva het kantoor verliet.

Gunilla concentreerde zich.

'Ik ga jullie in twee groepen verdelen. Anders en Hans zijn groep één en Lars en Erik groep twee.'

Gunilla las van een blaadje.

Erik en Lars gaan bij Carlos Fuentes langs, jullie mogen meteen vertrekken. Anders, jij en Hans blijven hier.'

Erik stond met een kreun op en liep weg, Lars volgde hem, onzeker over wat er gebeurde.

Toen Lars en Erik de kamer uit waren, draaide Gunilla zich om naar het whiteboard en noteerde 'Albert Brinkmann' en 'Lars Vinge'.

'We hebben twee dingen te bespreken.'

*

Jaarsluiting. Zon, berken, windstilte, heet asfalt.

Dertig schoolvrienden hadden zich vroeg in de morgen in een park bij het water verzameld. Ze hadden mousserende wijn gedronken. Ze werden allemaal dronken, iemand huilde, iemand kotste.

Ze waren met zijn allen als groep naar school gelopen. Hij naast Anna. Ze waren uit elkaar gegaan toen ze de aula binnenliepen. Nu wilde hij zich omdraaien, haar in de mensenmenigte zoeken, maar hij deed het niet. In plaats daarvan zat hij op een van de banken te luisteren naar de psalm die altijd werd gezongen op de laatste dag voor de zomervakantie en het slechte dwarsfluitspel. De rector hield een toespraak. Hij zei dat pesten, drugs en racisme niet goed waren, toen was het afgelopen.

Albert en zijn vriend Ludvig staken het schoolplein over. Het grote roestrode schoolgebouw met zijn twee vleugels achter hem was mooi en vandaag extra mooi omdat nu de zomervakantie begon. Hij zag haar verderop staan in een groepje meisjes, glimlachte naar haar, ze glimlachte terug.

Toen hij en Ludvig hun fiets van het slot deden, begon het in zijn zak te piepen. Hij las het berichtje. *Vanavond zullen we samen zijn. xxx.*

Albert keek om zich heen, Anna was verdwenen. Met een grote glimlach op zijn gezicht stopte hij zijn telefoontje weer in zijn zak. *Het leven was supercool.*

Albert en Ludvig fietsten de helling af, de wind waaide door hun haren en het was volop zomer. Ze fietsten naast elkaar en trapten stevig door. Ludvig maakte een grote boog, draaide weg van Albert en gleed een andere weg in. Hij riep iets wat Albert niet helemaal verstond, alleen dat er bij Gustav iets te eten zou zijn, maar geen drank.

Albert zwaaide en reed rechtdoor. Hij zwoegde een helling op en reed een smal weggetje in om sneller thuis te komen. Hij hoorde de auto achter zich, week uit naar rechts om de auto te laten passeren. Maar die bleef met dezelfde lage snelheid achter hem rijden. Albert wierp een blik over zijn schouder. Een Volvo, met Hasse achter het stuur.

Er schoten een heleboel gedachten door zijn hoofd. Dat hij de mooiste avond van zijn leven zou missen, hoe zijn vorige ontmoeting met Hasse was verlopen, dat hij moest vluchten...

En dat deed hij, vluchten. Hij ging midden op de weg rijden en trapte uit alle macht het heuveltje af. De fiets accelereerde, de luchtstroom die hij zelf veroorzaakte bulderde in zijn oren, samen met het geluid van de Volvo die daar ergens achter hem optrok.

Hij probeerde een vluchtweg te bedenken, maar zag in dat hij het op de fiets niet zou redden. Halverwege de helling maakte hij een scherpe bocht en reed een tuin in. Hij fietste zo lang mogelijk door over het gazon, sprong van de nog rijdende fiets, draaide zich snel om en zag hoe de auto achteruit de helling weer opreed. Albert maakte van de gelegenheid gebruik, rende de helling af, zo ver mogelijk bij de auto vandaan. De Volvo stopte en reed toen met hoge snelheid weer naar beneden.

Albert had nu een voorsprong. Hij rende een eindje en sloeg toen rechts af. Hij probeerde de auto telkens te misleiden. De Volvo leek te aarzelen. Hij hoorde hoe die plotseling stilhield. Een portier werd ge-opend, Albert keek achterom, aan de passagierskant sprong een man uit de auto die achter hem aan rende. Hij herkende de man niet, maar hij was snel. Albert vroeg het uiterste van zijn lichaam, rende voor wat hij waard was. Hij hoorde de Volvo weer, parallel, schuin beneden hem. Hij reed hard in een hoge versnelling.

'Halt! Politie!' riep de man achter hem, wiens voetstappen snel dichterbij kwamen.

Albert nam een aanloop en sprong over een hek, weer een tuin in. Hij rende over een glooiend gazon, waardoor zijn snelheid nog groter werd. Hij rende twee kinderen op een schommel voorbij. Een jongen en een meisje van een jaar of vijf. Ze zwaaiden vrolijk naar hem. Hij keerde plotseling om. Rende terug in de richting waaruit hij was geko-men en sloeg rechts af, verder over een andere weg, door een andere tuin, nog een weg over, week uit naar links en rende verder over een weiland. Hij rende door, ook al schreeuwden zijn longen, benen en hart om zuurstof. Hij keek achterom, de man was verdwenen. Albert zag een groepje bomen in een tuin en richtte zich daarop. Het melk-zuur pompte door hem heen. Hij sprong over een hek en rolde een soort prieeltje binnen, bleef stil liggen en deed zijn best om niet te luid te hijgen.

Zijn hart bonkte in zijn oren en door zijn luide ademhaling hoor-de hij verder niets. Albert deed zijn ogen dicht, zijn gezicht naar de grond. Hij begon rustiger adem te halen. Er reed een auto langs. Hij keek voorzichtig op. Een Cherokee met een blonde moeder achter het stuur; ze zag er moe uit, op de achterbank huilde een kind. Hij ademde weer normaal en luisterde of hij voetstappen hoorde, de voet-stappen van de andere man. Ergens moest hij hem zijn kwijtgeraakt. Albert wilde net opstaan toen er van links nog een auto naderde. Hij tilde langzaam zijn hoofd op. Voor hem op straat passeerde de Volvo. Hasse zat achter het stuur... daarna rennende voetstappen op de weg.

'Hij is in de buurt,' riep de andere man.

De Volvo reed met piepende banden weg. Albert hield zijn gezicht naar beneden. Wat dacht hij? Dat hij zo gemakkelijk van hen afkwam?

De voetstappen op het asfalt waren dichtbij. De voetstappen leken geen besluit te kunnen nemen. De voetstappen aarzelden, liepen een eindje, renden kort, bleven staan, liepen terug, stonden stil...

Albert luisterde gespannen, hoorde weer de voetstappen, zij het heel zacht toen de man op zijn smerisschoenen met rubberen zolen over het asfalt liep, heen en terug.

'Albert?'

Een rustige, zachte stem, vlakbij. Albert hield zijn adem in.

'Albert, je bent hier ergens... Je kunt nu wel tevoorschijn komen. Je moeder heeft een ongeluk gehad... We zijn hier om je op te halen. Maak je geen zorgen. Kom maar tevoorschijn. Je moeder wil dat je komt. Ze heeft je nodig.'

Albert hield zijn gezicht op de grond. De voetstappen van de man verwijderden zich. De Volvo kwam terug en bleef staan.

'Albert!' riep de man.

'Kom, Anders...' Dat was Hasses stem.

'Hij kan zo snel het weiland niet over zijn gerend voordat ik hier was, dat is onmogelijk, hij moet hier ergens zijn.'

'Stap in!' Hasse was ongeduldig.

Een portier sloeg dicht, de auto verdween. Albert bleef stil liggen, straks kwamen ze terug. Hij overlegde met zichzelf of hij zou blijven liggen of zou opstaan om een nieuwe schuilplaats te vinden. Waar waren ze naartoe gereden? Stonden ze hem een klein eindje verderop op te wachten? Of waren ze weggereden, hadden ze het opgegeven?

Hij besloot stil te blijven liggen. Er ging een eeuwigheid voorbij. Geen auto te horen. Hij keek op, keek uit over zijn beperkte gezichtsveld, viste voorzichtig zijn mobieltje op uit zijn broekzak, drukte op hekje om zijn mobiel op stil te zetten. Met trillende vingers schreef hij een sms'je naar Sophie: *De politie zit achter me aan ik heb me verstopt een is dezelfde van laatst.*

Hij verzond het en kon opeens wel huilen. Tijdens de achtervolging zelf was hij niet bang geweest en ook niet toen hij zich verstopt had; toen had zijn overlevingsdrang hem voortgedreven. Maar nu kwamen de schrik, de angst en het gevoel van eenzaamheid.

Weer een auto. Hij luisterde naar het geluid van de motor. Het zou mooi zijn als hij daaraan kon horen of het de Volvo was, maar dat kon hij niet. De auto kwam dichterbij. Albert keek naar zijn telefoon: geen bericht.

*

Erik had gezegd dat ze een hotdog zouden eten voordat ze naar Carlos gingen. Dat deden ze in de Valhallavägen bij station Oost. Erik en Lars samen. Dat was nog nooit eerder voorgekomen.

Erik had ontzettend veel vragen gesteld. Vragen over Lars. Of hij het naar zijn zin had bij hen, hoe hij vond dat het onderzoek opschoot. Onder het mom van vriendschappelijke belangstelling had hij zitten vissen hoeveel Lars eigenlijk wist van hun activiteiten. Lars snapte waar Erik naartoe wilde. En daarom haatte hij die oude zak, hij haatte hen allemaal vanwege de manier waarop ze hem behandelden. Omdat hij niets concreets wist, had hij er geen problemen mee de vragen naar waarheid te beantwoorden. Maar de antwoorden leken Erik niet te bevredigen. Ze waren hem niet duidelijk genoeg. Hij had heldere antwoorden nodig om Lars' positie te kunnen bepalen.

Hij gooide zijn halve hotdog in de afvalbak toen Erik wegliep en weer voor in de Volvo plaatsnam. Lars reed en sloeg links af de Odengatan in. Erik deed zijn ogen dicht en masseerde opnieuw het gebied tussen zijn ogen. Hij zuchtte wat hoofdpijn weg, keek met half dichtgeknepen ogen tegen het daglicht in.

'En die verpleegster, hoe gaat het daarmee? Denk je dat ze iets weet?'

'Nee,' antwoordde Lars.

'Waarom niet?'

'Omdat niets daarop wijst. Ik heb eindeloos geluisterd... Geen enkele aanwijzing.'

'Weet ze dat we haar afluisteren?'

Lars draaide zich om naar Erik.

'Hoe zou ze dat moeten weten?'

'Ik weet het niet, we krijgen immers niets van haar.'

'Misschien heeft ze ons niets te bieden?'

Erik haalde zijn schouders op.

Ze parkeerden de auto voor Carlos' appartement in de Karlbergsvägen op een plaats waar een stopverbod gold.

Voordat Erik het portier opende, draaide hij zich om naar Lars en keek hem even onderzoekend aan. De onderzoekende blik ging over in een zwijgend en langgerekt staren.

'Wat is er?' mompelde Lars.

Erik leek de situatie niet ongemakkelijk te vinden. Integendeel, hij leek ervan te genieten.

'Je bent een rare snuiter, Lars Vinge, weet je dat?'

Lars reageerde niet. Hij zat nog in een pillenroes. Dat maakte hem altijd wat zelfverzekerder. Hij kon de blik in Eriks ogen weerstaan. Maar Erik snoof verachtelijk.

'Doen we nu wie het eerst wegkijkt?'

Lars sloeg zijn ogen neer.

Erik kuchte. Dat klonk niet best en hij moest een paar keer hoesten. Hij hapte naar lucht.

'Gunilla zei dat je je blik wat wilde verruimen, dat je andere taken wilde. Dit is er zo een, ben je er klaar voor?'

Lars knikte.

'Weet je het zeker?'

'Ja.'

'Oké, bek dicht en ogen open. Dat eerste is het belangrijkst.'

Hij verliet de auto. Lars bleef zitten, haalde diep adem en volgde hem toen.

De lift was defect. Carlos woonde op de derde verdieping. Ze begonnen de trappen op te lopen.

Erik steunde en hijgde. Op de tweede verdieping bleef hij staan, hield de trapleuning stevig vast en ademde moeizaam. Hij had een knalrood gezicht. Hij wuifde geïrriteerd met zijn hand dat Lars moest doorlopen.

Erik zat met een koptelefoon op te luisteren naar het geluid uit het doosje dat Hasse en Anders bij hun vorige bezoek hadden achtergelaten.

'Dit is toch niks? Alleen onzin en ruis!'

Hij keek Carlos aan.

'Waarom?' ging hij verder.

Carlos likte zijn lippen.

'Weet ik veel. Ik had dat ding bij me, maar Hector praatte niet met mij.'

Lars ging op een keukenstoel zitten en volgde het allemaal.

'Straks gaat hij onderuit en dan ga jij met hem mee. Ik geef je een kans, Carlos. Een mogelijkheid om als een vrij man uit deze hele ellende te komen. Maar dan moet je ons helpen. Begrijp je dat?'

Eriks toon was neerbuigend, alsof hij het tegen een kind had. Lars keek naar de blauwe plekken op Carlos' gezicht.

'Heb je klappen gekregen?' vroeg hij.

Carlos keek Lars met een vragende uitdrukking op zijn gezicht aan.

'Hou je kop, Lars,' zei Erik.

Erik hield de microfoon weer omhoog.

'Deze moet je altijd dragen. We zijn over twee dagen terug, dan willen we een hele hoop informatie hebben... Alsjeblieft.'

Carlos keek naar de microfoon die Erik hem wilde aangeven en daarna naar de grond, alsof hij naar een alternatief zocht.

'Pak aan,' zei Erik.

Carlos schudde zijn hoofd, Eriks geduld raakte op.

'Pak aan, man!' Eriks stem sloeg over.

Lars stond op.

'Zijn we klaar?'

Erik draaide zich naar hem om.

'Ik zei toch dat je je kop moest houden.'

Lars glimlachte spottend naar Erik.

'Jij moet zelf je kop houden. Je kunt immers niks. Vind jij dit de goede aanpak?'

Erik keek Lars verbaasd aan. Zijn bloeddruk steeg, hij kreeg een rode kop.

'Vuile homo,' zei hij zacht en hij wilde verdergaan toen hij opeens zijn evenwicht verloor. Hij mompelde iets onverstaanbaars. Zijn stem was dik en dof. Lars en Carlos keken verbaasd naar de man. Erik probeerde iets te zeggen, hij kneep zijn ogen tot spleetjes alsof het licht opeens te fel voor hem was. Erik ging met zijn hand over zijn voorhoofd, knipperde met zijn ogen, wankelde en pakte de rug van een keukenstoel vast.

'Ik kan niet goed zien,' zei hij.

'Wat?'

Eriks linkerarm begon te trillen, hij keek er verbaasd naar.

'Wat is dit?' fluisterde hij stil bij zichzelf.

Hij keek van zijn eigen trillende arm naar Lars en daarna naar Carlos. Hij stootte een compleet onbegrijpelijk keelgeluid uit en gaf opeens over. Hij zakte door zijn ene been en viel naar links, nam de keukenstoel mee en landde met een harde klap op de vloer. Daar bleef hij in zijn eigen braaksel liggen, knipperend met zijn ogen.

Carlos staarde hem aan. Lars staarde hem aan en bukte voorzichtig.

'Hoe gaat het, Erik?'

Geen antwoord.

'We moeten een ambulance bellen,' zei Carlos.

Lars maakte een stopgebaar naar hem.

'Erik?' fluisterde hij.

Erik lag op de grond naar adem te happen. Carlos liep naar de telefoon aan de keukenmuur en wilde net het nummer van de alarmcentrale draaien, toen Lars zijn pistool trok en het met een loom gebaar op hem richtte.

'Ophangen.'

Carlos staarde naar de loop van het wapen, legde de hoorn op de haak en deed een stap achteruit.

'Hij mag niet doodgaan in mijn huis!' zei Carlos.

'Jawel hoor, dat mag hij best.'

Lars ging op zijn hurken zitten met het pistool in zijn ene hand, die hij tussen zijn knieën liet hangen, en keek gefascineerd naar Erik. Hij wuifde met zijn hand voor zijn ogen.

'Erik?'

Erik bewoog zijn ogen een klein beetje en keek Lars aan. Lars zag een smekende blik. Zijn bovenbeenspieren begonnen pijn te doen, hij stond op en vroeg aan Carlos: 'En die agenten die hier eerder waren?'

Carlos keek Lars vragend aan.

'Er zijn eerder andere politiemensen bij je geweest, die hebben jou de microfoon gegeven. Vertel!'

'Er zijn laatst op een avond twee mannen bij me geweest, een lange en een... middelmatige. Ze stelden vragen... Ze bedreigden me.'

'Waarom?'

Carlos keek naar het pistool dat in Lars' hand hing.

'Ik weet het niet... Doe dat pistool weg.'

Lars keek naar zijn pistool, maar deed het niet weg.

'Ik richt toch niet eens op jou?'

Carlos sloeg zijn linkerhand voor zijn ogen.

'Wat vroegen ze?'

'Over Hector...'

'Wat vroegen ze over Hector?'

Carlos haalde zijn hand voor zijn ogen weg en keek Lars aan.

'Of ik hem in het restaurant had ontmoet die avond.'

'Welke avond?'

Carlos wees naar zijn gehavende gezicht.

'En was dat zo?'

Carlos schudde zijn hoofd.

'Hoe bedreigden ze je?'

'Weet ik niet.'

'Hoe kun je dat nou niet weten?'

'Ze sloegen me.'

'Verder?'

Carlos keek verward.

'Hebben ze nog iemand anders genoemd?' verduidelijkte Lars.

'Zoals?'

'Een vrouw?'

'Welke vrouw?'

'Sophie?'

Carlos dacht na en knikte.

'Ja, ze vroegen of ik haar die avond had gezien.'

'En was dat zo?'

Carlos schudde zijn hoofd.

'Wat heb je tegen hen gezegd?'

'Dat ik haar niet had gezien!'

'Wat gebeurde er toen in het restaurant?'

Carlos keek weg.

'Dat weet ik niet.'

Hij sprak de zin uit alsof hij er genoeg van had om die woorden keer op keer te herhalen.

'Als ze weer contact met je opnemen, moet je dat tegen mij zeggen.'

'Waarom?'

Lars hief het pistool met een traag gebaar.

'Omdat ik het zeg.'

Carlos dacht na.

'Wat krijg ik ervoor?'

Lars keek kritisch naar Carlos' verwondingen.

'Niets. Alleen geen klappen, denk ik.'

Carlos schudde zijn hoofd.

'Wat wil je dan hebben, Carlos?'

'Bescherming, als ik in de problemen kom.'

'Oké, akkoord, en daar hoort ook bij dat niemand te horen krijgt dat we niet meteen de ambulance hebben gebeld toen die vent in elkaar zakte.'

Lars gebaarde met het pistool dat Carlos de keuken moest verlaten.

Hij schoof een keukenstoel bij en ging naar Erik Strandbergs gespannen lichaam zitten kijken. De arme stumper stikte langzaam. Lars zocht zijn ogen om er zeker van te zijn dat hij, Lars Vinge, het laatste was wat Erik Strandberg in zijn leven zag. Erik stierf na een lange, pijnlijke strijd en Lars miste geen seconde van het schouwspel. Het lijk zag er vreemd uit, het gezicht hing raar. Erik lag dood in zijn eigen braaksel. Daar beleefde Lars een zekere voldoening aan.

*

Albert lag tegen de grond gedrukt, het rook naar aarde en gras.

Hij had een bericht van Sophie gekregen. *Blijf waar je bent. Verstop je.*

Hij hoorde voetstappen op de weg en zag de andere man, die Anders heette. Waar Hasse zich bevond, wist hij niet.

Albert besloot weer te gaan rennen, hij wist dat hij daarbij in het voordeel was.

Een paar meter bij hem vandaan ritselde er iets. Zijn hart bonsde in zijn oren. De man, wie van de twee het ook was, stond bij hem in de buurt. Albert had geen keus. Hij stond snel op, zette aan en begon te rennen. Hij had nog maar tien meter afgelegd toen hij tegen een uitgestoken arm aan rende, een klap tegen zijn keel kreeg en werd neergehaald. Sterke handen duwden hem tegen de grond en een zware knie op zijn borst perste de lucht uit zijn longen. Albert zag Hasses verwrongen gezicht. De man siste scheldwoorden, zodat het spuug uit zijn mond liep. Hasse kneep Alberts keel in een wurggreep dicht en sloeg hem met zijn vuist in het gezicht, harde klappen op zijn oog, neus en mond. Hij stopte met slaan, maar kneep Alberts keel nog verder dicht. De lucht verdween snel. Albert voelde dat de zuurstof in zijn hersenen op raakte, dat het leven uit hem wegstroomde. Hij moest lucht hebben... hij kon zijn ogen niet openhouden.

Net toen hij het gevoel had dat hij bewusteloos raakte, liet Hasse los. Albert rolde op zijn zij, hij moest overgeven, maar er kwam niets en hij probeerde weer op adem te komen.

Hasse trok hem overeind en hield zijn arm stevig vast.

'Ik heb hem,' riep hij.

Op dat moment slaagde Albert erin zich los te rukken. Hij ging er weer vandoor. Zijn benen dreven hem voort ook al voelde hij ze niet. Hij proefde bloed en al zijn ledematen deden pijn. Hij kwam op de weg en hoorde de auto achter zich accelereren. Hij schoot gauw een tuin in. Zijn voetstappen waren langzaam en zwaar, hij had moeite met zijn evenwicht. Albert kon de forse Hasse steeds vanuit een ooghoek zien, hij liep parallel aan hem. Toen hij begreep dat Hasse hem bij kon houden, sprong Albert over het hek om de weg op te rennen. Hij hoopte dat hij iemand tegen zou komen of misschien een auto zou kunnen aanhouden... dat iemand hem zou helpen.

Hij kwam op de geasfalteerde weg en probeerde zijn tempo te verhogen. De Volvo kwam met grote snelheid van links en remde niet eens af. Het was een harde klap. De auto raakte zijn knieschijven, Albert vloog door de lucht en maakte een halve draai over het dak van de auto. Na de lange, stille luchtreis kwam hij met zijn rug op de grond terecht en zijn achterhoofd werd met zo veel kracht tegen het asfalt geslagen dat zijn achterhoofdsbeen verbrijzeld werd. Alberts bewustzijn werd uitgeschakeld.

*

Sophie had aan de telefoon geschokt en onsamenhangend geklonken. Het duurde even voordat hij begreep wat ze zei. Hij sprong in de auto.

Haar zoon zat in de bosjes in een tuin en daar hingen twee smerissen rond. Ze had gezegd dat ze hem niet te pakken mochten krijgen, dat had ze een paar keer herhaald. Jens had geprobeerd haar te kalmeren.

Hij was er bijna toen de ambulance hem op hoge snelheid inhaalde. Hij reed erachteraan. De ambulance stopte een paar straten verder bij een bebloede jongen die eenzaam midden op de weg lag.

*

Sophie beet een stukje van de nagel van haar pink af. Haar nagels zagen er nu allemaal anders uit dan anders. Ze waren kort en ongelijk.

Ze stond in een lege patiëntenkamer op haar werk. Ze was doelloos door de kamer gelopen nadat ze Alberts sms'je had gekregen. Nu wachtte ze.

Er schoot een beeld door haar hoofd: Albert die in de tuin speelde met Rainer. Het beeld verdween net zo snel als het gekomen was. Ze begreep niet waarom ze nu aan de hond moest denken. Rainer was een blonde labrador en Albert was dol op hem geweest. Ze hadden de hond gekocht toen Albert twee was, een substituut voor een broertje of zusje, misschien. Vanaf zijn zesde had Albert de hond elke dag achternagezeten over het grasveld, zomer en winter. Op zijn negende had hij zich het bewegingspatroon van de hond eigen gemaakt en zijn manier van denken. Hij ving hem elke keer. Ze had voor het raam staan kijken. Albert geconcentreerd, Rainer vrolijk.

Toen Rainer doodging, was Albert twaalf. Hij had gehuild tot al zijn tranen op waren.

Haar mobieltje ging over en wekte haar uit haar gedachten.

'Ja?'

Ze hoorde wat Jens zei, ze hoorde zijn duidelijke, verklarende stem. Onder de last van de wanhoop en de schrik zakte ze door haar benen. Ze kon zich nog net aan de vensterbank vastgrijpen en hield die vast alsof het haar enige reddingslijn was bij haar val in het donkerste van alle donkere gaten. Daarna werd het zwart. Haar volgende herinnering was dat ze door een gang rende. Dat ze de trap nam in plaats van de lift en door verbindingsgangen en via de centrale hal naar de afdeling spoedeisende hulp snelde.

Toen ze er was, kwam de ambulance net binnenrijden. Ze vloog eropaf en duwde de verpleegkundigen opzij die de achterdeur van de auto opendeden.

Ze zag Albert languit op de brancard liggen met bloed op zijn gezicht. Er zat een brede band om zijn voorhoofd, zijn nek was gefixeerd met een kunststof kraag. Er zat bloed op zijn gescheurde feestkleren. Toen ze in de ambulance wilde stappen, trok een verpleegkundige haar aan haar kleren weer naar buiten.

*

De geur van uitlaatgassen in de garage was duidelijker nu het buiten warm was. Ze had het raampje openstaan.

Gunilla zat in haar Peugeot in de Hötorggarage te wachten. Ze volgde Anders' Honda in de binnenspiegel toen die naar beneden kwam rijden en achter haar stopte. Anders deed het portier aan de passagierskant open en plofte naast haar op de voorstoel neer.

'Het is compleet mislukt,' zei hij zacht.

'Gaat hij het redden?'

Anders krabde in zijn nek.

'Ik weet het niet. Het was een harde klap en hij is op zijn rug terechtgekomen.'

'Heeft iemand jullie gezien?'

'Nee.'

'Weet je dat zeker?'

'Ja.'

Gunilla bleef doodstil zitten.

'En de auto?' vroeg ze.

'Die is gewassen en we hebben het zo geregeld dat die een botsing heeft gehad met een andere auto. Hij staat veilig geparkeerd.'

Gunilla steunde met haar wang op haar ene hand. Haar zwijgen maakte Anders ongeduldig.

'Ik heb het mobieltje van de jongen gepakt. Hij had Sophie ge-sms't. Ze weet dat wij het waren.'

Gunilla zei niets.

'Wat gaan we doen?' vroeg hij.

Ze zuchtte.

'Ik weet het niet... Ik weet het even niet.'

Hij keek haar aan, zo had hij haar nog niet eerder meegemaakt.

'Je weet wat we moeten doen,' zei hij.

Ze keek hem weer aan en verborg toen haar gezicht in haar handen.

'Gunilla?'

Ze reageerde niet.

'Je weet wat we moeten doen?'

'Laat de jongen met rust,' zei ze.

Anders was al half uit de auto.

'Waarom?'

'Omdat ik het zeg.'

Hij dacht een seconde na.

'Oké, voorlopig. Maar als hij wakker wordt, moet hij ook weg. Dat begrijp je toch wel?'

Gunilla staarde voor zich uit.

Anders sprong uit de auto en smeet het portier achter zich dicht. Ze hoorde de zachte slipgeluiden over het gepolijste beton toen de Honda de garage verliet. De geluiden stierven weg en het werd stil. Ze

probeerde na te denken, een lijn, een richting te vinden... De rinkelende telefoon in het vak tussen de stoelen onderbrak haar gedachten.
Gunilla nam op. Het was Lars Vinge, die zei dat Erik zojuist was overleden. Ze begreep wat hij zei, maar vroeg het toch.

'Welke Erik?'

# 21

Sophie zat naast Albert en hield zijn hand vast. Hij zat nog steviger vastgebonden dan in de ambulance: riemen, een nekkraag, sjorbanden en een surrealistische metalen kroon op zijn hoofd die hem volledig immobiliseerde. Zijn beide benen zaten van boven tot onder in het gips.

De arts kwam binnen, ze heette Elisabeth, Sophie kende haar vaag. Elisabeth was zakelijk.

'We denken dat Albert letsel heeft aan zijn twaalfde ruggenwervel. Die is in het ruggenmerg geduwd, maar we weten helemaal niet hoe het er daar uitziet.'

Albert leek te slapen.

'Hij heeft een schedelbasisfractuur. Aangezien we hem op dit moment niet durven te verplaatsen, weten we daar ook niet zo veel van. Alleen dat er druk zit op zijn hersenen en die druk willen we verminderen. Zodra dat gebeurd is, zullen we hem naar het Karolinskaziekenhuis overbrengen.'

In al haar jaren als verpleegkundige had ze familieleden van patiënten gerustgesteld door te zeggen dat het letsel vaak erger leek dan het was. En ze had niet gelogen, meestal was dat ook zo. Maar nu was het omgekeerde waar. Alberts letsel was erger dan het leek. Veel erger.

*Lieve Heer, sta ons bij...*

Jane kwam de kamer in, keek met een geschrokken blik naar Albert en sloeg haar armen om Sophie heen.

Jens had een paar keer via de beveiligde lijn gebeld. Ten slotte had ze opgenomen, ze klonk gestrest.

*'Je moet daar nu weg...'*

'Ik kan hem niet alleen laten.'

*'Dat kun je wel. Ik heb met het ambulancepersoneel gesproken, Albert had zijn telefoon niet bij zich. Misschien heeft de politie die wel meegenomen, ze hebben de uitwerking van jullie gesprek gelezen... Ze weten dat je het weet. Ze zullen je iets aandoen als ze je vinden.'*

'Nee, ik laat hem niet alleen...'

*'Ik heb gebeld en om hulp gevraagd. Er komen twee vrienden van me bij Albert zitten. Ze zullen elkaar aflossen, hem in de gaten houden en hem beschermen.'*

Sophie had honderd vragen.

*'Ga nu weg, Sophie!'*

Hij spelde de laatste woorden bijna.

Jane stond achter haar toen Sophie ophing.

'Wat is er aan de hand, Sophie?'

Ze gaf geen antwoord.

'Er is meer aan de hand dan alleen het ongeluk, of niet?'

Sophie overwoog of ze het haar moest vertellen. Ze had Jane altijd alles verteld. En Jane haar ook. De waarheid, hun eerlijkheid... de kit die hen bijeen had gehouden. Ze keek haar zus in de ogen en vocht tegen de wil om het te vertellen.

'Nu niet, Jane... Ik moet weg, vraag niet waarom. Hou Albert continu in de gaten. Er komen hier twee mannen. Die mag je bij Albert laten.'

Daarna draaide ze zich om en liep weg, ze was niet in staat afscheid te nemen van Albert. Ze vertrok gewoon. Jane keek haar na.


In de slaapkamer pakte Sophie haar tas in. Ze had haast, probeerde te bedenken wat ze nodig had, de telefoon met de directe verbinding met Jens was het belangrijkst, haar gewone mobiel, de oplader. Ze liet alles in haar handtas vallen en vulde in de badkamer snel haar toilettas. Ze hoorde iets beneden in de woonkamer. Ze verstijfde en bleef doodstil staan luisteren. Geen geluid. Ze ging door, pakte tandpasta, een borstel, dag- en nachtcrème... alles wat in de buurt stond. Weer een geluid – een klik en een deur die dichtviel. Ze hield haar adem in en luisterde. Geen geluid. *Verbeelding? Nee...*

Ze sloop naar het badkamerraam en keek naar buiten. Bij haar hek stond buiten op straat een Honda geparkeerd. Ze verliet haar plek bij het raam en sloop de badkamer uit. Nu hoorde ze beneden het parket kraken. Ze werd bevangen door een ijzige kou en bleef stokstijf staan.

'Ga eens boven kijken,' hoorde ze een zware basstem. Vervolgens hoorde ze voetstappen naar de trap gaan. Ze bleef staan waar ze stond, ze kon geen kant op hierboven. Wat moest ze doen, zich verstoppen? Vechten? Waarmee? Het was op zijn minst twee tegen een. Zij tegen twee mannen.

De voetstappen kwamen de trap op. Ze zocht iets waarmee ze kon slaan, maar vond niets. De voetstappen kwamen dichterbij. Er schoot haar iets te binnen – de brandladder voor Alberts raam. Toen Sophie de badkamer verliet en naar Alberts kamer ging, klonken de zware voetstappen nog steeds op de trap. Net op tijd bereikte Sophie de kamer en trok de deur zachtjes achter zich dicht. Ze hing haar handtas diagonaal over haar borst, opende het raam, ging op Alberts wankele bureau staan en wilde zich net naar buiten wurmen, toen de deur achter haar werd opengegooid. Een sterke hand greep haar bij de kraag. Ze werd achteruitgetrokken en kwam hard op haar rug op de grond terecht. Hasse Berglund zette zijn knie op haar borst en hield een hand om haar hals. Zijn wangen werden lang toen hij boven haar hing, hij leek wel een hond. Ze keek in zijn starende, waterige ogen en zag dat hij hiervan genoot.

'Anders!' riep hij.

Sophie ging met haar hand over de vaste vloerbedekking onder Alberts bed en voelde met haar vingers. Ze kreeg de onderkant van de oude sterrenkijker te pakken en pakte die als een honkbalknuppel vast.

'Anders!' riep hij weer en hij wendde een seconde zijn gezicht van haar af.

Sophie haalde met volle kracht uit. De telescoop raakte Hans Berglund tegen de zijkant van zijn hoofd. De klap was zo hard dat hij haar hals losliet en op zijn zij viel, tijdelijk verward en verzwakt. Sophie wurmde zich los en trapte tegen de grote man om haar rechterbeen onder zijn zware lichaam uit te krijgen. Er klonken snelle voetstappen op de trap. Sophie krabbelde overeind en hoorde achter zich Hasse iets mompelen. Ze zag vanuit een ooghoek dat hij weer wat kracht had herwonnen en bezig was zich naar haar om te draaien; hij stak zijn arm uit om haar te grijpen. Ze zat met een sprong op het bureau en wierp zich pardoes uit het raam. Ze slaagde erin de roestige ladder met haar rechterhand vast te pakken, gleed een stukje naar beneden en haalde haar handpalm open. Sophie liet los en viel achterover. Een seconde later landde ze op haar rug op het gras. Haar adem werd afgesneden en ze bleef heel even liggen. Haar hele lichaam riep dat ze stil moest blijven liggen om weer op adem te komen, maar toch dwong ze zichzelf op te staan. Verkrampt rende ze naar haar auto, die op het grindpad voor het huis geparkeerd stond, en slaagde erin al rennend de sleutel uit haar zak te halen. Het deed haar overal pijn. Sophie maakte de auto met de afstandsbediening open. Toen ze net achter het stuur zat en de deuren op slot had gedaan, kwamen de mannen haar keukendeur uit rennen. Die met het buikje bloedde uit zijn oor. De andere zag er jongensachtig uit voor zijn leeftijd; hij had donkere, ronde reeënogen – net zoals Dorota had beschreven.

Ze draaide de sleutel om. De motor startte. De jongensachtige trok een pistool en richtte dat op haar. De dikke riep dat ze de motor uit moest zetten en uit de auto moest komen.

Sophie zette de auto in zijn achteruit en gaf plankgas. Het grind spoot van de banden en de auto passeerde de palen van het hek. Sophie draaide aan het stuur en de auto schoot de weg op. Daar bleef ze op hoge snelheid achteruit rijden, op de geparkeerde Honda af. Er was maar één stand voor achteruit en bij dit hoge toerental maakte de auto een gigantisch kabaal. Ze bereidde zich voor op de klap. De Land Cruiser kwam met een daverende knal tegen de motorkap van de Honda aan, het was een harde, gemene botsing. Ze werd naar voren geslingerd en klapte keihard tegen het stuur; heel even kreeg ze geen lucht. Ze zette de versnelling in zijn vooruit en reed snel weg. Een vluchtige blik in de binnenspiegel, de motorkap van de Honda zat helemaal in de kreukels.

De mannen waren midden op de weg gaan staan en hielden hun getrokken wapens op haar gericht. Ze gaf plankgas, de automatische versnellingsbak schakelde door. Sophie zocht dekking onder het dash-board en reed recht op hen af. Anders en Hasse sprongen opzij.

In Mörby Centrum reed ze de garage in en parkeerde op het bovenste niveau. Ze sloot de auto af en liep snel het winkelcentrum in. Daar bleef ze aarzelend staan. Zou ze naar de metro lopen of naar de bus-sen? Ze dacht snel na. De metrohalte van Mörby Centrum was een eindstation en had maar één opgang. Als de trein niet kwam en die mannen waren onderweg, dan had ze geen vluchtmogelijkheid.

Ze kocht een kaartje bij de automaat, liep snel naar de bushaltes en verstopte zich in de wachtende mensenmassa. Ze keek steeds de kant op waar de bussen vandaan kwamen, en wierp een snelle blik op de toegangsdeuren waar ze in gedachten de agenten al door naar buiten zag stormen, recht op haar af. Het kon elk moment gebeuren.

Toen, eindelijk... Er kwam een grote rode harmonicabus haar kant op rijden bij de T-splitsing; hij bleef sissend voor de wachtende rei-zigers staan. Het nummer van de bus zei haar niets, maar dat maakte niet uit. Ze liep met de rij mee en stapte in, liet het kaartje zien aan de buschauffeur, die gebaarde dat ze door kon lopen. Sophie liep door naar achteren en ging alleen op een tweepersoonsbankje zitten, bukte en bad tot God dat de bus snel zou gaan rijden. Maar dat gebeurde niet, hij bleef met de deur open staan wachten tot het tijdstip waarop hij volgens de dienstregeling diende te vertrekken.

Haar ademhaling werd harder en oppervlakkiger. De paniek was vlakbij en ze moest al haar kracht aanwenden om in de bus te blijven en niet weg te vluchten, ook al schreeuwde haar hele lichaam dat ze dat moest doen.

Ten slotte gingen de deuren dicht en verliet de bus Mörby Centrum. Ze kon opgelucht ademhalen. De bus bracht haar van Danderyd naar Sollentuna. Bij Sjöberg stapte Sophie uit, ze liep tussen flats door, die er allemaal hetzelfde uitzagen, en belde een taxi. Die kwam een kwar-tier later en ze vroeg de chauffeur haar naar de stad te brengen, naar Sergels Torg.

Ze betaalde contant, stapte uit in de Klarabergsgatan en daalde af naar het plein. Daar verdween ze in de krioelende massa, onder de grond, en nam de metro naar Slussen. Door naar een ander perron en terug naar Gamla Stan, van waar ze te voet naar Östermalm ging.

Hij stond haar op straat op te wachten, voor zijn portiek. Ze huilde niet, liet zich alleen omhelzen en leunde met haar hoofd op zijn schouder.

Ze namen de lift naar de bovenste verdieping. Hij keek naar haar in de spiegel, wist niet hoe hij haar moest troosten, of hij zelfs maar een poging zou doen. Hij wist niet hoe je zoiets deed, was er niet in geschoold, dit had hij nou juist zijn hele leven vermeden. Nu had hij het wel willen kunnen, nu wilde hij weten wat hij moest doen om haar te helpen. Maar het was te laat, hij zou iets verprutsen als hij het probeerde.

Ze vroeg om jodium. Hij gaf haar alles wat hij aan ontsmettingsmiddelen had. Sophie wikkelde verband om haar bloedende hand en liep een andere kamer binnen. Hij hoorde dat ze met haar zus belde.

Jens kookte voor haar. Ze was stil en gesloten en daar probeerde hij geen verandering in te brengen.

*

De kamer rook naar formaline. Gunilla stond naar haar dode broer te kijken. Erik Strandberg lag op een van de glanzende metalen brancards van het mortuarium, het leek wel of hij sliep. Ze wilde hem wakker maken, zeggen dat ze nu naar het werk gingen, dat het een gewone dag zou zijn, dat ze aan het eind ervan ergens zouden eten en over de zaak zouden praten, over alles waar ze altijd over praatten.

Wat doe je wanneer je je broer voor het laatst ziet? Zoek je naar iets waar je later aan terug kunt denken? Probeer je je iets te herinneren wat je vergeten was?

Buiten het ziekenhuis stapte ze in haar auto en keek door de voorruit zonder na te denken over wat er buiten te zien was. Toen kwam de schreeuw. Ze gilde het uit, totdat ze geen lucht meer in haar longen had. Daarna kwamen de tranen en het verdriet dat in haar bewustzijn opwelde als krachtige windvlagen. De pijn verstikte haar bijna, ze voelde zich eenzaam, een enorme verlatenheid die haar niet los wilde laten en gezelschap kreeg van een vormeloos gevoel van machteloosheid. Uit dat gevoel kwam langzaam een beeld naar voren, een beeld dat haar liet zien dat haar totale eenzaamheid haar in een positie had gebracht in het leven waarin ze niets meer te verliezen had.

Toen was het klaar. Ze deed het raampje open om lucht binnen te laten, haalde een paar keer voorzichtig adem, droogde haar tranen en veegde de uitgelopen make-up van haar gezicht. Ze bracht nieuwe make-up aan in de spiegel van de zonneklep, ging rechtop zitten, haalde diep adem, startte de auto en reed weg.

*

's Nachts kwam ze naar hem toe. Ze kwam bij hem liggen op de bank, waar hij voor zichzelf een bed had opgemaakt, en kroop in zijn armen. Daar lag ze een poosje, liet zich vasthouden. Daarna gleed ze weg uit zijn armen en ging terug naar haar bed. Jens keek haar na, probeerde weer te slapen, maar dat lukte niet. Hij stond op, belde Jonas, die in het ziekenhuis op Albert paste en hem vertelde dat alles in orde was.

In de keuken stak hij een sigaret op en rookte bij het keukenraam. Zijn mobieltje trilde op het aanrecht, het scherm toonde een nummer in Moskou.

'Ja?'

*Je vrienden zijn naar Zweden afgereisd.'*

Risto's stem klonk even dof als altijd.

'Naar Stockholm?'

*Ja, ze zijn onderweg...'*

'Wanneer zijn ze vertrokken?'

*'Weet ik niet. Gisteren, denk ik.'*

'Nou, laat ze maar komen. Ze vinden me nooit.'

*'Ze weten hoe je heet...'*

'Ze weten dat ik Jens heet, meer niet.'

*'Je bent onder je echte naam naar Praag gereisd... om kennis met hen te maken.'*

Jens wist het weer. Dat deed hij soms als het geen kwaad kon.

'Ze hebben je naam bij het hotel opgevraagd.'

'Oké... Bedankt, Risto.'

Jens hing op en verzonk in gepieker.

'Verdomme...' fluisterde hij zacht.

'Wat is er?'

Hij draaide zich om. Sophie stond naar hem te kijken. Hij probeerde geruststellend te glimlachen.

*

Om twintig over drie 's nachts stak Lars de sleutel in de huurauto die in de Brahegatan geparkeerd stond.

Hij reed door een schijnbaar dode stad, zag hier en daar mensen, de meeste dronken. Hij was zelf ook dronken, maar daar dacht hij niet bij na. Dronken, high – *ingekapseld* – het was zijn normale toestand geworden.

Hij parkeerde de auto drie straten van zijn appartement, haalde de afluisterapparatuur uit de achterbak, nam die onder zijn arm en sjokte naar huis.

In zijn werkkamer hevelde hij de files over naar zijn computer, zette zijn koptelefoon op en luisterde naar de sequentie van bureau Brahegatan waar hij zelf bij was geweest. Hij hoorde Gunilla die hem en Erik vroeg om bij Carlos langs te gaan. Het geluid was slecht, het kwam niet goed door. Voetstappen over de vloer en een deur die dichtging. De voetstappen van hemzelf en Erik. Lars luisterde geconcentreerd, hoorde het onmiskenbare piepende geluid van een viltstift op het whiteboard.

'We hebben twee dingen te bespreken.' De stem van Gunilla.

Stilte, toen weer de stem van Gunilla.

'Voordat we het over de jongen hebben, wil ik even terug naar die nacht. Lars weet meer dan we dachten. Erik probeert hem nu uit te horen.'

'Patricia Nordström, kent hij die?'

Dat was de stem van Anders. Lars schreef 'Patricia Nordström' op een blaadje.

'*Ik weet het niet, ik geloof het niet.*'

'*Maar zij wist het?*'

'*Ja,*' zei Gunilla kort.

Zij? Lars probeerde het allemaal te combineren.

'*Hebben ze haar gevonden?*' vroeg Hasse.

'*Ja, een vriendin heeft haar gevonden,*' zei Gunilla.

'*En de doodsoorzaak?*'

'*Een hartstilstand, net wat we wilden.*'

Lars snapte er niets van.

'*Geen vraagtekens?*' vroeg Anders.

'*Nee, geen vraagtekens... nog niet.*'

Hasse kuchte en Gunilla ging verder: '*Het is belangrijk dat hij op dit moment nergens achter komt. Ik zou hem het liefst uit de weg willen hebben, maar als hij iets op het spoor is, laat ik hem liever voor spek en bonen met ons meedoen.*'

Een paar seconden niets, een tik met de stift tegen het whiteboard. Lars duwde zijn handen tegen zijn koptelefoon en concentreerde zich.

'*We moeten de jongen zien te vinden en hem weer arresteren,*' zei Gunilla.

Lars probeerde het te begrijpen – de jongen?

'*Waarom?*' vroeg Anders.

'*We moeten Sophie klem zetten. Ik heb het gevoel dat ze binnenkort iets drastisch gaat doen. Dat mag in dit stadium niet gebeuren.*'

Gunilla's stem klonk leeg.

Lars piekerde zich suf... Welke jongen?... Albert! Wat wilden ze met hem?

'*Het is vandaag toch de laatste dag voor de schoolvakantie?*' zei Hasse.

Daarna klonk onduidelijk gemompel van Anders en een gedempt antwoord van Gunilla; hij kon de woorden niet verstaan. Geschraap van stoelpoten over de vloer toen Hasse en Anders opstonden.

Hij zette de apparatuur uit, probeerde na te denken over wat hij had gehoord en over Albert. Toen Erik en hij bij Carlos langsgingen, waren Anders en Hasse achter Albert aan gegaan. Waarom? Hadden ze hem gevonden? En wat wilden ze met hem? Lars' brein draaide op volle toeren. Had hij bij het afluisteren van Sophie iets bijzonders gehoord, wat Albert betrof? Hij deed zijn ogen dicht en zocht koortsachtig in zijn hoofd. Een ijle, onduidelijke herinnering fladderde voorbij en hij probeerde haar te vangen. Dat lukte niet, ze verdween, maar niet helemaal... er was iets blijven haken... iets kleins en teers. Hij kneep zijn ogen tot spleetjes en liep voorzichtig naar de computer om het niet kwijt te raken, typte de zoektermen: Albert, Sophie, keuken. Een hele rij files verscheen in het zoekvenster. Lars keek naar de data en begon bij het meest recente fragment. Het waren gesprekken aan het ontbijt, gesprekken tijdens het avondeten, gesprekken overdag wanneer Albert zat te leren. Het waren gesprekken 's avonds, Sophie aan de telefoon... Albert aan de telefoon. En een heleboel omgevingsgeluiden die de opnameapparatuur activeerden, die daarna weer zweeg. Hij luisterde alle bestanden af, hij spoelde verder, bleef zoeken. Verdomme, hij herinnerde zich iets, hij wist alleen niet wat... Iets wat alleen zijn onderbewuste had opgepikt. En hoe meer hij luisterde, des te zwakker werd de vage herinnering.

Na tweeënhalf uur had hij nog niet eens de helft van de bestanden beluisterd. Lars klikte een nieuwe aan, luisterde weer, spoelde de stilte weg. Er ging een koelkast open en dicht, Sophies stem die 'Albert' zei. Er volgde een stilte... En daarna het onmiskenbare geluid van een klap.

Lars duwde voorzichtig tegen de koptelefoon, het geluid werd beter, hij kon details horen. Voetstappen door de keuken, iemand die van een stoel opstond.

'Lieve schat, wat heb je gedaan?'

Lars luisterde.

'Ik heb niets gedaan.'

Alberts stem klonk dof, alsof hij tegen de schouders van zijn moeder wegkroop.

'Het is nu uit de wereld, ze hadden zich vergist... Ze hadden zich vergist.'

Dit kon Lars zich niet herinneren, hij wist dat hij hun gesprek had gehoord, maar hij herinnerde het zich niet zo, niet op deze manier.

'Maar ze hadden getuigen! Verkrachting? Hoe kwamen ze...'

Lars hoorde Sophie 'sst' zeggen.

'*Vergeet het nu maar, het is gewoon gebeurd. Iedereen maakt fouten, zelfs de politie.*'

Het was even stil. Lars wachtte.

'*Hij heeft me geslagen.*'

'*Wat zei je?*'

'*De agent in de auto, die heeft me in mijn gezicht geslagen.*'

Een lange, aanhoudende stilte in zijn koptelefoon tot het fragment afgelopen was. Lars stond op, zette zijn gedachten op een rijtje en schreef op de muur wat hij net had gehoord. De puzzelstukjes begonnen eindelijk op hun plaats te vallen.

In de vroege ochtend werd hij wakker gebeld. Gunilla wilde hem spreken.

Hij staarde zichzelf aan in de spiegel van de badkamer en vond een persoonlijkheid die ermee door kon. Hij nam niet al te veel pillen in, hij was er tenslotte bij geweest toen haar broer stierf... Dat ging je natuurlijk niet in de koude kleren zitten.

'Hoe is het gebeurd?'

Ze had haar handen in haar schoot. Het was warm, vijfentwintig graden in de schaduw. Ze zaten op een terrasje op het Östermalmstorg, ze zat er stijfjes bij, alsof ze zich schrap zette omdat ze iets zou horen wat haar emotioneel zou raken. Lars hield zijn ogen op het tafeltje gericht en keek daarna Gunilla aan.

'We kwamen daar, Erik deed het woord... en opeens viel hij om.'

Er ging een briesje over het plein, dat geen koelte bracht.

'Hoe dan?'

'Maakt dat uit?'

'Zou ik het anders vragen?'

Lars begon.

'Hij zei dat hij niet goed zag. Zijn ene arm begon te trillen en te schudden. Hij zei iets onsamenhangends en daarna viel hij.'

'Wat zei hij?'

'Dat verstond ik niet.'

'Wat deed je toen?'

'Ik keek meteen of zijn hart nog klopte.'

'En?'

'Hij leefde, ik belde een ambulance.'

'En toen?'

'Ik ging bij hem zitten.'

'Zei hij iets, zei jij iets?'

'Hij was bewusteloos, ik heb rustig tegen hem gepraat.'

'Wat heb je gezegd?'

'Ik zei dat het allemaal goed zou komen, dat de ambulance onderweg was, dat hij niet bang hoefde te zijn.'

Gunilla keek weg en ademde diep in.

'Dankjewel.'

Lars reageerde niet.

'En die man, Carlos? Wat deed hij?'

'Hij was bang geworden en bleef in een andere kamer.'

'Hoe ver waren jullie gekomen in het gesprek met hem?'

'Niet ver. Erik zei dat hij resultaten wilde. Verder waren we nog niet...'

Gunilla keek uit over de mensen om hen heen.

'Het begint er nu om te spannen, er komen bewijzen boven water. We moeten nu allemaal geconcentreerd blijven op wat we doen. Geen vergissingen.'

Lars nam een slok water.

'Is er iets gebeurd wat ik niet weet?'

Ze kreeg een bedroefde uitdrukking in haar ogen en ze schudde meewarig haar hoofd.

'Het is verschrikkelijk. Albert, de zoon van Sophie, is gisteren aangereden... Hij ligt met een gebroken rug op de intensive care, het is vreselijk allemaal.'

Hij had zin om te schreeuwen, maar deed het niet. Hij concentreerde zich op innerlijke rust. Hij dacht aan een boom die langzaam groeide, aan een steen die door de zee werd gevormd. Aan alles wat in een onvoorstelbaar rustig tempo verliep.

'Sjonge... Wie heeft dat gedaan?' vroeg hij en hij klonk precies zo onverschillig als zijn bedoeling was geweest.

Gunilla haalde haar schouders op.

'Dat weet ik niet, het was een ongeluk... De automobilist is doorgereden.'

'Wat erg. Verder nog iets?'

Hij probeerde kil en professioneel te klinken.

'Nee, volgens mij niet.'

Gunilla keek Lars Vinge na toen hij in de richting van de Humlegårdsgatan liep. Ze had het idee dat hij veranderd was, dat zijn eerder onzekere en zwakke houding was veranderd. Die was niet zekerder geworden, maar stijver, stiller. Hij was in zichzelf gekeerd zonder tobberig te zijn.

Toen Lars verdwenen was, pakte ze haar telefoon en belde het voorgeprogrammeerde nummer van Hans Berglund.

'Zou je zo vriendelijk willen zijn alles weg te halen uit het huis van de verpleegkundige? Anders kan je vertellen waar de microfoons geplaatst zijn. Alles moet weg, er mogen geen sporen achterblijven.'

Ze hing op, begon naar de mensen om haar heen te kijken en vond dat meteen oninteressant. Ze glimlachte naar een jongeman met krullend haar in een wit overhemd en een zwarte broek, die na een paar seconden van onbegrip doorhad dat ze wilde afrekenen.

*

Lars verliet Östermalm en reed naar zijn bank in Södermalm, wenkte de jonge bankbediende met de vette huid en zei dat hij zijn kluis wilde openen.

Hij trok het vak open en legde er een heleboel gegevensdragers in met kopieën van de geluidsopnames die in het huis van Sophie Brinkmann en op het politiebureau waren gemaakt, foto's, tekst, samenvattingen... alles. Hij verliet de bank en reed naar Stocksund. *Om op haar te letten...*

Hij stelde vast dat ze niet thuis was en parkeerde twee straten van haar villa. Een kwartier later kwam er een auto aan die kort toeterde. Lars keek naar links, Hasse reed langs en stak zijn middelvinger naar hem op. Lars liet de lucht uit zijn longen lopen en leunde met zijn hoofd achterover. Een minuut of vijf later kwam Hasse op hem af rijden vanaf het huis van Sophie, hij minderde vaart en deed het raampje open, leunde half naar buiten in Lars' richting; zijn linkerhand hing over de buitenkant van het portier.

'Zodra je haar ziet, bel je mij, Anders of Gunilla. Je doet niets op eigen houtje... Gesnopen?'

Lars knikte.

Hasse trommelde met zijn hand tegen de buitenkant van het portier en stak weer zijn middelvinger op. Ditmaal zo duidelijk dat Lars geen seconde van zijn langgerekte *fuuuck yooou* miste toen hij langzaam wegreed. Het geluid van banden tegen steentjes op het asfalt. Daarna was het weer stil.

Lars zat nog steeds in de auto en staarde voor zich uit. De vogels zongen, maar dat hoorde hij niet. Ergens waren kinderen aan het spelen, geschreeuw, gelach en vrolijkheid, dat hoorde hij ook niet. Het enige wat hij hoorde was zijn eigen redeneren. Hij had het er druk mee, raakte steeds de kluts kwijt. Het mobieltje in zijn zak rinkelde. Hij nam met een gemompeld 'hallo' op.

'Lars?'

'Ja.'

'*Met Terese.*'

Dat was de vriendin van Sara, hij hoorde haar snikken.

'*Kunnen we even praten? Ik word gek van mijn eigen gedachten...*'

Lars begreep het niet.

'Wat voor gedachten?'

Terese huilde.

'Wat is er, Terese?'

Het werd stil.

'*Weet je het niet?*'

'Wat?'

Terese bracht snikkend uit dat Sara dood was, dat ze vannacht een hartstilstand had gehad.

Het universum werd binnenstebuiten gekeerd, de hemel kwam

naar beneden. Hij duwde het portier open en leegde zijn maag op het asfalt.

*

Michail was midden in de nacht gebeld. Klaus klonk moe maar welgemoed.

'*Kun je me komen halen?*'

'Hoe voel je je?'

'*Hoe zou ik me nou voelen met een kogel in mijn buik?*' vroeg Klaus.

'Dat weet ik niet. Ik weet alleen hoe het voelt om een kogel in je bovenbeen, je schouder of je borst te hebben... en granaatsplinters in je kont.'

Ze grinnikten. Michail hing op, pakte een tas in en begaf zich in de vroege ochtend naar het vliegveld. Hij nam de eerste vlucht naar Scandinavië, kwam in Kopenhagen terecht en stapte daar op het vliegtuig naar Stockholm.

Weer hetzelfde riedeltje. Op Arlanda huurde hij een auto onder een valse naam, ging naar de wapenfreak in Enskede en kocht weer een ontraceerbaar pistool. Hij reed naar het Karolinskaziekenhuis.

Michail had zijn buik vol van Volvo's, blonde mensen en het decor van de welvaartsmaatschappij. Hij had zijn buik vol van Zweden.

*

Hector belde met Adalberto via een beveiligde verbinding. Adalberto vertelde dat het geld van de Ericssonklus in veiligheid was. Hector maakte berekeningen in zijn hoofd, Adalberto ook.

'*Hector, voordat we verdergaan... er heeft iemand van Hankes club gebeld. Een zekere Roland Gentz, hij vroeg hoe ik tegenover het voorstel stond.*'

'Welk voorstel?'

'*Dat vroeg ik ook...*'

'En?'

'*Ze laten het er niet bij zitten.*'

'Waar staan we?'

Adalberto zweeg. Hector hoorde dat hij een slok nam uit een glas en een ijsklontje tussen zijn tanden stukbeet.

'Ik heb er advocaten op gezet om hen van alle kanten aan te klagen... Ik wil de strijd op die manier voeren. Dat gedoe met pistolen en auto's loopt de spuigaten uit. Maar wees voorzichtig. Het lijkt erop dat ze nu met iets bezig zijn... Die Gentz dreigde. Hij was duidelijk.'

'We moeten het uitvechten, pa. Nu of in de toekomst.'

'In de toekomst dan maar. Eerst maar eens zien waar mijn nieuwe zet toe leidt.'

Hector stak een sigaartje op. Adalberto dronk zijn glas leeg.

'Ik heb Don Ignacio gesproken. Hij is er nu gerust op, hij vertelde dat jij en Alfonse het samen goed kunnen vinden.'

'We spreken elkaar nog voordat hij naar huis gaat... Om de details door te nemen.'

Adalberto mompelde iets wat Hector niet verstond en ging toen verder: 'Leszek en ik hebben niet stilgezeten, de lijn kan binnenkort weer in bedrijf genomen worden. De kapitein heeft nu een andere schuit.'

Hector dacht na.

'Wat betekent dat, dat de kapitein een andere schuit heeft?'

'Het is geen code. Hij heeft letterlijk een ander schip. Hij heeft de oude boot verkocht en een nieuwe gekocht. We volgen het oude stramien. De goederen worden van Ciudad del Este naar Paranaguá vervoerd, waar hij ze over een week gaat halen. Eind deze maand komt er een nieuwe lading aan in Rotterdam. We zijn weer in business.'

'Is dat positief of negatief?'

'Ik weet het niet... Maar we konden niet anders, of wel?'

Daar ging Hector niet op in.

'Hoe gaat het met Sonya?'

'Die houdt zich afzijdig.'

'En hoe gaat het met jou, pa?'

Adalberto antwoordde niet meteen, alsof de vraag hem van zijn stuk had gebracht.

'Ik mag niet mopperen...' zei hij zacht.

Hector rookte een sigaartje in Stockholm, Adalberto nipte van een drankje in Marbella. Zo hielden ze elkaar een poosje gezelschap.

Hector hing op en bleef even in zijn eentje zitten nadenken. Hij werd in zijn gedachten gestoord door de deurbel. Aron kwam de werkkamer uit.

'Verwachten we iemand?' vroeg hij.

Hector schudde zijn hoofd en haalde een revolver uit de la van zijn bureau. Aron pakte zijn van een geluiddemper voorziene wapen uit de boekenkast. Ze liepen naar de deur.

Door het spionnetje zag Aron twee mannen. Hij herkende hen geen van beiden, wenkte Hector, die ook door het kijkgaatje keek en zijn hoofd schudde. Aron gebaarde naar Hector dat hij achteruit moest gaan.

Hij stopte het wapen achter de band van zijn broek, tegen zijn onderrug, deed de deur open en glimlachte vriendelijk naar Håkan Zivkovic en zijn kompaan Leif Rydbäck.

'Ja?' zei Aron.

Ze hadden beiden kort haar, droegen sportschoenen en goedkope kleren van een goedkope herenmodeketen en mallotige kogelwerende vesten waar hun jack strak omheen gespannen zat. Rydbäck had een platte neus, hij was een kop kleiner dan Zivkovic en ontzettend nerveus, wat hij probeerde te verbloemen door een nors gezicht op te zetten.

'We zijn op zoek naar een zekere Aron of een zekere Hector,' zei Zivkovic brutaal.

'Waar gaat het om?'

'Om een voorstel.'

'Zet het voorstel maar op schrift en stuur het ons toe, dan zullen we reageren.'

Hij wilde de deur dichtdoen, maar Håkan Zivkovic duwde hem weer open. Aron liet de mannen binnendringen, ze waren nerveus en bedreigend.

Ze kwamen de hal in en Håkan gaf Aron een duw met beide handen. Het was een vreemde duw, alsof hij Aron daarmee bang wilde maken, hem uit zijn evenwicht brengen. Hector kwam het vertrek binnen.

'Dag, heren. Waarmee kan ik u van dienst zijn?'

De beide mannen raakten van hun à propos. Rydbäck trok een pistool en zwaaide er nerveus mee.

'Hou je bek en ga zitten. We moeten praten,' zei Zivkovic.

Aron en Hector lieten zich bedreigen. Ze liepen de woonkamer in en gingen op de bank zitten. Zivkovic en zijn makker bleven staan.

'Nu luisteren jullie naar mij,' zei hij en hij liep een paar stappen door de kamer.

Aron en Hector keken naar hem, wat een trieste klootzak.

'Jullie hebben een cliënt van mij bedreigd.'

'Wie dan?' vroeg Aron.

Zivkovic wendde zijn ogen af.

'Dat doet er niet toe.'

'Wel toch?' vroeg Hector.

Op die wedervraag had Zivkovic niet gerekend.

'Nee.'

'Wie dan?'

Rydbäck zwaaide met zijn pistool naar hen.

'Jullie weten heel goed over wie ik het heb,' zei Zivkovic.

'Nee.'

Zivkovic keek Hector strak aan.

'Leif hier schiet je dood zodra ik hem opdracht geef, het zou niet zijn eerste keer zijn.'

Hector keek Rydbäck verbaasd aan.

'Leif? Heb jij iemand doodgeschoten?'

Leif probeerde boos te kijken en knikte. Zivkovic vervolgde zijn generaalsloopje door de kamer.

'Trek jullie dreigementen in of het loopt slecht met jullie af. Dat geef ik je op een briefje. We weten wie jullie zijn en waar jullie zitten.'

Hector en Aron glimlachten en dat beviel Zivkovic niet. Hector stak zijn hand op.

'Zo is het genoeg, gaan jullie nu maar weg,' zei hij rustig en hij stond op.

'Zitten, verdomme!'

Zivkovic bulderde als een militair. Aron stond op en ging naast Hector staan. Ze glimlachten om zijn grote mond, ze glimlachten omdat hij geen idee had met wie hij te maken had. Zivkovic wilde net iets zeggen toen Aron zijn hand naar zijn rug bracht en de revolver uit zijn broekband haalde. Het ging snel. De geluiddemper deed 'pof' toen hij twee schoten op Leif Rydbäcks beschermvest loste. Leif viel achterover en liet in de val zijn wapen los. Op dat moment sprong Hector naar voren, greep Zivkovic bij de keel, trok hem op de grond en gaf hem twee harde klappen in zijn gezicht. Hector duwde zijn knie tegen Zivkovic' wang en draaide zijn hoofd naar Leif, die verderop op zijn rug naar adem lag te snakken.

'Kijk nu wat er gebeurt als mensen gewapenderhand mijn huis binnendringen,' fluisterde hij.

Aron rukte het beschermvest open en trok het Leif uit, tilde Leifs hoofd op en stopte het beschermvest achter zijn rug. Leif begreep er niets van.

Aron duwde zijn pistool tegen Leif Rydbäcks hart en loste twee schoten. De kogels gingen door zijn lichaam heen en bleven in het beschermvest steken. De vloer bleef heel en Leif was op slag dood. Zivkovic schreeuwde als een kind en begon te huilen.

'Wie ben je?' vroeg Hector.

Håkan staarde met betraande ogen naar zijn dode kameraad.

'Ik ben Håkan Zivkovic.'

Hector haalde zijn knie weg en draaide Zivkovic om.

'En ben je nu bang, Håkan?'

Zivkovic kon geen woord uitbrengen.

'Dat was je zonet niet... Met al je praatjes en dreigementen. Wat kan het snel veranderen, hè?'

Hector hield hem stevig bij zijn keel vast.

'Vertel het nu maar.'

'Hij heeft zijn naam nooit genoemd,' bracht Zivkovic moeizaam uit.

'Hoe zag hij eruit?'

Zivkovic beschreef het uiterlijk van Svante Carlgren.

'En wat was het doel van dit bezoek?'

Hector kneep nog harder in zijn keel.

'Jullie bang maken. Ervoor zorgen dat jullie hem met rust zouden laten.'

Hector keek naar Zivkovic, hij had bijna geen kleur meer op zijn gezicht.

'En als we dat niet deden?'

'Dan moesten we jullie doodschieten.'

'Het plan heeft niet gewerkt... Toch?'

Zivkovic schudde zijn hoofd.

'Ga naar hem toe en vertel hem in detail wat hier gebeurd is. Maak hem duidelijk dat we hem nooit met rust zullen laten en jou ook niet... Onthoud dat goed, Håkan Zivkovic.'

Hector liet Zivkovic los, die opstond en het appartement verliet zonder nog een blik op zijn dode kameraad te werpen.

Håkan Zivkovic liep de portiek uit en holde de Själagårdsgatan door. Hij was bleek, hij had een bloedneus... Hij was alleen en gehavend.

Anders belde Gunilla en vertelde waarvan hij zojuist getuige was geweest. Het bleef een poosje stil.

'*Alleen?*' vroeg ze, alsof die vraag haar extra bedenktijd moest geven.

'Ja.'

'*Dus misschien heeft je plan gewerkt?*'

Daar zei Anders niets op.

'*En die andere man is nog boven?*'

'Maar in wat voor conditie, daar durf ik niet eens over na te denken.'

'*Dan... dan wordt het hoog tijd. Of niet, Anders?*'

'Dat zou ik wel zeggen, ja.'

# 22

De Duitser was een halfuur geleden wakker geworden, toen het druk en rumoerig werd op de afdeling.

De arts heette Patrik Bergkvist. Hij had krullend haar, was achtendertig jaar oud en droeg altijd een helm wanneer hij naar zijn werk fietste. Dokter Bergkvist zat op de rand van het bed en scheen Klaus in de ogen met een klein zaklampje dat hij uit het borstzakje van zijn witte jas had gevist. Klaus keek naar het lampje; op de achtergrond stond een verpleegkundige te wachten. Patrik gebruikte zijn middelbareschool-Duits.

'Weet u nog hoe u heet?'

Klaus trok een geërgerd gezicht.

'Ja.'

'Hoe heet u dan?'

'Niks mee te maken.'

Patrik probeerde geen spier te vertrekken.

'Nee? Waarom niet?'

'Niks mee te maken.'

Op dat antwoord was Patrik niet voorbereid. Hij werd door zijn patiënten meestal met respect behandeld en bovendien leed hij niet graag gezichtsverlies in het bijzijn van verpleegkundigen. Hij knipte het zaklampje uit.

'We hebben de kogel verwijderd. U hebt geluk gehad, hij heeft geen blijvend letsel veroorzaakt aan uw inwendige organen. U zult nog wel een tijdje pijn hebben.'

'*Danke*,' zei Klaus zacht.

Patrik knikte.

'De politie wil u spreken. Bent u daar fit genoeg voor?'

'Nee.'

'Ik ga ze toch bellen, ik denk dat u er wel fit genoeg voor bent.'

Dokter Bergkvist verliet het vertrek en liep het kantoortje binnen dat tussen twee patiëntenkamers ingeklemd zat en zocht het nummer op dat de politie had achtergelaten. Hij toetste het in en een zekere Gunilla Strandberg nam op. Het bleek een erg aardige vrouw te zijn.

*Hoe slecht is hij eraan toe?' vroeg ze.*

Patrik Bergkvist stak een heel verhaal af en hing de kundige arts uit. Ze viel hem in de rede toen ze vond dat hij wat al te veel met zijn kennis begon te pronken.

*

Klaus zat in bed in een Zweeds roddelblad te bladeren. Hij keek naar foto's van koning Carl Gustaf, koningin Silvia, Carl Philip en Madeleine, die allemaal ergens op een gazon voor een wit paleis stonden te zwaaien. Victoria en haar echtgenoot waren er niet bij. Misschien waren ze op reis. Hij kende hen allemaal. Rudiger, zijn vriend, was verslingerd aan Europese vorstenhuizen.

De deur ging open. Anders knikte met zijn kin toen hij met Berglund in zijn kielzog de kamer binnenkwam. Klaus nam Anders van top tot teen op en keek daarna met afschuw naar de onfrisse Berglund.

'Gaat het goed met je?'

Anders sprak goed Duits. Hij trok een stoel bij en ging zitten.

'Wie zijn jullie?' vroeg Klaus.

Hasse haalde zijn politielegitimatie tevoorschijn.

'Er is op je geschoten?' vroeg Anders.

Klaus bladerde weer verder. Kicki Danielsson zat thuis aan een grenenhouten keukentafel.

'Hoe heet je?'

Klaus keek op, hij was niet van plan antwoord te geven.

'We kunnen je helpen, daar komen we voor.'

Anders gaf blijk van engelengeduld, Klaus sloeg een bladzijde van het tijdschrift om. Iemand met een lang gezicht die Christer heette, hield zijn arm om zijn tengere, kleine vrouwtje geslagen. Christer hield kennelijk ook van Elvis Presley en hij leek zijn benauwde Zweedse huisje graag wat op te pimpen met goudkleurige badkamerkranen. Anders bukte en pakte het tijdschrift voorzichtig uit Klaus' handen.

'Ik heb wat anders voor je om naar te kijken.'

Anders legde het roddelblad aan de kant en viste een dubbelgevouwen A4-envelop uit de binnenzak van zijn jas. Klaus wachtte en wierp een snelle blik op Hasse, die bij het raam stond. Anders haalde een foto van Hector tevoorschijn, die hij Klaus voorhield.

'Herken je deze man?'

Anders keek naar Klaus, die naar Hector keek. Klaus schudde zijn hoofd.

'Nee...'

Hij hield een foto van Aron Geisler omhoog en Klaus schudde zijn hoofd. Anders hield een foto van Sophie Brinkmann omhoog. Klaus schudde zijn hoofd. Anders hield een foto van een onbekende misdadiger uit het politiearchief omhoog. Een reactie van Klaus, alsof hij een microseconde te lang in zijn geheugen zocht. Klaus schudde zijn hoofd.

'Hij weet het,' zei Anders tegen Hasse.

Anders ging weer over op Duits.

'Je ligt hier met een schotwond. We weten dat iemand je hier met een auto heeft gebracht. Wie?'

Klaus haalde zijn schouders op.

'Wie heeft je neergeschoten?'

Klaus gaf geen antwoord.

Anders ging met frisse moed verder.

'We beginnen opnieuw. Wie heeft je hiernaartoe gebracht?'

Klaus staarde hem met een lege blik aan.

'Als je vertelt hoe je hier terechtgekomen bent en wat je over Hector Guzman weet, dan laten we je gaan in ruil voor je getuigenis in een later stadium.'

Klaus gaapte lang en voldaan, reikte naar het roddelblad naast Anders en begon weer te bladeren. Vervolgens keek hij op en glimlachte poeslief naar Anders.

'Oké, wanneer de dokter groen licht geeft dat je gezond genoeg bent, nemen we je in hechtenis en houden je vast totdat je besluit te praten.'

Klaus glimlachte nog eens op dezelfde manier toen Anders en Hasse hem verlieten.

Anders en Hasse liepen de gang door. De deur aan het eind ervan ging open. Er kwam een grote man waggelend hun kant op lopen. De gang leek een maatje te klein voor hem.

Ze passeerden elkaar halverwege. De grote man keurde hun geen blik waardig en beende hen doelbewust voorbij.

Anders bleef na een paar stappen staan en keek hem na.

'Anders?' vroeg Hasse.

Hij draaide zich naar hem om alsof hij nog steeds in een gedachte, een herinnering verzonken was.

'Wat is er, Anders?'

Anders draaide zich weer om en keek Michail na, die de deur van Klaus' kamer opendeed.

'Dat is die kerel...'

'Wie?'

'Die reus, dat is zijn kompaan, die heb ik restaurant Trasten in zien gaan.'

'Weet je het zeker?'

'Nee...'

'Maar?'

'Maar niks, verdomme...'

Anders trok zijn pistool en liep terug naar Klaus' kamer. Hasse trok zijn pistool ook en kwam met lange passen achter hem aan.

Michail had de kleerkast opengedaan, Klaus' kleren eruit getrokken en ze op het bed gegooid. De deur ging achter hem open. Hij draaide zich om, zag een man, een arm, een gericht pistool. Michail handelde instinctief. Zijn hand vloog naar voren, pakte Anders' arm vast en trok eraan. Er klonk een schot. Klaus gaf een schreeuw. Vanuit een ooghoek zag hij nog een man met een getrokken wapen, hij handelde nog steeds op instinct. Hij trok Anders naar zich toe, nog steeds met zijn hand op diens pistool, rukte dat los en richtte de loop ervan op Hasse, zijn wijsvinger op de trekker.

'Michail!' riep Klaus. 'Het zijn agenten!'

Michail ontspande zijn trekkervinger.

'Laat vallen,' was het enige wat hij tegen de dikke zei.

Hasse aarzelde niet en liet zijn wapen op de grond vallen. Michail gooide Anders de kamer in en gebaarde dat Hasse naast hem moest gaan zitten.

'Die klootzak heeft me geraakt,' zei Klaus. Hij hield een hand tegen zijn schouder, het bloed stroomde er gestadig uit.

Michail keek naar de chaos in het vertrek, overlegde bij zichzelf en gooide het pistool naar Klaus, die het met zijn linkerhand oppakte. Michail raapte Hasses wapen van de grond op en verliet het vertrek.

Hij beende de gang door, een paar verpleegkundigen zochten dekking achter een bed. Hij zocht in alle vertrekken. In een kantoortje zat Patrik Bergkvist weggedoken onder een bureau. Michail bukte, zocht met zijn hand, kreeg zijn bos krullen te pakken en sleurde hem onder het bureau vandaan.

'Ik heb verdovende middelen of narcose nodig. Ik heb verband, naald en draad en instrumenten nodig om een kogel uit een arm te halen.'

Patrik Bergkvist knikte bij alles. Michail pakte de man bij zijn nek vast. Ze liepen naar een voorraadkast.

Klaus hield Hasse en Anders met het pistool in bedwang. De deur ging open. Michail duwde Patrik Bergkvist naar binnen, die meteen bij Anders Ask ging zitten.

'Nee, hij niet. Hij!'

Michail wees naar Klaus en zijn bloedende arm. Patrik liep snel naar hem toe en begon de schotwond te onderzoeken. Michail maakte een dunne blauwe vuilniszak open die hij in zijn hand had. Hij haalde er een glazen flesje natriumthiopental uit en vulde er twee spuiten mee. Hij stak er een in Anders' dijbeen en spoot het middel in. Anders begon nijdig schuttingwoorden te lispelen, waarna hij in elkaar zakte. Michail deed hetzelfde bij Hasse, die een gil gaf toen de spuit zijn vlees binnendrong. Binnen een minuut waren ze beiden onder zeil.

Patrik Bergkvist had de bloeding tijdelijk gestelpt met een stevig verband rond de plek van de wond.

'Deze man moet nu worden geopereerd.'

'Hoe snel kun je dat doen?'

'Een uur.'

'Vergeet het maar.'

Michail vulde de spuit. Dokter Bergkvist schreeuwde een paar keer 'nee', toen Michail zijn arm vastgreep en het verdovende middel inspoot. De arts werd hysterisch, hij mompelde onduidelijk dat hij een anesthesist nodig had die hem in de gaten hield, dat hij zuurstof nodig had. Daarna viel hij met zijn armen langs zijn lichaam hard met zijn wang op de grond en raakte bewusteloos.

Michail hielp Klaus uit bed en ondersteunde hem toen ze haastig het ziekenhuis verlieten.

Ze stapten in de huurauto, die voor de ingang stond. Michail reed de stad in.

'Waar ga je heen? We moeten naar het vliegveld!' zei Klaus.

'Niet op deze manier, dat overleef je niet.'

Michail toetste een telefoonnummer in Stockholm in op zijn mobiel.

\*

De telefoon rinkelde. Hij herkende de stem aan de andere kant van de lijn. Michail klonk gestrest, bood hem een deal aan. Een deal van niks, die neerkwam op: als jij nu iets voor mij doet, dan doe ik daar later iets voor terug. Jens zei nee. Maar Michail hield voet bij stuk, smeekte op een manier die Jens verbaasde. De man klonk bijna nederig. Maar het was wel Michail, geen schijn van kans...

'Sorry, het gaat niet.'

Stilte aan de andere kant van de lijn.

*'Alsjeblieft... Jij bent de enige die ons kan helpen. Mijn vriend gaat dood...'*

Hoorde hij iets menselijks in Michails stem? Er ging iemand dood.

Zou hij de hoorn er ijskoud op kunnen gooien en nooit meer nadenken over wat hij anders had kunnen doen? Zou hij gewoon 'nee' kunnen zeggen en verdergaan met zijn leven? Hij keek naar Sophie die op de bank zat. *Verdomme.*

Hij gaf Michail zijn adres, hing op en had bitter spijt. Tien minuten later werd er op de deur gebonsd. Allebei herkenden ze de bebloede Klaus, die door Michail de woonkamer werd binnengedragen.

'Wat is er gebeurd?' vroeg ze.

'Hij is in zijn schouder geschoten,' antwoordde Michail.

Klaus lag op de bank.

'Snel Jens, haal warm water en handdoeken en alle medicijnen die je in huis hebt.'

Jens verdween uit de kamer, Michail schudde de plastic zak leeg op de salontafel. Spuiten, naald en draad, natriumthiopental, ontsmettings- en verbandmiddelen. Hij wilde het verband openmaken, maar Sophie hield hem tegen.

'Wacht, dat doe ik,' zei ze en ze ging bij Klaus zitten, knipte het noodverband om zijn bovenarm los en keek naar de vleeswond.

'Ik heb een pincet of een tangetje nodig,' riep ze naar Jens.

Ze voelde Klaus' pols; die was zwak en snel.

'Hoe kom je hieraan?'

Ze wees naar de spullen op de salontafel.

'*Hospital,*' antwoordde Michail.

Sophie vulde een injectienaald met natriumthiopental. Een lage dosis, ze wist niet hoeveel ze zou moeten nemen.

'Aan jou de keus,' zei ze tegen Michail. 'We opereren hem zonder verdoving, of ik geef hem een kleine dosis hiervan, maar dat is niet zonder risico.'

Klaus maakte gepijnigde geluiden.

'Geef hem dat maar,' zei Michail.

Sophie spoot het gif in de arm van de man. Klaus' pijn was meteen weg en hij steeg omhoog naar de wolken. Jens kwam water en handdoeken brengen en wat hij in zijn armzalig uitgeruste badkamerkastje nog meer had gevonden.

Een halfuur en een heleboel bloed later had Sophie de kogel ver-

wijderd en de bloeding gestopt. De kogel had een spier in de arm ge-
scheurd, maar het bot leek nog intact. Ze maakte de wond schoon en
hechtte die, ze deed alles wat ze kon met de weinige middelen die ze
tot haar beschikking had. Michail hield Klaus' ademhaling in de gaten.

'Bedankt,' zei hij toen ze de spullen op de salontafel opruimde.

'Dit is maar provisorisch, hij heeft medische zorg nodig.'

Ze liep naar de badkamer om zich te wassen. Jens keek Michail aan.

'Zodra hij bijkomt, gaan we weg,' mompelde de Rus.

De mannen hoorden Sophie een kraan opendraaien in de badkamer. Ze hadden geen van beiden iets te zeggen.

'Heb je honger?'

Jens wist niet waarom hij dat vroeg. Michail knikte.

Ze aten koud vlees aan de keukentafel. Michail zat voorovergebogen met zijn linkerarm om zijn bord heen en schoof met zijn rechterhand het eten naar binnen.

'Wat doen jullie hier?' vroeg Jens.

Michail kauwde, wees met zijn vork naar Klaus verderop op de
bank.

'Ik ben hierheen gekomen om hem op te halen,' zei hij en hij at zijn
mond leeg. 'Hij werd gisteren in het ziekenhuis wakker en belde mij.
Toen ben ik op het vliegtuig gestapt.'

'Wat ging er mis?'

Michail ging rechtop zitten.

'De politie kwam, we moesten weg...'

'Wie heeft er op hem geschoten?'

'De politie...'

Sophie kwam de keuken binnen en keek naar Jens en Michail, die
zwijgend zaten te eten. Wat ze zag beviel haar niet.

'Gaat hij Hector straks weer te lijf?'

Michail scheen die vraag te verstaan en schudde zijn hoofd. Ze hield
haar ogen op de Rus gericht toen ze tegen Jens zei: 'Ik wil dat je hem
iets vraagt.'

*

Carlos was buiten adem. Hector had gebeld en hij was zo snel mogelijk gekomen. Nu stond hij in Hectors badkamer naar het lijk van Leif Rydbäck te kijken dat gebogen en scheef in de badkuip lag. Hector stond achter hem.

'Je moet hem in stukken snijden en meenemen naar het restaurant. Daar stop je hem in de gehaktmolen.'

Carlos hield zijn arm voor zijn mond, hij voelde in zijn keel dat hij moest overgeven. Aron verscheen achter hen met twee papieren tassen in zijn handen, wrong zich langs hen heen en legde een handdoek op de vloer van de badkamer. Hij deed de zakken open en haalde er twee handzagen van verschillende grootte uit en legde die op de handdoek. Hij ging verder met huishoudhandschoenen, een plastic schort, een badmuts, azijnessence, een snoeimes, handalcohol, een rol diepvrieszakken, een cirkelzaag met een pas opgeladen batterij, een veiligheidsbril, mondkapje, chloorpoeder, een witte plastic emmer en een Steel Eagle-hamer met rubberen handvat. Als laatste haalde Aron er een luchtverfrisser met vanillegeur uit, trok het plastic eraf en hing hem in de douche.

'Je kunt beter beginnen voordat hij gaat stinken,' zei hij.

Carlos aarzelde, bukte, pakte het schort, de badmuts en de huishoudhandschoenen en begon ze langzaam aan te trekken. Aron haalde een knipmes uit zijn broekzak en klapte het uit. Een zwart geribbeld handvat met een kort lemmet van luchthardend koolstofstaal.

'Deze is scherp,' zei hij en hij gaf het mes met het handvat naar voren aan Carlos. 'En gebruik de wc, niet de emmer als je moet kotsen,' ging Aron verder toen hij en Hector de badkamer verlieten.

Carlos bleef achter in de galmende stilte van de badkamer. Hij wierp een blik op Leif Rydbäck in de badkuip. Hij ademde een paar keer kort in voordat hij bij de rand van de badkuip ging zitten en de rechterhand van het lijk pakte. Die was koud. Hij zette het scherpe lemmet tegen Rydbäcks pink en duwde ertegen. Het ging gemakkelijk, de pink schoot weg en vloog tegen de rand van de badkuip. Het bloed dat uit de lichaamsdelen kwam was taai en dood. Carlos herhaalde de procedure met de duim. Toen hij de slag te pakken had, was de rest van de vingers snel verdwenen en hij ging verder met de linkerhand.

Hector zat met een krant op de bank. Aron in een leunstoel. Ze hoorden Carlos in de badkamer de cirkelzaag testen, zoals een puber een opgevoerde brommer laat loeien. Daarna het geluid van de zaag die langzaam door iets diks heen ging, even inzakte en minder toeren maakte om vervolgens weer sneller te gaan draaien. De zaag verstomde, het geluid van Carlos die kokhalsde en overgaf boven de wc. Daarna weer het snerpende geluid van de zaag.

De tijd tikte door, Hector las, Aron staarde voor zich uit. Ze werden gestoord door stappen op de wenteltrap die naar het kantoor beneden leidde. Aron stond op en trok zijn wapen. De voetstappen waren langzaam, maar niet zwaar. Er kwam een vrouw van een jaar of vijftig naar boven, ze keek naar Hector en daarna naar Aron en zijn pistool

'Dat mag je wegdoen,' zei ze.

Aron liet het wapen zakken, maar hield het in zijn hand.

'Mijn excuses,' zei de vrouw. 'Maar jullie zouden me nooit hebben binnengelaten als ik had aangebeld, dus moest ik wel via je kantoor naar binnen gaan.'

Gunilla hield een vinger achter haar oor. De zaag was door de muur heen te horen.

'Zijn jullie aan het verbouwen?'

Ze luisterde weer even.

'Of zijn jullie misschien Leif Rydbäck in stukjes aan het zagen in de badkamer?'

Aron hief het wapen weer, de vrouw leek er niet van onder de indruk. Ze liet haar legitimatie zien.

'Ik ben van de politie. Mijn naam is Gunilla Strandberg en doe dat pistool weg, alsjeblieft, ze weten dat ik hier ben.'

Aron aarzelde en liep naar het raam. Hij keek spiedend naar beneden, maar zag niets.

'Nee, daar is niemand, ik ben alleen. Ik kom om te praten, maar ze weten dat ik hier ben. Als mij iets zou overkomen, dan...' Ze maakte een beweging met haar hand. 'Nou, jullie snappen het wel.'

Gunilla keek Hector aan.

'Ik wil alleen praten,' herhaalde ze zacht.

Hij vouwde de krant op, gebaarde dat ze kon gaan zitten.

Gunilla nam plaats op het bankstel. Vanuit de badkamer klonk het geluid van harde hamerslagen op botten en vlees, en de snerpende zaag ging weer aan het werk. Hector keek haar onderzoekend aan.

'Wij kennen elkaar niet?' vroeg hij.

'Ik ken jou, Hector Guzman. Jij kent mij niet.'

Hector en Aron wachtten op meer.

'En nu vragen jullie je af waarom ik hier ben?'

Gunilla richtte haar blik op Hector.

'Uit pure nieuwsgierigheid, denk ik,' zei ze.

Carlos gaf weer over. Ditmaal gooide hij de kots er met een schreeuw uit.

Gunilla wachtte tot Carlos klaar was.

'Ik ben nieuwsgierig hoeveel geld jullie rijker zijn geworden door het chanteren van Svante Carlgren en door jullie zaken met Alfonse Ramirez, van wie ik weet dat hij in de stad is... Bij benadering, met een natte vinger?'

Hector keek haar vorsend aan.

'Wat wil je hebben?' vroeg hij.

Gunilla trok een onnozel gezicht.

'Ik zie het aan je,' ging hij verder. 'Je wilt iets hebben, antwoorden misschien. Daar is de politie toch zo dol op – op antwoorden?'

'Nee, de antwoorden heb ik al. En die interesseren me helemaal niet.'

Hector keek Aron aan, die op zijn beurt Gunilla aankeek.

'Wat wil je dan?' vroeg Hector.

'Ik wil hebben wat jij hebt.'

'Pardon?'

'Hoeveel hebben jullie aan Ramirez en Carlgren verdiend?' vroeg ze weer.

Hector antwoordde niet.

'Ik wil er een deel van.'

Nu begreep Hector het.

'In ruil voor?'

'In ruil voor ongestoord werken zolang ik bij de politie zit.'

# DEEL IV

# 23

De tranen bleven uit. Hij rolde verf over de muur. Zijn aantekeningen, redeneringen, de pijlen... de samenhang. Alles verdween onder een dikke laag witte verf.

Sara was in zijn huis geweest. Ze had de muur gezien, ze had iets begrepen. Vervolgens had ze contact opgenomen met Gunilla. Ze was vermoord. Straks zouden ze hem ook vermoorden.

Hij had alles gekopieerd, digitaal zowel als analoog. Twee setjes. Het ene lag veilig in een kluis. Het andere zat in de sporttas op de vloer. Hij controleerde zijn pistool: een volle patroonhouder, een reserve in zijn jaszak. Hij droeg zijn pistool anders altijd in een holster aan zijn riem. Nu had hij in plaats daarvan een schouderholster, hij voelde het trekken over zijn rug en zijn schouders.

Hij liet zijn blik door de werkkamer gaan. De muur was wit als pasgevallen sneeuw, de kamer netjes opgeruimd; er was niets interessants meer te vinden. Hij tilde de zwarte sporttas op, pakte zijn laptop en de afluisterapparatuur en verliet het appartement.

Beneden op straat zette hij koers naar de huurauto. Als hij goed had opgelet, had hij de man kunnen zien die een paar portieken verderop in een auto zat. Maar hij lette niet goed op... de pillen raakten uitgewerkt en hij was vooral bezig met zijn eigen pijn.

Lars reed in de huurauto door de stad. Er was weinig verkeer, het was zomervakantie. Hij parkeerde in de Brahegatan, een blok van het politiebureau af. Hij nam de afluisterapparatuur op schoot, controleerde of de microfoon binnen in het vertrek contact kreeg. Hij verplaatste de afluisterapparatuur naar de kofferbak en liep met zijn tas en laptop in de hand bij de auto weg.

Lars hield zijn ogen op de grond gericht, terwijl hij de Karlavägen overstak en het pad in het midden tussen de bomen volgde, met als doel het Stureplan.

Hij werd in zijn zij getackeld vanaf links. Een lichte tackel, hij keek die kant op, er liep een forse man naast hem.

'*Walk with me,*' zei de man, die een Oost-Europees accent had.

Lars kreeg het ijskoud en reikte naar zijn dienstwapen.

De man liet het pistool in zijn rechterhand zien. Wenkte dat Lars hem zijn wapen moest geven. Het ging allemaal snel, opeens had de reus Lars' pistool in zijn jaszak en voerde hem naast zich mee over straat naar een auto die langs de stoep geparkeerd stond. Michail rukte het achterportier open en duwde Lars op de achterbank.

'Stil liggen en kop houden,' zei Jens achter het stuur.

Ze reden het verkeer in.

'Wie zijn jullie?' vroeg hij.

Hij kreeg een vuistslag in zijn gezicht van de reus.

*

Het was een vreselijke kamer. Net een scheepshut met constant het geruis van de snelweg buiten, ondanks de isolerende ramen.

Toen Jens en Michail weg waren, had ze een taxi genomen, was in zuidelijke richting over de Essingeleden gereden en verder over de E4 naar de zuidelijke voorsteden. Het motel zat aan de snelweg bij Midsommarkransen. Er was geen receptie, alleen een lobby waar je incheckte met je creditcard. Ze had er een van Jens gekregen.

Ze zat op het bed te wachten. Misschien was het meer een brits dan een bed, hard en ongastvrij. Ze belde Jane om de haverklap. Jane gaf steeds hetzelfde antwoord. 'Geen verandering.' Sophie ontdekte zichzelf in de spiegel boven het bureau dat aan de muur was bevestigd. Ze zag een verdrietige en uitgeputte gestalte – ze keek weg.

Een halve eeuwigheid later werd er aangeklopt. Sophie stond op en deed open. Jens duwde Lars Vinge naar binnen, de deur ging vanzelf achter hen dicht.

Lars Vinge was in verwarring. Hij vroeg zich af waar hij was. Ze keek naar hem, hij zag er ziek uit, zwak en bleek, wallen onder zijn ogen – uitgehongerd, zou je haast zeggen. Een bloeduitstorting bij zijn neus, gestold bloed in zijn neusgat. Jens gebaarde dat hij moest gaan zitten. Lars vond een stoel bij het bureau.

'Kan ik iets te drinken krijgen?' Zijn stem was zacht.

'Nee,' zei Jens.

Lars wreef in zijn ogen.

'Weet je waarom je hier bent?' vroeg Jens.

Lars antwoordde niet, in plaats daarvan keek hij naar Sophie en begon te glimlachen. Hij glimlachte alsof ze oude vrienden waren, oude vrienden die elkaar lang niet hadden gezien. Ze kreeg de kriebels van die glimlach.

Ze had hem eerder maar kort gezien. Nu begreep ze beter wat voor type hij was. Ze mocht hem niet. Lars Vinge straalde een eigenaardige combinatie uit van gebrek aan zelfrespect en misplaatst zelfvertrouwen. Hij was labiel, onplezierig en... bang.

'Maar zo had het niet gehoeven,' zei hij.

'Hoe dan?'

Hij keek continu naar Sophie en tikte onbewust met zijn linkerbeen.

'Jullie hadden mij niet op deze manier hoeven vangen... Ik zou binnenkort toch wel contact met je hebben opgenomen...'

'Waarom?' vroeg Sophie.

Hij keek naar het bureau.

'Ik vind het heel erg voor je, ik heb het gehoord van Albert. Hoe gaat het met hem?'

'Vertel ons wat je weet,' zei Jens.

Er volgde een langdurige stilte.

'Anders en Hasse moesten hem grijpen. Dat moest van Gunilla.'

'Waarom?'

'Dat weet ik niet. Er was iets gaande. Ze wilden je ergens mee onder druk zetten, Sophie. Dat zeiden ze, ze wilden zeker weten dat je niets zou ondernemen.'

'Wat ondernemen?'

'Ik weet het niet, ze waren waarschijnlijk bang voor je... Bang dat je iets onbezonnens zou doen, ze hadden je natuurlijk bedreigd. Vroeg of laat zou je iets doen.'

Sophie begreep het niet.

'Maar waarom nu?'

Lars dacht na.

'Er is iets gaande...'

'Begin bij het begin,' viel Jens hem in de rede.

Lars keek Sophie en Jens aan en dacht na. Hij legde zijn rechterhand plat op het bureau, leek naar een soort structuur te zoeken. Daarna begon hij te vertellen. Eerst aarzelend en zoekend, maar na een moment van verwarring kreeg hij de draad te pakken, hij kwam op een recht spoor terecht en bleef daar. Hij vertelde dat Gunilla Strandberg contact met hem had opgenomen, dat hij voor haar was gaan werken. Dat hij al snel niet meer wist wat het doel was. Dat hij Sophie had geobserveerd en afgeluisterd en verslag had uitgebracht aan Gunilla. Dat hij niet had geweten dat de anderen Albert gingen ontvoeren. Dat hij nergens iets van wist, dat hij overal buiten gehouden was.

Ze vond het allemaal heel onwerkelijk. Daar zat de man die haar de laatste weken had achtervolgd dingen te vertellen die haar voorstellingsvermogen te boven gingen. Langzaam ontstond een beeld waarin zijzelf de centrale figuur was. Hij vertelde over de mensen die haar als uitgangspunt gebruikten in een misdaadonderzoek dat op niets gebaseerd leek. Hij vertelde hoe Gunilla Strandberg had gewerkt en niet had gewerkt, dat de man die zij op het politiebureau had gesproken Erik Strandberg was, Gunilla's broer, en over zijn plotselinge dood. Over hun pogingen andere mensen in Hectors omgeving onder druk te zetten, over een ziekelijke resultaatgerichtheid. En over Anders Ask, een zwartwerkende rechercheur, en Hans Berglund, een gewelddadig type, en hoe die twee Albert te lijf waren gegaan.

Lars stopte met vertellen, keek naar het bureau en ging met zijn wijsvinger over een onzichtbare vlek.

'Je zei dat je een beeld begon te krijgen... Hoe zag dat beeld eruit?' vroeg ze.

'Ik weet het niet...' Hij krabde aan zijn voorhoofd. 'We zijn ons leven niet zeker. Jij niet en ik niet, Sophie... En Albert ook niet, maar dat hebben jullie al gemerkt.'

Hij keek Sophie en Jens aan.

'Had jij dat briefje geschreven dat bij mij in de bus lag?' vroeg ze.

Hij knikte.

'En jij bent in mijn huis geweest?'

Nu staarde hij haar aan.

'Huh?'

'Geef antwoord,' zei Jens.

Lars boog zijn hoofd en schudde nee. Hij staarde strak naar de vloer.

'Nee...' mompelde hij.

'Wat nee?'

'Nee, ik geef geen antwoord,' fluisterde hij.

Jens en Sophie keken elkaar aan. Wat een vreemde pias.

'De Saab, waarom heb je de Saab in de fik gestoken?' vroeg Jens.

'Het was net tot me doorgedrongen dat er een heleboel dingen gebeurden waar ik volledig buiten stond... toen jij mijn ID en de rest had meegenomen, kreeg ik een idee. Ik haalde de afluisterapparatuur weg... stak de auto in brand en zei tegen Gunilla dat de apparatuur verbrand was.'

'Waarom?'

Lars tekende met zijn rechterwijsvinger rondjes op het bureau.

'In plaats daarvan begon ik hen af te luisteren.'

'Wie?' vroeg Jens.

'Gunilla, mijn collega's.'

'Waarom?'

Lars stopte met zijn rondjes en keek op.

'Wat zei je?' vroeg hij, alsof hij opeens alles was vergeten waar hij zojuist over had gepraat.

'Waarom begon je je collega's af te luisteren?' Jens vroeg het langzaam en scherp.

Lars' geheugen kwam terug en hij slikte. 'Omdat ik begreep dat er iets gaande was waar ik... waar ik buiten gehouden werd.'

'Wat dan?' vroeg Jens.

'Op dat moment kon ik er geen touw aan vastknopen, zo warrig was het allemaal... maar ik had wel gelijk.'

Hij begon vierkantjes te tekenen. Jens en Sophie wachtten.

'Ze hebben mijn vriendin vermoord.' Hij stopte met tekenen.

'Wat zeg je?' zei Sophie.

Hij keek haar en Jens aan.

'Ze hebben Sara vermoord, mijn vriendin.'

Michail reed terug naar de stad, Sophie en Jens zaten achterin.

'Godsamme,' fluisterde Jens.

Ze was het met hem eens. Ze keek naar buiten, haar blik gericht op het verkeer, dat in een rustig tempo langs hen heen bewoog.

*

Michail en Klaus waren vertrokken, het afscheid was kort geweest. De bel ging; Jens keek op zijn horloge.

'Michail is zeker iets vergeten,' mompelde hij bij zichzelf.

Hij keek door het spionnetje, had verwacht twee mannen te zien. Maar buiten stonden drie mannen, drie heel andere types: met holle ogen, moe en gestrest tegelijk. Gosja met een kaalgeschoren hoofd, Vitali met een fles likeur in zijn hand, en Dimitri met zijn ver uit elkaar staande ogen. *Verdomme.* Hij had erop gerekend dat ze laat in de avond in Stockholm aan zouden komen, dan zou hij klaar geweest zijn voor hun komst. Ze waren zeker aan één stuk doorgereden.

Jens trok zich terug van de deur en liep naar de keuken. Sophie zag zijn gezicht.

'Wat is er?'

Jens liep gestrest naar het keukenraam.

'Wat is er, Jens?'

'Ze zijn er eerder dan berekend... We moeten weg, nu.'

Er werd hard op de deur gebonsd.

'Wie zijn dat?'

Jens deed een raam in de keuken open.

'Maak je daar maar niet druk om. Kom, we moeten weg.'

'Laat mij dan zeggen dat je niet thuis bent.'

'Dat wil je niet, geloof me.'

De aanvallen op de deur werden harder. De hele deurpost trilde.

Jens wees door het open raam naar buiten. Sophie zocht naar een alternatief. Nu werd er tegen de deur geschopt. Ze hoorde de opgewonden stemmen van de Russen. Jens stapte door het raam naar buiten, draaide zich om en gaf haar een hand. Ze keek naar hem, naar zijn hand, en aarzelde. Daarna verliet ze de keuken en verdween weer het appartement in.

'Sophie,' siste Jens.

Er kwam een voet door het hout van de voordeur, de opgewonden stemmen klonken nu nog duidelijker. Ze kwam terug met haar handtas, pakte zijn hand vast en stapte op de vensterbank. Het geluid van hout dat uit de deur geslagen werd vermengde zich met het geroep en geschreeuw van de mannen die het appartement binnendrongen.

Ze klom op de smalle richel voor het raam. De ondergrond was oud, geslagen metaal, de wind kwam in vlagen. Ze hield zich aan de met metaal beklede zolderramen vast die het bovenste deel van de gevel tooiden. Het was een heel eind naar de straat beneden en het metaal was glad. Ze keek omlaag. De auto's waren zo klein dat het uitzicht onmiddellijke doodsangst teweegbracht. Ze keek Jens' kant op, maar daar werd ze al net zo duizelig van. En de hemel boven haar was voor haar gevoel veel te groot.

'We moeten een eindje weg zien te komen. Voorzichtig, kleine stapjes,' fluisterde hij en hij verplaatste zich naar links.

Sophie volgde hem. Er klonken stemmen in het appartement, de Russen dwaalden door de kamers. Dimitri gilde verontwaardigd, er ging iets kapot, de mannen begonnen verwijtend naar elkaar te schreeuwen. Sophie liep voorzichtig. Ze zweette en bibberde. Ze werd opeens ontzettend misselijk van hoogtevrees. Jens draaide zich naar haar om en zag haar angst.

'Nog maar een paar stapjes. Het gaat prima,' zei hij rustig.

Ze verplaatsten zich langzaam naar het volgende appartement. De gevel van het gebouw veranderde, ze kwamen bij een ander pand. Jens stopte en probeerde een manier te vinden om verder te komen. Hij had nu nog minder ruimte voor zijn voeten, de rand liep schuin af en hij kon zich nergens aan vasthouden, alleen glad metaal met een paar bobbelige randjes over de drie meter die ze moesten afleggen naar het volgende raam. Ze staarde, dit was niet te doen. Jens probeerde of hij zich met zijn ene hand aan een randje kon vasthouden, een kleine greep waarbij de vingers het werk deden.

'Dat kan niet,' zei ze.

Haar hart bonsde. Ze had een droge keel en kon niet slikken.

Jens wisselde van greep, zette zijn ene voet neer en hield zich aan het randje vast.

'We moeten naar het volgende appartement.'

'Nee, dat kan niet,' zei ze smekend.

De doodsangst drong zich op. Ze wilde gewoon gaan zitten wachten totdat iemand haar kwam halen.

Met een zwaai verplaatste Jens zich naar de andere gevel. Hij stond met zijn voeten op de smalle richel en hield zich vast aan de randjes in het metaal. Hij bleef even staan om te voelen of hij goed stond. Ze keek naar hem. Wat hij wilde doen leek onmogelijk. Zij zou dat nooit doen. Ze keek naar beneden en zag de dood overal. Haar adem kwam in stootjes. De tranen begonnen haar over de wangen te lopen.

'Je bent niet wijs, hoor je dat?' vroeg ze.

Hij zag haar tranen, haar toestand, en zette nog een stap. Hij bleef met zijn lichaam dicht bij de gevel, deed kleine, schuifelende stapjes. Zijn knokkels waren wit. Jens bleef staan, haalde diep adem, herwon zijn kalmte en zette weer een paar stapjes. Zo legde hij twee meter af en hij kwam dichter bij het raam. Maar niet zo dichtbij dat hij het aan kon raken.

Uiteindelijk was hij bij het zolderraam aangekomen. Jens bleef staan en zorgde voor een goed evenwicht voordat hij geconcentreerd zijn been uitstak en met alle kracht die hij in zich had de ruit intrapte. Toen het raam eenmaal kapot was, moest hij op zijn hurken gaan zitten om de haak aan de binnenkant open te maken. Hij liet zijn rechterhand los en zakte voorzichtig door zijn knieën, stak zijn hand naar binnen, deed het raam open en ging naar binnen. Alles leek in één lange, doordachte beweging te gebeuren.

Hij was een paar seconden weg en kwam toen weer naar buiten. Ditmaal zat hij gehurkt in het raamkozijn en strekte zich zo ver mogelijk naar haar uit. Misschien schoot ze daar een meter mee op, maar wat had ze daaraan? Ze ging rechtop staan en de wind kreeg vat op haar. Hij wenkte.

'Kom nou!'

Ze wilde meer lucht krijgen, maar haar angst zorgde ervoor dat ze telkens maar kleine porties inademde. De slagen van haar hart waren zo hard dat ze alle zuurstof in haar lichaam leken te absorberen. Sophie ademde uit, maar de brok in haar keel bleef zitten.

'Je redt het wel, hou je gewoon vast met je handen,' zei hij.

Ze begon te hyperventileren en de tranen kwamen weer opzetten.

'Nu!' zei Jens en hij wenkte met zijn hand.

Sophie besefte dat ze maar één ding kon doen: hetzelfde wat hij ook had gedaan, een klein beetje houvast vinden voor haar handen en er dan met één been naartoe zwaaien.

'Sophie!' siste hij.

De Russen stonden in de keuken te schreeuwen. Ze knipperde haar tranen weg, slikte de brok in haar keel door en voerde de beweging in één zwaai uit. Ze kreeg het uitstekende randje in het metaal te pakken en stond met haar rug naar de dood. Eén zuchtje wind en ze zou vallen, dat gevoel had ze. Ze deed een stap naar links. De ondergrond liep schuin af. Ze kneep zich vast, haar vingers waren wit. Ze maakte zich klaar om van greep te wisselen om de volgende stap te zetten en het derde randje te pakken. Sophie zwaaide haar arm uit, wist de rand van het metaal met haar linkerhand vast te pakken en deed een snelle stap naar links. Haar voet gleed weg, ze verloor de grip op het metaal. Ze gaf een gil en raakte haar houvast kwijt.

Ze voelde dat zijn hand haar bij de haren greep. Ze voelde een arm om haar nek. Een secondelang werd alles zwart.

Ze kwamen met een dreun op de grond neer, tussen de glassplinters. Sophie kon zich niet bewegen. Ze lag boven op Jens. Hij had een wilde blik in zijn ogen, het zweet stond op zijn voorhoofd. Ze keken elkaar aan.

'Je hebt het gered,' zei hij.

Hij stond op en trok haar mee. Ze renden een appartement door, de adrenaline hield haar in beweging. In de hal bleven ze staan. Jens gebaarde dat ze moest wachten. Hij belde iemand met zijn mobiel en zei in het Engels dat hij nu hulp nodig had. Na een kort gesprek hing hij op en hij wilde net het trappenhuis in lopen toen hij besefte dat de deur aan de buitenkant op slot zat.

'Zoeken!' zei hij tegen Sophie.

Ze begonnen in de hal, Sophie zocht in de jassen, Jens in de laatjes van een dressoir dat onder een grote spiegel stond. Hij vond niets, zij ook niet. Hij zocht in een kast, zij zocht nog eens in het dressoir, alsof ze niet op zijn zoektalent vertrouwde. Sophie zocht met haar blik in de hal, langs de muur, over de vloer, de deurpost, boven de meterkast... Daar, een haak, een eenzame sleutel. Ze rekte zich uit, kreeg hem te pakken, keek of hij paste. Ze draaide hem om en *klik*, de deur ging open.

Ze liepen met grote sprongen de trappen af tot ze beneden waren en Jens hield de zware houten deur voor haar open. Ze renden naar zijn huurauto en sprongen erin.

Hij reed de weg op en exact op dat moment kwam Dimitri de portiek uit gestormd. Jens drukte het gaspedaal helemaal in en reed snel weg. Dimitri en zijn vrienden renden naar hun auto.

Sophie pakte haar mobieltje en toetste een nummer in.

'Hallo... Met mij.'

*'Dat hoor ik.'*

'Wat doe je?'

Hij gaf niet direct antwoord, misschien was hij verbaasd over haar directe vraag.

*'Ik doe niets.'*

'Kunnen we elkaar zien?'

*'Wanneer?'*

'Nu?'

Hij was weer stil.

*'Dat is plotseling. Maar het kan wel, ik zit in het restaurant.'*

Ze hing op, Jens stuurde de auto door het verkeer.

'Weet je het zeker?' vroeg hij.

'Nee...' zei ze zacht.

'Waarom wil je erheen?'

'Hebben we een keus?'

'Die heb je altijd.'

'Alleen daar hebben we bescherming,' zei ze.

Jens zocht in zijn binnenspiegel, maar zag Dimitri's auto niet.

\*

Hasse zat in de auto, die langs de weg geparkeerd stond voor restaurant Trasten, en keek met een half oog naar de omgeving. Hij had duidelijke instructies gekregen. Voor de deur wachten, niks doen. Misschien zou Aron Geisler naar buiten komen en hem aanspreken, of iemand die Ernst Lundwall heette. Hasse moest daar gewoon in meegaan en mee naar binnen lopen. Eenmaal binnen moest hij haar bellen, vertellen hoe het ging en wat de mannen tegen hem zeiden. Maar het ging vooral om het bewaken van de geldoverdracht. Gunilla zou het vanaf haar plek in de gaten houden en wanneer het allemaal rond was, moest hij, als dat kon, Hector Guzman en Aron doodschieten en het eruit laten zien als zelfverdediging. En dan: *case closed*.

Anders holde op goed geluk de stad door, op zoek naar Sophie en Lars. Er stond nu een prijs op hun hoofd, vooral op dat van Sophie. Ze moest uit de weg geruimd worden, hoe treurig ook... Of niet treurig, hij wist niet meer wat hij voelde. De moord op de zweverige vriendin van Lars had hem fundamenteel veranderd; er was iets afgesloten en iets verwijderd. En hij had last van een gigantisch schuldgevoel. Continu. Hij wilde weer moorden, zodat het moorden een gewoonte werd. Dan zou zijn schuldgevoel misschien afvlakken.

Er kwam een auto langs Hasse rijden, hij volgde hem met zijn blik; de auto vond een parkeerplaats verderop en schoof ertussen. Er sprong een man uit, hij wachtte op de vrouw die aan de passagierskant uitstapte. Het duurde een paar seconden voordat het tot Hasse doordrong wie het was. Hij had haar laatst ook maar heel even gezien, op de rug, toen hij op het punt stond haar te wurgen. Ze verdwenen het restaurant in.

Hij belde Anders' mobiele nummer. Anders was opgewonden, zei dat hij moest wachten, zich gedeisd houden, hij kwam eraan.

Even later kwam er nog een auto langs, die verderop in de straat parkeerde. Deze auto had een Russisch kenteken, maar daar schonk Hasse geen aandacht aan; hij bereidde zich voor op twee vliegen in één klap, misschien wel drie. Hij controleerde zijn pistool, doorgeladen, een kogel in de loop.

*

Het restaurant was gesloten. Hector zat met Aron, Ernst Lundwall en Alfonse Ramirez aan een tafeltje. Die tafel was nu een werkplek. Alfonse zat achter een computer met internetverbinding, Ernst nam een stapel documenten door en Hector en Aron maakten berekeningen op een blaadje. Ze dronken allemaal koffie, behalve Alfonse, die wijn dronk.

Hector keek een beetje verbaasd toen hij zag dat Sophie Jens bij zich had. Hij wilde iets zeggen, maar Sophie viel hem in de rede.

'We moeten praten.'

Hector stond op en gebaarde dat ze verderop konden gaan zitten.

Hij zette een stoel voor haar klaar. Ze ging zitten en hij nam tegenover haar plaats, keek haar aan en wachtte totdat ze zou beginnen.

Sophie haalde diep adem, ze wierp een korte blik op Jens, die een eindje verderop alleen aan een tafeltje was gaan zitten, en daarna op Ernst en Aron en de onbekende man, die allemaal op leken te gaan in hun werk.

'Stoor ik?' vroeg ze.

Hector schudde zijn hoofd en wees even naar Jens.

'Wat moet hij hier?'

Het voelde allemaal zo fout, ze wilde dat het anders was.

'Dat komt straks,' zei ze. Sophie concentreerde zich en begon te zoeken naar een inleiding. Ze legde haar handen op haar schoot en bereidde zich voor op iets wat misschien zelfmoord zou zijn.

'Mijn zoon Albert ligt in het ziekenhuis. Hij is aangereden en heeft zijn rug gebroken.'

Hector schrok even en wilde iets vragen, maar ze stak haar hand op. Ze ging weer verder.

'Ruim een maand geleden ben ik benaderd door...'

Verder kwam ze niet. De toegangsdeur van het restaurant werd met een klap opengegooid en bleef aan één scharnier hangen.

'Jeans!'

De stem was luid. Dimitri beende het restaurant in; er bungelde een revolver in zijn hand. Achter hem aan kwamen Gosja met de ploertendoder en Vitali met een pistool. Dimitri kreeg Jens in het oog.

*'Missed me?'*

Jens keek Dimitri met afschuw aan. Hector en Aron wisselden blikken alsof ze probeerden te begrijpen wie deze mannen waren.

'Wat wil je?' vroeg Jens.

Dimitri wees naar zichzelf met het pistool en probeerde een verbaasd gezicht te trekken.

'Wat ik wil? Dat doet er niet toe... Want nu ben ik hier en... het was een verrekt eind rijden en ik verheug me er al de hele tijd op om jou neer te knallen.'

Sophie zag dat Jens onder het tafelblad iets intoetste op zijn mobiel. Ze keek voorzichtig de zaal in. Aron zat stil, de onbekende wipte rustig op zijn stoel en dronk voorzichtige slokjes uit zijn wijnglas. Ernst Lundwall staarde naar de tafel. En Hector... hij zat daar volkomen kalm en glimlachte haar geruststellend toe.

Jens stond op en Sophie zag hoe hij in dezelfde beweging het mobieltje in zijn zak stopte.

'Ik heb tegen Risto gezegd wat ik te zeggen heb, hij heeft het aan jou doorgegeven... Als je helemaal hierheen bent gekomen in de hoop dat we het anders gaan doen, dan is je reis voor niks geweest.'

Dimitri staarde hem met halfopen mond aan. Hij leek er genoeg van te krijgen en gaf Gosja een wenk. Gosja stevende op Jens af en sloeg hem een paar keer met de ploertendoder op zijn hoofd. Jens viel op de grond, Dimitri was meteen bij hem en begon hem te schoppen. Vitali hield de anderen met zijn pistool in bedwang. De mishandeling van Jens was bruut en impulsief. Sophie wilde niet kijken.

Jens dacht dat het trappen zou stoppen, maar dat was niet zo. Opeens kreeg hij het gevoel dat hij dood zou gaan, dat Dimitri zo gestoord was dat hij hem dood zou schoppen. Jens probeerde zich te beschermen door in elkaar te duiken. Dimitri's schoen raakte hem overal, op zijn hoofd, in zijn nek, op zijn rug en in zijn buik. Daarna veranderde hij van tactiek en begon Jens in het gezicht te stampen.

'Nu is het genoeg!' Hector riep het de zaal in.

Dimitri stopte, keek Hector aan en ademde hijgend.

'Wie ben jij... *nigger?*'

Sophie zag een vuur in Hectors ogen. Er vlamde iets op. Dit was geen gewone boosheid. Dit was iets anders, wat verder ging. Aron zag zijn toestand en schudde rustig zijn hoofd. Zelfs de onbekende, die zo veel beheersing aan de dag had gelegd, begon een andere uitdrukking over zich te krijgen.

Dimitri pakte de in elkaar geslagen Jens vast, trok hem omhoog en keek in zijn kapotte gezicht.

'Weet je hoe ik hiernaar heb verlangd? Dat superieure gedoe van jou begon me zo vreselijk op de zenuwen te werken...'

Dimitri had geen energie meer om zijn zin af te maken, hij gaf Jens een verkeerd gerichte vuistslag op de achterkant van zijn hoofd en Jens viel op de grond. Gosja had een klein doosje tevoorschijn gehaald en snoof iets wits rechtstreeks van zijn wijsvinger. Hij nam nog een dosis en hield zijn wijsvinger onder Dimitri's neus. Dimitri snoof het poeder op en schreeuwde het uit, alsof hij een soort primitieve energie op zijn omgeving wilde overbrengen. Hij liep weer naar Jens toe, pakte hem bij zijn kraag, wist hem half overeind te krijgen, mikte uit hoe hij zijn rechtse zou plaatsen en haalde met alle kracht uit. Zijn vuist trof Jens' oog met een vlezige klap. Dimitri hijgde opgewonden toen hij terugkwam uit die harde slag en boog in Jens' richting voor een reprise.

'Stop!' riep Sophie. De tranen stroomden over haar wangen.

Opeens viel Dimitri's oog op haar. Het maakte hem blij, alsof ze een cadeautje was waar hij niet op had gerekend. Hij liep naar haar toe, keek omlaag en pakte haar kin vast. Hij bracht zijn gezicht dicht bij het hare.

'Ben jij zijn hoer?'

Hij stonk ergens naar.

'Je bent zijn hoer... En als je zijn hoer niet bent... dan ben je de hoer van iemand anders. Want een hoer, dat ben je!'

Dimitri keek naar zijn kompanen en lachte verbaasd alsof hij zojuist een bijzonder scherpe grap ten gehore had gebracht.

'Dan is ze de hoer van iemand anders,' herhaalde hij. Vitali en Gosja lachten overdreven hartelijk met hem mee.

Dimitri hield haar kin stijf vast.

'Wanneer hij daar dood is, ga ik je neuken... en dan mag iedereen kijken.'

Nu trilde Hector van boosheid. Hij hield zijn blik op de tafel gericht, zijn ademhaling was zwaar en zijn kaakspieren waren hard aan het werk. De haat gloeide in zijn binnenste, Sophie zag zijn aura vanuit een ooghoek, die brandde van woede. Aron hield hem in de gaten.

Dimitri keek nu verbijsterd, alsof hij zich niet herinnerde waarom hij daar was. Hij trok zijn pistool weer, wuifde ermee naar het tafeltje waar Aron, Alfonse en Ernst zaten.

'Wie zijn jullie? Wat doen jullie hier? Hoe kennen jullie deze klootzak?' Hij wees met zijn pistool naar Jens, die op de grond lag; niemand gaf antwoord. Dimitri stapte op het tafeltje af en duwde de loop tegen Alfonses voorhoofd. Alfonse bleef kalm. Dimitri werd ongeduldig, hij zette een paar stappen in de richting van Hector en Sophie en richtte het wapen op Sophie.

'Zeg op, hoer!'

'Doe dat pistool weg,' fluisterde Hector.

Dimitri probeerde Hector na te doen. Dat lukte niet, hij was vergeten wat Hector zojuist had gezegd. In plaats daarvan duwde hij het wapen tegen Sophies hoofd. Sophie sloot haar ogen.

Jens bewoog zich een klein beetje.

'Dimitri...' siste hij tussen bloed en kraakbeen door.

Dimitri draaide zich om en keek op hem neer.

'Ja?'

'Risto zei dat niemand in Moskou nog iets met jou te maken wil hebben... Dat je het telkens weer verkloot... Continu,' fluisterde Jens.

Dimitri keek de zaal in en daarna weer naar Jens.

'Wat?'

'Je hebt een bepaald type mensen, die kunnen niets, die missen de kennis en de vaardigheden... Dom, nergens aanleg voor... Die proberen hun mislukkingen te compenseren door continu fouten te maken... waardoor ze steeds aan het kortste eind trekken. Zo'n loser ben jij, Dimitri en dat weet iedereen.'

Jens glimlachte ondanks al zijn pijn.

'Iedereen behalve jij, Dimitri. Zelfs je moeder... Die hoer van een moeder van je! Je hoerenmoeder, Dimitri... Die iedere klootzak in je achterlijke dorp heeft geneukt... Zelfs zij!'

Jens lachte, hij wist dat zijn geklets Sophie wat tijd had gegeven. Misschien niet genoeg, maar wat kon hij verder nog? Zijn enige hoop was dat Aron of iemand anders gewapend was en zou gaan schieten. Maar daar zag het niet naar uit.

Jens zag dat Dimitri het wapen naar hem toe draaide, hij keek recht in de donkere loop, vroeg zich een secondelang af waar de kogel hem zou raken, of het pijn zou doen, hoe lang het zou duren voor hij doodging. Of hij opa Esben zou ontmoeten. En of ze zouden gaan zeuren zoals ze vroeger altijd deden wanneer ze elkaar zagen.

Dimitri's vinger spande zich tegen de trekker toen er iemand kuchte bij de entree. De Rus draaide zich om. Hij zag twee mannen, een boom van een vent en een kale pezige met zijn rechterarm in een mitella. Ze hadden getrokken wapens en waren een eindje het restaurant in gestapt. Heel even leek het alsof dat het einde was, alsof alles precies op dat moment zou bevriezen, alsof God op de pauzeknop had gedrukt. Maar dat was niet zo.

Hector begreep wat er ging gebeuren. Hij dook op Sophie en trok haar mee naar de vloer. Op hetzelfde moment klonk er een meervoudige dreun, toen Michail en Klaus het vuur openden met hun handvuurwapens. Gosja en Vitali werden met kogels doorzeefd. Bloed, stukjes bot en zelfgemaakte Oost-Europese drugs vlogen door het restaurant.

Sophie kwam met een klap op de grond, met het gewicht van Hector boven op zich. Iets verderop zag ze Jens in elkaar geslagen liggen. Ze zag de twee dode mannen met slappe ledematen en kapotgeschoten lichamen tegen de grond slaan. Ze zag Dimitri, die nog steeds niet doorhad wat er gebeurde. Ze zag Jens, die zich met een laatste, door de adrenaline mogelijk gemaakte inspanning uitstrekte en Dimitri's arm vastpakte, hem op de grond trok en in één moeite door ontwapende. Daarna kreeg Jens Dimitri's haar te pakken, hij trok hem naar zich toe en liet hem in zijn ogen kijken, voordat hij systematisch zijn neus, oog en tanden kapotsloeg met een explosie van keiharde slagen. Waar Jens de kracht vandaan haalde, begreep ze niet. Maar die was er wel. En niemand kon hem laten afzien van zijn rechtmatige wraak. Dimitri gorgelde, smeekte om genade en slikte zijn uitgeslagen tanden in. Sophie draaide zich om naar de tafel. De kruitdamp en de cocaïne hingen als een nevel in de zaal. Ze zag Aron Geisler opstaan van de vloer, zijn pistool op Michail en Klaus gericht. Sophie en Jens zagen wat er ging gebeuren en schreeuwden tegelijkertijd.

'Nee, Aron!'

Nu werd het verwarrend.

Michail en Klaus richtten hun wapens op Aron.

'Ze zijn hier niet voor jullie!' riep ze.

Aron, met het wapen op de mannen gericht, leek niet te luisteren. Hij loste twee schoten. Michail en Klaus, die hun pistoolarmen uitgestrekt hielden, drukten tegelijkertijd af. Het dreunde ervan. Aron was achter een zuil weggedoken. De kogels drongen erin door, het stucwerk vloog alle kanten op.

'We zijn hier niet voor jullie,' riep Michail.

Aron stak zijn hand met het wapen uit en loste blindelings twee schoten. De kogels boorden zich achter Michail en Klaus in de muur. Sophie gilde, Jens gilde en Aron schoot nog eens.

'Ik kan Hector Guzman hier en nu doodschieten! Maar kijk, we leggen onze wapens neer!' riep Michail.

Klaus en hij legden hun wapens voor zich op de grond neer. Aron wachtte even, keek twee keer om de hoek van de zuil. De mannen lieten zien dat ze ongewapend waren en toen hij dat zag, kwam hij met zijn revolver op Michail gericht tevoorschijn.

'Waar komen jullie dan voor?'

Michail knikte naar Jens met zijn kapotte gezicht, die Dimitri aan het wurgen was met zijn armgreep. Aron hield het wapen nog steeds op Michail gericht.

'Leg uit.'

'Ik kan het uitleggen,' zei Sophie.

Er ging weer een schot af in de zaal. De verwarring was compleet, geschreeuw en geroep heen en weer tussen Michail, Aron, Klaus en Hector. Hasse in gebogen positie in de deuropening, achter hem Anders. Michail herkende de mannen uit het ziekenhuis. Hij griste snel zijn pistool van de vloer en wilde net schieten toen Hasse en Anders dekking zochten achter de buitenmuur.

'Politie!' riep Hasse Berglund met paniek in zijn stem.

Het was stil, daarna lieten Hasse en Anders Ask zich weer zien.

'Politie!' herhaalde Hasse.

'Hector! We hadden een afspraak!' riep Anders.

Aron keek naar Hector. Hun blikken ontmoetten elkaar, Hector schudde zijn hoofd. Aron knikte dat hij het had begrepen, hij hief zijn pistool en richtte het stevig op Anders. Michail en Klaus hadden Hasses voorhoofd op de korrel. Jens had Dimitri's pistool opgeraapt, hij lag op zijn rug met het wapen in zijn hand en richtte langs het keep- en korrelvizier op de loop. De baan van de kogel zou tussen Michail en Klaus door lopen.

'Ik kan die klootzak zo in het hart schieten,' zei hij hees tegen Aron.

Zes pistoollopen werden op lichamen en hoofden gericht. Hasses hand begon het eerst te trillen.

'Laat jullie wapens vallen,' zei hij, ditmaal met een iets ijler stemgeluid.

'Nee. Kom naar binnen en leg jullie wapens op de grond. Wij zijn met zijn vieren, jullie met zijn tweeën... Reken zelf maar uit hoe dat afloopt,' zei Aron.

Anders probeerde de situatie te redden.

'Wij lopen achteruit weg. We laten jullie...'

'Als jullie weglopen, schieten wij.'

Arons stem en hand waren vast.

Sophie volgde alles vanaf haar plaats op de vloer met het gewicht van Hector boven op zich. Jens was uitgeput, hij bloedde hevig. Dat hij zo kon blijven liggen, met het wapen gericht op de politiemensen, begreep ze niet.

Aron laadde zijn pistool door, om zijn woorden niet te hoeven herhalen.

Hasse legde zijn wapen op de grond, schoof het de zaal in en kroop op handen en voeten naar binnen. Alle wapens werden nu op Anders gericht. Hij keek even naar de lopen die hem aangaapten, glimlachte, liet een vluchtige gedachte varen, legde zijn pistool op de grond en stapte het restaurant binnen.

Het was weer een patstelling. Jens begreep dat Aron zijn pistool nooit als eerste zou laten zakken.

'Michail,' fluisterde hij.

Michail begreep het en legde zijn wapen neer; Klaus deed hetzelfde. Sophie voelde dat Hector opstond, ze zag de passie in zijn haat toen hij op de bewusteloze Dimitri af liep. Hij pakte de ene arm van de Rus vast en sleepte hem mee. Alfonse Ramirez kwam achter hem staan, ving Dimitri's ene been en samen namen ze de man mee naar de keuken, alsof dat het enige belangrijke was op dat moment, met gelijke munt terugbetalen, toegeven aan hun wraakzucht.

Aron duwde Anders en Hasse voor zich uit naar de keuken en het kantoor.

Sophie was gaan zitten; ze keek Anders en Hasse in de ogen toen ze langsliepen. Ze ging naar Jens toe, legde zijn hoofd op haar schoot. Hij was er slecht aan toe. De spieren en beenderen in zijn gezicht waren kapot, hij was een aantal tanden kwijt en had waarschijnlijk een groot aantal gebroken botten in zijn lijf. Hij ademde met een fluitend geluid.

Ze was emotioneel leeggezogen, ze wilde overgeven, wilde weg, weg van zichzelf, weg van alles. Sophie zat in dat geteisterde restaurant over Jens' haar te aaien, ze zag Klaus en Michail die hun wapens van de vloer raapten. Ze zag de lijken van de Russen in eigenaardige houdingen. De bange en bleke Ernst Lundwall, die haastig het restaurant verliet met een aktetas in zijn hand en een laptop onder zijn arm. Ze zag Alberts ongeluk voor zich, zag hem in zijn ziekenhuisbed liggen – bewusteloos, eenzaam en gewond. Haar gedachten draaiden in het rond, terwijl ze haar best deed nog enige rationaliteit te bewaren. Misschien hielp de hand die over Jens' haar aaide haar om haar grip niet te verliezen. Heen en weer, telkens dezelfde beweging. Ze concentreerde zich op zijn haar onder haar handpalm. Hij was warm. Ze deed haar ogen dicht, probeerde haar aandacht te bepalen bij wat ze deed, zich af te sluiten voor haar omgeving en voor wat er zojuist was gebeurd. Heen en weer met haar hand, zachte strelingen over Jens' haar, langzaam...

Opeens zat Michail naast haar, hij keek Jens onderzoekend aan.

'We gaan nu,' zei hij zacht.

Jens' gehavende gezicht beantwoordde Michails blik maar hij zei niets.

Michail richtte zich tot Sophie, misschien zag hij haar angst. Hij gaf geen commentaar, stond op en liep naar de uitgang. Klaus kwam naar haar toe, zei iets in steenkolenengels, waaruit ze opmaakte dat hij bij haar in het krijt stond, dat ze zijn leven twee keer had gered en dat hij niet begreep waarom. Hij zocht meer manieren om zijn dankbaarheid uit te drukken, maar vond die niet. In plaats daarvan haalde hij een pen tevoorschijn, leunde op een tafeltje en schreef iets op een servet en gaf dat aan haar. Sophie keek naar het servet, las 'Klaus Köhler' en een telefoonnummer. Ze keek hem aan. Klaus draaide zich om en liep achter Michail aan het restaurant uit.

Hector kwam met opgestroopte mouwen, bebloede vuisten en opengesperde ogen de keuken uit. Hij keek naar de chaos in de zaal, keek naar Sophie die op de vloer zat met Jens' hoofd op haar schoot. Hij was anders dan anders, zat vol energie. Een lading van tweeduizend volt. Er brandde iets in hem, iets waar hij geen meester over was. Hij liet zijn blik op Sophie rusten, ze kreeg het gevoel dat hij haar niet zag. Hector wilde net iets zeggen toen de onbekende man de keuken uit kwam. Schoon en fris, hij zoende Hector op de wang. Ze wisselden een paar snelle woorden in het Spaans. Hij liep naar de uitgang, glimlachte naar Sophie toen hij haar passeerde en verdween vervolgens door de kapotte deur. Hector ging terug naar de keuken.

Ze had niet verteld wat ze wilde vertellen. Nu bevond Anders Ask zich daarbinnen samen met Hans Berglund. De mannen die haar zoon hadden aangereden, de mannen die geprobeerd hadden haar te vermoorden.

Sophie legde Jens' hoofd voorzichtig op de vloer, stond op en liep de keuken door, langs Dimitri. Hij zat dood op een stoel midden in de keuken, zijn hoofd achterovergebogen. Ze ving een glimp op van een vleesmes dat in zijn hart zat, zag dat zijn ene oog uit de kas hing en dat er liters bloed in een grote plas onder de stoel lagen.

'Hector Guzman!' hoorde ze Anders' stem in het kantoor.

Ze bleef staan, de deur stond op een kier. Ze zag Anders, die aan de radiator bij het bureau zat vastgeketend, met Hasse naast zich. Ze zag Aron, die achter de computer bezig was. Sophie boog zich naar voren en zag Hector met ontbloot bovenlijf. Hij veegde zijn handen af aan een vochtige handdoek; zijn bebloede overhemd lag op de grond.

'We moeten toezicht houden op de overdracht...' zei Anders.

Hector reageerde niet.

Anders berustte nog niet in de positie van verliezer.

'Zullen we beginnen?' vroeg hij.

Sophie probeerde het te begrijpen.

Hector trok een laatje open, haalde er een nieuw overhemd uit en trok het plastic eraf.

'Als ik het goed zie, zit jij met handboeien aan een radiator vast,' zei hij en hij begon de achtduizend spelden te verwijderen.

'Die kun je gewoon losmaken, dan doen we wat je met Gunilla hebt afgesproken, en daarna gaan we weg.'

*Gunilla?* Sophie had gedacht dat niets haar meer kon verbazen.

Hector zwaaide met zijn hand in de richting van het restaurant.

'De omstandigheden zijn veranderd. Er komt geen overdracht voor jullie na dit alles, dat begrijp je vast wel.' Hij schudde het overhemd uit.

'Oké. Wij gaan weg, we hebben niets gezien,' zei Anders in een vruchteloze poging een soort koehandel op gang te krijgen. Hector nam niet de moeite op zijn voorstel te reageren. Hij trok het overhemd aan.

'Wees niet zo stom, Hector Guzman!'

Die woorden klonken niet goed uit de mond van Anders. Aron onderbrak zijn bezigheden achter de computer en keek zijn kant op. Hector bleef staan.

'Wat zeg je?' fluisterde hij.

Anders leek zich er niets van aan te trekken.

'We kunnen je helpen... als je ons maar vrijlaat. We doen de overdracht samen, wij verlaten het restaurant met de getuigen en jij bent vrij.'

Hector deed de knoopjes van het overhemd dicht en keek op.

'Vrij?' vroeg hij toonloos.

'Ja, vrij.'

'Jij bent me er eentje. Ga je ervan uit dat alle mensen net zo dom zijn als jijzelf?'

Anders wilde iets terugzeggen, maar Hector stak zijn hand op.

'Hou je mond,' zei hij. Vervolgens maakte hij met zijn kin op zijn borst zijn overhemd verder dicht.

Maar Anders was een bijter en gaf zich nog niet gewonnen.

'Laat ons de getuigen meenemen en weggaan, meer vraag ik niet.'

Sophie hield haar adem in.

'Welke getuigen?'

'Die vrouw, Sophie, en die man, haar vriend. Zij hebben hier niets mee te maken.'

Hector keek Anders aan.

'Hoe weet je dat?'

'Dat weet ik gewoon.'

Sophie hoorde een geluid en draaide zich om. Daar stond Carlos Fuentes haar aan te staren. Hij leek klein, onbetekenend, gebogen. Ze schudde langzaam haar hoofd om te zeggen dat hij niets mocht zeggen, dat hij haar niet mocht verraden. Carlos' ogen waren koud. Hij liep weg.

Ze zat weer bij Jens toen ze iets achter zich hoorde bewegen. Hector en Aron kwamen naar buiten. Hector in een nieuw overhemd en een jasje, en met een aktetas in zijn hand.

'Sophie?' Hij fluisterde bijna.

'Je moet met me meegaan,' zei hij.

'Waarom?'

Voor die vraag had hij geen tijd.

'De politie kan elk moment hier zijn, de agenten die in het kantoor zitten hebben je gezien.'

Ze zag weer een andere kant van hem, hij had zijn emoties afgeschermd.

'En Jens dan?' vroeg ze.

'Aron zal hem helpen.'

'Waar gaan we naartoe?'

'We moeten hier weg... dat allereerst.'

Ze besefte dat ze geen keus had. Anders en Hasse zaten in het kantoor, er lagen drie doden in het restaurant, Gunilla en Hector deden samen zaken... Ze was kansloos. Had Anders Hector over haar verteld?

Sophie keek naar Hector en vervolgens naar Aron, ze probeerde iets uit hun houding op te maken, maar zag alleen haast en ongeduld.

Ze boog zich over Jens heen, kuste hem op zijn hoofd, wenste heel even dat hij wakker zou worden, zou opstaan, haar bij de hand zou nemen en wegvluchten. Maar dat zou niet gebeuren. Hij zou niets doen, hij was in elkaar geslagen en bewusteloos, ternauwernood in staat zelfstandig adem te halen. Sophie stond op, pakte haar handtas en liep met Hector mee toen hij snel het restaurant verliet.

*

De geur van kruit en dood hing nog in de zaal.

Carlos staarde naar zijn restaurant. Hij was in de keuken, bezig stukken van Leif Rydbäck door de gehaktmolen te halen, toen de eerste schoten waren gevallen. Hij was gestopt met malen en had zich achter een keukenkast verstopt. Toen Hector en de Colombiaan de Rus naar binnen droegen en hem vermoordden, trok Carlos zich terug uit de keuken en verstopte zich in zijn kantoor. Hij had Hectors telefoongesprek met zijn vader gehoord, waarin Hector hem vroeg de G5 naar vliegveld Bromma te sturen. Toen was Carlos het restaurant in gelopen en achter de tapkast op de grond gaan zitten.

Hij wist niet wie wie was, maar hij herkende de agenten, Kling en Klang. Hij had tot God gebeden, met zijn neus op de koude vloer, hij had Hem gevraagd zijn armzalige leven te sparen. En dat had God gedaan. Carlos was teruggegaan naar de keuken, hij was die vrouw,

Sophie, tegengekomen die Hector aan het afluisteren was, en had daarna weer een andere verstopplek gevonden waar hij bleef zitten totdat Hector en de vrouw weg waren. Aron was het restaurant binnengekomen en had de gewonde Jens op zijn rug getild en meegenomen.

Nu was het stil, er was niemand, alleen de doden en de agenten die met handboeien om in het kantoortje zaten.

Hij keek om zich heen in de hel van bloed en lijken, overlegde bij zichzelf en zocht met trillende vingers een nummer op in zijn mobieltje.

'*Gentz,*' antwoordde Roland aan de andere kant van de lijn.

'Met Carlos... van het restaurant in Stockholm.'

'*Ja?*'

'Er liggen hier een paar lijken...'

'*O?*'

'Ik heb jullie hulp nodig. Ik kan je er iets voor geven.'

'*Wat?*'

'Ik kan je vertellen waar Hector is.'

'*Dat weten we al.*'

'Waar dan?'

'*In Stockholm.*'

'Nee.'

'*Waar dan?*'

'Helpen jullie mij?'

'*Misschien.*'

'Over een paar uur is hij in Málaga.'

'*Wat voor hulp heb je nodig, Carlos?*'

'Bescherming.'

'*Tegen wie?*'

'Tegen iedereen.'

'*Waar zit je nu?*'

'In Stockholm.'

'*Ga ergens heen, hou je gedeisd, bel me straks weer, dan zal ik zien wat ik kan doen... Je had het over lijken? Wie zijn er dood?*'

'Dat weet ik niet.'

Gentz hing op. In de verte klonken politiesirenes. Carlos verliet het restaurant.

# 24

Het huis lag afgelegen. Het leek meer een zomerhuisje dan de woning van een inspecteur van politie. Hij had haar zojuist aan de telefoon gehad, ze zat op bureau Brahegatan. Hij zei dat hij overal naar Sophie had gezocht. Ze vroeg of hij kon komen. Hij zei nee. Daarop was een stilte gevolgd en ze had gevraagd wat hij wilde.

'Ik wilde je dit gewoon even melden,' had hij geantwoord.

Lars had zijn auto een paar straten verderop neergezet. Nu stapte hij haar tuin binnen, liep onder de appelbomen door en over het gazon, het smalle grindpad over naar de veranda.

Er zat een modern slot op de voordeur, dat hij met zijn loper niet open kon krijgen. Hij liep om het huis heen en controleerde de ramen. Ze zaten allemaal dicht. Lars vond een trapje van een paar treden dat naar een stevige souterraindeur leidde. Er zat oud bubbeltjesglas in en misschien een draaislot aan de binnenkant. Hij trok de mouw van zijn trui over zijn hand en sloeg de ruit in, stak zijn hand naar binnen en ging op zoek. Yes, een draaislot. Hij opende de deur en ging de kelder binnen.

Lars liep snel de kamers door, zocht met zijn blik. Een berging, een provisiekelder, een pas aangelegde aardwarmte-installatie met ketel, een trap naar boven. Die klom hij in een paar grote stappen op, hij opende de deur en kwam in een keuken die rechtstreeks uit een Engels interieurmagazine kwam. Een nieuw fornuis in oude stijl, een houten vloer met kloeke planken, geolied of gelakt. Ouderwetse kastjes, mooi. Hij liep de keuken uit, een woonkamer in en liep door naar een werkkamer. Een bureau, een lamp met een groene glazen kap, een afgesloten archiefkast. Die brak hij open met een schroevendraaier die hij in de onderste keukenla vond. Het verbuigen van het metaal maakte een hoop kabaal, maar uiteindelijk ging de kast open. Er hingen een heleboel documenten op een rij. Hij bladerde met zijn vingers, zocht naar Sophie Brinkmann, maar vond niets. Zijn vingers gingen naar de G, naar Hector Guzman, weer niets... Alleen een heleboel namen van politiemensen die hem niet bekend voorkwamen. Het zat allemaal op alfabet... Hij bladerde verder. Wacht, daar had hij iets... Berglund. Hans Berglund. Een pasfoto van vadsige Hans, een aantal getuigschriften. Een aantekening met potlood in de rechterhoek: gewelddadig. Lars bladerde verder door de mappen. Hij zag Eva Castroneves, geen aantekening met potlood... alleen een getekende ster. Zoals je vroeger van de juf kreeg. Hij zocht de letter V. Zocht en vond zichzelf. Trok de map eruit en sloeg hem open. De foto was oud, het was dezelfde foto als op zijn politielegitimatie. Het woord dat met potlood in de rechterhoek geschreven stond, wilde eerst niet tot hem doordringen, alsof hij niet wist wat het betekende. 'Labiel' stond er.

Lars deed de map dicht en stopte hem terug. Even was het volkomen stil in zijn binnenste en hij staarde in het niets. Daarna kwam hij weer tot leven.

Hij ging op de bureaustoel zitten en trok de laden open: blaadjes, paperclips, pennen, leesbril, een meetlint... een paar bankbiljetten en munten. De onderste la zat op slot, die brak hij ook open. Blaadjes, aantekeningen, brieven, hij nam ze allemaal mee. Hij keek nog eens goed om zich heen in de kamer voordat hij weer terugging naar de kelder. Daar zocht hij in alle hoeken en gaten. Hij moest plassen en ging gehaaster zoeken. De ketelruimte in, de zaklamp danste over de muren, het plafond, de vloer. Een schoonmaakkast onder de trap, een oude Nilfisk-stofzuiger waarvan de slang over een halvemaanvormige metalen beugel hing. Een mop en een emmer, dweilen en schoonmaakmiddelen – de geur van de oude, ongeparfumeerde Ajax. Vluchtige, vage jeugdherinneringen die hij snel van zich afschudde.

De provisiekelder in, die vol stond met conserven. Hier kon ze een atoomoorlog overleven. De lichtkegel van de zaklamp tegen het plafond, Lars ging zitten en zocht de vloer af. Stond op en zocht achter de conserven... Daar glom iets. Achter in de kast, achter de bonen, de maïs, en alle smaken Campbell's Soup... Hij veegde de plank schoon met zijn arm, de conserven vlogen alle kanten op. Daar zag hij het, vlak voor zich, als de schat die hij zojuist had gevonden. Een wiel met cijfers eromheen, solide staal – een oude kluis, dertig bij dertig centimeter, in de muur ingebouwd. Maar zijn vreugde was van korte duur... Hoe moest hij die in godsnaam open krijgen? Een snelle blik op zijn horloge, misschien had hij nog een uur, misschien minder. Hoe zou hij die tijd gebruiken? Lukraak aan het wiel draaien? Hij probeerde na te denken... De aantekeningen in zijn zak! Lars ging zitten, spreidde de aantekeningen voor zich op de grond uit, met de zaklamp in zijn mond. Hij las, een gigantische hoeveelheid woorden en vragen, hij bladerde en zocht, nergens een getal.

Hij rende de trap weer op, het kantoor in, nam zo veel mappen uit de archiefkast mee als hij kon dragen, terug naar de kelder, waar hij ze op de grond neerlegde. En dat nog drie keer. De vierde keer nam hij oude rekeningen en blaadjes mee die op het bureau lagen, in de woonkamer griste hij een staande lamp mee.

Hij zat op zijn knieën, de staande lamp scheen op de kluis. Hij rommelde in de rekeningen, vond haar persoonsnummer, stond op en probeerde of hij daarmee de kluis kon openen. De eerste twee cijfers tegen de wijzers van de klok in, de volgende twee met de wijzers van de klok mee en zo verder tot hij het hele nummer had gehad. Geen resultaat. Hij probeerde het met haar telefoonnummer, geen resultaat. De tijd verstreek. Hij moest nog steeds plassen. Nu zweette hij ook, hij had het koud en was moe. De drugs raakten langzaam uitgewerkt, hij knarste constant op zijn tanden.

Lars ging weer op zijn knieën op de grond zitten, deed de eerste map open, bladerde en vond informatie over een agent van de uniformdienst die Sven heette. Sven was met potlood gekarakteriseerd als 'conservatief'. Hij legde de map opzij. Hij sloeg meer mappen open, meer agenten, aspiranten, brigadiers, rechercheurs... Pasfotootjes met gezichten die hem niet bekend voorkwamen. De aantekeningen die Gunilla met potlood in de kantlijn had gemaakt. 'Eenzaam', 'onzelfstandig', 'passief-agressief'... Alle mappen waren op dezelfde manier ingedeeld, met een foto in de ene hoek, een uitdraai van personeelszaken, aantekeningen en een functioneringsverslag. Hij las er een stuk of tien door, probeerde iets te vinden wat eruit sprong, niets. Hij ging weer terug naar Gunilla's aantekeningen... niets van belang. *Dit gaat hem niet worden*, dacht hij. Lars stond op, stapte naar achteren en keek naar de mappen. Hij richtte de lichtkegel van de staande lamp erop en zag nu verschillen. In de archiefkast hadden ze allemaal bruin geleken. Nu nog steeds, maar de kleurverschillen duidden erop dat ze niet allemaal even oud waren. Hij liet het licht erop vallen en pakte de map die er het bleekst uitzag – bleek betekende oud. Hij sloeg hem open, hij was dikker dan de rest. De map bevatte een heleboel oude krantenknipsels, getypte blaadjes en verbleekte foto's. Hij zag een datum staan... augustus 1968. Hij zag namen staan, Siv en Carl-Adam Strandberg, op 19 augustus 1968 tijdens een kampeervakantie in Värmland vermoord. *Strandberg? Gunilla's ouders?* Hij probeerde 68 08 19 uit met het kluiswiel, geen resultaat, daarna 19 68 08 19, geen resultaat. Hij probeerde het met de wijzers van de klok mee en tegen de wijzers van de klok in, hij probeerde het van achteren naar voren met de klok mee en tegen de klok in. De kluis was en bleef dicht.

Het zweet gutste van zijn voorhoofd, zijn hart klopte snel; hij had een droge keel, hij wilde zo graag iets slikken tegen het stekende gevoel in zijn hart... Lars ging terug naar de map en bekeek de krantenknipsels. Een foto van Siv en Carl-Adam Strandberg met hun twee kinderen, Erik en Gunilla. Ze stonden voor de ingang van Skansen, in de jaren zestig. Siv en Carl-Adam lachten, ze droegen stijve kleren, Carl-Adam had een hoedje op en droeg een strak, geruit shirt met korte mouwen, een rechte broek en gepoetste schoenen. Siv droeg een jurk en witte schoenen, en haar haar was opgekamd. De kinderen lachten ook. Lars herkende Gunilla in het gezicht van het meisje. Ze zag er gelukkig uit. Hij keek naar het jongetje, Erik, een blond lachend ventje dat naar de dierentuin ging met zijn ouders en zijn zus. Hij was blij, hij straalde gewoon. Een overweldigend schuldgevoel overspoelde Lars bij het idee dat hij dit kleine onschuldige jongetje had laten doodgaan op de vloer van Carlos' appartement. Lars staarde naar de foto. Erik staarde terug... Hij smeet de foto op de grond, ademde het nare gevoel weg dat zich begon te verspreiden. Hij bladerde verder. Het onderzoek...

Lars las: Ze waren door het tentdoek heen beschoten... Hagelgeweer. De moordenaar heette Ivar Gamlin, hij was toen eenendertig, stomdronken, hij had zijn vrouw mishandeld en was in de auto gestapt. Het geweer in zijn kofferbak lag daar toevallig, had hij verklaard. Hij had het de dag daarvoor gebruikt toen hij op vogels joeg. Hij had niet de moeite genomen het mee naar binnen te nemen. Lars bladerde door naar een verhoor: Gamlin beweert dat hij het zich niet kan herinneren... Verder naar onderen op dezelfde pagina: Gamlin wordt in 1969 tot levenslang veroordeeld... op 23 november 1969. Lars probeerde op alle manieren uit of hij met die cijfers de kluis kon openen. Nee, dus... Hij keek weer op zijn horloge, bijna halfzes. Hij luisterde of hij iets hoorde. Zocht snel verder. In 1975 dient Gamlin een verzoek om gratie in. Het verzoek wordt afgewezen. In 1979 wordt er een eindtermijn aan Gamlins straf gesteld en in november 1982 zal hij vrijkomen... Lars las snel, scande, bladerde... Daar! In 1981 wordt Ivar Gamlin door een medegevangene vermoord. Lars bladerde en vond een sectierapport. Hij las het rapport door en maakte eruit op dat zo'n beetje alle botten in zijn lichaam gebroken waren. Hij vond nog een politieonderzoek, een getypt A4'tje. Iemand was 's nachts Gamlins cel binnengedrongen. De doodsoorzaak was verstikking met een hulpmiddel. In dit geval waarschijnlijk een plastic zak, schreef de patholoog. Lars dacht na, las weer verder, doorzocht de tekst. Hij vond wat hij zocht. De sterfdatum. 1981... 03... 21... Lars draaide die cijfers met het wiel. Hij hoorde een auto buiten, banden op het grind. Hij draaide. 19 tegen de klok in, 81 met de klok mee, een portier dat dichtsloeg, 03 tegen de klok in... voetstappen op het grindpad, 21 met de klok mee, voetstappen op de trap. Hij draaide aan de kruk. Op slot...

Boven werd een sleutel in de voordeur gestoken. Hij voerde dezelfde serie nog eens uit, maar begon met 19 met de klok mee... De voordeur ging open en weer dicht. Voetstappen in de richting van de woonkamer. Hij draaide langzaam, het zweet stroomde over zijn voorhoofd... 21 tegen de klok in, hij draaide langzaam aan de kruk... snelle voetstappen... hij draaide verder, klik! De kluis ging open. Andere mensen zouden hierin de helpende hand van God hebben gezien, maar daar deed Lars niet aan mee.

Gunilla's stem klonk door de balken heen. Ze klonk boos, ze belde met iemand. Lars stak zijn hand in de kluis. Twee plastic mapjes, een notitieboekje, twee bundels bankbiljetten van duizend kronen, een pistool en een dik ambtelijk dossier met een donkergroene vilten rug. Hij nam alles mee, stopte het in zijn jack en trok de rits geluidloos dicht. Hij liep voorzichtig de provisiekelder uit, langs de trap, en hoorde Gunilla's stem nu duidelijker. Haar toon was kortaf en geërgerd, ze zei dat er bij haar was ingebroken en eiste dat er een technisch rechercheur werd vrijgemaakt en naar haar huis gestuurd.

Toen hij langzaam naar de uitgang sloop, ging de kelderdeur boven hem open. Voetstappen op de trap, Lars zette af en sprintte in het donker naar de uitgang, het trappetje op.

Hij nam niet de weg waarlangs hij gekomen was, maar sloeg meteen links af en rende het jonge loofbos in. Takjes aan dunne stammen zwiepten in zijn gezicht. Hij was al een eind weg toen hij de deur achter zich hoorde opengaan. Lars rende met dezelfde snelheid door en vijf minuten later was hij bij zijn auto. Hij startte zodra hij achter het stuur zat, reed weg, weg van haar huis, weg van Gunilla... weg.

\*

Ze hadden de koele lounge voor zichzelf en zaten ieder in een fauteuil naar elkaar te kijken. Hij stond op het punt iets te zeggen, bedacht zich, wendde zijn blik af en kreeg oogcontact met een vrouw achter een tapkast, wenkte en vroeg om water.

Ze dronken zwijgend. Buiten vertrokken en landden er vliegtuigen, het geluid van de straalmotoren was hier een natuurlijk deel van de omgeving.

'Hoe gaat het met je zoon?' vroeg hij voorzichtig.

Ze keek hem aan.

'Het gaat niet goed met hem.'

'Wat zeggen de artsen?'

'Nog niets.'

Wat wilde je me vertellen?' vroeg hij zacht.

'Dat doet er niet toe.'

Hij keek haar onderzoekend aan.

'Vertel.'

Sophie leunde een stukje naar voren en zei: 'Ik wilde je vertellen dat Michail en zijn kameraad bij Jens om hulp hadden gevraagd, dat ze daar niet waren om jou kwaad te doen.'

Hij keek haar kritisch aan.

'Waarom wilde je dat vertellen?'

'Omdat ik daar was toen ze kwamen.'

'Waar?'

'Bij Jens.'

Ze zag het eigenaardige van haar leugen in. Maar nu wilde Hector iets anders weten.

'Wat deed je daar?'

'We kennen elkaar nog van vroeger.'

Hector trok één wenkbrauw op.

'Hoe dan?'

Er kwam een turbopropvliegtuig over.

'Ik zat op je te wachten in het restaurant toen Michail en zijn kameraad daar de eerste keer kwamen; we zouden uit eten gaan, jij en ik, maar jij kwam niet terug. Ik ging naar het kantoor en zag Jens bewusteloos op de grond liggen. Ik had hem meer dan twintig jaar niet gezien, het was een ongelooflijk toeval.'

Hector sloeg haar gade.

'Ik deed er eerst niets mee, maar een tijdje later hebben we contact met elkaar opgenomen.'

Hij vertrok geen spier.

'Michail was in Zweden om zijn vriend uit het Karolinskaziekenhuis te halen,' ging ze op zachte toon verder. 'Daar was de politie en die schoot zijn vriend in de arm. Michail had het nummer van Jens, hij belde en vroeg om hulp. Ze kwamen naar Jens' huis, die vriend had een schotwond in zijn arm. Ik heb hem geholpen.'

Hector liet wat tijd verstrijken.

'En toen?'

'Toen ben ik naar het restaurant gereden, naar jou.'

'Om het te vertellen?'

Nu keek ze hem aan.

'Nee, we hadden hulp nodig, de Russen zaten achter ons aan... We wisten niet waar we naartoe moesten.'

Dat logische antwoord stelde Hector enigszins gerust.

'Wie waren die Russen?'

'Klanten van Jens.'

Hij verzonk in gepieker en versomberde.

'Heb je een relatie met hem? Zijn jullie verliefd?'

Sophie schudde haar hoofd. Maar of ze nu ja of nee zei, maakte onder de huidige omstandigheden niets uit. Hij was jaloers en tegelijkertijd doodsbang om gekwetst te raken, het ergste wat een man kan overkomen. De meeste mannen die in zo'n zwakke positie verkeren, vinden het vreselijk en weigeren hun situatie onder ogen te zien. Hector was geen uitzondering. Ze begreep dat hij zichzelf van de ongemakkelijke gevoelens afleidde door dieper in zijn overpeinzingen te verzinken. Ze voelde aan alles dat hij bezig was iets te verdringen.

'Ik vertrouw hem niet. Hij is de man van het toeval, al sinds de eerste keer dat hij opdook.'

'In het restaurant heeft hij ons het leven gered.'

Daar ging Hector niet op in. In plaats daarvan leek hij zijn best te doen haar objectief te bekijken.

'Wie ben jij eigenlijk?'

De vraag was niet gesteld als een vraag en ze zei niets. De vrouw die hen had bediend kwam naar hen toe om te zeggen dat hun toestel zo zou komen. Sophie en Hector zaten elkaar zwijgend in de ogen te kijken. Hij omdat hij iets zocht om zich aan vast te houden of gewoon weg te wuiven – zij omdat ze zichzelf anders zou verraden.

Hector wendde zijn blik het eerst af en stond op.

Ze stonden voor een groot raam en zagen het Gulfstreamtoestel landen, hard remmen en naar het gebouw taxiën waar zij stonden.

Een halfuur later zaten ze in het vliegtuig, na het tanken en inchecken en de veiligheidscontrole, waarbij merkwaardig genoeg hun bagage niet was doorzocht. Sophie zat in een beige leren fauteuil naast Hector, allebei aan een kant van het middenpad. De machine taxiede de startbaan op en maakte snelheid. Sophie werd in haar stoel gedrukt door de enorme acceleratiekracht. Ze gingen steil omhoog en opeens zaten ze tussen de wolken en het vliegtuig kwam recht te hangen. Ze keek naar beneden, Stockholm verdween onder haar. Daar beneden was Albert. Zij zat in een vliegtuig dat van hem wegvloog; het was zo verkeerd als maar kon. Haar schuldgevoel was absoluut; het zat onwrikbaar, muurvast in haar ziel. Ze wist dat ze het nooit kwijt zou raken. Het kwam door haar dat hij er zo aan toe was. Zij was rechtstreeks schuldig aan wat hem was overkomen. Als zij anders had gehandeld, was het misschien...

Sophie zag eilandjes en water, ze keek naar de lucht – die was net zo blauw als altijd. Ze hoorde dat Hector zijn veiligheidsriem losmaakte, dat hij opstond van zijn stoel en naar de cabine achterin liep. Hij kwam terug met twee flesjes bier en twee glazen, maar zij hoefde niet. Hij ging in de stoel zitten, vond voor zichzelf een glas niet nodig en dronk uit het flesje.

'We landen in Málaga, ik breng je naar mijn vaders huis, daarna moet ik weer verder.'

'Waar ga je naartoe?'

'Weg... De politie heeft vast al een internationaal opsporingsbericht laten uitgaan. Maar jij redt je wel, mijn vader regelt alles.'

'Regelt alles?'

Hector knikte.

'Wat allemaal?'

Het duurde even voordat Hector antwoordde.

'Alles. Jij moet je ook schuilhouden tot het allemaal overgewaaid is. Mijn vader helpt je daarbij...'

Het vliegtuig kwam in een lichte turbulentie terecht, de piloot vergrootte de gastoevoer en het toestel klom, ze maakten zich er niet druk om.

'Maar ik moet snel weer naar huis...'

Daar zei hij niets op, hij boog zich naar het raampje, in gedachten verzonken, onzeker, ongerust misschien. Hij ontweek haar, ze voelde het, ze begreep het. Hij worstelde met de vraag of zij wel te vertrouwen was. Dat deed ze zelf ook. Ze dacht na over wie ze was, wat haar motieven eigenlijk waren. Of ze anders had kunnen handelen.

Ze keek weer naar Hector, die nog met dezelfde blik op zijn gezicht uit het raam keek. Die geconcentreerde uitdrukking die ze al vaak bij hem had gezien wekte telkens weer haar nieuwsgierigheid op. Hij was dan helemaal weg van de wereld. Dat had ze ook gezien bij de jongen die hij was geweest, in het album dat hij haar op de boot had laten bekijken. Misschien wás hij zo. Misschien was dat de echte Hector.

Ze wilde iets voor hem voelen, maar dat durfde ze niet. Ze had zijn waanzin gezien.

# 25

Ze hadden de lichamen nog niet afgedekt. Tommy Jansson stond midden in het restaurant. Twee lijken voor hem en een in de keuken, overal bloed. Een complete slachting. De technisch rechercheurs werkten koortsachtig. Anders Ask en een forse man zaten zwijgend op twee stoelen verderop. Tommy herkende de dikke ME'er in de binnenstad als hij het goed had. Tommy had gezegd dat ze moesten blijven zitten, dat ze geen meter van hun plaats mochten. Ze wilden niet praten. Geen woord. Anders Ask, wat deed die hier, godsamme?

Tommy wreef met zijn knokkel in zijn oor.

'Wie was het eerst ter plaatse?' vroeg hij aan niemand in het bijzonder.

Rechercheur Antonia Miller, die verderop in haar notitieboekje stond te schrijven, keek op. 'Wat zei je?'

'Wie was het eerst ter plaatse?'

Ze maakte duidelijk dat hij haar stoorde in haar werk.

'Een patrouille, ik heb ze een halfuur geleden laten vertrekken.'

'En ze hebben deze twee gevonden?' zei hij, wijzend naar Anders en Hasse. 'Waar?'

Antonia schreef iets in haar notitieboekje.

'In het kantoor, achter de keuken, aan een radiator geketend.'

'Wat was er gebeurd?'

Zuchtend deed ze haar notitieboekje dicht en klikte de BIC-pen in.

'Iemand in het gebouw die herhaalde knallen had gehoord heeft alarm geslagen. De patrouille kwam hier, zag de twee lijken hier in het restaurant, ze trokken aan de bel, zochten naar tekenen van leven en zetten de boel af.'

'En?'

'Ze hebben alles doorzocht. Ze vonden het lijk in de keuken en daarna die twee in het kantoor, vastgeketend,' zei Antonia en ze wees met haar duim naar Hasse en Anders.

'Die brede is een collega,' ging ze verder en ze keek in haar notitieboekje.

'Hans Berglund heet hij, hij heeft zijn legitimatie aan de patrouille laten zien, die het door de meldkamer heeft laten controleren, het klopte... De andere man heeft helemaal geen ID.'

Tommy keek om zich heen. Antonia ging weer verder met haar werk.

Plotseling rinkelde Anders' mobieltje, Anders keek naar het scherm en nam niet op. Tommy liep erheen, rukte het mobieltje uit zijn hand en drukte op de groene hoorn.

'Ja?' zei Tommy zacht.

*'Wat is er gebeurd? Zijn ze er nog?'*

Hij herkende Gunilla's stem, ze klonk gejaagd.

'Dag, Gunilla.'

Een seconde stilte.

*'Tommy?'*

'Wat gebeurt er, Gunilla?'

*'Dat vraag ik me ook af.'*

'Ik wil dat je naar restaurant Trasten in Vasastan komt, volgens mij weet je wel waar dat zit.'

Hij hing op en stopte het mobieltje in de zak van zijn jasje, maakte een wat-doe-je-eraan-gebaar naar Anders. Daarna liep hij een rondje door de zaal. Een technisch rechercheur met een baard zat bij een van de lijken.

'Hoi, Classe,' zei Tommy.

De technicus keek op en knikte.

Tommy liep naar de bar, stopte, draaide zich om en kreeg een beeld van de hele zaal. Hij zag de kapotte voordeur, de lijken, de kogelgaten en de hulzen op de grond – allemaal gemarkeerd door de technische recherche. Omgegooide meubels, mensen die halsoverkop waren vertrokken. En te midden van dat alles zaten Berglund en Ask te zwijgen. Tommy keek naar hen, Jut en Jul...

'Jullie zijn echt ongelooflijke sukkels, weten jullie dat?' zei hij luid.

Hasse en Anders antwoordden niet. Tommy zat hen een poosje aan te staren, mompelde nog een belediging en ging naar de keuken.

Op een stoel midden in de keuken zat een bebloede man met een vleesmes in zijn hart, hij had geen tanden meer in zijn mond, zijn gezicht was tot pulp geslagen, het rechteroog hing uit de kas. Tommy huiverde van onbehagen.

Een vrouwelijke technicus met grote biceps, van wie hij de naam was vergeten, borstelde vingerafdrukken op iets wat eruitzag als inge-vroren voedsel.

'Dit hebben we in de vriezer gevonden,' zei de vrouw en ze wees naar het vlees.

'O?' zei hij vragend, en hij keek naar een heleboel plastic zakjes die strak om bevroren delen getrokken waren. Het leek wel een soort filet.

'Wat is dat?'

'Bekijk het maar eens van dichtbij,' zei ze.

Hij tuurde door zijn wimpers en leunde naar voren, zag een deel van een mensenarm en een mensenvoet.

'Sodeju! Van wie zijn die?'

'Van niemand hier in elk geval, iedereen heeft zijn voeten en armen nog.'

'Waar hebben jullie die gevonden?'

'In de vriezer, zei ik toch.'

*Wat een klerezooi...*

'Vier doden dus?' vroeg hij.

De vrouw zette haar wijsvinger tegen haar kin en keek naar het pla-fond.

'Hm, even denken, twee daar, twee hier... Twee plus twee is vier. Ja, je hebt gelijk, vier doden!'

Tommy hield niet van ironie of sarcasme, daar had hij nog nooit iets aan gevonden, hij snapte de lol er niet van. Hij liep door naar het kantoor en ging op de stoel achter het bureau zitten wachten en na-denken. Hij streek over zijn politiesnor.

Een halfuur later stond Gunilla voor hem.

'Vertel,' zei hij.

Ze zag er koud uit, koud en stram.

'Wat moet ik vertellen? Je ziet toch zelf hoe het er daar uitziet? We volgen Hector Guzman al een maand. Dit is het resultaat.'

'Wat doet Anders Ask hier?'

'Hoezo?'

Hij keek haar vermoeid aan. Soms was ze net een obstinaat kind.

'Er liggen drie lijken in dit restaurant. Vier als we de voet en de arm meetellen die we zojuist in de vriezer hebben gevonden... Wat doet Ask hier, verdomme?'

'Hij werkte voor mij, als freelancer.'

'Freelancer?'

'Ja.'

'Wanneer heeft er ooit iemand freelance voor de Zweedse politie gewerkt?'

'Dat lijkt me niet de belangrijkste kwestie om nu te bespreken, of vind je wel, Tommy?'

Hij ging er wat beter voor zitten.

'Waarom praten ze niet met mij?' vroeg hij.

'Omdat we dat hebben afgesproken.'

Tommy schudde zijn hoofd, maakte een gebaar dat zei dat ze op moest houden.

Gunilla keek naar de grond en toen omhoog.

'We weten niet wie daar liggen. De dode mannen zijn onbekenden voor ons.'

'Wat zeggen Ask en die andere man?'

'Hans Berglund observeerde het restaurant. Toen er een vuurgevecht losbarstte, belde hij Anders. Toen ze binnenkwamen, was iedereen dood, ze werden overrompeld door de bende van Hector en vastgeketend.'

Tommy dacht na.

'Hoe wil je verdergaan?'

Ze glimlachte.

'Mooi, Tommy. Ik wil op dezelfde voet verdergaan, maar eerst moeten we hier alle bewijzen veiligstellen.'

'Maar je houdt je op de achtergrond. Antonia Miller heeft de leiding over dit onderzoek, jullie kunnen samenwerken, zij is de baas.'

Gunilla stond op.

'Ik hou je op de hoogte,' zei ze zacht en ze verliet het kantoor. Tommy luisterde naar haar voetstappen terwijl ze verdween.

'Gunilla!'

Ze bleef staan.

'Ja?'

Tommy wreef met zijn duimnagel over een bobbel op het bureau.

'Anders Ask is jouw verantwoordelijkheid, ik weet niets van hem.'

Ze gaf geen antwoord.

Gunilla liep door de keuken, keek niet naar het lijk op de stoel, liep via de gemarkeerde route door het restaurant heen naar de ingang. Ze zag de twee andere onbekende mannen dood op de grond liggen. Gunilla tilde het afzetlint bij de deuropening op en stapte de straat op.

Anders en Hasse stonden bij Hasses auto te wachten.

'We praten hier niet.'

*

Hotel Diplomat baadde in het zonlicht. Lars Vinge had rond twaalf uur 's middags onder een valse naam ingecheckt.

Het was een prima hotel voor hem, niemand zou hem daar zoeken. Witte lakens, donzen kussens, uitzicht over het water van de Nybroviken, een wapperende vlag voor zijn raam en een luxueuze badkamer. Maar Lars voelde geen greintje blijdschap nu hij het voor de verandering zo goed had getroffen. Zijn energie werd door twee dingen opgeslokt: zijn pogingen om zijn behoefte aan Ketogan te verdringen, die even werkelijk was als de behoefte aan eten voor iemand die honger leed, en zijn eeuwige gepieker om het geheel te begrijpen.

Hij was 's middags naar bureau Brahegatan gegaan en had de afluisterapparatuur uit de huurauto gehaald. Dat was gevaarlijk geweest, hij was te dicht bij Gunilla en de anderen in de buurt gekomen, maar alles wat hij op dit moment deed was riskant, zelfs bij daglicht over straat gaan.

De afluisterapparatuur lag op het tweepersoonsbed, samen met de spullen die hij uit Gunilla's kluis had gestolen. Hij had het geld geteld, biljetten van duizend kronen, in twee bundels van vijftig. Het pistool was een Makarov, een oud Russisch pistool uit de communistische tijd, waarvan het serienummer weggeschuurd was – een pistool voor noodgevallen. Lars keek het na, het magazijn was vol, acht patronen, hij legde het naast zich op het bed. Dan twee vrij dunne plastic mapjes, met elk een stuk of twintig A4'tjes, het dikke ambtelijke dossier en het zwarte notitieboekje. Hij begon met het notitieboekje, dat bladzijden vol opmerkingen en redeneringen bevatte, in kleine potloodletters geschreven. Het was rommelig, alsof Gunilla had opgeschreven wat haar te binnen schoot, alsof ze met zichzelf argumenteerde, alsof ze door het schrijven tot inzicht wilde komen. Hij las, probeerde er een patroon in te ontwaren, kon er geen logica in ontdekken en legde het opzij. Hij keek naar het dikke dossier, begon te bladeren, bladzijden vol over Hector Guzman. Lars las over een smokkelroute van Paraguay naar Europa, over moord, chantage van een manager van Ericsson, over contacten in alle hoeken van de wereld. Foto's, verhoren, bewijzen. Een geschiedenis die terugging tot de jaren zeventig. Daar stond alles over de zaken van Hector en Adalberto Guzman... Daar zag hij bewijzen genoeg voor wel tien veroordelingen. Hector Guzman zou een eeuwigheid mogen brommen.

Lars bladerde verder en hoe meer hij zag, hoe groter zijn verbijstering werd. Er stonden ook bedragen met een vulpen in de kantlijn genoteerd, grote bedragen, van acht cijfers, alsof Gunilla iets aan het uitrekenen was geweest. Lars snapte er niets en alles van...

Hij legde de map opzij, ging terug naar het notitieboekje, begon de redeneringen weer te lezen. Het was moeilijk, het was ingewikkeld, maar hoe beter hij zich concentreerde, hoe meer stukjes er op hun plaats vielen. Hij las over Sophie, dat zij de sleutel was, dat zij de weg zou wijzen, dat ze mooi was, Hectors droomvrouw, de vrouw die hij nooit kon krijgen. En hier weer zoiets, beweringen van Gunilla over Sophies karakter. Lars was het niet met haar eens, Gunilla had Sophie verkeerd beoordeeld... Gunilla had ook opgeschreven welke acties en reacties ze van Sophie verwachtte in verschillende situaties. Daarin had Gunilla waarschijnlijk gelijk, ze beschreef het op een manier zoals Lars het nog nooit had bekeken. Het was ingewikkeld, maar hij meende te begrijpen waar het Gunilla om te doen was... Lars bladerde door, las iets wat hij nog een paar keer moest herlezen.

*Lars gaat gebukt onder schuld.* De woorden 'gebukt onder schuld' waren onderstreept. *Hij is kneedbaar.* Ook hier een ingewikkeld betoog, alsof Gunilla haar intellect tot het uiterste had ingespannen om hem te begrijpen. Het beeld dat naar voren kwam uit wat Lars over zichzelf las, werd iets duidelijker. Hij betekende niets voor Gunilla, hij zou ergens de schuld van krijgen als het plan mislukte... Welk plan?

Lars controleerde zijn adem... sloeg lukraak een paar bladzijden om. *Tommy ziet mijn besluiteloosheid.* Tommy?... Tommy Jansson van de rijksrecherche?

Hij schreef Tommy's naam op een blaadje.

Lars stopte de stekker van de afluisterapparatuur in het stopcontact, zette de koptelefoon op en draaide het geluid zachter. Rasperige en zachte geluiden die niets betekenden. De stemactivering was gevoelig, die reageerde overal op, bijvoorbeeld op een deur die ergens dichtgeslagen werd, een autoalarm op straat, iemand die buiten de kamer over de gang liep.

Hij wachtte en luisterde, maakte rusteloze bewegingen met zijn rechtervoet. Het geluid van de deur van de kamer die opening... Hij keek naar de klok op de apparatuur – vier uur geleden – voetstappen en stemmen die hij herkende. Gunilla, Anders en Hasse, er werd met stoelen gesleept. Gunilla's stem was geforceerd, ze praatte over de inbraak, daarna gemompel van Hasse. Lars concentreerde zich, het ging over het restaurant, dat Hasse had gewacht op een goede gelegenheid om Trasten binnen te gaan, dat Sophie was opgedoken met een onbekende man, dat drie onbekenden, waarschijnlijk Russen, het restaurant waren binnengegaan. Het geluid was slecht, misschien kwam het door de ventilator die koude lucht uitblies. Lars duwde de koptelefoon tegen zijn oren, onverstaanbaar gepraat van Hasse dat na een tijdje duidelijker werd.

'En toen?' De stem van Gunilla.

Hasse ging verder: 'Er lagen twee dode mannen op de grond toen wij binnenkwamen. Het derde lid van het gezelschap was de man die dood in de keuken is gevonden. In het restaurant zaten de Duitser uit het ziekenhuis en de grote Rus.'

'En Sophie? Waar zat zij?'

'In diezelfde ruimte.'

'En Ramirez heeft het land verlaten?'

'Ja.'

Lars hoorde Gunilla zuchten.

'En het geld? De overdracht?'

Een paar seconden lang hing er een zware stilte. Anders kuchte: 'Ik heb het geprobeerd, Hector was onredelijk.'

'Hoezo, onredelijk?'

'Hij zei dat de omstandigheden veranderd waren door de schietpartij en de doden...'

'En Carlos... de eigenaar? Waar zit die?'

Geen antwoord.

'Aron?'

'Nee.'

'Die jurist? Die alles regelt, Lundwall?'

'Weet ik niet.' Anders fluisterde.

'Wat hebben jullie tegen Antonia Miller en Tommy gezegd?'

Lars schreef 'Antonia Miller' op zijn blaadje.

'Niets,' zei Hasse.

Lars drukte op de pauzeknop, stond op van het bed, liep naar zijn laptop op het bureau, logde in op internet en zocht de website van een dagblad op. Een grote foto van restaurant Trasten. Hij las, niets van belang, de politie was terughoudend... onbevestigde berichten spreken van drie doden. Hij surfte naar de tabloids. 'Slachting' kopte de ene, 'Afrekening in het criminele circuit' de andere. Weer hetzelfde verhaal, geen informatie, alleen onbevestigde berichten over drie doden.

Lars klapte de laptop dicht, keek voor zich uit, hij begreep dat ze zouden proberen hem te vermoorden, dat er nu een prijs op zijn hoofd stond... Hij werd bang op een manier die hij niet herkende, de angst leidde tot een emotie die leidde tot een tweede emotie die leidde tot een derde – angst en paniek waren de hoofdbestanddelen van de mix die het duiveltje tot leven bracht dat naalden in zijn ziel stak, dat tegen hem riep dat hij iets moest slikken... *Godallemachtig!* En op de achtergrond continu die pijn, de fysieke pijn die hem overal krampen bezorgde... die Lars Vinges hele zenuwstelsel in het ongerede brachten.

Hij stond op van het bed, haalde een reep chocola uit de minibar, liep doelloos de kamer door, at en zuchtte. De reep smaakte niet naar chocola, maar naar suiker en vet. Hij at hem toch op, de suiker hielp precies twaalf seconden tegen de onthoudingsverschijnselen.

Lars bleef voor het raam staan en keek uit over het water van de Nybroviken. Hij zag het bankje waarop Sophie en Jens hadden zitten praten. Waar hij hen vanaf zijn plaats in de Skeppargatan had gefotografeerd. Het leek wel iets uit een ander leven. Wat was hij sindsdien wijzer geworden?

Een veerpont toeterde drie keer en voer achteruit bij de kade weg. Zijn gedachten waren elders, op een ander niveau, ergens in de diepte, waar hij er niet bij kon. Lars liep terug naar het bed en begon opnieuw. Hij las het dikke dossier door, bladerde in de mapjes en las de aantekeningen. Een heleboel cijfers, misschien wel bedragen, grote bedragen, miljoenen... Hij liep alle documenten door, een bank met een Frans klinkende naam in Liechtenstein... Enorme bedragen. Lars bladerde verder, nog meer bedragen. De naam van de rekeninghouder stond niet op het afschrift, alleen een nummer.

Lars krabde hard op zijn hoofd, dacht na, boog zich over het bed en pakte het zwarte notitieboekje op, begon te lezen... begon het te spellen. Vijf jaar geleden: 'Handelsbanken Uppsala, drie miljoen kronen' stond er met potlood geschreven en een aantal eigenaardige woorden en redeneringen. Hij bladerde verder, 'Christer Ekström' en een groot aantal bedragen van meerdere miljoenen. Ook daar rare redeneringen. Lars bladerde, 'Zdenko' zag hij staan, de Drafkoning, alle politiemensen wisten wie Zdenko was, vijf jaar geleden overleden, doodgeschoten op een renbaan. Lars bladerde door, nog meer namen, nog meer bedragen...

Er borrelde iets in Lars en dat wilde naar boven, naar buiten, het licht zien, geboren worden. Het was een gedachte, een idee... een idee waarvan hij nog niet wist dat hij het had. Het begon vanuit onbewuste diepten in hem naar boven te komen, het idee dat het antwoord was, het antwoord dat hij had gezocht sinds hij de eerste regel tekst thuis op de muur van zijn werkkamer had geschreven, nu leek het logisch... Hij zette zijn voeten op de vloer en liep in twee stappen naar het bureau.

Hij surfte snel, logde in op de interne server van de politie, tikte zoektermen in uit de eerste tekst die hij had gezien, las hapsnap van de tekst op het scherm: Uppsala Handelsbank... Overval... Twee mannen veroordeeld... De derde verdachte een jaar later vermoord aangetroffen... acht miljoen van de buit nog steeds niet boven water... Erik Strandberg leidt onderzoek.

Lars tikte 'Christer Ekström' in het zoekvenster. Hij las dat financieel expert Christer Ekström ternauwernood aan een aanklacht was ontsnapt, bij gebrek aan bewijs, Gunilla Strandberg leidde het vooronderzoek.

Lars tikte 'Zdenko' in, de politieserver zat stampvol informatie over hem, hij vond een vooronderzoek dat jaren had gelopen, Gunilla Strandberg had er de leiding over gehad. Lars las: 'Zdenko werd door een onbekende man vermoord bij de renbaan van Jägersro in Malmö... Zdenko's geld in Zweden niet teruggevonden...'

Hij leunde achterover, staarde naar iets wat zijn ogen niet registreerden. Als zijn verstand nog had gewerkt, als hij niet zo veel last had gehad van ontwenningsverschijnselen en niet zo'n somber humeur had gehad, was hij in lachen uitgebarsten. Maar voor Lars Vinge viel er geen spatje humor te bekennen in de wereld.

# 26

Toen ze op het vliegveld van Málaga waren geland en de douane passeerden, liep hij een paar stappen voor haar. Ze kwamen buiten in de hitte en liepen naar een parkeergarage.

Hun voetstappen galmden metaalachtig onder het lage betonnen dak van de garage, ze zetten koers naar een kleine auto die eenzaam verderop tussen de pilaren geparkeerd stond. Hector haalde een autosleutel uit zijn aktetas en gaf die aan haar.

'Zou jij willen rijden?' vroeg hij.

Ze ging achter het stuur zitten, zette de stoel in de juiste stand, startte de motor en legde haar arm om zijn stoel, draaide zich om en reed achteruit het vak uit. Haar ogen, die in die korte tijd aan het donker van de garage gewend waren, werden verblind toen ze weer in het daglicht kwam. Ze volgde de bordjes, vond de oprit en reed de snelweg op.

Ze gleden door de nieuwe wereld die zich aan hen toonde. Ze voelde dat ze zich ontspande, ze draaide zich naar hem om en wilde net iets zeggen toen er opeens een oorverdovend geratel klonk in de auto. Hij begreep eerder dan zij wat het was.

'Sneller!' schreeuwde hij.

Als in een mist maakte ze snelheid, ze reed als een gek en slalomde tussen de auto's door. Weer werd er geschoten, ze dook in elkaar, het regende glas over haar heen. Ze zag de motor, de auto reed tegen de vangrail – chaos.

Hector trapte zijn raampje kapot, leunde naar buiten en schoot. Hoeveel schoten wist ze niet, maar na een aanhoudend gedreun liet het wapen een klik horen. Ze had de indruk dat hij zich eerder aan het afreageren was dan dat hij werkelijk geloofde dat de schoten doel zouden treffen. Hij liet de patroonhouder op de vloer vallen, pakte een nieuwe uit het open dashboardkastje, vloekte binnensmonds, schoof hem in het pistool en laadde het door.

Er klonk geratel vlak bij hen, een regen van kogels, de achterruit explodeerde in een inferno van glas. Ze gaf een gil en zag vanuit een ooghoek dat hij een rare beweging maakte.

'Hector?'

Hij schudde zijn hoofd.

'Niks aan de hand,' zei hij en hij richtte met het wapen door de kapotte achterruit, vuurde vier keer, de motorrijder liet de afstand weer groeien.

Sophie slalomde verder, er werd nijdig getoeterd toen ze op hoge snelheid auto's voorbij zoefde. Ze keek spiedend in de verte voor hen, dacht dat ze een file zag opdoemen. Dat beperkte de keuzemogelijkheden.

'Wat moet ik doen?' riep ze.

Had zij dat zojuist geroepen? Ze wist het niet meer. Hij gaf geen antwoord, hield de boel aan de achterkant in de gaten. De file verderop werd duidelijker. Hector belde voor de derde keer met zijn mobiel, terwijl hij intussen continu keek of hij de motor zag. Eindelijk werd er opgenomen.

'Aron. Luister, ik krijg mijn vader of Leszek niet te pakken. We zijn beschoten onderweg van het vliegveld, we rijden in de richting van Marbella, ik zit met Sophie in de auto.'

Hector luisterde terwijl Aron vragen stelde.

'Ik weet het niet. Twee mannen op een motor... Luister nu naar me. Zeg tegen Ernst dat Sophie de volmacht krijgt...'

Hector luisterde, raakte geïrriteerd.

'Dat bepaal ik! De volmacht gaat naar Sophie Brinkmann en daar ben jij bij dezen getuige van, zie dat je mijn vader of Leszek te pakken krijgt. Waarschuw hen!'

Hector hing op. Ze keek naar hem, hij wuifde de vraag weg die ze niet stelde, kuchte en draaide zich om. De motor kwam op hen af, hij schoot zijn pistool opnieuw leeg, de motorrijder remde af, steeds hetzelfde liedje. Hij bromde iets bij zichzelf wat zij niet verstond en stopte een nieuwe patroonhouder in het pistool.

'Ga langzamer rijden, lok ze dichterbij en trap op de rem als ik het zeg.' Zijn stem was hees en het zweet brak hem uit.

De motorrijder was zelfverzekerd, hij zigzagde tussen de auto's achter hen door, hing laag in de bochten. Hector richtte en loste twee schoten, op hetzelfde moment kwam er een regen van kogels op hem af. Sophie schreeuwde, ze doken allebei instinctief weg. Hector stak zijn hoofd omhoog, de schutter op de duozitting richtte weer en schoot. De kogels floten hen om de oren.

'Nu!'

Ze trapte op de rem, de banden krijsten, Sophie en Hector verzetten zich tegen de drukkracht.

Heel even stond de wereld stil, hun gedachten zweefden gewichtloos door de auto, hun angsten kregen rust, hun ogen ontmoetten elkaar... Totdat ze weer de werkelijkheid in werden gezogen: het geluid van de ratelende mitrailleur, het geluid van de kogels die zich in de auto boorden, het geluid van de motorfiets, het geluid van de wereld om hen heen. Alles kwam samen in één geluidsbeeld. Hector zwaaide zijn arm omhoog en schoot op de motorrijder; die week snel en handig uit en haalde hen aan de binnenkant in.

'Rijden!' schreeuwde hij.

Nu waren de rollen opeens omgedraaid, Hector en Sophie joegen op de motorfiets. De schutter op de duozitting keek voortdurend achterom, Hector leunde weer uit het kapotte raam, loste twee schoten, de motor reed door naar de file. Hij hield het pistool in zijn rechterhand, liet het in zijn handpalm rusten, richtte en loste drie schoten vlak na elkaar... Miste weer. De file kwam dichterbij, Hector schoot de patroonhouder leeg... Er gebeurde niets.

De motor stond op het punt tussen de auto's door te rijden. Hij stopte de laatste patroonhouder in het wapen, ademde kort in, richtte, hield zijn adem in en schoot met herhaalde trekkerbewegingen de patroonhouder leeg... en als door een wonder troffen een of meer kogels doel, de motor maakte een plotselinge, krappe draai, viel op zijn kant en stond op zijn voorwiel, en wierp zowel de bestuurder als de schutter af toen hij over de kop vloog. De bestuurder kwam met zijn rug tegen de middelste vangrail. De schutter vloog eroverheen en kwam op de tegengestelde baan terecht, een vrachtwagen probeerde te remmen en uit te wijken. Zonder succes, hij stuiterde over de man heen.

Ze juichten alsof hun voetbalteam een doelpunt had gescoord. Het was absurd, maar het was hetzelfde gevoel, hetzelfde euforische gevoel...

Sophie reed op het laatste moment een afrit op, haar handen trilden, haar ademhaling was oppervlakkig. Ze moest overgeven.

*

Hij was druk bezig. Op het bed lagen keurige stapels rapporten, uitgewerkte verhoren, het complete afluistermateriaal van Sophie op verschillende soorten informatiedragers opgeslagen. Een heleboel foto's van Sophie, van Hasse, van Anders, van iedereen. Waardepapieren uit Liechtenstein, samen met Gunilla's onderzoeken en aantekeningen. Wie het las, zou de samenhang begrijpen.

Hij zat achter zijn computer, zette het afluistermateriaal van de Brahegatan op een USB-stick, verzamelde alles wat hij had.

Lars keek naar het bed, hij had goed werk geleverd, hij was tevreden. Dat gevoel had hij lang niet meer gehad. Hij had een beloning verdiend. De minibar was de eerste prijs. Hij nam een biertje. Het koude vocht was binnen een paar seconden zijn keel gepasseerd. Hij wachtte even en werkte toen de rest van de inhoud af; kleine flesjes sterke drank, een half flesje rode wijn... een half flesje wit, champagne. *Partytime.* Het ging er allemaal doorheen.

Lars staarde naar de Nybrokajen, de minibar was leeg en hij was zat. Maar de dronkenschap verflauwde snel en gaf hem niet wat hij nodig had. Alcohol werd zwaar overschat. Zijn ene been maakte nerveuze bewegingen, hij knarsetandde, krabde op zijn hoofd, hij kreeg de kriebels van deze kamer, hij wilde weg, naar buiten.

Met zijn sporttas in de hand wandelde hij snel langs de gevels van de Strandvägen, sloeg rechts af de Sibyllegatan in en stak door naar de Brahegatan en de huurauto. Hij legde de apparatuur in de kofferbak, controleerde of hij het signaal van de microfoon in het bureau ontving, sloot de auto af en liep dezelfde weg terug. Maar in plaats van links de Strandvägen in te slaan en terug te lopen naar het hotel, wandelde Lars in rap tempo over de Nybrokajen, de Stallgatan over, langs het Grand Hotel en de Skeppsbron op. Hij begaf zich doelbewust naar Södermalm.

Het was donker in het appartement, het rook er muf, en er hing nog steeds een vage verflucht. Hij liep regelrecht de werkkamer binnen, ontsloot de la, griste eruit wat hij wilde hebben, liet zijn broek zakken en deed waar hij zo goed in was: hij duwde een paar zetpillen naar binnen en trok zijn broek op. Hij nam niet de moeite de knopen dicht te doen, ging op de bureaustoel zitten en draaide er langzaam mee rond... In hetzelfde tempo als waarin het welbehagen zijn gemoed begon te strelen. Maar het genot was van korte duur, het was in een flits voorbij. Hij herhaalde de procedure, op zijn hurken, nog een, nog iets anders, hij graaide in de la, nam tot zich wat er maar voorhanden was. Angst, benauwenis, wrevel en zwaarmoedigheid doken even op en verdwenen weer net zo snel. Alles werd weer zacht, zonder hoeken of randen waar zijn verwrongen gevoelens zich aan konden bezeren.

Lars liet zich van de stoel glijden en ging op de vloer liggen; hij viel niet in slaap, hij verdween alleen even van de wereld.

\*

Toen ze Marbella naderden, zag ze hoe bleek hij was, bijna wit; het zweet op zijn gezicht leek wel een laklaag. Zijn ademhaling was snel en moeizaam, ze voelde met haar hand aan zijn voorhoofd – koud en vochtig.

'Hector?'

Hij knikte zonder haar aan te kijken; zij liet haar hand langs zijn hals en nek glijden, hij was drijfnat.

'Wat is er, Hector?'

'Niets, rij maar door.'

Ze bekeek hem van onder tot boven en vroeg hem voorover te buigen.

Hij aarzelde en boog voorzichtig een decimeter naar voren. Ze zag bloed over zijn hele rug, op de stoel, en er was ook bloed op de vloer gelopen.

'Grote genade,' zei ze. 'Waar is het dichtstbijzijnde ziekenhuis?'

Hij hoestte.

'Geen ziekenhuis. Rij naar huis, daar is een dokter.'

'Nee, je moet naar het ziekenhuis, je moet geopereerd worden.'

'Nee! Geen ziekenhuis!' bulderde hij nu.

Ze probeerde rustig te blijven.

'Luister nu naar me, je hebt veel bloed verloren, je hebt medische verzorging nodig... anders ga je dood.'

Hij keek haar aan, probeerde net zo rustig te zijn.

'Ik ga niet dood... Er is een dokter bij mijn vader thuis, hij zal voor me zorgen. Als ik naar het ziekenhuis ga, draai ik de bak in... en dan ga ik daar dood. Dus dat is geen punt van discussie. Jij rijdt, ik wijs de weg.'

Ze reed snel door Marbella heen en de stad weer uit; de weg ging een tijdje omhoog en daalde daarna weer af naar de zee. Hector had aanvankelijk de weg gewezen, maar begon toen in te dutten. Hij had haar uitgelegd hoe ze moest rijden, waar ze moest afslaan, hij had haar de hele routebeschrijving gegeven voordat hij suf was geworden en langzaam weg begon te zakken. Ze begreep wat dat kon betekenen.

'Hector!' riep ze. Hij gebaarde met zijn hand dat hij haar hoorde.

'Je mag niet in slaap vallen! Hoor je me?'

Ze keek beurtelings naar Hector en naar de weg voor zich. Sophie reed snel. Eén hand op het stuur, de andere op zijn schouder, ze schudde hem door elkaar.

'Hoor je me?'

Hij knikte zwakjes en zakte weer weg.

In een bocht kwam hun een tegenligger tegemoet, ze week snel uit, de claxon van de auto verdween met dopplereffect achter hen. Ze schudde aan Hector, praatte hard, ze wilde dat hij naar haar luisterde. Hij kon het niet, hij raakte bewusteloos. Ze riep hem, ze sloeg hem, ze drong niet tot hem door. Sophie probeerde zich de route te herinneren die hij haar zojuist had beschreven.

Het werd al schemerig toen ze over een lange kronkelweg tussen keurig gemaaide gazons door omhoog reed naar het huis. De tuin was groter dan ze had kunnen vermoeden, het was een park waar geen eind aan kwam. De enorme zee strekte zich links van haar uit, ze vroeg het uiterste van de auto.

Er stonden drie auto's voor het huis, een ambulance en twee personenauto's; de deur van de villa stond wagenwijd open, ze toeterde, rende naar binnen en schreeuwde.

Er kwam een man de trap af snellen met bloed op zijn armen en kleren, maar hij zag er merkwaardig genoeg beheerst uit.

'Hector ligt gewond in de auto,' zei ze luid en buiten adem.

De man draaide zich om op de trap en haastte zich weer naar boven, riep iets in het Spaans en kwam terug met een andere man die even bebloed en even beheerst was. De mannen renden naar de ambulance, haalden er een brancard uit, liepen snel naar de doorzeefde auto, tilden Hector eruit en brachten hem naar binnen. Sophie liep achter hen aan toen ze de brancard de trap op droegen.

Het eerste wat ze zag toen ze op de bovenverdieping kwam, was dat de ramen van de eetzaal kapotgeschoten waren, de hele vloer was bezaaid met glassplinters. Leszek lag op een eettafel, twee mannen waren hem aan het opereren. Op de vloer lag een dode onder een wit laken en achter in de kamer zat een onbekende bebaarde man in een geruit overhemd en een spijkerbroek dood tegen de muur met een pistool in zijn hand. Hij had een kogelgat in zijn keel, op de muur achter hem zat bloed. Ze probeerde duidelijkheid te krijgen.

De ene man rukte Hectors kleren open, de andere rommelde in een grote tas, zocht naar bloedplasma, de juiste bloedgroep. Ze werkten snel en geroutineerd. De man die naast Hector stond, was arts.

'Ik ben verpleegkundige,' zei ze tegen hem.

Hij keek haar aan, keek daarna de kamer rond en wees naar Leszek. Ze liep erheen, Leszek was verdoofd, hij had een grote vleeswond aan zijn schouder. Het was een bloederige, vieze en rommelige bedoening. Levens redden, daar ging het nu om; niet om perfecte hygiëne of andere luxe waar ze aan gewend was. Er stond een vrouw bij Leszek, die met een pincet stukjes kogel uit de wond peuterde, de man naast haar hield het infuus in de gaten en maakte schoon. Leszeks arts had gehoord wat ze had gezegd en wees naar een badkamer. Sophie liep erheen, waste haar handen grondig en keek niet in de spiegel.

Ze werkten geconcentreerd, door de kapotte ramen kwam zilte zeelucht naar binnen. Ze ging tussen Leszek en Hector in staan, en gaf de artsen en verzorgers die haar hulp inriepen wat ze nodig hadden.

'Hector heeft enorm veel bloed verloren,' zei de arts. 'We vullen het zo goed mogelijk aan. Hij heeft twee kogels in zijn rug, het is moeilijk iets over zijn toestand te zeggen.'

Sophie hechtte Leszek, verbond zijn schouder en was toen klaar met haar taken; ze kon niemand meer ergens mee helpen. Ze ging haar handen nog eens wassen en keek weer niet in de spiegel.

In de kamer was het stil. Hectors arts was aan het opereren, geholpen door zijn assistent.

Sophie verzamelde moed en ging bij de persoon onder het witte laken staan. Ze wist wie daar lag, ze wist dat zijn zoon zich er nog niet van bewust was dat hij vaderloos was. Ze tilde het laken voorzichtig op en zag Adalberto, die een vredige uitdrukking op zijn gezicht had. Ze tilde het laken nog wat verder op, gestold bloed op zijn borst. Ze legde het laken terug.

'Wat is er gebeurd?' Ze stelde de vraag aan Leszeks arts, die verderop in de kamer een sigaret rookte. Hij haalde zijn schouders op.

'Toen wij kwamen... was Adalberto dood. En hij ook.' De arts wees naar de bebaarde man die tegen de muur geleund zat; een bloedspoor was hem naar beneden gevolgd.

'Leszek was gewond, maar bij bewustzijn. Ik weet niet wat er gebeurd is, maakt ook niet uit. De duivel is hier geweest, laten we het daar maar op houden.' Hij nam een trekje, de sigaret knisperde.

'Wie zijn jullie?' vroeg ze.

Hij blies de rook uit.

'Wie ben jij?'

'Ik ben een vriendin van Hector.'

Hij wilde haar om de een of andere reden niet aankijken.

'Wij zijn artsen en verzorgers, vandaag freelancers, gisteren in vaste dienst. We hadden al jaren een overeenkomst met Adalberto Guzman... Een slapende overeenkomst, voor het geval er iets dergelijks zou gebeuren.'

Ze werden gestoord door een geluid beneden bij de trap, iedereen in de kamer wisselde blikken uit, bange blikken. Wie zou nu de leiding nemen? Voetstappen op de trap, de mannen in de kamer probeerden zich te verstoppen. Langzame voetstappen kwamen aarzelend dichterbij. Sophie liep snel naar de bebaarde man toe, wrikte zijn vingers los, pakte de revolver uit zijn koude, stijve hand en richtte die op de trap. De voetstappen waren vlakbij, ze richtte, ze ademde in, ze zou schieten. Er kwam een hoofd tevoorschijn, de vizierkorrel trilde niet en volgde het hoofd dat een lichaam kreeg, het slanke lichaam van een vrouw.

Sonya Alizadeh kwam de kamer binnen. Sophie liet het wapen zakken en legde het op de grond.

'Zijn ze dood?' vroeg Sonya fluisterend en ze ging op een stoel zitten. 'Ze doken op uit het niets,' zei ze. 'Ze schoten van buitenaf. Adalberto werd geraakt terwijl hij zat te eten... Daarna zijn ze het huis binnengedrongen en doorgegaan met schieten. Leszek heeft een van hen geraakt. Daarna werd hij zelf neergeschoten.'

'Door wie?'

Sonya dacht na.

'Ik weet het niet. Door een man die in een auto is gevlucht.'

'En jij?' vroeg Sophie.

'Ik ben naar beneden gerend... en heb me in de kelder verstopt.'

Sophie liep naar haar toe, een stoel meetrekkend, ging bij Sonya zitten en pakte haar hand vast. Zo bleven ze zitten, ze keken uit over de kamer, hielden elkaars hand vast. Een zoele zeewind die door de ingeslagen ruiten naar binnen kwam, streelde hen. Sophie keek naar Hector die op de brancard lag te vechten voor zijn leven.

Er klonken pootjes op de trap. Er kwam een wit hondje naar boven, het keek om zich heen in de kamer alsof het iets zocht.

Sonya stak haar handen uit en het hondje kwam nog wat aarzelend haar kant op. Zoekend, snuffelend, waar was zijn baasje? Sonya ging op haar hurken zitten en riep het beestje. De hond kwispelde met zijn staart en sprong in haar armen. Ze ging weer op de stoel zitten met het hondje op schoot en aaide het rustig over zijn vacht.

'Dit is Piño...'

Sophie realiseerde zich dat ze naar de hond lachte, misschien omdat ze altijd naar honden lachte, of omdat de aanwezigheid van de hond wat rust en normaliteit aan de kamer verleende.

Opeens begon er een apparaat te piepen dat aan Hector gekoppeld zat; de arts en de verzorger gingen koortsachtig aan het werk, Sophie en Sonya keken die kant op.

'Hij raakt in coma.' De stem van de arts klonk gestrest.

Sophie liep er snel heen, de arts was ingespannen aan het werk. Hij vroeg om dingen, ze gaf hem wat hij nodig had, hij mopperde en vloekte dat hij niet kon werken met zo weinig middelen. De verzorger diende Hector handmatig zuurstof toe. Sophie keek machteloos toe toen de arts zijn pogingen staakte om Hector weer terug te halen. Hij vloekte in het Spaans, vroeg iets aan de verzorger, een vraag waar geen antwoord op was, die alleen een uiting was van zijn frustratie.

'We moeten hem verplaatsen.'

'Waarom?'

'Dat maakt deel uit van de afspraak. Hij moet aan de beademing.'

'Waar brengen jullie hem naartoe?'

'Naar een veilige plaats.'

'En Leszek?'

De arts keek naar de slapende Leszek.

'Maak je over hem geen zorgen.'

Sophie zat achter in de ambulance naast de brancard waar Hector op lag, Sonya zat naast haar met Piño op schoot. Ze reden door Marbella, de lichten van de stad brandden, Sophie kon alleen door het ene raam van de achterdeur naar buiten kijken, mensen die zich amuseerden, auto's waarvan de lak glinsterde in het neonlicht van de avond, restaurants, terrassen, motoren, brommers, hitte, muziek, jong en oud door elkaar.

Ze hield Hectors hand vast, wilde iets zeggen, wat dan ook, ze wilde geloven dat hij haar kon horen achter de muren van bewusteloosheid, wilde geloven dat hij haar hand in de zijne voelde. Na een tijdje liet ze hem los, haalde haar mobiel tevoorschijn en belde Jane. Ze hield zich met haar andere hand aan Hectors brancard vast. Jane nam slaapdronken op. Vertelde dat ze in het ziekenhuis was, dat ze daar sliep. Dat de twee mannen er nog waren. Dat er constant iemand bij Albert was, dat ze elkaar aflosten. Er had verder niemand naar Albert of naar haar gevraagd. En ze kon Sophie geruststellen met de mededeling dat het goed leek te gaan met Albert. Hij sliep rustig.

Ze kwamen de stad uit en reden naar de bergen, de dorpen, ze reden in het donker, kwamen door de plaats Ojén en doken daarna opnieuw de duisternis in. Na een uur minderden ze vaart en de ambulance stopte. Sophie hoorde portieren open- en dichtgaan, voetstappen buiten en daarna de achterdeur die door de arts werd opengetrokken, hij gebaarde dat ze uit konden stappen. Warme avondlucht kwam haar tegemoet.

Ze waren bij een oude, gerenoveerde boerderij aangekomen, een witte *finca* met een rood dak; er brandde licht. Op het erf stond een kleine auto, een model voor alleenstaanden, een bescheiden dingetje met smalle bandjes en dunne portieren. Er wachtte binnen iemand op hen. Een vrouw deed open.

Hector werd op de brancard naar binnen gebracht. Sophie en Sonya liepen erachteraan. De vrouw die hen ontving, onderzocht Hector snel in de hal en gebaarde dat ze hem naar de woonkamer moesten brengen. Dat was een grote ruimte met witte stenen muren, een terracottavloer, een Spaanse inrichting, eenvoudig en sober. Sophie zag ziekenhuisapparatuur, een defibrillator, twee infuusstandaarden, een beademingsapparaat en iets verderop een groot ziekenhuisbed.

Hector werd op het bed gelegd. De vrouw reed de apparatuur erheen, legde hem aan het infuus en bracht een katheter aan onder de deken. De arts en zijn verzorgers sloten het beademingsapparaat aan, praatten even met de vrouw, verlieten het huis en verdwenen in de ambulance.

De vrouw keek nog een keer naar Hector en richtte zich toen tot Sophie en Sonya.

'Ik ben Raimunda, ik zal voor Hector zorgen. Vanaf vanavond werk ik hier. Gisteren had ik nog een baan in een particulier ziekenhuis, die heb ik vier uur geleden opgezegd toen ik werd gebeld.'

Ze praatte zacht en duidelijk.

'Hier is het veilig. Weinig mensen weten deze plek te vinden, en dat moet zo blijven.'

Sophie keek naar Raimunda. Ze was een tengere dertiger met zwart haar dat tot onder in haar nek viel. Ze maakte een goede indruk, correct en streng. Ze kwam betrouwbaar over... loyaal.

'Dankjewel' fluisterde Sophie.


De cicaden speelden in de nacht toen Sophie haar bed opzocht.

Er klonk een brommend geluid in Sophies handtas, die op een stoel in een hoek van de kamer stond. Ze stond op en liep erheen. Het telefoontje dat ze van Jens had gekregen lichtte op onder in haar tas, tussen haar portemonnee, make-up en kassabonnen.

'Jens?'

'*Nee, met Aron.*'

'Hector is...'

'*Ik weet alles, waar ben je nu?*'

'Op de boerderij... In de bergen.'

'*Wie zijn daar allemaal?*'

'Raimunda, Hector, Sonya en ik.'

'*Blijf waar je bent. De politie heeft Adalberto's villa afgezet. Leszek is naar jullie onderweg.*'

'En jij?'

'*Ik kom zodra ik kan, ik word gezocht, ik moet een omweg maken.*'

'En Jens?'

'*Ik heb hem zo goed mogelijk verbonden... Het komt wel goed met hem.*'

Het was stil.

'*Sophie?*'

'Ja?'

'*Wanneer we elkaar weer zien, moeten we praten.*'

Hij hing op.

# 27

De stralen van de zon trokken langzaam over de parketvloer. Gunilla volgde ze in alle rust. Hij lag zonder deken op de grond, met opgetrokken knieën als een baby in de baarmoeder. Langzaam, heel langzaam, bewoog het licht tot over zijn schouder en trof daarna zijn kin. De weg van het licht over Lars Vinge was net een symfonie, vond ze, een stille symfonie. Ze wachtte geduldig, net als altijd. De zonnestralen trokken verder over zijn wang en raakten ten slotte zijn ene gesloten oog. Ze zag beweging achter zijn oogleden, hij slikte, deed zijn ogen open en staarde over de vloer, deed zijn ogen dicht en slikte nog eens.

'Goedemorgen,' fluisterde ze zacht.

Hij zag haar op de stoel zitten. Ze keek naar hem. Lars kwam half overeind, bleef op de grond zitten, slaapdronken, met een kater van de morfine en leeg als in een vacuüm.

'Wat doe jij hier?' vroeg hij rochelend.

'Toen ik je belde, kreeg ik geen gehoor en ik wilde zien hoe het met je gaat.'

Hij keek haar aan met ogen vol slaap.

'Hoe het met mij gaat?'

'Ja?'

Lars probeerde na te denken; hoe was ze binnengekomen? Was hij vannacht gevolgd?

'Lars?'

Hij keek haar aan. Had hij maar meer tijd gehad om zijn houding tegenover haar te bepalen.

'Niet zo goed,' zei hij zacht.

'Waarom niet?'

'Ik weet niet. Te hard gewerkt, denk ik.'

Ze bekeek hem kritisch en hield een doosje met pillen omhoog dat op haar schoot lag.

'Wat is dit?'

'Gewoon, medicijnen,' zei hij.

Ze keek hem onderzoekend aan.

'Een hele la vol?'

Daar reageerde hij niet op.

'Dit zijn geen huis-, tuin- en keukenmiddeltjes, Lars... Ben je ziek?'

*Kanker in een vergevorderd stadium*, wilde hij zeggen. De mensen die kanker in een vergevorderd stadium hadden mochten doen wat ze wilden. Maar nee, ze wist alles al over hem.

'Nee.'

'Waarom slik je morfine?'

'Dat is mijn zaak.'

Ze schudde haar hoofd.

'Nee, niet zolang je voor mij werkt.'

Nu keek hij haar in de ogen; haar blik was leeg en doods, alsof er een knop was omgedraaid. Alsof iemand daar naar binnen was gekropen en een rolgordijn naar beneden had getrokken. Had ze die blik altijd al gehad? Hij wist het niet, hij wist alleen dat ze hier nu zat, dat ze levensgevaarlijk was en dat ze waarschijnlijk niet alleen gekomen was. Zijn pistool was buiten bereik en misschien wist ze dat hij het wist. Zou ze de microfoon in bureau Brahegatan hebben gevonden? Zou hij nu sterven?

Lars keek naar de doosjes medicijnen op haar schoot. Hij dacht eraan hoe hij de dominee van Lyckoslanten had voorgelogen, hoe gemakkelijk liegen was als je je van de waarheid bediende. De waarheid is de beste leugen.

'Lars. Geef antwoord op mijn vraag.'

Hij zat op de grond in zijn ogen te wrijven.

'Wat wil je weten?'

'Ik wil weten wat je de afgelopen dagen hebt gedaan, ik wil weten waarom je morfine, benzo en zenuwmedicijnen door elkaar gebruikt.'

Hij reageerde niet meteen.

'Sorry, Gunilla...' fluisterde hij.

Ze keek hem oplettend aan.

'Sorry voor wat, Lars?'

'Sorry dat ik je heb teleurgesteld...'

Haar kalmte veranderde in gespannen nieuwsgierigheid.

'Hoezo heb je me teleurgesteld?' Nu fluisterde zij ook.

Lars haalde een paar keer diep adem.

'Toen ik jong was...' begon hij. 'Een jaar of tien, elf, gaf mijn moeder me medicijnen die ze zelf voorgeschreven had gekregen. Slaapmiddelen, drugs. Ik raakte snel verslaafd. Jaren later heb ik hulp gekregen om ervan af te komen, maar toen was het kwaad al geschied. Ik ben er het grootste deel van mijn volwassen leven van afgebleven. Ik heb alcohol gemeden en nooit sterke medicijnen geslikt. Onlangs ben ik naar de dokter gegaan vanwege rugpijn,' ging Lars verder, 'en toen de arts ernaar vroeg, zei ik dat ik slaapproblemen had. Die heb ik altijd al gehad en, nou ja... Ik dacht er niet bij na. Hij schreef me iets voor, pijnstillers en kalmeringsmiddelen, en die heb ik ingenomen.'

Hij keek haar aan, ze luisterde nog steeds.

'Dat waren niet echt gevaarlijke spullen, maar het was net of er een knop omging. Ik genoot... het was lang geleden dat ik zo had genoten; minstens... ik weet niet hoe lang. Mijn hele systeem reageerde op die pillen en nam ze dankbaar in ontvangst. Toen ging het gewoon vanzelf verder. Binnen een week of wat had het spul me weer in de greep... Ik kreeg sterkere preparaten in handen. Die gebruik ik sindsdien.'

'Je zei dat je mij had teleurgesteld?'

De blik op de grond, hij knikte nauwelijks merkbaar.

'Ik heb mijn werk niet gedaan, ik heb hier de laatste dagen voor pampus gelegen... Toen ik je belde en zei dat ik op zoek was naar Sophie, was ik in werkelijkheid hier. Ik heb tegen je gelogen.'

Gunilla probeerde te ontdekken wat waar wat en wat misleiding. Even later ontspande ze zich, dat zag hij.

'Dat maakt niet uit, Lars,' zei ze. 'Dat maakt niet uit...' zei ze nog eens.

Gunilla stond op en keek hem aan. Ze leek nog iets te willen zeggen, maar deed dat niet. Ze liep de kamer uit. Lars keek haar na.

'Gunilla,' zei hij.

Ze draaide zich om.

'Het spijt me.'

Ze probeerde de waarde van zijn woorden te schatten.

'Ik wil deze baan niet verliezen. Je hebt me een kans gegeven... geef me er nog een, alsjeblieft...'

Ze gaf geen antwoord en verdween naar de hal. Lars hoorde de voordeur opengaan. Anders Ask liep voor de deuropening van de werkkamer langs, glimlachte naar Lars, schoot hem zogenaamd neer met zijn wijsvinger en verdween vervolgens achter Gunilla aan het trappenhuis in. De voordeur viel dicht en het werd stil in het apparte- ment.

Hij bleef stil liggen totdat het geluid van hun schoenen in het trappenhuis verdwenen was. Lars stond op, raapte zijn pillen bij elkaar, wachtte even, verliet het appartement en begaf zich naar de metro. Hij reisde paranoïde rond, stapte om de haverklap over en zocht naar een schaduw. Toen hij zeker wist dat hij alleen was, ging hij terug naar het hotel aan de Strandvägen, hing het 'Do Not Disturb'-bordje aan de deurkruk, trilde als een riet toen hij besefte dat hij bijna zijn hachje kwijt was geweest. Het had maar een haar gescheeld. Lars begreep dat alles nu een kwestie was van tijd. Hij ging aan de slag en begon een plan uit te stippelen.

*

Leszek was spek aan het bakken.

Zijn ene arm zat in het verband en het lukte hem alles met zijn linkerhand te doen. Raimunda zat in een leunstoel een boek van Annie Proulx te lezen. Sonya lag op de bank te slapen, Hector lag op zijn rug in bed, in een andere dimensie misschien zelfs wel.

De stereo speelde zachte muziek van Chopin, een beslissing van Raimunda. Hector moest continu mooie muziek horen, had ze gezegd. Sophie luisterde vanaf de hoek van de bank. Het was een opname van Bernstein, het tweede pianoconcert *en fa mineur*. Ze had er zelf als kind delen van gespeeld. In haar tienerjaren was ze gestopt met pianospelen, ze kon zich niet herinneren waarom.

Sophie stond op en ging naar Leszek toe, die spek omkeerde in de pan, hij staarde met een lege en bedroefde blik in het vet. Ze aaide zacht over zijn gezonde schouder.

'Moet ik het eten klaarmaken?' vroeg ze. Hij schudde zijn hoofd.

Ze haalde borden uit de kast en begon de tafel te dekken, toen ze buiten een auto hoorden. Leszek was snel, hij trok de koekenpan van de pit, pakte zijn pistool van het kruidenrek en ging snel bij een raam staan. De autodeur ging open, Aron stapte aan de bestuurderskant uit. Leszek ontspande zich en liep naar buiten om hem te begroeten. Sophie zag vanachter het raam hoe ze elkaar schouderklopjes gaven en in een gesprek verwikkeld raakten waarin vooral Leszek aan het woord was; waarschijnlijk bracht hij in detail verslag uit van wat er de laatste dagen was gebeurd.

Aron kwam binnen, omhelsde Sonya en wisselde een paar woorden met haar. Hij stelde zich aan Raimunda voor en ging bij Hector zitten, zei zacht iets tegen hem in het Spaans en streek over zijn haar. Hij keek Sophie aan.

'Laten we een wandeling maken.'

Ze verlieten het huis, liepen over een zandweg die hen de bergen in leidde. Aron met zijn handen in zijn zakken. Ze liepen een eindje; het werd steeds koeler, naarmate ze hoger kwamen. Sophie keek naar de grond; het grind was anders, bruiner en fijner verdeeld dan op de grindwegen thuis in Zweden, maar er zaten ook een heleboel grotere stenen tussen. Die probeerde ze bij het lopen te ontwijken.

'Nog nieuws over je zoon?'

Ze schudde haar hoofd.

'Wat zeggen de artsen?'

'Ik weet het niet,' antwoordde ze.

Hij wachtte even voor hij ter zake kwam.

'Hector zei aan de telefoon dat jij de volmacht zou krijgen, weet jij waarom?'

Ze gaf geen antwoord, schudde alleen haar hoofd.

'Ik snapte het ook niet. In elk geval niet meteen.'

Nu keek ze hem aan.

'Ik kan twee heel verschillende redenen verzinnen.'

Ze liepen een paar passen voordat hij verderging.

'Je hebt veel gezien, je hebt dingen gehoord, misschien heb je iets begrepen wat je niet mocht begrijpen, ik weet het niet. Misschien begreep Hector dat we je niet zomaar los konden laten, misschien was de volmacht een manier om je hier bij ons te houden, dichtbij, waar je geen schade kunt aanrichten.'

Hij keek haar snel aan.

'Zo redeneerde ik eerst. Hector begreep dat hij gewond was...'

Aron wachtte even.

'Maar er kan ook een andere reden zijn,' zei hij. 'Ik weet niet of die nog gold toen hij mij vanuit de auto belde...'

Een briesje kreeg vat op haar haar. Ze schoof het weer terug.

'Hector had het vaak over je, voordat dit allemaal gebeurde... Over hoe je was... je kwaliteiten. Hij had waardering voor je, een soort waardering die hij niet eerder voor een vrouw had gehad, dat begreep ik wel.'

Ze keek naar de grond.

'Hij zag iets bijzonders in je.'

'Wat dan?' fluisterde ze.

Aron haalde zijn schouders op.

'Dat weet ik niet. Maar hij zag iets.'

Ze waren al wat hoger gekomen en hadden uitzicht over een dal dat zich honderden meters naar beneden uitstrekte in een donkergroene vegetatie. Aron bleef staan om rustig van het uitzicht te genieten.

'Hij zei dat jij niet begreep wat voor soort mens je eigenlijk bent.'

Dat klonk niet erg duidelijk.

'Wat is dat voor kletskoek? Loze woorden,' zei ze.

'Nee, niet als ze uit zijn mond komen.'

Hij hield zijn ogen gericht op een punt in de verte.

'Hij wilde iets met jou. Maar wat, dat begrijp ik niet, en ik begrijp ook niet helemaal wat hij bedoelde tijdens ons laatste telefoongesprek.'

'Moet je dat begrijpen?'

Hij keek haar aan.

'Ja, dat moet.'

Zijn blik kreeg een nieuwe scherpte. Hij nam een besluit.

'Ik hou je in quarantaine, zeg maar, totdat een en ander duidelijk wordt of totdat Hector wakker wordt en zijn besluit kan toelichten.'

'En wat betekent dat?'

'De volmacht geeft jou het recht om mee te beslissen over ons werk. Dat betekent dat je op de hoogte zult raken van onze bezigheden en erbij betrokken raakt. Ben je er eenmaal bij betrokken, dan vorm je geen bedreiging meer, daar komt het op neer.'

'En wat betekent dat voor mij?'

'Het betekent dat je mij gaat helpen. Ik moet hier blijven, me verstopt houden totdat de grootste commotie voorbij is.'

'Wat moet ik doen?'

'We kunnen de wereld niet laten denken dat hij uit de wedstrijd is, dat zou noodlottig zijn voor ons en voor veel anderen die afhankelijk van hem zijn. Je kent hem toch, of niet?'

'Hoe bedoel je?'

'Hij kent jou, zegt hij. Dan zul jij hem toch ook wel kennen?'

'Ik denk het,' zei ze voorzichtig.

'En dan weet je toch wat hij zou doen?'

Zag ze iets smekends bij Aron? Hoopte hij vurig dat het zo was?

'Misschien. Maar jij kent hem ook, Aron.'

'Ja, maar op een andere manier... Wij doen dit samen.'

'En hierna?'

Hij dacht na.

'Dat weet ik niet.'

'Wat weet je wel?' vroeg ze.

Hij keek haar aan.

'Als het met ons slecht afloopt, dan met jou ook. Daar komt het ongeveer op neer.'

Ze dacht na over zijn woorden, het klonk allemaal absurd.

'Hector heeft een zoon,' zei ze.

Aron knikte.

'Lothar Manuel,' zei hij.

'Waarom hij niet? Waarom jij niet? Waarom niet Sonya, Leszek, Thierry, Daphne... Ernst?'

Aron keek haar in de ogen en haalde zijn schouders op. Dat werd zijn antwoord.

Ze probeerde haar gedachten te ordenen.

'En als ik weiger? Als ik hier wegga en nooit meer terugkom?'

'Dat gaat helaas niet,' zei hij.

'Waarom niet?'

'Omdat Hector tegen mij heeft gezegd dat jij de volmacht moet krijgen en dan moet dat.'

'Ik heb toch wel een keus?'

'Nee,' zei hij zacht.

Ze staarde hem aan. Hij weerstond haar blik en ze wendde haar ogen af.

'De politie weet wie ik ben,' zei ze. 'Ze hebben me in het restaurant gezien.'

'Dat risico moeten we accepteren. Die agenten wilden ons geld. Ze maken zich niet druk om jou. Leszek gaat met je mee naar huis, hij beschermt je als dat nodig mocht zijn.'

'En jij?' vroeg ze.

'Ik blijf in mijn schuilplaats en vertel jou wat je moet doen.'

Ze had duizend vragen, duizend smeekbeden.

'Ik zal je inwerken. Daar trekken we hier in de bergen een paar dagen voor uit, daarna kijken we hoe de zaken zich in Stockholm ontwikkelen.' Hij draaide zich om en begon terug te lopen over het zandpad.

Ze bleef staan, terwijl haar gedachten heen en weer stuiterden en nergens houvast vonden. Even later liep ze achter hem aan, met langzame passen. Aron stond iets lager op haar te wachten. Ze gingen naast elkaar lopen.

'Ze hebben mijn zoon mishandeld, Aron. Ze zijn met een auto op hem ingereden. Waarschijnlijk blijft hij de rest van zijn leven verlamd.'

Daar ging Aron niet op in.

'Hij had niets gedaan,' fluisterde ze. 'Het is niet eerlijk...'

Aron had een opgevouwen blaadje in zijn hand, stak haar de volmacht toe die Hector had ondertekend. Sophie pakte het document aan en stopte het in haar zak.

De rest van de weg naar huis legden ze zwijgend af.

Anders Ask schaduwen was gemakkelijk geweest. Na het werk even naar de 7-Eleven op de hoek van de Odengatan en de Sveavägen om een krantje, wat snoep en drinken te kopen, een praatje met het meisje achter de kassa en een pitstop bij de Italiaan met zijn geruite tafelkleedjes om een pizza te halen. Daarna door naar het appartement tegenover het park Vanadislunden.

Lars was het pand binnengegaan en had het slot van Anders' deur gefotografeerd, een al wat oudere Assa. De volgende ochtend had hij net zo'n slot gevonden bij een sleutelwinkel in Kungsholmen, hij had het gekocht en in zijn hotelkamer zitten oefenen in het openen ervan. Dat was moeilijk gebleken, het kostte tijd, hoewel hij het allerbeste gereedschap had voor dat doel. Hij zat er tot diep in de nacht mee en wilde dat hij met drie handen geboren was.

De volgende dag, toen de zon ergens bij Djurgården opkwam, kreeg hij het slot voor het eerst open. Lars oefende de hele ochtend stug door tot na lunchtijd en slaagde er ten slotte in het slot binnen zeven minuten open te krijgen.

Hij maakte zich klaar en begaf zich te voet naar de Sveavägen. Het was halfvier 's middags toen hij voor de tweede keer de entree binnenging, de gammele lift nam naar de tweede verdieping, het hek opentrok en voor de deur van Anders Ask uitstapte.

Anders had twee buren, Norin en Grevelius. Bij Norin was het stil en bij Grevelius was dof het geroezemoes van een tv te horen. Hij trok een muts over zijn hoofd, haalde de lopers tevoorschijn en ging op zijn knieën op de koude vloer zitten, ademde een paar keer diep in en ging aan de slag. Lars ging methodisch te werk, het ging allemaal prima, de lopers vonden de stiften en duwden ze in de behuizing. Een verdieping hoger ging een deur open en dicht, de lift ging tandje voor tandje omhoog. Lars moest even stoppen, hij trok de lopers eruit en verborg zich in het trappenhuis terwijl de lift weer naar beneden ging. Daarna kreeg hij zijn zeven minuten met het slot. Het gaf een klik.

Lars trok schoenbeschermers en handschoenen aan en zette een mondkapje op. Zo stapte hij de woning van Anders Ask binnen.

Het was een tweekamerappartement met een relatief grote keuken. Hij keek de woonkamer in. Een bank met geplette kussens, een scheve en kromme salontafel van Ikea. Een vitrinekast met stoffige glazen figuurtjes op een plankje. Reproducties van bekende kunstenaars aan de muren. Een enorme flatscreen-tv, luidsprekerboxen op de grond en compacte speakers aan het plafond. Anders hield van surround-geluid. Lars liep de slaapkamer in: het bed onopgemaakt, het rolgordijn dicht, een pocket op het nachtkastje: *Haas* van Paasilinna. Lars zag een koffer tegen de muur staan. Hij ging op zijn hurken zitten en maakte hem open. Kleren, paspoort, geld... Anders wilde ervandoor.

Terug naar de keuken. Lars ging op een stoel zitten, de wijzers van de wandklok bewogen langzaam, hij trok zijn mondkapje af en liet het aan het elastiekje om zijn nek hangen. Het ronkende verkeersgeluid van de Sveavägen was slaapverwekkend en Lars dommelde in.

Een paar uur later werd hij wakker doordat er een sleutel in het slot werd gestoken. De voordeur ging open en sloeg weer dicht. Hij hoorde Anders kuchen in de hal, er werden sleutels op een kastje gelegd en schoenen uitgeschopt. Er werd een rits opengetrokken – het slepende geluid van nylon wanneer een jas wordt uitgetrokken. Een hartgrondige zucht, de geur van versgebakken pizza. Voetstappen in de hal. Anders schrok zich wild toen hij Lars vanuit een ooghoek zag, hij hield zijn armen afwerend voor zich en liet de pizzadoos op de grond vallen.

'Wat is dit nou, verdomme? Sodeju, ik schrik me een ongeluk.'

Anders staarde Lars aan, bang en boos tegelijkertijd.

'Wat doe je hier?' Hij keek verward om zich heen. 'Hoe ben je in godsnaam binnengekomen?'

Lars hield de Makarov van Gunilla op hem gericht.

'Kom binnen en ga zitten.'

Anders aarzelde, keek in de loop, daarna naar de pizzadoos aan zijn voeten. Lars knikte naar een stoel, Anders begreep het eerst niet, stapte toen de keuken in en ging aarzelend zitten.

'Hoe gaat het met je, Anders?' vroeg Lars met de loop van het pistool op zijn buik gericht.

'Wat zei je?'

Lars herhaalde de vraag niet. Anders slikte.

'Waarmee?'

'Met alles.'

Anders keek naar het mondkapje om Lars' hals.

'Ja, wel goed... Ik snap het niet. Lars?'

Hij klonk bang.

'Wat snap je niet?'

'Dit! Wat doe je hier... met een pistool?'

Anders probeerde te glimlachen.

'Dat weet je toch wel?'

'Nee, dat weet ik niet!'

Nu klonk hij opeens boos.

'Ben je boos, Anders?'

Anders gebaarde met zijn handen. 'Nee, nee, sorry, ik ben niet boos. Ik ben alleen... verbaasd.'

Anders' onderdanige glimlach kwam terug, die was scheef en lelijk.

'Kom op, Lars, waar gaat het om? We kunnen dit oplossen. Doe dat pistool weg, alsjeblieft.'

Lars keek hem met een lege blik aan, veranderde niets aan de positie van het pistool.

'Hoe zullen we dit oplossen?' vroeg hij.

'Zoals jij wilt, zeg jij het maar,' zei Anders wanhopig.

Lars trok een peinzend gezicht.

'Wat moeten we eigenlijk oplossen?'

Anders begreep het niet.

'Huh?'

'Wát moeten we oplossen? Jij zei dat we dit kunnen oplossen. Wat?'

Anders staarde Lars aan.

'Dat weet ik niet, datgene waar jij voor komt.'

'En waar kom ik voor, denk je?'

'Dat weet ik niet!'

Anders' blik ging naar Lars' schoenbeschermers en zijn hart klopte in zijn keel van angst.

'Jawel, dat weet je wel...'

'Nee, dat weet ik niet!' Anders' stem was iets te hoog.

Lars wachtte een paar seconden, een lange, tergende pauze.

'Sara.'

Anders probeerde vragend te glimlachen.

'Ja? Wie is dat?'

Lars staarde Anders aan.

'Hou maar op,' zei hij rustig.

'Ik weet niet waar je het over hebt, Lars.'

Anders loog slecht wanneer hij bang was. De manier waarop Lars naar hem keek, gaf dat duidelijk te kennen en merkwaardig genoeg leek Anders zich daardoor te ontspannen. Hij zweeg, wierp een blik door het keukenraam, en zoog lucht naar binnen.

'Dat was ik niet. Dat was Hasse... En Gunilla had de opdracht gegeven. Ik had er niets mee te maken.'

'Wat is er gebeurd?' vroeg Lars.

Anders had een droge mond.

'Sara had iets begrepen nadat ze had gelezen wat er op jouw muur stond. Je had alles op de muur geschreven... Toch?'

Lars antwoordde niet.

'Dus zij gaf de opdracht, Gunilla dus. Die meid wist alles, ook over iets waar Gunilla eerder mee bezig was geweest, een of andere Patricia... daar weet ik verder niets van.'

Lars schudde zijn hoofd.

'Nee, Sara wist niets. Ze gokte maar wat.'

Anders begreep het niet.

'Je hebt die muur toch zelf gezien, of niet? Het was toch godsonmogelijk daar iets uit op te maken? Er was nauwelijks een verband... Ik had alles in een soort chaotische drugsroes geschreven! Ze snapte er niets van, ik snapte er niets van...'

'Maar nu snap je het wel?'

Lars knikte.

'Ja, nu wel.'

'Sta je ervan te kijken?' vroeg Anders met iets van trots in zijn stem.

Daar had Lars geen antwoord op, hij haalde zijn schouders op.

'Zie je hoe slim we het hebben aangepakt?'

Lars keek op.

'Waarom wilden jullie mij er niet bij hebben?' Lars' stem klonk bijna smekend.

'Dat wilden we best, Lars. Maar eerst moesten we zekerheid hebben. Maar het kan nog steeds, ga mee, dan doen we dit samen.'

'Maar jullie hebben Sara vermoord.'

Anders keek naar de grond.

'Oké, Lars, denk na. Gunilla is ons probleem. Samen kunnen we hier verandering in brengen, in je eentje begin je niets, ik kan overal bij. Maar doe wel dat pistool weg... We doen dit samen, Lars, we nemen haar definitief te grazen. Oké?'

Lars aarzelde, dacht na, keek Anders aan.

'Hoe zou dat in zijn werk moeten gaan?'

Anders zag een opening en kreeg weer wat zelfvertrouwen. Hij keek naar het pistool en daarna naar Lars.

'We verzamelen alles wat we hebben, maken een plan, we geven haar aan. Jij zegt niks over mij en ik zeg niks over jou...'

'En Hasse dan?'

'Dat bepaal jij, Lars. We kunnen hem omleggen, dat kan ik voor je doen. Bedenk dat hij je vriendin om het leven heeft gebracht, niet ik.'

Lars knikte bij zichzelf.

'Ja, dat is wel een goed idee...'

Anders glimlachte opgelucht en sloeg met zijn handpalm op zijn dijbeen.

'Mooi! Uitstekend, Lars! Nu nemen we haar samen te grazen, jij en ik, als team.'

Anders haalde opgelucht adem en wipte op de keukenstoel.

'Waar beginnen we mee?' vroeg Lars.

Anders was snel.

'Het belangrijkste is dat we ervoor zorgen dat Gunilla en Hasse geen argwaan krijgen... We gaan een paar dagen net zo door als altijd, wij zien elkaar 's avonds om een plan te maken waar we ons vervolgens aan houden. Dit gaat lukken, als we het maar samen doen, Lars, jij en ik.'

Lars liet het wapen aarzelend een stukje zakken.

'Sorry dat ik hier zo binnen ben komen vallen, Anders, met wapen en al.'

Anders wuifde met zijn hand, er rotsvast van overtuigd dat hij die idioot van een Lars Vinge had weten om te praten. Maar toen hief Lars het pistool, liet het een paar seconden in de handpalm van zijn linkerhand rusten, richtte en schoot hem trefzeker door zijn halfopen mond. De knal daverde door de keuken. De kogel vloog door de hals en nek van Anders Ask heen en boorde zich in de koelkastdeur achter hem. Het werd doodstil in de keuken. Anders staarde Lars verbaasd aan. De stoel waar hij op had zitten wippen belandde in een gewichtloos niemandsland waarin hij even op de twee achterste poten bleef schommelen voordat de zwaartekracht uiteindelijk te machtig werd en de stoel achterover viel en samen met Anders Ask op de keukenvloer landde.

Lars zette het mondkapje op, stond op, liep naar Anders toe en ging op zijn hurken zitten. Anders staarde Lars aan, een straaltje bloed stroomde onder zijn hoofd op de grond.

'Je bent een stomme klootzak, Anders Ask. Dacht je dat ik van lotje getikt was?'

Lars rook een vage geur van verbrand vlees.

'Denk dan hier maar eens over na... Ik leef, jij gaat dood.'

Anders probeerde iets te zeggen, maar er kwam geen geluid. Zijn mond bewoog alleen driftig, als bij een vis op het droge.

'Ik hoor je niet, Anders,' fluisterde hij. 'Maar jij gaat naar de hel. Je hebt vrouwen vermoord en er ligt een jongen in het ziekenhuis die misschien wel voor de rest van zijn leven verlamd is. Waarschijnlijk hebben ze daarbeneden een speciale afdeling voor jouw soort lieden.'

Lars bleef geduldig toekijken, terwijl het leven van Anders Ask uitstroomde over de linoleumvloer. Toen hij dood was, stond Lars op, zette het keukenraam open en veegde het wapen met een keukendoek af. Intussen staarde hij steeds naar het lijk van Anders dat daar lag. Wat voelde hij? Berouw? Nee... Bevrijding? Nee, hij voelde niets. Lars zette de keukenradio aan met het volume op maximaal. Hij stond op radio 1.

Hij ging weer op zijn hurken naast Anders zitten, sloot de rechterhand van de dode om het pistool, richtte de loop op het open raam en boog zijn eigen hand weg van het wapen, zodat er duidelijke kruitsporen op Anders' hand zouden komen. Lars haalde de trekker over. Het nieuws overstemde de knal, de kogel schoot het raam uit, over het park heen, volgde een baan over station Oost en kwam ergens op Lidingö neer. De buren zouden misschien twee schoten horen. Maar dat was dan maar zo... Getuigen hadden het meestal mis. Daar gingen alle politiemensen van uit. Getuigen waren een beetje gek.

Hij deed het raam dicht, keek naar Anders' positie in de kamer en rekende uit hoe het pistool waarschijnlijk uit zijn hand gevallen zou zijn. Hij legde het een eindje van het lichaam op de grond. Daarna liep hij de slaapkamer in, pakte Anders' koffer uit, legde de kleren weer in de kast en het paspoort in een bureaula, deed de lege koffer dicht en schoof die onder het bed van Anders Ask.

Lars liep achteruit het appartement uit, trok de latexhandschoenen uit, zette het mondkapje af en deed de deur zachtjes achter zich dicht.

Lars sliep die avond diep en werd om halfzes 's ochtends wakker. Hij bestelde koffie op de kamer, eten hoefde hij niet. Hij wachtte tot acht uur voor hij belde. De man aan de andere kant van de lijn weifelde, maar Lars hield voet bij stuk.

Hij had gedoucht en een overhemd gestreken. Met het gladde overhemd los aan stond hij voor de badkamerspiegel zijn haar in model te brengen. Hij was gecontroleerd high, kamde langzaam...

Zijn schoenen waren pas gepoetst, zijn broek had onder de matras gelegen. Hij zag er respectabel uit, hij keurde zijn gezicht in de spiegel, daar had hij nooit problemen mee als hij high was. Hij oefende op een uiterlijk. Een uiterlijk dat algemeen moest zijn. Lars wist een lege, nietszeggende uitdrukking op zijn gezicht te brengen, deed de knoopjes dicht, pakte zijn jasje van de rug van de stoel en trok het aan. Op weg naar buiten pakte hij de sporttas van het bed en verliet de kamer.

Daglicht was gevaarlijk voor hem, maar hij had geen keus. Het moest overdag gebeuren, anders zou zijn gesprekspartner achterdochtig worden. Lars had het Mariatorget gekozen, een open plein dat hij goed kon overzien.

Hij stond in het trappenhuis boven in een pand en observeerde het park beneden door een verrekijker. Het was 11.44 uur. Ze hadden om halftwaalf afgesproken. Hij zocht met zijn verrekijker langs de mensen. Vooral moeders met buggy's, kinderen op schommels, hier en daar een vader die met gebogen rug zijn handen rond zijn eenjarige hield die per se zelf wilde lopen. Hij zocht verderop in het park aan de kant van de Sankt Paulsgatan. Gehaaste mensen, een groepje lachende jongeren, een paar bejaarden op bankjes.

Lars draaide de verrekijker naar de Hornsgatan, daar zag hij ook niets. Auto's, mensen die doelloos rondwandelden, dikke plattelanders op reis die een ijsje kochten bij het kraampje.

Hij liet de kijker zakken en keek op zijn horloge. Het was 11.48 uur, zou hij weggaan? Hij keek het hele park nog één keer rond. En daar, midden in die zwaaiende beweging, zag hij een man alleen op een bankje. Lars bewoog terug. De man zat met zijn ene arm over de rugleuning van het bankje, hij had halflang haar en een kale kruin. Toen de man een klein stukje draaide, zag Lars de politiesnor. Hij was het echt.

Lars toetste een nummer in op zijn mobiel. Hij hield het mobieltje voor zijn oor en keek door de kijker naar de man, die in zijn zak naar zijn rinkelende telefoon zocht, hem vond, en opnam.

'*Ja?*'

'Tommy?'

'*Yep.*' Bijna onverstaanbaar.

'Ik ben wat laat, nog vijf minuten...'

Lars hing op. Hij keek weer door de kijker naar Tommy Jansson. Tommy bleef op het bankje zitten en staarde naar de mensen in het park. Hij belde niemand, gaf niemand een teken. Hij zat daar gewoon te wachten – verveeld, rusteloos en warm. Lars liet de kijker rondgaan en keek naar mensen in de buurt. Hij zocht tussen de bomen aan de andere kant bij de oude bioscoop, zag niets. Het leek erop dat Tommy alleen was gekomen.

Hij stopte de kijker in zijn tas en liep de trappen af naar beneden. Lars stapte de zon in en liep naar het bankje waar Tommy zat. Het bankje naast hem was leeg en daar ging Lars zitten. Tommy wierp een blik op hem en richtte daarna zijn blik weer op het park. Lars wachtte een hele poos, hij merkte niets abnormaals op. Tommy keek zuchtend op zijn horloge. Lars stond op en ging naast hem zitten.

'Ik ben Lars.'

Tommy was geïrriteerd.

'Je bent een arrogante klootzak, Lars. De manier waarop je mij hier laat wachten bevalt me totaal niet. Wat wil je?'

Tommy sprak het dialect van Södermalm, misschien had zijn moeder hem exact op de plek waar ze nu zaten het leven geschonken.

'Ik wil een paar dingen met je bespreken.'

'Ja, dat zei je aan de telefoon al... Je werkt voor Gunilla, waarom praat je niet met haar? Je kent de bevelshiërarchie toch wel?'

Lars keek om zich heen, er waren veel mensen in beweging. Hij kreeg opeens weer last van zenuwen.

'Kunnen we ergens anders heen gaan?'

Tommy snoof verachtelijk. 'Vergeet dat maar, ik zit hier al in mijn eigen tijd... Voor de draad ermee, anders ga ik weg.'

Lars vermande zich en keek Tommy aan. Hij werd overspoeld door twijfel. Was dit de juiste man om mee te praten of stond hij op het punt de vergissing van zijn leven te begaan?

'Ik heb informatie,' zei Lars.

'Waarover?'

'Over Gunilla.'

De frons in het voorhoofd bleef waar hij zat.

'O?'

'Gunilla doet geen onderzoeken, het is allemaal nep,' zei hij zacht.

Tommy keek hem vorsend aan.

'Hoe kom je daar zo bij?'

'Ik heb de afgelopen maanden voor haar gewerkt.'

Tommy keek Lars grimmig aan.

'Vind jij dat vier doden in Vasastan geen onderzoek zijn?'

'Er is een onderzoek gestart in verband met die moorden, maar daar heeft ze zich nooit voor geïnteresseerd.'

'Wat bedoel je?' vroeg Tommy.

Lars wilde hem het hele beeld schetsen.

'Het begon met het afluisteren van die verpleegkundige.'

Tommy had nog steeds die geërgerde frons op zijn voorhoofd.

'Welke verpleegkundige?'

Lars was gespannen. 'Wacht even, laat me uitpraten... Hector Guzman lag in het ziekenhuis, Gunilla was daar, ze vatte belangstelling op voor een verpleegkundige op de afdeling, die kennelijk een soort relatie met Guzman was begonnen. Hoe dan ook, we luisterden die verpleegkundige thuis af, Anders Ask en ik.'

Tommy luisterde, zijn rimpel van ergernis ging langzamerhand over in een rimpel van nieuwsgierigheid.

'Ik moest die verpleegkundige observeren; Gunilla was ervan overtuigd dat zij en Hector een relatie zouden krijgen, en dat was ook zo. Ze had gelijk, zoals gewoonlijk, maar het afluisteren en observeren leverde niets op.'

Tommy wilde iets zeggen, maar Lars praatte verder.

'De tijd verstreek, Gunilla raakte steeds meer gestrest toen bleek dat er geen nuttige informatie naar voren kwam. Ze haalde er de een of andere gorilla bij, een gewezen ME'er die bij de politie van Arlanda werkte, Hasse Berglund. Dat werd haar wapen, samen met Erik en Anders. Toen haar frustratie groeide, reageerde ze op een merkwaardige manier.'

'Hoe dan?' Tommy's stem was zacht.

Lars keek spiedend rond door het park.

'Ze pakte de zoon van de verpleegkundige.'

Tommy kon het niet volgen.

'Hasse en Erik haalden hem op voor verhoor, een zogenaamd verhoor. Ze hadden een verhaal bedacht dat de zoon een meisje had aangerand, verkracht...'

Tommy wist niet wat hij ervan moest denken.

'Zo wilden ze haar in hun macht krijgen... Ik geloof dat ze haar hebben aangeboden de problemen van haar zoon te laten verdwijnen als zij in ruil daarvoor Hector verlinkte.'

Tommy dacht na.

'En heeft ze dat gedaan?'

Lars haalde zijn schouders op.

'Ik weet het niet... volgens mij niet, ik geloof niet dat ze iets wist.'

Tommy sloeg op zijn rechterdijbeen.

'Oké. Dit klinkt niet best, Lars, als het waar is wat je zegt. Gunilla is altijd iemand geweest van de onconventionele methodes, maar nu is ze te ver gegaan, dat is duidelijk. Ik zal met haar praten. Bedankt dat je contact met me hebt opgenomen.'

Tommy stond op en stak zijn hand uit.

'Dit blijft onder ons, oké?'

Lars keek naar Tommy's hand.

'Ga zitten, ik begin nog maar net.'

Lars vertelde Tommy Jansson alles wat hij wist, van begin tot eind. Het relaas duurde twintig minuten.

Tommy gaapte hem aan. Zijn gezicht was veranderd.

'Sodeju...' fluisterde hij.

Nu streek hij niet over zijn snor, maar krabde met zijn hand aan zijn stoppelige wangen.

'Godsamme...'

Hij hield zijn blik op Lars gericht. 'En je hebt alles op band, zeg je?'

'Ik heb opnames waarop ze over de moord op Sara praat, waar Anders Ask en Hasse Berglund bij zijn. De moord op Patricia Nordström wordt ook genoemd. En er zitten ook gesprekken bij over hoe ze de zoon van de verpleegkundige erin hebben geluisd, hoe ze hem hebben aangereden, over de niet-gesanctioneerde observatie, over haar hele manier van werken. Er zijn aantekeningen en een boekhouding van miljoenen die zij, haar broer en Anders Ask hebben gestolen uit zaken waar ze in de loop der jaren aan hebben gewerkt.'

Tommy vloekte voor de tiende keer binnensmonds.

'En die jongen? Ligt die nog in het ziekenhuis?'

Lars knikte.

'Hij is er slecht aan toe.'

Tommy zuchtte en probeerde de puzzel in elkaar te krijgen.

'Wat ga je doen?' vroeg Lars.

Die vraag leek Tommy Jansson niet lekker te zitten, alsof hij die liever niet wilde horen.

'Ik weet het niet... Ik het weet het op dit moment niet,' zei hij zacht.

'Volgens mij weet je het wel.'

Hij keek Lars aan.

'O ja?'

'Ze is een moordenares, een crimineel... en rechercheur. Jij bent haar chef, zij is dus jouw verantwoordelijkheid.'

'Wat is je punt?'

'Dat je twee mogelijkheden hebt.'

'En dat zijn?'

Lars liet een bejaard echtpaar passeren.

'Of je pakt haar op voor moord, chantage, het bedreigen van getuigen, belemmering van de rechtsgang, afluisteren... nou ja, de hele waslijst. En als haar chef word jij in haar val meegesleurd; waarschijnlijk word je zelf ook ergens voor aangeklaagd wanneer dit door alle politiemensen en alle journalisten van het hele land wordt uitgespit. Niemand zal geloven dat jij er niets van wist.'

'Maar dat is wel zo. Ik wist er niets van.'

'Denk je dat dat iemand iets zal kunnen schelen?'

Tommy leunde achterover op het bankje.

'En de tweede mogelijkheid?' vroeg hij zacht.

Op die vraag had Lars gewacht.

'Mogelijkheid twee is dat je haar laat afvloeien.'

Lars leunde naar voren.

'Daarmee voorkom je problemen, vragen en verantwoordelijkheid. Ze neemt gewoon ontslag. Leeftijd, het verdriet om Erik, weet ik veel. Maar ze moet hier weg, ver weg. Ik zwijg hierover en in ruil daarvoor wil ik haar baan... of iets beters bij de recherche. Ik wil jou als directe chef. Ik wil je niet in mijn nek voelen blazen als ik werk. En na een paar jaar wil ik promotie...'

Tommy kreeg iets grimmigs over zich.

'Je bent een lid van de ordepolitie die om de een of andere onverklaarbare reden in Gunilla's groep terecht is gekomen. Je hebt geen ervaring, geen *track record*, niets. Hoe moet ik dat verkopen als de mensen ernaar vragen?'

'Je zult iets moeten verzinnen.'

Tommy beet op zijn lip.

'Hoe weet ik dat het waar is wat je zegt? Misschien verzin je het allemaal maar.'

Lars schoof de sporttas naar Tommy toe.

'Kijk zelf maar en bel me als je het gezien hebt, het liefst vanavond,' zei Lars.

Tommy probeerde na te denken. Lars stond op en liep weg. Tommy keek hem na, vervolgens stond hij op met de sporttas in zijn hand en liep de andere kant uit.

# 28

In de kerk werd Fauré gespeeld, de aanwezigen liepen langs de kist. Gunilla stond aan de korte zijde ervan, legde een bloem op het deksel en maakte een kniebuiging, volgens alle regels van de kunst. Er stond een dertigtal mensen klaar om afscheid te nemen van die idioot van een Erik Strandberg, onder wie een paar oude knarren in slecht zittende politie-uniformen.

Lars sloeg het spektakel gade vanuit een bank achter in de kerk. Tommy Jansson stond in de rij, hij had in elk geval de goede smaak om een gewoon jasje te dragen.

Lars zocht Gunilla's blik toen ze ging zitten. Hij had het idee dat ze elkaar even in de ogen keken. Of was dat niet zo? Lars hield Tommy Jansson in de gaten. Zou hij zich opvallend gaan gedragen, zou hij haar laten merken dat hij op de hoogte was? Maar Tommy glimlachte vriendschappelijk, bedroefd en zelfverzekerd naar Gunilla, hij gaf haar zelfs een schouderklopje toen hij langs haar liep. *Goed zo, Tommy.*

Toen de hele rij de kist gepasseerd was, verliet iedereen de kerk.

Gunilla stond bij de uitgang en nam een heleboel vals medeleven in ontvangst. Lars omhelsde haar.

'Bedankt voor je komst,' zei ze verdrietig.

'Heb je een minuutje?' vroeg Lars.

Nadat Gunilla alle condoleances in ontvangst had genomen zochten ze een plekje buiten de kerk, onder een hulstboom.

'Hoe gaat het met je?' vroeg hij vriendelijk.

Ze zuchtte.

'Het is verdrietig, maar ook goed, het was een mooie begrafenis.'

'Dat vond ik ook,' zei Lars op meelevende toon.

Het was volkomen stil op het kerkhof. Er waaide een zachte zomerbries door hun haar.

'Ik heb een halfuur gewacht voordat ik de ambulance belde. Ik heb een halfuur zitten wachten tot je broer dood was.'

Hij keek haar in de ogen terwijl hij tegen haar praatte, zijn stem was zacht.

'Hij had een beroerte gehad... Hij lag op de grond. Hij zou nu nog leven als ik de ambulance had gebeld. Maar ik heb gewacht...'

Gunilla was bleek. Lars glimlachte.

'Hij heeft echt geleden, Gunilla.'

Ze staarde hem aan.

'En dat Anders Ask zich met jouw oude Makarov van kant heeft gemaakt, wie had dat gedacht?'

Gunilla kreeg haar gedachten niet op een rijtje; ze wilde iets zeggen, maar Lars was haar voor.

'Dan staan we nu zeker quitte?' vroeg hij.

Ze begreep het niet en kneep haar ogen tot spleetjes.

'Je snapt het niet, hè?'

Gunilla schudde langzaam haar hoofd.

'Sara... Jij hebt Sara vermoord.'

Lars staarde in Gunilla Strandbergs ogen. Die waren ongenaakbaar. Lars wees naar Tommy.

'Hij weet wat je hebt gedaan. Hij geeft je tot vanavond de tijd om te vluchten. Dat is waarschijnlijk het beste aanbod dat je ooit hebt gehad. Grijp dat aan.'

Tommy, die bij een groepje mannen stond, keek naar Lars en Gunilla en knikte bijna onmerkbaar. Gunilla richtte zich tot Lars: 'Je hebt niets, Lars. Ik heb je nooit iets gegeven. Heb je eigenlijk wel het flauwste benul waarom je hieraan mee mocht doen?'

'Omdat ik kneedbaar ben?'

Gunilla keek hem verbaasd aan.

'Ik heb een microfoon uit Sophies huis gehaald en die in bureau Brahegatan geplant. Alles is opgenomen: de ontvoering van Albert, het afluisteren, de moord op Sara, de moord op Patricia Nordström... Alles staat erop... Helder en duidelijk. Jouw aantekeningen en waardepapieren heb ik ook. De bedragen die jij, Anders en je broer in de loop der jaren hebben gestolen...'

Gunilla stond stil, staarde Lars aan, probeerde gedachten en woorden te vinden. Vervolgens draaide ze zich om en liep weg.

Lars keek haar na en liep terug naar de kerk. Hij vond een bank, ging zitten en pakte zijn mobiel, vulde zijn longen met zuurstof en liet de lucht langzaam weer ontsnappen. De klokken begonnen te luiden, hij tilde het mobieltje op en toetste het nummer in. Het telefoonsignaal klonk buitenlands.

Ze nam op met 'hallo'. Hij werd zenuwachtig toen hij haar stem hoorde. Hij stelde zich wat knullig voor. Ze klonk kortaf, alsof ze helemaal niet blij was dat hij belde. Lars verontschuldigde zich en zei dat het allemaal geregeld was, dat ze nu gerust kon zijn. Ze vroeg wat hij bedoelde en hij legde haar uit wat hij had gedaan.

'Ik ben straks een tijdje weg,' zei Lars.

Sophie zweeg.

'Misschien kunnen we elkaar eens spreken als ik terug ben?'

Sophie hing op.

*

Ze maakten een tussenlanding op Ruzyně International in Praag. Leszek nam haar en Sonya mee naar de VIP-lounge, waar ze wat aten en rustten. Hun vlucht naar Arlanda zou over twee uur vertrekken.

Sophie probeerde een tijdschrift te lezen. Ze sloeg het dicht, stond op en liep even rond om de benen te strekken. Ze ging voor een raam staan en keek uit op de aankomsthal beneden. Daar stroomden de mensen in een soort ordelijke chaos langs. Deze reis liep ten einde, maar zo voelde het niet. Ze had juist constant het gevoel dat iets groots nog maar net was begonnen, nog in de kinderschoenen stond. Ze liet haar blik verdrinken in de mensenzee beneden. Na een tijdje draaide ze zich om. Leszek lag op de bank te slapen, Sonya bladerde in een weekblad. Ze ging naast hen zitten en pakte een tijdschrift van tafel. Sonya keek op van haar lectuur, glimlachte naar Sophie en ging weer door met lezen.

Vanaf Arlanda ging ze rechtstreeks naar het Karolinskaziekenhuis. Jane en Jesus zaten allebei in Alberts kamer een boek te lezen. Jane stond op en omhelsde Sophie stevig.

Albert was nog steeds buiten kennis. Sophie kon niet meer op haar benen blijven staan, ze moest gaan zitten. Albert zag er zo vredig uit, misschien droomde hij mooie dromen. Dat hoopte ze, dat was het enige wat ze op dat moment hoopte. Ze hield zijn hand vast, de tijd loste op. Duizend en één gedachten hadden haar de afgelopen dagen beziggehouden, of eigenlijk verschillende verschijningsvormen van één enkele wens: dat Albert er op de een of andere manier goed uit zou komen.

Ze bleef daar een hele poos zitten, uren misschien wel. Daarna verliet ze de kamer. Ze liep door de gang, passeerde een man met een sikje en kort haar die met zijn stoel tegen de muur leunde; hij zocht haar blik en ze bleef staan.

'Ik ben een vriend van Jens,' zei hij discreet voordat ze het kon vragen. 'Ik zal erop blijven toezien dat je zoon niets overkomt.'

Hij keek weg alsof hun gesprek afgelopen was. Ze wist niet wat ze moest zeggen, ze wilde iets zeggen, het werd een gefluisterd 'dankjewel'.

Ze draaide de deur van het huis van het slot en stapte naar binnen. Ze hoorde de stilte die haar tegemoetkwam in de vorm van tikkende geluiden in het huis. Ze liep de keuken in en bleef midden in de ruimte staan. Ze wilde naar hem roepen, zeggen dat ze thuis was. Hij zou antwoorden vanuit de tv-kamer of van boven. Hij zou boos klinken, zonder dat hij dat was, daarna zou zij de boodschappen in de koelkast leggen, of tafeldekken. Of gewoon in een stoel gaan zitten lezen in een weekblad dat ze net had gekocht. Hij zou de keuken in komen en grapjes met haar maken. Ze zou vragen naar zijn huiswerk en zeggen dat hij binnenkort naar de kapper moest. Hij zou niet reageren en dat zou ze prima vinden.

Maar... nergens geluiden. Niemand aanwezig behalve zijzelf. Ze voelde dat ze op instorten stond. Dat wilde ze niet, ze vocht ertegen en hervond iets in zichzelf.

Ze kwamen om kwart over zeven, de vaste tijd voor bezoek.

Sonya, Leszek, Ernst, Daphne en Thierry bevonden zich in haar woonkamer. Leszek had postgevat bij een raam en hield de tuin en de weg in het oog. Ernst inspecteerde een schilderij. De anderen keken naar de foto's in de kast en praatten met elkaar.

Ze sloeg hen vanuit de keuken gade, waar ze met het eten bezig was. Het was een bont gezelschap, maar nu was het háár gezelschap, waren het háár mensen. Vrienden? Nee... Beslist niet. Vijanden? Nee, dat ook niet. Ze voelde zich eenzaam, ze had het gevoel dat ze een rol speelde. Dat deden de anderen misschien ook wel.

Ze praatten en aten. Sophie luisterde naar het kille gespreksonderwerp. Ze waren het er allemaal over eens dat ze zich gedeisd moesten houden en afwachten hoe het met Hector ging. Hanke moest dood, de vraag was alleen hoe en wanneer.

# 29

Lars had uitgecheckt bij het hotel en betaald met een deel van Gunilla's contanten.

Hij verliet de stad en kwam laat in de avond bij de Bergsjögården aan. Een man en een vrouw van in de vijftig heetten hem welkom. Ze maakten een hartelijke, betrouwbare en normale indruk. Hij had iets anders verwacht, misschien wel het tegenovergestelde.

Ze vroegen of ze zijn bagage mochten doorzoeken en dat vond hij goed.

Lars betaalde een maand behandeling met de rest van Gunilla's geld en de volgende ochtend zat hij in een kring met elf andere mannen uit alle hoeken van het land, die er allemaal heel anders uitzagen en heel verschillende achtergronden hadden. Ze stelden zich met hun voornaam voor en vertelden nerveus waarom ze daar zaten. Ze waren allemaal drugs- of medicijnverslaafd. Iedereen was bang en benieuwd wat hem te wachten stond.

De eerste dag ging goed. Hij kreeg het gevoel dat hij hier goed zat, dat hij geholpen werd. 's Middags praatte hij met een begeleider. Het was een vertrouwelijk gesprek, in elk geval wat de begeleider betrof. Een voormalig medicijnverslaafde en verzekeringsmakelaar uit Småland, die Daniel heette. Daniel zei dat hij wist wat Lars doormaakte en dat ze hem zouden helpen als hij bereid was het roer om te gooien.

Lars begreep er niet veel van, maar het was een overweldigend gevoel dat hij zich op een goede, menselijke plaats bevond waar de mensen collectief verstandig waren. Hij wilde ook weer verstandig zijn.

De tweede dag ging moeilijker, aanvankelijk. Ze kregen de opdracht hun eigen drugs- en verslavingsgeschiedenis op te schrijven. Zijn weerstand werd kleiner toen hij de andere mannen hoorde praten. Open, emotioneel en eerlijk.

Die avond schreef Lars dat de vonken ervan afspatten. Hij begon zich op de een of andere manier vrij te voelen, vrij en dankbaar. Hoe meer hij schreef, hoe duidelijker het beeld werd, een beeld dat hij zou kunnen corrigeren, dat voelde hij. Dat het leven vanaf nu misschien anders kon worden, beter.

Die nacht sliep hij lekker, hij droomde de bekende dromen en toen hij wakker werd had hij zin in ontbijt.

Op de middag van de derde dag kwamen de onthoudingsverschijnselen en de ontkenning. Nu was Lars het positieve gevoel kwijt. Daniel zag het en probeerde hem weer op de rit te krijgen. Maar er zat een spottende glimlach op Lars Vinges gezicht geplakt. Daniel en de andere mannen van de Bergsjögården waren opeens zijn vijanden geworden. Hij vergeleek zichzelf met hen. Het waren allemaal idioten en leden van een sekte. Hij had met niemand van hen iets gemeen. Ze waren zwak en gehersenspoeld en konden hun hogere macht in hun reet stoppen. De impuls om te vluchten bonsde en schreeuwde in zijn binnenste en die nacht kneep hij ertussenuit. Hij klom uit het raam van zijn slaapkamer en liep naar de parkeerplaats waar zijn auto stond. Hij zou naar huis gaan en een paar dagen lang flink wat spul innemen, daarna kon hij weer stoppen, dat zou geen probleem zijn. Nu wist hij immers dat deze plek er was, die zou wel blijven. Bovendien had hij toch het recht om met zijn leven te doen wat hij wilde? Hij deed er niemand kwaad mee.

Lars kwam thuis in zijn appartement en verdoofde zichzelf met alle drank en pillen die hij kon vinden. Zijn hersenen werden traag en Lars kroop over de vloer op zoek naar mieren en andere beestjes om mee te praten. Hij kotste in de gootsteen, dat was een prettig en reinigend gevoel. Daarna nam hij flink wat Hibernal in. Hij wist wat het was: chemische lobotomie. De pillen deden precies wat ze moesten doen. Lars bleef een eeuwigheid op de grond voor zich uit zitten staren, van enig gevoel geen spoor. Hij zat daar gewoon, Lars Vinge, hij voelde niets, vond niets, verwachtte niets. Een groot niets zonder enige inhoud. Daarna werd alles zwart, zoals altijd.

De volgende ochtend werd hij wakker op de keukenvloer met een koud gevoel tussen zijn benen. Hij voelde met zijn hand, zijn spijkerbroek was nat en koud; hij had in zijn broek geplast.

Zijn mobieltje rinkelde op de parketvloer naast hem, hij reikte ernaar.

'*Hallo, kerel.*'

De stem van Tommy. Lars veegde speeksel uit zijn mondhoek.

'Hoi,' zei hij rochelend.

'*Heb je uitgecheckt?*'

Lars probeerde zijn gedachten te ordenen.

'Hoe weet je dat?'

'*Ik hou een oogje op mijn mensen, je had iets moeten zeggen, Lars. We zorgen voor elkaar... Je bent niet alleen, als je dat soms denkt. Hoe gaat het met je?*'

Lars wreef met zijn wijsvinger langs zijn neus.

'Ik weet het niet, wel goed geloof ik.'

'*Ik kom naar je toe,*' zei Tommy.

Lars kon zo snel niet protesteren.

Een halfuur later was Tommy er. Hij had eten en drinken bij zich in de vorm van een suikerbrood en sinaasappeldrank. Ze zaten in de woonkamer een openhartig gesprek te voeren, Lars in een fauteuil en Tommy op de bank. Tommy zei dat hij vond dat Lars het nog eens moest proberen, het werk bleef wel en als chef had hij de mogelijkheid om Lars' behandeling te betalen. Lars luisterde aandachtig. Tommy stelde vragen over Lars' verslaving, welke pillen hij nam, hoe hij eraan kwam en welke het sterkst waren. Lars antwoordde zo goed mogelijk. Hij vertelde hoe hij al in zijn jeugd verslaafd was geraakt en helemaal uit de koers was geraakt toen hij opnieuw was begonnen met relatief ongevaarlijke spullen. Tommy luisterde hoofdschuddend.

'Wat een ellende,' zei hij zacht.

Lars was geneigd het met hem eens te zijn.

'Maar we gaan dit oplossen,' zei Tommy knipogend en hij klopte lichtjes met zijn handpalm op zijn been. Hij stond op en ging naar de wc.

Lars zat daar in zijn eentje, hij geeuwde en rekte zich uit.

Toen Tommy terugkwam, liep hij achter Lars langs. Lars begreep er niks van toen hij een harde klap in zijn nek kreeg. Hij begreep er nog minder van toen Tommy zijn beide handen vastpakte, ze op zijn rug draaide en hem uit de fauteuil op de grond trok. Lars kwam met zijn gezicht hard op de vloer terecht met Tommy's lichaam boven op zich. Hij probeerde zich te verzetten, maar Tommy was in het voordeel. Tommy was taai en sterk, Lars had een kater van de pillen. Het was een ongelijke strijd. Lars protesteerde verward, Tommy zei dat hij zijn bek moest houden en trok een paar handboeien uit het foedraal aan zijn riem en klikte die om Lars' polsen.

'Wat doe je, verdomme, wat maak je me nou? Tommy?'

Tommy verdween weer uit de woonkamer. Lars lag plat op zijn buik.

'Tommy!' riep hij. Geen reactie. Lars luisterde, hoorde dat Tommy de voordeur opendeed en dat die weer dichtviel. Was hij weggegaan?'

'Tommy? Niet weggaan!'

Lars lag met zijn armen geboeid achter zijn rug en probeerde na te denken. Hij liet zijn wang op de koude vloer rusten.

'Tommy!' riep hij even later, hij voelde zijn eigen adem die terug-gekaatst werd door het parket.

Lars hoorde zachte geluiden in de keuken, het klonk alsof er twee mensen stonden te fluisteren...

'Tommy, toe nou! Kunnen we niet praten?' Lars' stem was zwak. Hij lag met zijn gezicht op de grond. Hoeveel tijd er verstreek wist hij niet, maar opeens dacht hij dat hij iemand in de hal zag. Het was Tommy niet, het waren de contouren van een vrouw. Hij kneep zijn ogen tot spleetjes en zag wie het was: Gunilla... Ze stond daar in de deuropening van de woonkamer, tegen de deurpost geleund, met haar handtas over haar schouder.

Er begon hem iets te dagen, iets wat hij bijna niet durfde te denken. Zijn ademhaling werd opeens hard en zwaar. Hij zuchtte een paar keer luid en hoestte toen zijn keel van angst werd dichtgesnoerd.

'Wat doe je hier?' wist hij uit te brengen.

Tommy wrong zich langs Gunilla heen het vertrek in. In zijn hand een automatisch pistool met op de loop een lange geluiddemper. Lars probeerde zijn doodsangst weg te hoesten, plaste weer in zijn broek en probeerde rechtop te gaan zitten, maar dat lukte niet met zijn handen achter zijn rug. Het bleef bij schokkerige bewegingen op de gladde, harde vloer; hij leek wel een zeehond op het land. Hij probeerde Tommy tot rede te brengen, maar de angst maakte zijn woorden zwak en onverstaanbaar. Hij probeerde iets tegen Gunilla te zeggen, probeerde duidelijk te maken dat dit overdreven was... dat hij nu niet dood hoefde, dat het in geen verhouding stond tot wat hij had gedaan. Maar ze leek niet te horen of te begrijpen wat hij wilde zeggen.

Tommy ging achter Lars staan, trok hem overeind tot zitten, zette de geluiddemper een centimeter van zijn rechterslaap en zocht Gunilla's blik. Ze knikte. Lars probeerde weer iets te zeggen. Het bleef bij een sissend geluid dat rook naar panische en hartverscheurende angst.

Tommy haalde de trekker over, *plop, bam* – het geluid van een harde plof. De kogel ging recht door Lars' hoofd en sloeg verderop in de muur van de woonkamer in. Een dun straaltje bloed spoot uit Lars' linkerslaap. Gunilla staarde ernaar. Lars zakte in elkaar. Tommy stapte voorzichtig achteruit en werkte toen snel. Hij ging op zijn hurken zitten, maakte de handboeien los en veegde de vloer schoon waar hij had gestaan.

Gunilla voelde het tegenovergestelde van wat ze had verwacht. Ze had gedacht dat ze het fijn zou vinden om hem te zien sterven, een opluchting, een weldadig gevoel na wat hij Erik had aangedaan. Maar dat was niet zo. Ze voelde zich alleen maar leeg en bedroefd. Ze had Tommy gevraagd om Lars op precies deze manier om te brengen, zodat zij het laatste zou zijn wat hij zag. Zodat hij op dat moment zou begrijpen dat hij nooit van haar kon winnen, dat zulke dingen voorbestemd waren. Misschien had hij het begrepen, misschien niet, maar haar gevoel was toch anders dan ze had verwacht. Dat er op zo'n treurige manier een einde moest komen aan Lars' ellendige, zielige leven had iets tragisch. Ze had genoeg van alles wat met dood te maken had.

'Bedankt, Tommy,' zei ze zacht.

Hij keek haar aan.

'Hoe voel je je?'

Ze antwoordde niet. Tommy stond op met de handboeien in zijn ene en het pistool in zijn andere hand en keek haar aan.

'Ik mis Erik,' zei ze zacht.

Tommy zuchtte. Ze keken elkaar lang in de ogen. Hij hief het pistool. Hij hoefde niet te richten, hij haalde gewoon de trekker over. Weer maakte het wapen dat harde, korte, puffende geluid en door de terugslag zwaaide de geluiddemper met een hoek van vijftien graden omhoog. De kogel trof de rechterkant van Gunilla's voorhoofd.

Ze bleef een moment doodstil staan. Alsof ze zo verbaasd was dat de kracht van haar verbazing haar nog een moment in leven hield voordat haar benen het begaven. Ze zakte op haar plaats in elkaar als een marionet waarvan iemand alle touwtjes heeft losgelaten. Haar ogen staarden schuin omhoog naar het plafond, uit het gat in haar voorhoofd sijpelde bloed.

Tommy hijgde, zijn hart bonsde wild, zijn mond was droog en hij vocht tegen de gevoelens die zich opdrongen. Hij probeerde zich te vermannen, duwde alle emoties weg en mompelde stil bij zichzelf wat hij moest doen, wat hij had geoefend; er mocht niets aan het toeval worden overgelaten. Tommy keek naar Gunilla en daarna naar Lars. Gewoon twee dode dingen, prentte hij zichzelf in.

Tommy draaide de geluiddemper van het pistool, stopte die in zijn zak, legde het wapen op de grond, haalde een wattenstaafje uit het plastic zakje dat hij bij zich had, en schraapte er licht mee boven de trekker, waar onzichtbare kruitsporen zaten. Hij penseelde met het wattenstaafje met de kruitsporen over Lars' rechterhand, op het zachte gedeelte tussen duim en wijsvinger. Tommy plantte het pistool in Lars' hand, keek hoe het moest liggen, vanuit het zelfmoordschot van Lars Vinge geredeneerd. Hij liet de handboeien in Lars' slaapkamer liggen. De forensisch onderzoekers zouden kleine, bijna onzichtbare schaafwonden op zijn polsen vinden en een paar handboeien in de slaapkamer zouden hun gedachten sturen naar waar iedereen aan denkt die handboeien in de slaapkamer ziet.

Hurkend bij Gunilla's stoffelijk overschot doorzocht hij haar handtas, keek of er iets in zat wat ook maar in de verte met de zaak of het onderzoek te maken had. Maar hij wist dat ze nooit iets dergelijks bij zich zou hebben, dat ze even voorzichtig was als hijzelf.

Hij had contact met haar opgenomen nadat hij het materiaal had doorgenomen dat hij op het Mariatorget van Lars had gekregen. Hij had er geen ophef van gemaakt, alleen gezegd dat hij wist waar zij en Erik mee bezig waren geweest en dat hij ook een aandeel wilde. Omdat ze hem kende, had ze alleen maar kalmpjes gevraagd hoeveel. Eriks helft is toch wel genoeg? 'Oké,' had hij geantwoord.

Nadat de zelfingenomen Lars Vinge haar op de begrafenis had verteld dat hij haar broer had laten sterven, had ze als punt aan het contract toegevoegd dat zij wilde bepalen hoe Lars zou sterven. Dat was geen probleem geweest. Het had hem veel verdriet gedaan haar dood te schieten. Verdriet, omdat hij zich verbonden voelde met Gunilla. Maar het kon niet anders. Tommy kende Gunilla goed genoeg om te weten dat ze zijn deel op een later moment terug zou willen hebben, zo was ze gewoon. Hij zou voortdurend op zijn hoede moeten zijn. Maar de belangrijkste reden was dat hij de bedragen had gezien in de papieren die hij van Lars had gekregen. Toen besefte hij iets waar hij niet omheen kon. Zijn vrouw Monica. Geld redt levens... Hiermee zou hij misschien medische zorg voor haar kunnen kopen, haar leven verlengen en haar ALS misschien genezen. Dan was er ook nog een derde aspect – onbeduidend, maar niet heus. Een vaag gevoel dat hij herleidde tot twee-biertjes-in-de-koelkast-als-je-dronken-wilde-worden. Het gevoel dat het te weinig was. Dan stopte hij nog liever met het hele gedoe. Alles of niets. En toen hij op het Mariatorget de sporttas van Lars Vinge had gekregen en het materiaal diezelfde avond thuis bekeek, zag hij een overschot. Een overschot waar hij zo bij kon. In die seconde had hij de route duidelijk voor zich gezien. Kristalhelder.

Eva Castroneves was in Liechtenstein geweest. Daar wachtte ze op het geld van Guzman, waar ze zich om zou bekommeren. Maar toen die onderneming mislukt was, had ze een andere taak gekregen. Na een gesprek met Gunilla had ze geld overgemaakt naar de rekening van een stroman, waar Tommy naar hartenlust gebruik van kon maken. Nu zou Tommy contact opnemen met Castroneves en tegen haar zeggen dat ze ook Gunilla's geld naar hem moest overmaken en dat ze er zelf tien procent van mocht houden. Als ze moeilijk deed, zou hij Interpol inschakelen, die haar tot het eind van de wereld zou opjagen. Hij had een hele sporttas vol bewijsstukken waarin haar naam regelmatig opdook. Eva Castroneves zou geen tegenstand bieden, daar was hij van overtuigd.

Tommy liep een rondje door het appartement van Lars Vinge en controleerde nog eens of er niets meer lag wat met de zaak te maken had. Er lag nergens iets, het was hier schoon. Hij ging bij zichzelf na wat allemaal belangrijk kon zijn voor de forensisch onderzoekers. Hij wist hoe ze werkten, ze waren af en toe verrekte goed in het trekken van de juiste conclusies.

Toen Tommy zich zeker voelde, verliet hij Lars en Gunilla en daalde af naar straatniveau, sprong in zijn Buick Skylark GS, startte en liet het geluid van de gespannen V8 tussen de gevels dreunen. Hij zette zijn rechtervoet op de rem en trok de versnellingspook naar D. De rijk afgestelde motor liet de hele auto schudden toen hij eenmaal in de versnelling zat. Hij reed weg, naar huis, naar Monica en de meiden. Vanavond zouden ze barbecueën op het terras. Hij zou over de schutting van het rijtjeshuis knikken naar de buren, Krister en Agneta. Hij zou een grappige opmerking maken tegen Krister, die zou lachen, dat deed hij altijd. Daarna zou Tommy Vanessa haar Engels overhoren, daar had ze een taak voor in de vakantie. Ze zou hem plagen met zijn uitspraak, hij zou zijn Zwengels nog zwaarder aanzetten en daar zouden ze lol om hebben. Emilie zou achter de computer blijven zitten. Hij zou tegen haar zeggen dat ze moest uitloggen. Ze zou een poosje mokken, maar dat ging wel weer over. Na een poosje tv-kijken zou Monica een potje backgammon voorstellen en koffie op het terras met zijn tweeën met een stukje van die cakerol waar ze allebei aan verslingerd waren. Monica zou het spelletje winnen. Ze zouden naar bed gaan en nog wat lezen, hij een autotijdschrift, zij iets van Jean M. Auel. Voordat ze het licht uitdeden, zou hij over haar wang aaien en zeggen dat hij van haar hield en zij zou iets liefs terugzeggen, sterk in haar altijd aanwezige ziekte... Zo ongeveer. Alles zou nog een poosje gewoon blijven. Totdat hij in actie zou komen en zijn vrouw van haar langzame verstikking zou redden.

Tommy wrong zich door het verkeer van Stockholm met zijn Buick.

Hij rekende in zijn hoofd uit hoe rijk hij indirect was. Hij kwam uit op een bedrag van zes nullen met twee cijfers ervoor. Twee betrekkelijk hoge cijfers. Dat was veel voor een jongen die eind jaren vijftig geboren was in de wijk Johanneshov, die stiekem Robin Hoodsigaretten had gerookt, naar Jerry Williams had geluisterd en Het Fantoom en Biggles geweldig had gevonden.

*

Ze neuriede zacht voor hem, waste hem, kamde zijn haar en trok hem elke dag schone kleren aan. Ze las hem voor uit het boek waarin hij voor het ongeluk aan het lezen was geweest. Ze had het naast zijn bed gevonden met een bladwijzer erin.

De deur naar Alberts ziekenkamer stond op een kier. Jens bleef staan en keek naar binnen. De aanblik van de moeder naast haar bewusteloze zoon was elke keer weer even triest. Hij had een spel kaarten in zijn hand dat hij beneden in de kiosk had gekocht, hij had bedacht dat Sophie en hij een potje konden kaarten om de tijd te doden. Maar nu hij hier stond, was het net of er een muur voor hem was opgetrokken, een onzichtbare muur die het hem onmogelijk maakte om de kamer binnen te gaan. Die het hem onmogelijk maakte om deel uit te maken van haar en Alberts leven. Die het hem onmogelijk maakte om zijn angsten voor eens en voor altijd te trotseren en de warmte binnen te stappen.

Ze zat te lezen, ze schoof een lok uit haar gezicht. Ze was zo mooi wanneer ze niet wist dat er iemand naar haar keek...

Jens draaide zich om en liep weg over de gang.

*

De sfeer was gedempt en gespannen. De mannen piekerden. Ze zaten in dezelfde kamer als altijd, de vergaderkamer, Björn Gunnarssons persoonlijke rookhok. Björn Gunnarsson, Tommy's baas, nam een flinke hijs van zijn pijp voordat hij de doodse stilte doorbrak: 'Wat weten we, Tommy?'

Tommy had onderuitgezakt op zijn stoel gezeten, met zijn blik op het tafelblad. Een paar seconden lang hield hij zijn ogen op een onzichtbaar punt gevestigd voordat hij opkeek.

'Lars Vinge was labiel. Gunilla was bang voor hem. Dat had ze me tussen neus en lippen door verteld. Op dat moment schonk ik daar niet veel aandacht aan. Maar hij was kennelijk eigenwijs en voelde zich te goed voor de taken die hij toebedeeld kreeg. Hij belde haar, stuurde mailtjes, was agressief en dreigend. Bovendien zijn zijn moeder en zijn vriendin onlangs kort na elkaar overleden. Dat lijkt hem nog verder uit zijn evenwicht te hebben gebracht...'

Gunnarsson luisterde en rookte. Tommy ging verder.

'Vinge was naar een afkickcentrum gegaan, waar hij na enkele dagen al wegliep. We hebben een geregistreerd telefoontje van hem naar Gunilla op de avond van zijn thuiskomst. Misschien belde hij haar om hulp te vragen, ik weet het niet. Hoe dan ook, kennelijk is ze de ochtend daarop naar zijn huis gegaan. Hij heeft haar doodgeschoten en daarna de hand aan zichzelf geslagen. Alles wijst erop dat hij dat heeft gedaan onder invloed van sterke medicijnen...'

'Wat voor medicijnen?'

'Zware medicijnen die je alleen op recept kunt krijgen... Hij was high, hij was eraan verslaafd. Hij had kennelijk een geschiedenis op dat gebied. Ik weet er niet zo veel van, maar volgens Gunilla was het weer geëscaleerd en niet meer in de hand te houden. Dat kan met zijn moeder en zijn vriendin te maken hebben gehad.'

'En de onderzoeken?' Gunnarsson lurkte aan zijn pijp.

Tommy veegde onzichtbare slaap uit zijn oog.

'Op dit punt wordt het wat eigenaardig. Op bureau Brahegatan lag vrijwel niets. Alleen een paar observatieverslagen, een paar foto's en ander onderzoeksmateriaal.'

'Hoe komt dat?'

Tommy wachtte even en keek op.

'Ik weet het niet.'

'Wat denk je?'

Tommy leek gespannen, alsof wat hij ging zeggen hem fysiek pijn deed.

'Nou?' vroeg Gunnarsson met de tabakspijp stevig tussen zijn tanden.

'Misschien hadden Gunilla en Erik niets, misschien waren ze nog nergens... In elk geval niet zo ver als ze wilde doen blijken.'

Dat laatste zei hij op een verontschuldigende toon, alsof het hem tegen de borst stuitte om kwaad te spreken van de doden.

'Waarom denk je dat?' Gunnarssons stem was hees.

'Je weet dat zij met deze werkwijze bij ons is gekomen. We hebben het klakkeloos geslikt en haar carte blanche gegeven. Misschien schaamde ze zich toen het niet ging zoals ze had gehoopt. Of ze wilde ook in het vervolg financiële ondersteuning krijgen en wist dat dat er niet in zat als ze geen vorderingen kon laten zien.'

Tommy haalde zijn schouders op. 'Maar dat weet ik niet,' zei hij.

Gunnarsson zuchtte diep. Hij klopte de pijp uit boven zijn handpalm en gooide de gebruikte tabak in de prullenmand naast zich.

'En de moorden in restaurant Trasten?' vroeg hij.

'Daar werkt Antonia Miller aan. Ik heb haar alles gegeven wat ik van Gunilla had, het weinige wat er was dus. We mogen hopen dat het technisch onderzoek ons daar verder helpt.'

'En die Guzman is gevlucht?'

'Ja. Hij wordt via alle kanalen gezocht. Zijn vader is in zijn woning in Marbella vermoord, ongeveer gelijktijdig met de schietpartij in restaurant Trasten. Kennelijk strekt deze afrekening zich verder uit dan we dachten.'

Björn Gunnarsson fronste zijn voorhoofd.

'En Hans Berglund?'

'Weg,' zei Tommy.

'Waarom?'

Tommy schudde zijn hoofd.

'Weet ik niet. Hij had al het nodige op zijn kerfstok toen hij door Gunilla werd aangesteld. Hij zal hem wel gesmeerd zijn.'

Het werd even stil.

'Waar is hij dan?'

Tommy schudde zijn hoofd.

'Geen idee.'

'En Ask? Wat deed Anders Ask in deze onderneming, verdomme?'

Tommy wachtte weer even voordat hij antwoord gaf.

'Dat heb ik Gunilla gevraagd toen ik hem in Trasten zag. Ze zei dat hij had geholpen met bepaalde observatietaken. Dat ze het korps niet wilde belasten.'

Gunnarsson keek op.

'Heeft ze dat zo gezegd, *het korps belasten*?'

Tommy knikte.

'Waarom heeft Ask dan zelfmoord gepleegd?' vroeg Gunnarsson.

'Waarom plegen mensen zelfmoord? Ik weet het niet, maar hij is niet de eerste collega die zichzelf tekortdoet. Je kent zijn verleden. Niemand wilde met hem samenwerken of ook maar iets met hem te maken hebben na het debacle bij de veiligheidsdienst. Hij was besmet, uitgediend, eenzaam... Hij zal wel gewoon uitgeput geweest zijn, denk ik.'

Tommy zag de man tegenover hem kort knikken. Uitgeput was een verschijnsel waar Gunnarsson goed bekend mee was.

Gunnarsson ademde diep in.

'Zijn er niet ongebruikelijk veel vraagtekens in deze zaak, Tommy?'

Tommy wachtte even.

'Dat wel...'

Langer werd het antwoord niet. Van beneden klonken verkeersge-luiden. Ze zaten in het politiebureau van Kungsholmen. Björn Gun-narsson stopte nog een pijp en zuchtte uit gewoonte.

'Hoe gaan we hiermee om?'

'We kunnen er niet zoveel mee. Het is een tragedie, Björn. Het werk van een gek en die gek heet Lars Vinge, *end of story*. Wat betreft Gu-nilla's onderzoek van de zaak-Guzman, dat zetten we voort met de informatie die we hebben. Hetzelfde geldt voor de zaak-Trasten.'

Gunnarsson hield de lucifers paraat en met de pijp klikklakkend tussen zijn tanden zei hij amechtig: 'We moeten waarschijnlijk de hand in eigen boezem steken wat een deel van deze tragische geschie-denis betreft. Gunilla wilde zonder supervisie werken, dat hebben we goed gevonden. We hebben haar de kans gegeven om te mislukken. Als zij van haar kant niet de stoere meid had willen uithangen en ons om hulp had gevraagd toen ze besefte dat ze niet verder kwam, dan was het misschien heel anders gelopen.'

Tommy had zijn chef wel door. Gunnarsson zat hem behoorlijk te knijpen. Hij was doodsbang dat hij de verantwoordelijkheid voor deze chaos op zich zou moeten nemen. Tommy had hem precies waar hij hem hebben wilde.

'Ik regel dit wel, Björn. Ik zorg dat het goed komt.'

Gunnarsson stak weer de brand in zijn rokerij en nam een paar fikse trekken. De rook was bijna blauw. Hij keek Tommy onderzoekend aan terwijl hij de nicotine door zijn tong en wangen liet opnemen.

'Gunilla en Erik waren goede vrienden van ons, Tommy. Ze hadden een goede reputatie. Ik wil dat de herinnering aan hen zo blijft.'

Tommy knikte.

# Epiloog

*Augustus*

Ze hielp Albert uit de auto in de rolstoel. Ze wist dat hij dat vreselijk vond. Het dagelijkse leven had zo veel momenten die hij vernederend vond. Maar hij was dapper, toonde zich nooit zwak of moedeloos. Soms vond ze dat beangstigend, ze was bang dat hij zijn verdriet opkropte.

Maar hij had die olijke blik in zijn ogen, die ze had gezien toen hij twee weken geleden in het ziekenhuis wakker was geworden. Het had al haar ongerustheid verjaagd, het was haar Albert die wakker werd, het was haar Albert die vragen stelde, die boos werd toen hij begreep hoe zijn leven er nu uitzag, die na twee dagen begon te huilen en na vier dagen voor het eerst grapjes met haar maakte. Toen was het haar beurt om verdriet te hebben. Vervolgens wilde hij dingen weten. Ze vertelde wat er allemaal was gebeurd vanaf het moment dat ze Hector in het ziekenhuis had ontmoet, over Gunilla en haar bedreigingen, totdat ze naar Spanje was gevlucht. Hij luisterde en probeerde het te begrijpen.

Tom en Yvonne waren lastig. Ze stonden naast het portier en wilden helpen. Ze stonden in de weg en ze vroeg of ze binnen wilden wachten.

Zondagmiddag, daar zaten ze weer, Jane en Jesus, Tom en haar moeder, Albert en zij. Yvonne was vrolijk en uitgelaten, Tom ook. De hond Rat blafte, Jane en Jesus waren stil en teruggetrokken. De terrasdeuren stonden open, de tafel was prachtig gedekt en de warme avond kwam de eetzaal binnen. Alles was zoals het moest zijn... bijna.

Ze keek naar de vrienden en familieleden rond de tafel. Albert las sms'jes met zijn mobiel op schoot, Yvonne knikte druk om iets was Jesus net had verteld. En Tom – hij voelde dat ze naar hem keek – glimlachte naar haar. En dan Jane – Jane die zonder ergens vraagtekens bij te zetten een enorme kracht en stabiliteit aan de dag had gelegd. Ze had het heft in handen genomen. Dat deed ze wanneer er iets ernstigs gebeurde. Dan was ze geen warhoofd meer, maar een toonbeeld van rust en nam de leiding waar andere mensen de grip verloren of stukliepen. Jane was een rots in de branding, dat wisten maar weinig mensen.

Ze keek weer naar Albert. Er klonk een pling van een binnengekomen sms'je, hij las het en antwoordde met zijn duim.

En toen keek ze voor het eerst sinds lange tijd naar zichzelf. Ergens zag ze een lichtje, een flikkerend lichtje dat ze herkende. Het brandde niet, het verblindde haar niet, het was een warm, wiegend gevoel dat iets over haar vertelde wat ze vergeten was. Een gevoel dat aanduidde dat ze haar angst, haar zelfgekozen isolement achter zich kon laten, dat ze groter was dan ze had durven zien. Dat ze de angst niet hoefde te begrijpen om er vanaf te komen, dat ze er in stilte gewoon rustig bij weg kon lopen, hem verlaten, vaarwel zeggen. Dit was niet de conclusie van een gedachtegang waarbij ze dingen onder woorden had gebracht. Het was kristalhelder. Ze veranderde, werd een andere persoon. Die verandering had stapje voor stapje plaatsgevonden. Ze begreep dat ze haar tegenstand had opgegeven. Alles veranderde, overal in het hele universum dag en nacht in alle eeuwigheid. Verandering, daar kon niets of niemand iets tegen doen, zij ook niet. Ze voelde zich boos, warm, gepassioneerd, leeg en doelbewust tegelijk. En dat voelde volkomen logisch.

Sophie keek naar Albert, die haar blik ontmoette. Hij glimlachte breed en eerlijk naar haar. Ze vroeg zich af waarom, totdat ze begreep dat ze zelf glimlachte.

In de schemering reden ze naar huis. Ook al was het nog warm, toch voelde het als een ander seizoen, een seizoen waarin het eerder donker werd. Een seizoen waarin de groene blaadjes van de bomen zwaar aan dunne takken hingen en niet veel puf meer hadden om zich vast te houden vlak voor de zichtbare verandering, vlak voordat de bladeren vielen.

Ze parkeerden voor het huis en herhaalden de procedure, uit de auto, in de rolstoel, de helling naar de voordeur op. Hij wilde alles zelf doen. In huis kon hij zich vrij bewegen, want alle drempels waren weg en in het trappenhuis was een lift geïnstalleerd.

Sophie sloot overal in huis de deuren af met de extra sloten die ze had laten installeren, ze activeerde het alarm in de kamers waar ze niet waren.

Albert sliep al toen Aron belde. Hij vertelde wat er in de wereld om hen heen gebeurde, stelde vragen en hield haar op de hoogte. Ze luisterde en praatte met hem, argumenteerde en probeerde de beste oplossingen te verzinnen voor de kwesties die hij aandroeg. Ze vroeg of er iets was veranderd in Hectors toestand, dat was niet het geval. Hij lag nog steeds aan de apparatuur die hem in leven hield.

Ze zette thee, dronk die in haar eentje en maakte zichzelf verwijten. Dat zou ze blijven doen, ze kwam nooit van haar schuldgevoel af. Was Jens er maar, dacht ze. Maar hij was weg, verdwenen. Ze had een sms'je gekregen. Iets van: 'Ik moet een poosje weg.' *Moeten* dacht ze. Ik moet ook wel eens wat. Iedereen moet dingen.

Intussen zorgde ze voor Albert en was continu op haar hoede. Zo zag haar leven eruit.

Acht uur later werd ze wakker en ontbeet op de veranda. Het stortregende. Ze zat in de beschutting van het balkon boven haar thee te drinken en te luisteren naar het hemelwater. Sophie hoorde het geluid van banden op het grind aan de andere kant van het huis en van naderende voetstappen. Toen er bij de voordeur werd aangebeld stond ze op en leunde aan de korte kant van de veranda naar voren.

'Ik zit hier!'

Er kwam een vrouw van haar eigen leeftijd of misschien een paar jaar jonger de hoek om. De vrouw was vrij lang en had donker haar; ze droeg een strakke spijkerbroek en hoge laarzen. Meer bijouterie dan klassieke sieraden, zag Sophie toen de vrouw begon te rennen vanwege de regen.

'Gatsie!' lachte ze toen ze de treden naar de veranda opliep en met haar handpalm de regen van haar kleren veegde.

'Wat een bui, zeg! Antonia Miller, recherche,' zei ze en ze stak haar natte hand uit.

'Sophie Brinkmann,' zei Sophie.

'Stoor ik?'

'Nee hoor, neem plaats, ik zit te ontbijten.'

Sophie en Antonia zaten op de veranda, Sophie bood thee aan en dat wilde Antonia wel.

'Je woont hier mooi,' zei ze.

Ze leek te menen wat ze zei.

'Dank je,' zei Sophie. 'Het bevalt ons hier goed.'

Sophie zag dat Antonia zich afvroeg wie ze met 'ons' bedoelde.

'Ik woon hier met mijn zoon, ik ben al jaren weduwe.'

Antonia knikte.

'Ik begrijp het, ik ben zelf niet getrouwd en woon in een tweekamer-flat in de stad... op het zuiden. Van de zomer heb ik me elke ochtend bij het wakker worden afgevraagd waarom ik in een sauna woon.'

Antonia pakte een snee brood uit het broodmandje, nam een hap en keek naar de bloemen en de bomen.

'Hier zou ik wel willen wonen.'

Sophie wachtte en dat zag Antonia.

'Sorry... Ik leid een onderzoek, een moordonderzoek. De drievou-dige moord in Vastastan, bij Trasten, daar heb je vast wel over gele-zen?'

Sophie knikte.

'Het is een rommeltje... En het schiet niet erg op. Steeds kleine stap-jes, zo is mijn werk.'

Antonia dronk een slok uit het theekopje en zette het neer.

'Zoals je vast ook wel hebt gelezen, heeft er zich nog een moord voorgedaan tijdens een tragische ontmoeting van twee rechercheurs.'

De regen murmelde buiten het terras.

'Ja, ik weet het. En nu is mijn naam ergens opgedoken en ben je hier om vragen te stellen.'

'Ja,' zei Antonia.

'Ik ben bang dat ik je weinig kan vertellen. Maar ik zal je zo goed mogelijk helpen.'

Antonia haalde haar notitieboekje uit haar jaszak en sloeg een schone bladzijde op. Antonia Miller had iets ongecompliceerds. Ze was opgewekt en had een eerlijke oogopslag. Sophie mocht haar en dat vond ze eng.

'Kennelijk had het onderzoek van Gunilla Strandberg niets opgeleverd. Ze heeft heel weinig onderzoeksmateriaal achtergelaten... Maar in dat materiaal is onder andere jouw naam opgedoken.'

Antonia keek haar aan en vroeg toen: 'Hoe zijn jullie met elkaar in contact gekomen?'

'Ze kwam me opzoeken in het ziekenhuis waar ik werk, het Danderydsziekenhuis. Ze vertelde dat ze onderzoek deed naar een zekere Hector Guzman, die op mijn afdeling lag. Hij had een been gebroken bij een verkeersongeluk. Dat was eind mei, begin juni...'

Antonia luisterde.

'Gunilla stelde me vragen over hem, meer was het niet.'

'Kende je Hector?'

'Ik leerde hem kennen toen hij opgenomen was. Dat gaat soms zo met patiënten, je krijgt een band met hen. We krijgen steevast te horen dat dat niet mag... maar dat is gemakkelijker gezegd dan gedaan.'

Antonia schreef iets in haar notitieboekje.

'En verder?'

'Ze heeft me een paar keer gebeld en vragen gesteld waar ik geen antwoord op had. Hector werd ontslagen en bood me een lunch aan.'

Sophie leunde naar voren en dronk haar theekopje leeg.

'Een lunch?'

Sophie knikte.

'Ja...'

Antonia verzonk in gedachten.

'Hoe was hij?'

Sophie liet haar blik op Antonia rusten.

'Ik weet het niet, aardig, beleefd... bijna charmant.'

Antonia schreef in haar boekje.

'En Leif Rydbäck?' zei ze plotseling zonder op te kijken.

'Sorry?'

'Leif Arne Rydbäck, zegt die naam je iets?'

Sophie schudde haar hoofd.

'Nee, wie is dat?'

Antonia keek naar Sophie en schreef iets in haar boekje.

'We troffen drie vermoorde mannen aan in restaurant Trasten en toen we de boel daar doorzochten ook nog een vierde, die al eerder gestorven was. Onlangs werd zijn identiteit vastgesteld, Leif Rydbäck.'

'O... Nee, die naam heb ik nog nooit gehoord,' zei Sophie.

'En Lars Vinge?'

Sophie schudde haar hoofd.

'Nee, die naam ken ik ook niet. Wie is dat?'

Antonia gaf niet meteen antwoord.

'Lars Vinge was de politieman die Gunilla Strandberg heeft vermoord, ook al staat dat officieel nog niet vast.'

Antonia ging door met vragen stellen. Een groot aantal onbenullige en onschuldige vraagjes. Antonia Miller wist niets, ze had geen enkele basis. Ze wist niet wie er aan de zaak hadden gewerkt. Ze wist niets van Hector, ze wist eigenlijk nergens iets van... Ze wilde het zo graag weten, zich zo graag een beeld vormen. Dat hoorde Sophie aan haar stem, ze zag het aan haar geforceerd terughoudende optreden.

Sophie schudde haar hoofd bij al Antonia's vragen, als de onschuldige verpleegkundige die nergens iets van wist.

Ze werden onderbroken doordat Albert de veranda op kwam. De gebruinde jongen in zijn rolstoel bracht rechercheur Miller even uit haar evenwicht.

'Hallo. Ik ben Antonia,' zei ze iets te vrolijk en ze stond op om Albert een hand te geven.

'Albert,' zei Albert.

Sophie sloeg een arm om hem heen.

'Dit is mijn zoon, nog een week en dan zit zijn zomervakantie erop. Ik heb tegen hem gezegd dat het tijd wordt om weer in een normaal dagritme te komen, maar daar trekt hij zich niets van aan.'

En ze gaf hem een zoen op zijn hoofd.